Len Deighton

Goodbye für einen Helden

Roman

Knaur ®

Len Deighton wurde 1929 in London geboren. Gleich sein erstes Buch (1962) wurde ein spektakulärer Erfolg. Drei seiner früheren Romane wurden mit Weltstar Michael Caine in der Hauptrolle verfilmt. Len Deighton lebt heute in Irland.

Vollständige Taschenbuchausgabe 1988
Droemersche Verlagsanstalt Th. Knaur Nachf., München
Lizenzausgabe mit freundlicher Genehmigung des
Paul Neff Verlags, Wien.
Titel der Originalausgabe »Goodbye Mickey Mouse«
© 1982 by Len Deighton
Aus dem Amerikanischen übersetzt von Ingo Angres
© 1986 by Paul Neff Verlag KG, Wien
Umschlaggestaltung Manfred Waller
Umschlagfoto Sammlung Menningen
Gesamtherstellung Elsnerdruck, Berlin
Printed in Germany   5   4   3   2
ISBN 3-426-01560-9

Ein jeglicher tötet, was er liebt,
einem jeglichen sei's zu Gehör gebracht.
Der eine tötet mit bitt'rem Blick,
ein andrer mit dem schmeichlerischen Wort.
Der Feigling tötet mit einem Kuß,
der Tapf're mit dem Schwert.

OSCAR WILDE
Die Ballade vom Zuchthaus zu Reading

MICKEY MOUSE

bezeichnet im amerikanischen Militärjargon
alles Überflüssige und Nebensächliche
(entlehnt der Zeichentrickfigur
Walt Disneys und deren Charakteristika:
kindliche Anmut, Unkompliziertheit,
Trivialität usw.)

The Barnhart Dictionary of New English

Prolog – 1982

Mit fast pietätvoll zu nennender Langsamkeit krochen drei Busse über die schmalen, gewundenen Landstraßen. Der Himmel war schwarz und wolkenverhangen. Von Reklametafeln, Fernsehantennen und Verkehrsschildern verunzierte Wiesen, eigentlich jedoch hübsche Dörfer, Obstgärten und kleine Wasserläufe zogen unter den Augen der Passagiere vorbei. In den langen Wintermonaten hatte die Natur ihre Farben verloren.

An einem großen, unschönen Feld machten die Busse halt. Rostende Metallgerippe alter Nissenhütten und verfallene Steinbauten entstellten die Landschaft. Einem gigantischen, unheilverkündenden Symbol gleich war quer über das Feld ein Betonkreuz in den Boden gegossen worden. Vereinzelt war zu erkennen, daß man eifrig bestrebt gewesen war, diese Verschandelung zu beseitigen: es war jedoch lediglich gelungen, winzige Brocken aus diesem mächtigen Kreuz herauszubrechen.

Vorsichtig stiegen die Passagiere in den eisigen Wind, der über die flache Feldmark von East Anglia fegte, hinaus. Bis zum Kinn in ihre Jacken gehüllt, duckten sich die Passagiere unter dem Anprall der Witterung: streckten eine Hand aus, um die Luft auf Regen zu prüfen; formierten sich zu kleinen, schweigenden Gruppen und wanderten bedrückt zwischen den verfallenen Gebäuden umher.

Es waren Amerikaner. Man trug hellfarbene Anoraks und Hüte mit Schottenmuster, Fotoapparate und Einkaufstaschen; niemand steckte in jenen dicken Pullovern und schweren Überjacken, die zu Beginn des Jahres im rauhen

Klima Englands so dringend erforderlich sind. Manche waren weißhaarig, andere begannen kahl zu werden; man sah rosige Gesichter, aber auch graue. Etliche Passagiere waren beleibt, andere wirkten hinfällig und gebrechlich. Von ein paar jüngeren Verwandten abgesehen, befanden sich alle in jenem vorgerückten Lebensabschnitt, den man optimistischerweise »das mittlere Alter« nennt.

Das nervöse Herumalbern und gezwungene Lachen der Männer ließen die hinter ihrem Gehabe stehende angespannte Beklemmung spürbar werden. Die Frauen sahen verständnisvoll zu, wie ihre Männer wie wild im Arbeitsraum eines hallenden alten Hangars herumsuchten; die Ausmaße einer längst verschwundenen Baracke abschritten; in dunklen Ecken herumschnüffelten oder den Dreck von blinden Fensterscheiben wischten, hinter denen sie bloß altes landwirtschaftliches Gerät entdeckten. Sie hatten lange gewartet und sauer verdientes Geld bezahlt; waren von weither gekommen, um jenen Mann zu finden, nach dem sie suchten. Manchmal war es notwendig gewesen, zwecks Identifizierung ein altes Foto zu Rate zu ziehen. Bei anderer Gelegenheit achteten sie auf halbvergessene Stimmen. Als sich die Gruppe jedoch langsam beruhigte und sich der Kälte wegen wieder in die warmen Busse zurückzog, wurde klar, daß niemand jenen Mann entdeckt hatte, an den sich alle so deutlich erinnerten.

Ein Paar hatte sich von den anderen abgesondert. Sich wie Liebesleute bei der Hand haltend, folgte es einer schlaglöcherigen Asphaltstraße, die sich ringförmig um das riesige Feld herumzog und die Ausläufer der kreuzförmigen Rollfelder berührte. Der Mann und die Frau unterhielten sich, während sie zur Abkürzung einen Feldweg einschlugen. Sie lösten sich von Brombeerranken, stiegen über Kuhfladen hinweg und pflückten ein wildes Veilchen, um es zwischen den Blättern des Tagebuches zu pressen und zur Erinnerung mit nach Hause zu nehmen. Die beiden sprachen vom Wetter, über die Ernte und die Farben der Landschaft. Sie redeten über alles und jedes; nur von dem, was beide zutiefst bewegte, ging mit keinem Wort die Rede.

»Sieh dir doch mal die Kirschblüte an«, sagte Victoria, die sich selbst nach dreißig Jahren San Francisco ihren englischen Akzent bewahrt hatte. Vor dem Tor zur Obstwiese, das einst die Grenze zwischen Hobdays Farm und dem Flugfeld markiert hatte, blieben die beiden stehen.

»Warum ist Jamie denn im Bus geblieben?« fragte der Mann. Er rüttelte am Tor. »Interessiert es ihn nicht zu sehen, von wo aus sein Vater gegen den Feind flog?«

Victoria umarmte ihn. »Du bist sein Vater«, sagte sie, »erzähl es mir.«

1.

Oberst Alexander J. Bohnen

Von Oberst Alexander J. Bohnens geräumigem Büro aus hatte man eine gute Sicht über Grosvenor Square. Das Mobiliar bestand aus einer merkwürdigen Anhäufung von Einzelstücken: die beiden klobigen Armsessel aus dem Lagerraum der Amerikanischen Botschaft rochen nach Mottenkugeln, der lange, schmale Schreibtisch stand voller Karteikästen und trug die Insignien des britischen Arbeitsministeriums. Den antiken Teppich und eine Sheraton-Porzellanvitrine rettete man nach einem Luftangriff aus den Trümmern; Bohnen hatte beides für wenig Geld bei einem Londoner Auktionator erstanden. Nur die sechs Klappstühle, die ordentlich gestapelt hinter der Tür standen, waren amerikanischen Ursprungs. Man schrieb Dezember 1943, und London befand sich mitten im Krieg.

Über den kahlen Bäumen, die den Platz säumten, hingen dunkle Wolken. Der matte, grausilbrige Fesselballon trug eine weiße Kappe, auf dem Gras lag frischgefallener dünner Schnee. An anderer Stelle jedoch fielen die Schneeflocken in den Matsch. Die Hütte, die die Bedienungsmannschaft des Fesselballons beherbergte, glänzte vor Nässe. Windstöße verwirbelten den Schornsteinrauch, trieben fallenden Schnee vor sich her. Ausnahmsweise einmal keine Flugzeuggeräusche. Deutsche Luftangriffe waren heute kaum mehr zu befürchten; die Natur selbst bot Hindernis genug.

Der amerikanische Luftwaffenoberst Bohnen war ein hochgewachsener Mann von Anfang Vierzig. Seine Uniform war maßgearbeitet. Gegen das Altern hatte er sein Aussehen durch täglich praktizierte körperliche Ertüchtigung sowie durch Mitwirkung teurer Zahnärzte, Haarkünstler, Masseure und Schneider gewappnet. Sein Taillenumfang war noch der gleiche wie zu seiner Collegezeit. Das unverändert wellige Haar begann erst leicht zu ergrauen. Man hätte ihn für einen Berufssportler halten können.

Der Besucher war ein ältlicher amerikanischer Zivilist, ein nüchtern gekleideter Mann mit grauem Haar und randloser Brille. Er war älter als Bohnen sowie dessen Freund und Geschäftspartner. Vor zwanzig Jahren war er Mitinhaber einer kleinen Fluglinie gewesen; Bohnen, gelernter Ingenieur mit guten Bankkontakten. Die Art ihrer Beziehungen gestattete es ihm, Bohnen mit derselben sardonischen Belustigung zu behandeln wie vor zwanzig Jahren, als er den überheblichen jungen Mann, der hinter seiner Sekretärin hergewesen war, begrüßt hatte. »Ich bin überrascht, Alex, daß Sie sich mit dem Obristenrang zufriedengeben. Ich dachte, Sie wären, als man Sie bat, den Rock anzuziehen, auf einen Generalsstern aus.«

Wohl wissend, daß der andere scherzte, antwortete Bohnen doch ernsthaft: »Es war eine Frage meines *persönlichen Beitrags*. Der Dienstgrad besagt überhaupt nichts. Ich hätte mich auch mit Unteroffizierstressen zufriedengegeben.«

»So war all das Gewese um den erhofften Generalsstern jederzeit nichts als bloßes Gerede, wie?«

Bohnen schwang abrupt herum. Sein Besucher hielt, ehe er nach Verschwörerart ein Auge zukniff, seinem Blick ein Weilchen stand. »Sie wären überrascht, Alex, wenn Sie wüßten, was man so alles hört, wenn man auf leisen Sohlen durch die Botschaft schleicht.«

»War gestern abend jemand von meinen Bekannten dabei?«

Der alte Mann lächelte. Bohnen war immer noch das strahlende junge Genie, das er schon lange kannte: ehrgeizig, eifrig, geistreich, wagemutig, aufsteigend; stets auf dem Weg nach oben. »Bloß Karrierebeamte aus dem Außenministerium, Alex. Leute der Art, die Sie zum Dinner einladen, waren nicht dabei.«

Bohnen fragte sich, wieviel der andere wohl über die

exzellenten Dinnerpartys gehört hatte, die er hier in London gab. Es erschienen nur sorgfältig ausgewählte Gäste. Die Gastgeberin war eine veritable Lady, deren Mann in der Kriegsmarine diente. Ihr Name und der seine durften auf gar keinen Fall miteinander in Verbindung gebracht werden. »Ich stecke so tief in der Arbeit, daß mir zu gesellschaftlichem Verkehr kaum Zeit bleibt«, sagte Bohnen.

Der Mann lächelte und sagte: »Nehmen Sie den Dienst nicht zu ernst, Alex. Fangen Sie gar nicht erst an, die Feldzüge Napoleons aufzuarbeiten, Thukydides zu übersetzen oder etwa hier im Büro auf dieselbe Art Gewehrübungen zu machen, wie Sie damals Golf übten, um mich bloßzustellen.«

»Hier laufen zu viele Geschäftsleute in Khaki rum, bloß weil das 'ne Modefarbe geworden ist«, sagte Bohnen. »Wir sind im Krieg. Wenn einer zu den Fahnen eilt, dann sollte er sich darauf einrichten, daß er alles zu geben hat. Ich meine das ernst.«

»Davon bin ich überzeugt.« Hinter Bohnens Liebenswürdigkeit steckte eiserne Härte. Der alte Mann bedauerte jeden von Bohnens militärischen Untergebenen, die zögerten, »alles« aufzugeben. »Nun, ich bin sicher, daß Ihr Jamie vor Neid erblaßt, wenn er hört, daß Sie noch vor ihm nach Europa gekommen sind. Oder ist er auch hier?«

»Jamie ist in Kalifornien. Fluglehrer haben eine lebenswichtige Aufgabe. Vielleicht sagt ihm das nicht zu, aber genau das habe ich eben gemeint – beim Militär muß halt jeder Dinge tun, die ihm nicht gefallen.«

»Seine Mutter glaubt, Sie hätten dafür gesorgt, daß er als Fluglehrer eingesetzt wird.«

Bohnen drehte sich um und blickte aus dem Fenster. »So weit reichen meine Kompetenzen nun auch wieder nicht«, sagte Bohnen unbestimmt.

»Verstehen Sie mich nicht falsch – Mollie ist Ihnen deswegen sehr dankbar. Nicht bloß Mollie, Bill auch. Bill Farebrother behandelt Ihren Jungen als wär's sein eigener – wußten Sie das, Alex? Er hat Ihren Jungen gern.«

»Ich glaube, sie hätten selber gern einen Sohn gehabt«, meinte Bohnen.

»Ja, gut, seien Sie nicht so störrisch, Alex. Die beiden haben nun mal keinen Sohn, folglich sind sie in Ihren Jamie vernarrt. Sie sollten froh sein, daß sich das so ergeben hat.«

Bohnen nickte. Es gab wahrhaftig niemanden sonst, der es gewagt hätte, über Bohnens erste Frau und jenen Mann, den sie später geheiratet hatte, so freimütig zu reden. Sie waren gute Freunde – in dick und dünn, und in der Freimütigkeit des älteren Mannes lag kein Spott.

»Sie haben recht. Bill Farebrother hat stets mit offenen Karten gespielt. Ich denke, wir waren alle froh, daß Jamie zum Fluglehrer ernannt wurde.«

»Mir schwant, daß Sie bei dieser Bestallung eine Hand mit im Spiel hatten«, sagte der Mann. »Und ich fürchte, daß Jamie ebenso raffiniert ist wie sein Vater, wenn es darum geht, seinen Weg zu machen. Glauben Sie bloß nicht, daß ihm nichts einfallen würde, doch noch an die Front zu kommen.«

»Hat Jamie Ihnen geschrieben?« Bohnen war nun alarmiert und nur zu bereit, diesem Mann die Freundschaft mit seinem eigenen Sohn zu neiden. »Das ist wichtig für mich. Wenn der Junge zum Fronteinsatz abgestellt wird, so hab' ich das Recht, es zu erfahren.«

»Ich weiß nur, daß er zu seiner Mutter auf Urlaub gefahren ist. Er hat sein Auto verkauft und sein Zimmer ausgeräumt. Sie hat sich Sorgen gemacht, daß er nach Übersee geschickt werden könnte.«

Der alte Mann sah, wie sich Bohnen auf die Unterlippe biß und dann den Mund so bewegte, wie er es bei Jamie gesehen hatte, wenn er eine Rechenaufgabe löste oder sich die theoretische Handhabung eines dreimotorigen Flugzeugs einzuprägen versuchte. Bohnen blickte auf seine Armbanduhr und überschlug dabei, wie er die Vorhaben seines Sohnes kontrollieren könne. »Ich komm schon noch dahinter«, sagte er mit frustriert verkniffenen Lippen.

»Sie können ihn doch nicht für den Rest seines Lebens in Watte packen, Alex. Jamie ist ein erwachsener Mann.«

Bohnen erhob sich seufzend. »Sie verstehen mich nicht, glauben aber, daß Sie es täten. Ich gestatte mir selbst keinerlei Unregelmäßigkeiten, und wenn Sie unter meinem Befehl stünden, würde ich dafür sorgen, daß mir keiner vorwerfen könnte, ich faßte alte Kumpel extra mit Samthandschuhen an. Wenn Jamie glauben sollte, er bekäme bei seinem alten Herrn irgendeine Vorzugsbehandlung, dann soll er das nur schnell wieder vergessen. Sicher, ich habe mich dafür eingesetzt, daß er zum Fortgeschrittenenkursus abgestellt wurde. Ich kenne Jamie. Es brauchte noch Zeit, ehe er zum Kampfflieger taugte. Das ist aber schon eine Weile her. Jetzt ist er soweit. Wenn er hierher kommt, hat er dieselben Chancen wie jeder andere junge Offizier.«

Bohnens Besucher erhob sich und nahm seinen Mantel vom Türhaken. »Den eigenen Sohn zu begünstigen ist keine Sünde, Alex.«

»Wohl aber ein Fall fürs Kriegsgericht«, hielt Bohnen dagegen. »Darüber gibt es nichts zu streiten.«

»Sie sind ins Militärische verliebt, Alex, genauso verliebt wie in jedes andere Projekt, mit dem Sie sich je zuvor befaßt haben.«

»So bin ich nun mal«, stellte Bohnen fest und half dem alten Herrn in den Mantel. »Und deswegen kann ich Dinge in Fluß bringen.«

»In Kriegszeiten hat die Armee eine Million Liebhaber; sie wird zur Hure. Ich möchte nicht, daß Sie enttäuscht werden, Alex.«

Bohnen lächelte. »Wie sagt doch Shelley? ›Der Krieg ist dem Staatsmann Spiel, des Priesters Entzücken, des Juristen Ulk, des gedungenen Mörders Geschäft.‹ Schwebt Ihnen das vor?«

Der Besucher griff nach seinem Hut. »Mehr noch als um Ihre Kenntnis der Klassiker beneide ich Sie um Ihr Gedächtnis, Alex. Ich dachte eigentlich mehr daran, was Oscar Wilde über die Faszination des Krieges sagte. Sie rührt seiner Meinung nach daher, daß die Leute ihn für voller Tücke halten. Er sagte, die Beliebtheit des Krieges werde erst dann enden, wenn man seiner Vulgarität innegeworden ist.«

»Oscar Wilde?« fragte Bohnen. »Seit wann ist der denn in Sachen Krieg kompetent?«

»Das sag ich Ihnen nächste Woche, Alex.«

»Freitag zum Lunch im Savoy. Ich freue mich drauf.«

2.

Hauptmann James A. Farebrother

»Du hast das allergrößte Glück auf der Welt. Hab' ich das nicht schon immer gesagt?«

Weil in der Stimme des Freundes etwas Neid mitschwang, erwiderte Hauptmann James Farebrother leicht unbehaglich: »Und was passierte dem Mann, der dabei war, der reichste Linienpilot Amerikas zu werden?«

Hauptmann Charles Stigg zog, um aus dem Laster hinaussehen zu können, die Segeltuchplane zurück. Die dunklen Londoner Straßen waren regennaß; aber selbst zu dieser frühen Morgenstunde waren Leute unterwegs: hier ein paar Soldaten und Mariner in ausländischen Uniformen; dort ein Jeep mit britischen Militärpolizisten unter roten Mützentellern. Ein Teil der Heimatschutzleute trug Stahlhelme. Es mußte wohl wieder Fliegeralarm gegeben haben.

»Sind wohl bald da«, sagte Farebrother mehr zu sich selbst. Die Trennung von Charlie würde ihm wahrscheinlich zu schaffen machen. Seit der Zeit, da man ihnen als Flugschülern auf alten Stearmans das Fliegen beibrachte, waren sie zusammen. Es fiel nicht schwer zu verstehen, warum beide so gute Freunde geworden waren: es waren ruhige, verläßliche Männer mit sanften Stimmen und stets bereitem Lächeln. Mehr als nur ein Mitglied der Auswahlkommission meinte, daß die beiden für das inzwischen täglich am blauen Himmel über Deutschland stattfindende rituelle Gemetzel nicht aggressiv genug seien.

»Warum hab' ich bloß mein langes Unterzeug nicht mitgenommen?« sagte Charlie Stigg, als er der kalten Luft wegen die Plane wieder schloß.

»Geht auf Weihnachten zu«, sagte Farebrother.

»Ich glaube, so ziemlich alles ist einfacher, als dem OA*
Jenkins beizubringen, wie man mit 'ner AT-6 wieder runter-
kommt.«

»So ziemlich alles andere ist *sicherer*«, sagte Farebrother,
»selbst Norwich an einem Samstagabend.«

»Weißt du, warum ich zuletzt sonnabends nicht mehr zum
Tanzen gegangen bin?« fragte Charlie Stigg. »Ich konnte
keins von diesen Mädchen mehr sehen, die mir dauernd
erzählen, daß ich für einen Fluglehrer viel zu jung aussehe.«

»Die meinten das doch gar nicht so.«

»Sie dachten, wir drückten uns vor dem Einsatz, stellten
sich vor, wir wären *freiwillig* Fluglehrer geworden.«

»Die Sorte Mädchen, die ich beim Tanzen kennengelernt
habe, wußte nicht mal, daß Krieg ist«, sagte Farebrother.

»Norwich, wie du es siehst«, erwiderte Stigg. »Ich glaube,
ich hatte den falschen Eindruck. Na gut. Komm rüber und
besuch' mich dort, Jamie, das heitert mich bestimmt auf.«
Der Laster hielt, und sie hörten den Fahrer gegen die Tür
wummern, um zu bedeuten, daß Stiggs Fahrziel, der Rotkreuzklub, erreicht war.

»Viel Glück, Charlie.«

»Paß auf dich auf, Jamie«, sagte Charlie Stigg. Er warf
seine Tasche auf den Boden und stieg vom Wagen. »Und
fröhliche Weihnachten.«

Es war ungerecht. Charlie Stigg hatte hart und gewissenhaft genug gearbeitet, um mit den Schwierigkeiten mehrmo-
toriger Flugzeuge fertig zu werden, und als man ihn endlich
in den Krieg schickte, kassierte man seine Jagdfliegerlizenz
und schickte ihn zu einem Bombergeschwader. Farebrother
war bei der Umschulung auf Zweimotorige absichtlich
durchgefallen und bekam jene Kommandierung, die Charlie sich so verzweifelt wünschte. Es war ungerecht. Der
Krieg ist ungerecht. Das Leben ist ungerecht.

Er fühlte einen Anflug von Schuld, als er Charlie unter

---

* Offiziersanwärter

der Last seines Gepäcks die Stufen zum Klub hinaufstapfen sah; mit der der Jugend eigenen Herzlosigkeit ließ er diese Anwandlung dann aber wieder fallen. Farebrother war dabei, Jagdflieger zu werden, und war der glücklichste Mensch auf der Welt.

Aus der Dunkelheit kam eine Stimme: »Geht dieser Wagen nach Steeple Thaxted?«

»Soweit ich gehört habe, ja«, antwortete Farebrother.

Ein Offizier im wasserdichten Regenmantel kletterte auf den Wagen; ihm folgte ein halbes Dutzend Mannschaftsdienstgrade. Als sie bemerkten, daß Farebrother nicht zu ihnen gehörte, wichen sie vor ihm zurück, als trüge er eine ansteckende Krankheit. Als der Laster anfuhr, zündete sich der Offizier eine Zigarette an und bot Farebrother eine an. Er lehnte jedoch ab und fragte: »Wie sieht's in Steeple Thaxted aus?«

»Schon mal in Okefenokee Swamp gewesen, wenn der Ofen aus war?«

»So schlimm?«

»Stellen Sie sich eine komplette Landschaft voller Scheiße vor, in die man Zelte gesteckt hat, und Sie haben's erfaßt. Jedesmal, wenn ich beim Tanzen ein neues Mädchen kennengelernt habe, hab' ich sie zu allererst gefragt, ob sie ein Badezimmer mit fließend Warmwasser hat.« Er zog an seiner Zigarette und war sich der lauschenden Mannschaft wohl bewußt. »Nun sind wir hier ja in England, folglich hat sie normalerweise kein Badezimmer.« Einer der Männer kicherte.

»Wie, bei dem Wetter hausen sie dort in Zelten?« wollte Farebrother wissen.

Der Offizier stieß mit der Schuhspitze gegen Farebrothers Reisesack und schob ihn herum, bis er auf einer Seite die mit Schablone aufgetragene Schrift entziffern konnte. »Flieger, wie?« Er beugte den Kopf vor, um auch den Namen lesen zu können.

»Ich bin Pilot«, sagte Farebrother.

»Hauptmann A. J. Farebrother«, las der Offizier laut. »Ihr zweiter Fronteinsatz oder stehen Sie noch im Pazifik?«

»Ich war zu Hause Fluglehrer«, sagte Farebrother entschuldigend.

Der Offizier schnaubte und wischte sich mit einem zierlichen Taschentuch, das offensichtlich von einer Freundin ausgeliehen war, die Nase. »Hab' mich erkältet«, sagte er, während er es wegsteckte. »Ich heiße Madigan, Vincent Madigan. Ich bin Hauptmann, für das Geschwader als Presseoffizier zuständig. Ich nehme an, Sie sind Oberst Badgers 220. Jagdgeschwader zugeteilt?«

»So ist es.«

»Wenn Sie Flieger sind, ist alles in Ordnung. Dieser Hurensohn Badger hat nur für Flieger Zeit.« Einer der anderen Männer ließ ein leise zustimmendes Grollen vernehmen.

»Ist das wirklich so?« Farebrother blickte die zusammengekauerten Gestalten der Reihe nach an. In der Luft hingen der Geruch warmer Leiber in nassem Überzeug und das beißende Aroma süßen amerikanischen Tabaks. Die Männer kamen offenbar unmittelbar aus dem Urlaub zurück und würden morgen in der Frühe sofort wieder ihren Dienst aufnehmen. Sie warteten darauf, daß Madigan zu reden aufhören würde, um noch ein wenig zu schlafen.

»Dreck, Scheiße und Zelte«, wiederholte Madigan zur Bekräftigung, »und die einheimischen Limeys* hassen uns noch mehr als die Krauts.«

»Lassen Sie es gut sein«, sagte Farebrother. »Meine Mutter ist Engländerin. Wie ich die Sache sehe, führen wir gemeinsam Krieg. Es hat doch keinen Sinn, auf seinem Partner herumzuhacken.«

Madigan nickte und zog heftig an seiner Zigarette. »Demnach haben Sie Ihre Lektion gelernt.« Ein neben Madigan sitzender Feldwebel lehnte seinen Kopf gegen die Plane des Lasters. In seinem Mundwinkel hing eine Zigarette, und wenn er inhalierte, beleuchtete deren Glut ein Gesicht mit

---

* Spitzname der Engländer, seit Kapitän Cook auf seine Forschungsreisen ungeheure Mengen Zitronen mitnahm, um dem Skorbut vorzubeugen.

großem, derbem Schnurrbart. Der Mann hatte die weiche Feldmütze tief über die halbgeschlossenen Augen gedrückt und den Mantelkragen über die Ohren gezogen. Um sich gegen Madigans Redefluß zu wehren, zog er den Kragen noch fester um die Ohren. Madigan indessen nahm davon keine Notiz. »Sie werden es noch feststellen«, versprach er. »Sie glauben noch immer, Sie seien auf dem Kreuzzug. So ging das anfänglich den meisten von uns. Oberst Badger aber macht Sie zur Sau; die Limeys ziehen Ihnen den letzten Dollar aus der Nase, spucken Ihnen anschließend ins Gesicht, und dann kriegen Sie Mitteilungen, aus denen hervorgeht, welche neuen Methoden sich die hohen Offiziere ausgedacht haben, um uns alle über die Klinge springen zu lassen. Plötzlich kommt einem dann vielleicht der Gedanke, daß die Deutschen gar nicht so schlimm sind.«

Der Laster rumpelte über ein durch Bombentreffer beschädigtes Straßenstück. Durch die am Fahrzeugheck offene Plane konnte man einen englischen Soldaten mit einer Blinklampe den Verkehr durchwinken sehen. An seinem Rücken ein großes rotes Schild: »Vorsicht, Blindgänger.«

»Paß auf, Kamerad«, rief der Soldat. »Es ist immer noch höchste Alarmstufe.« Der Fahrer grunzte einen Dank.

»Selbst wenn alles, so wie Sie sagen, im argen liegt – was können wir dagegen tun?« fragte Farebrother.

Madigan schnippte seine halbgerauchte Zigarette in die Dunkelheit hinaus, wo sie rote Funken stiebte. Er beugte sich vor, und Farebrother roch den Whisky in seinem Atem. »Es gibt da Möglichkeiten, Farebrother, alter Junge«, sagte er leichthin. »In Schweden gibt es Flugplätze, auf denen die Fliegenden Festungen und B 24 dichtgedrängt Flügel an Flügel stehen. Da wird sich auch für einen fabrikneuen Mustang-Jäger noch Platz finden lassen.« Er lehnte sich auf seiner Sitzgelegenheit zurück und beobachtete, wie seine Worte auf Farebrother wirkten. »Manche Flieger packt mitten über der Nordsee das Verlangen nach einem Separatfrieden. Sie legen ihr Seitenruder nordwärts in Richtung blonde Mädchen, Landbutter und Zentralheizung. Auch

21

Sie, Farebrother, werden in Versuchung kommen, alter Junge.«

Nervös griff Farebrother nach den eigenen Zigaretten und zündete eine an, wofür er eine Weile brauchte. Er verspürte kein Verlangen danach, sich mit diesem betrunkenen Offizier weiter zu unterhalten.

»Sie haben da ein hübsches Feuerzeug, Hauptmann. Macht es Ihnen was aus, wenn ich es mir mal näher ansehe?« fragte Madigan. Nachdem es ihm gereicht worden war, las Madigan schweigend die Gravur: »Für Jamie, von Vater« und schloß seine Hände fest über dem Feuerzeug.

»Weiber sind doch alle gleich«, sagte Madigan. Er sprach jetzt ruhiger und mit einem Eifer, den seine früheren Auslassungen vermissen ließen. »Diesmal war *ich* verliebt. Schon mal verliebt gewesen, Farebrother?« Es war keine richtige Frage, und er erwartete auch keine Antwort. »Ich wollte sie heiraten. Sagte ihr das auch. Letzte Nacht komme ich unverhofft hin und finde sie mit einem gottverdammten Infanterieleutnant im Bett.« Er stieß das Feuerzeug in die Luft. »Wahrscheinlich hat sie mich die ganze Zeit über betrogen. Und ich hab' die kleine Nutte geliebt.«

Farebrother brummelte etwas Mitfühlendes, und Madigan schmiß ihm mit einer heftigen Bewegung das Feuerzeug zu.

»Sie sind auf Zack«, sagte Madigan. »Für drei Uhr früh haben Sie prima Reflexe. Und wenn man mit einem massiv goldenen Feuerzeug in den Krieg zieht, ist man fürs Überleben bestens motiviert. Von Papi gekriegt, wie?«

Farebrother lächelte und fragte sich, was Hauptmann Madigan wohl sagen würde, wenn er wüßte, daß sein Vater eines jener bewußten hohen Tiere sei, die sich neue Methoden ausdenken, um alle über die Klinge springen zu lassen.

Oberstleutnant Druce »Duke« Scroll war der stellvertretende Kommandeur des Geschwaders; ein nervöser Enddreißiger, der jeden wissen ließ, daß er West Point schon hinter sich hatte, als die meisten anderen Offiziere noch die

Schulbank drückten. Er kleidete sich, als sei er gerade dem Offiziershandbuch entsprungen. Sein welliges Haar war stets sauber frisiert, und seine randlosen Augengläser waren jederzeit so blank geputzt, daß sie blitzten.

»Wann sind Sie hier angekommen, Hauptmann Farebrother?« Sofort huschten seine Augen zur Seite, um aus dem Fenster sehen zu können. Zwei Maschinen standen im schlammigen Gras abgestellt; der endlose Regen ließ ihre grüne Farbe matt schimmern. Ein paar Männer hockten im Schutz des Kontrollturms, fleckige Außenwände verrieten, daß jemand mit dem Anstreichen nicht fertig geworden war. Hinter dem Turm lag das leere Rollfeld, dessen Gras in den langen, sonnenlosen Winterwochen nachgedunkelt war.

»Kurz nach acht, Sir.«

»Fahrt gut verlaufen? Ich denke doch, Sie haben ein Frühstück bekommen, oder?« Der Stellvertretende saß über seinen Schreibtisch gebeugt, die Hände flach auf der Platte, und las in einer Kartei. Etwaiges Besorgtsein war aus seinen Fragen nicht herauszuhören. Die erneute Überprüfung der Fahrbereitschaft und des Küchenpersonals schien ihn mehr zu interessieren als Farebrothers Wohlergehen. Er blickte ohne sich aufzurichten hoch.

»Ja, vielen Dank, Sir.«

Wie ein ungeduldiger Hotelgast ließ der Stellvertretende eine Hand auf die Tischglocke fallen. Sofort öffnete sich eine Tür und sein Schreibstubenunteroffizier erschien.

»Sagen Sie Feldwebel Boyer, wenn ich ihn und die übrigen Bleistiftschwinger noch einmal dabei erwische, daß sie Mist machen, dann werd' ich ihn noch vor dem Lunch zum gemeinen Soldaten degradieren. Und sagen Sie ihm noch, daß ich Leute such', die über Weihnachten auf Wache ziehen.«

»Jawohl, Sir«, sagte der Schreibstubenunteroffizier zweifelnd. Er sah aus dem Fenster, um sich zu vergewissern, was der Stellvertretende von seinem Büro aus sehen konnte. »Scheint ordentlich zu regnen.«

»Gestern hat's tüchtig geregnet«, sagte der Stellvertretende, »und vorgestern auch. Wahrscheinlich wird's auch morgen tüchtig regnen. Oberst Badger will, daß der Tower bis heute abend gestrichen ist, also wird er bis heute abend gestrichen. Die Krauts hören mit ihrem Krieg nicht auf, weil's mal regnet, Feldwebel. Das kriegen nicht mal die Limeys fertig.«

»Ich werd's Feldwebel Boyer ausrichten, Sir.«

»Und machen Sie voran, Feldwebel. Wir haben viel zu tun.«

Der Stellvertretende betrachtete Farebrother, sah in den Regen hinaus und schließlich auf die Papiere auf seinem Schreibtisch. »Wenn mein Schreibstubenunteroffizier zurückkommt, gibt er Ihnen 'nen Plan vom Flugplatz und sagt Ihnen alles Nötige wegen Ihrer Unterbringung und so weiter. Und machen Sie keinen Wind, wenn Sie am anderen Ende des Dorfes in einer Nissenhütte schlafen müssen. Der Platz hier wurde von der englischen Luftwaffe als Ausweichflugplatz angelegt; dabei hat doch keiner damit gerechnet, daß hier mal mehr als sechzehnhundert Amerikaner untergebracht werden müßten, die jeden Tag heiß baden wollen. Den Limeys scheint's zu reichen, wenn sie sich trocken abreiben – ihrer Ansicht nach verweichlicht das Baden nur.« Er seufzte. »Ich hab' hier über dreihundert Offiziere. Es gibt Hauptleute und Majore, die in Zelten schlafen, beim Rasieren in ihren Wellblechhütten im Dreck stehen, weil der Fußboden fehlt, und mit dem Rad drei Meilen weit fahren, um an ihr Frühstück zu kommen. Deshalb...« Er brach ab.

»Verstehe, Sir.«

Nachdem er mit seiner bestens einstudierten Litanei zu Ende war, blickte Oberstleutnant Scroll Farebrother an, als sähe er ihn zum erstenmal. »Der Kommandeur, Oberst Badger, erwartet Sie Punkt elf. Zeit genug zum Rasieren, Duschen und sich eine saubere Ausgehuniform anzuziehen.« Mit einem Nicken entließ er den Hauptmann.

Farebrother hielt es für einen denkbar ungünstigen Augenblick, ihm mitzuteilen, daß er bereits unter dem kostbaren Heißwasser geduscht hatte und seine neueste und sauberste Uniform bereits trug. Farebrother salutierte steif und praktizierte eine Kehrtwendung, die man in West Point

»de rigeur« nannte. Die Ausführung war nicht ganz wie erhofft; bei dem, was die Exerziervorschrift mit »... die rechte Fußspitze wird einen halben Fuß zurückgenommen, der rechte Fuß auf dem Absatz gedreht, so daß die rechte Fußspitze leicht neben den linken Absatz kommt; der linke Absatz steht still« umschreibt, verlor er das Gleichgewicht. Farebrothers linker Absatz bewegte sich.

Alles Gute oder Schlechte auf dem Feldflugplatz von Steeple Thaxted hing zu jener Zeit weitgehend vom Stellvertretenden des Geschwaders ab: Duke Scroll, der – wie übrigens jeder Stellvertretende in der Luftwaffe – einem das Leben leicht oder zur Qual machte. Das galt nicht nur für die Flieger, sondern auch für die Blechschmiede, Fallschirmpacker, für das Schreibstubenpersonal, die Köche und die Führer der Mannschaften, die die drei Staffeln des Geschwaders ausmachten, sowie für das Flugdienstkommando, das die Staffeln versorgte, wartete, verwaltungsmäßig betreute und sonstige Hilfsdienste leistete.

Der Stellvertretende stand hinter Oberst Daniel A. Badger, dem Standortkommandanten und Kommandeur des Jagdgeschwaders. Die beiden waren schon ein sonderbares Paar – der steife, untadelige Duke und der rastlose, rotgesichtige, untersetzte Oberst Dan, dessen kurzes blondes Haar stets ungekämmt wirkte und dessen große Knollennase und streitlustiges Kinn nur mühsam in die in der Luftwaffe gebräuchlichen Sauerstoffmasken aus gegossenem Gummi hineinpaßten.

Oberst Dan rieb seine behaarten Arme, die aus den kurzen Ärmeln seines Khakihemdes herausragten, mit jener schnellen, nervösen Bewegung, mit der etwa ein Schlachter das Messer über den Wetzstahl zieht, während er überlegt, wie er den Tierkörper zerlegen soll. Ungeachtet des Wetters trug er niemals lange Ärmel und zog die Jacke auch nur dann an, wenn es gar nicht anders ging. Sein Hemdkragen stand offen – jederzeit bereit für seinen weißen wehenden Schal. »Nach zehn Minuten im Bach ist eine

Soldatenhalsbinde so geschrumpft, daß sie einen erwürgt.« Oberst Dan war stets startbereit.

»Hauptmann Farebrother!« Der Stellvertretende meldete ihn wie einen Gast auf einem königlichen Ball.

»Gewiß doch«, sagte Oberst Dan. Er fuhr fort, ein Papier zu betrachten, das ihm der Stellvertretende hinhielt, als hoffte er, daß darauf wie ein Wunder ein paar Namen mehr erscheinen würden. »Bloß Ihr Name, wie?«

»Jawohl, Sir«, sagte Farebrother und unterdrückte den Impuls, sich umzudrehen und nachzusehen.

Oberst Dan fuhr sich mit der Hand über die Stirn, um den Schweiß abzuwischen und dabei gleichzeitig seine widerborstigen kurzen Haare in Ordnung zu bringen. »Wissen Sie, was ich gemacht habe, damit dieses Geschwader mit den P 51 da draußen ausgerüstet wurde?« Er fuhr fort, ohne auf Antwort zu warten. »Seit Wochen hat kein Offizier auf diesem Flugplatz auch nur einen Schluck Whisky zu sehen bekommen. Und warum nicht? Weil ich deren Alkoholration gebraucht habe, um die Schreibstubenhengste bis rauf zum Oberkommando der britischen Luftwaffe zu bestechen. In London kostet die Flasche Scotch auf dem schwarzen Markt bis zu vier Pfund. Wenn Sie sich unter dem Betrag was vorstellen können, dann wissen Sie vermutlich, was es heißt, diese Maschinen da zu beschaffen.«

»Jawohl, Sir«, sagte Farebrother. Er kannte die englische Währung, seit er mit zwei Pfund in der Tasche losgezogen war, um seine von der Reise mitgenommene Uniform rechtzeitig für diesen Rapport gereinigt und gebügelt zu bekommen.

»Ich hab' mich bei der Gruppe so lange rumgetrieben, daß der General schon annahm, ich hätt' mich mit seiner Sekretärin von den Luftwaffenhelferinnen verabredet.« Er lachte triumphierend, um anzudeuten, wie unwahrscheinlich das war. »Ich hab' dem Stabschef das Essen bezahlt, und in meiner Werkstatt haben sie ein Flugzeugmodell für den Schreibtisch des Stellvertretenden gebastelt. Als ich schließlich raus hatte, daß der Mann, der das Sagen hat, bloß Major war, hab' ich mehr als einen Monatssold ausgegeben, um ihn in einem Nachtklub mit 'nem Mädchen heißzumachen.« Er grinste. Es war schwer zu sagen, wieviel ernst gemeint war und wieviel zu dem Theater gehörte, das er für frisch eingetroffene Offiziere veranstaltete.

»Ich kriege also die Maschinen, und was passiert? Sechs Piloten fallen mir einer nach dem anderen aus. Hier, sehen Sie sich den Bemannungsplan an. Bei dem einen hat sich'n Weisheitszahn verklemmt; ein anderer hat sich beim Softballspielen am Knöchel verletzt; ein dritter hat die Masern gekriegt. Kommen Sie da noch mit? Der Stabsarzt sagte mir...« – wie um seine Worte zu beweisen, schlug er die Papiere heftig auf den Tisch –, »...er sagte, dieser Offizier hat die Masern und kann nicht fliegen.« Er sah Farebrother an. »Ausgerechnet jetzt, wo ich drei flugbereite Mustang-Staffeln habe, fehlen mir die Leute. Und was schickt man mir? Nicht etwa die elf Leutnants, die nach den Worten des Transportoffiziers angeblich zur Verstärkung kommen sollten, sondern einen lausigen Fluglehrer.« Er hob eine Hand. »Glauben Sie mir, Hauptmann, ich will Ihnen damit nicht zu nahetreten. Aber gottverdammtnochmal!« Er knallte ärgerlich die Faust auf den Tisch. »Was glauben Sie, was soll ich deren Ansicht nach tun, Duke?« Der Kommandeur schwang seinen Drehstuhl herum, um seinen Stellvertreter ansehen zu können. »Soll ich, wenn es nach denen geht, Hauptmann Farebrother etwa am anderen Ende des Platzes in eine Abstellhalle stecken und ihn mir dort ein Dutzend Piloten ausbilden lassen? Steckt das womöglich dahinter, Duke?«

Oberst Dan blickte Farebrother finster an und versuchte erfolglos, ihn dazu zu bringen, den Blick abzuwenden. Schließlich schlug der Kommandeur selbst die Augen nieder und betrachtete erneut seine Papiere. »Fünfzehnhundert Flugstunden und eine ungenannte Zahl von Stunden vor Eintritt in die Luftwaffe«, las er laut. »Vermutlich glauben Sie, das wär' schon was, wie, Hauptmann?«

»Nein, Sir!«

»Wir fliegen hier nicht mit Stearman-Schulflugzeugen hübsche Schleifen über der Wüste oder orientieren uns an 'nem Schienenstrang, wenn wir uns auf dem Rückflug verfranzt haben. Wir stellen auch nicht den Flugbetrieb für ein langes Wochenende ein, sobald sich 'ne Wolke am Himmel zeigt.« Er stieß einen Finger in Richtung Fenster. »Sehen Sie die blaßgraue Scheiße da oben? Sie liegt, zehntausend Fuß dick, zweitausend Fuß über dem Platz. Und durch das Zeug sollen Sie mit 'ner Maschine nach oben durch – mit 'ner Maschine, wie sie Ihnen nicht mal in Ihren ärgsten Alpträumen erschienen ist. Die P-51-Mustangs sind unnachsichtige Scheißdinger, Hauptmann. Die Kerlchen haben nicht etwa doppelte Instrumentierung – sind nichts weiter als ein gewaltig großer Motor mit 'nem Paar Flügeln dran. Bei den ersten Flügen stehen Sie Todesängste aus.«

Oberst Dan knallte die Akte zu. »Wie Sie sehen, stehen wir so ziemlich allein. Sind genügend Maschinen da, an denen Sie sich versuchen können. Die meisten meiner Piloten sind auf Urlaub – liegen am Piccadilly besoffen im Rinnstein oder versuchen in Cambridge, ihre Hosen von irgend 'ner Nutte zurückzukaufen. Hab' ich recht, Oberstleutnant Scroll?«

»Höchstwahrscheinlich, Sir«, sagte der Stellvertretende gemessen und legte einen neuen Aktenstapel vor den Kommandeur, nachdem er einen Stoß Papiere weggeräumt hatte. Sein Gesicht war so ausdruckslos, als spielte er bei einem von ihm wenig geschätzten Lebemann den Butler.

»Besorgen Sie sich 'nen Helm und 'ne Fliegerkombination, Hauptmann«, sagte Oberst Dan. »Und hören Sie auf meinen Rat und setzen Sie sich ein paar Stunden in 'ne P 51, bevor das Geschwader den nächsten Einsatzbefehl kriegt.« Wieder kratzte er sich den Arm. »Einer meiner Rottenführer wartet schon lange auf seine Hauptmannsbalken, und der Junge hat fünf bestätigte Abschüsse. Was glauben Sie wohl, was der denkt, wenn er sieht, wie Sie mit Ihrem glänzenden Stück Schienenstrang auf dem Kragen halbe Loopings üben? Ihr Aufkreuzen hier bedeutet, daß er noch länger auf seine Beförderung warten muß. Das wissen Sie doch, oder?«

»Jawohl, Sir.«

Der Oberst berührte leicht die Papiere, die der Stellvertretende ihm vorgelegt hatte. Erstaunt weiteten sich seine Augen, als er aufblickte und Farebrother fixierte. »Hauptmann Farebrother«, sagte er mit einer Stimme, die den Eindruck vermittelte, als sei alles Voraufgegangene Teil einer ganz anderen Unterhaltung gewesen, »darf ich fragen, was Sie da in Gottes Namen anhaben? Ist das etwa eine rosa Bluse?« Seine Stimme war ein indigniertes Krächzen.

»Bei meinem letzten Kommando war es üblich, als Fluglehrer eine Bluse aus gelbbraunem Gabardin passend zu den vorschriftsmäßigen Hosen zu tragen.«

»Ich schwör's Ihnen, Farebrother«, sagte der Oberst mit fast zusammenhangloser Heftigkeit, »wenn ich Sie noch einmal in dieser Schwulenkluft erblicke...« Er rieb sich die Lippen, als wollte er seine Wut bändigen.

»Sorgen Sie für eine korrekte Dienstuniform, Herr Hauptmann«, sagte der Stellvertretende. »Unsere Soldaten haben sich bei verschiedenen Schneidern operettenhafte ›Eisenhower-Blusen‹ jeder Art machen lassen, und der Oberst will sie nicht dulden.«

»Einer meiner höheren Unteroffiziere ließ sich seine Uniform in Savile Row bauen«, ergänzte Oberst Dan nicht ohne einen Anflug von Stolz in der Stimme.

»Wir haben ordentlich drauf rumgetrampelt«, sagte der Stellvertretende. Er griff nach einem Aktendeckel und deutete mit einem Nicken an, daß sich die Unterredung dem Ende näherte.

»Viel Glück, Hauptmann Farebrother«, sagte Oberst Dan. »Sehen Sie zu, daß Sie irgendwo ausschlafen, und sorgen Sie dafür, daß Sie sich im Laufe des Nachmittags auf der Schreibstube der 199. Staffel melden. Staffelkapitän ist Major Tucker – er kommt morgen wieder.«

Farebrother salutierte und machte eine Kehrtwendung – diesmal jedoch auf seine eigene, leicht modifizierte Weise.

Es regnete noch immer, als ein Feldwebel – sein Name Tex Gill stand auf seiner wollgefütterten Jacke – Farebrother beim Angurten in einer der auf dem Vorfeld abgestellten P 51 half. Die Maschine roch neu – nach einer Mischung aus Leder, Farbe und hochoktanigem Sprit. Auf ihrer Nase tanzte eine mit leuchtenden Farben aufgetragene Mickey Mouse; unterhalb der Kanzel war mit Schablone und in gelber Farbe der Name des etatmäßigen Piloten aufgemalt; OLt. M. Morse.

»Feststellbremse angezogen, Sir?«

»Angezogen«, sagte Farebrother. Er stöpselte Sauerstoffmaske und Mikrofon ein und prüfte Benzinstand und Schalter.

»Hab' ich Sie nicht letzte Nacht auf dem Lastwagen von London gesehen, Sir?« Er sprach leise und bedächtig im unverkennbaren Tonfall des Texaners.

»Stimmt, Feldwebel Gill.«

»Lassen Sie es sachte angehen, Sir, diese Maschinen sind unerfreuliche Vögel, selbst wenn man ausgeschlafen ist.«

»Taugt diese was?«

»Ist nicht meine eigentliche Maschine, aber 'n Mordsding, muß ich sagen.« Gill lächelte. Er war ein großer, muskulöser Mann mit einem schwarzen, geradegeschnittenen, leicht hängenden Schnurrbart, der ihm ein etwas trauriges Aussehen verlieh. »Gemisch zu, Verstellpropeller nach vorn«, rief er Farebrother zu.

»Schon gut, Feldwebel Gill«, sagte dieser, »ich hab' ein paar Mustang-Stunden in meiner Kladde stehen.«

»Sie wollen nicht hören, was man Ihnen sagt«, behauptete Gill. »Hier geht das nicht anders zu als in jeder anderen Einheit, in der ich war.«

Farebrother nickte. Nach wie vor regnete es. Die vom grauen Himmel fallenden Tröpfchen perlten zu Tausenden auf dem Kanzeldach aus Plexiglas. Farebrother war nahe daran es aufzugeben, in einen derart verdunkelten Himmel aufzusteigen, aber dazu war es zu spät. Er grinste zu Feldwebel Gill hinüber, der sich dadurch beruhigt fühlte, jedoch auf der Tragfläche stehenblieb und das Checken überwachte.

Als Farebrother den Gashebel etwas nach vorn schob und

Magnetzündung und Batterie einschaltete, kam Leben in die Instrumente. Gill wischte mit dem Taschentuch den Regen von der Sichtscheibe, hob das Kanzeldach an und stieß es mit dem Handballen wieder zu: eine Geste des Abschiednehmens. Er sprang von der Tragfläche. Sich umblickend, vergewisserte sich Farebrother, daß Gill in Sicherheit war, und betätigte Kraftstoffpumpe und Zündschalter.

Der Motor begann wie Gewehrfeuer zu knattern, und der vierblättrige Propeller setzte sich schwerfällig und stockend in Bewegung. Im Süden brach die Sonne durch die Wolken. Der Regen hatte nachgelassen, fiel aber immer noch ins Cockpit. Farebrother schloß das Seitenfenster.

Feldwebel Gill hatte den Jackenkragen hochgestellt. Strickmütze und Drillichhose hatte der Regen dunkel gefärbt. Er stieß die Faust in die Luft und schwenkte den Arm im Kreis. Farebrother versuchte es noch einmal. Der große Merlin-Motor knatterte, stotterte, kam fast zum Stillstand und schließlich auf Touren, lief rund. Zunächst zündeten nicht alle Zylinder; aber nacheinander wurden sie warm, und endlich erzeugten alle zwölf Zylinder vereint jenen rauhen, unverkennbaren Klang einer Merlin-Maschine.

Farebrother checkte der Reihe nach die Magnetzünder, ehe er die Maschine hochfuhr und in diesem Drehzahlbereich ein Weilchen laufen ließ. Feldwebel Gill reckte den Daumen, und Farebrother nahm die Maschine auf fünfzehnhundert Touren zurück, warf noch einen Blick auf die Instrumente. Alles schien in Ordnung zu sein. Die Merlins waren wegen ihrer Anfälligkeit gegen Wasserdampf berüchtigt; er ließ sie daher warmlaufen, bis sie ganz glatt drehten.

Es hatte zu regnen aufgehört, und ein Sonnenstrahl fiel durch die Wolkendecke. Inzwischen stand jemand auf der Balustrade des Kontrollturms. Die Männer, die den Tower strichen, hatten ihre Arbeit eingestellt, um beobachten zu können, wie die Mustang auf die Piste rollte. Weil die Motorabdeckung Farebrother den Blick verstellte, lenkte er die Maschine im Zickzack über die Rollfeldstraße, da er sichergehen wollte, daß die Räder nicht in den Dreck der

Bankette rollten. Auf dem Rollfeld selbst brachte er die Maschine zum Stehen. Die Gestalt auf der Balustrade winkte, und Farebrother fuhr den Motor bei angezogener Bremse hoch, ehe er die Maschine nach vorn schießen und Fahrt aufnehmen ließ.

Sie hob mühelos ab, und Farebrother fuhr schnell das Fahrwerk ein. Die Wolken hingen niedriger als erwartet, und noch ehe er zu einer weit offenen Schleife ansetzte, kräuselten sich streifige kleine Wolkenfetzen auf seinen Tragflächen.

Ein Mann muß schon sehr jung, sehr dumm oder sehr verärgert sein, um das zu tun, was Farebrother an jenem Dezembernachmittag des Jahres 1943 veranstaltete. Zunächst einmal stieg er auf, um die Höhe der Wolkendecke zu ermitteln, dann zog er eine Schleife, um Instrumente und Steuerung zu prüfen und sich mit den örtlichen Gegebenheiten vertraut zu machen. Er ging vorsichtig mit der Maschine um, genauso wie damals in Dallas, als Charlie Stigg seinen Bruder, einen Testpiloten, davon hatte überzeugen können, daß zwei junge Fluglehrer ab und an einmal das Gefühl brauchten, richtig zu fliegen.

Farebrother stellte fest, daß sich der ihm unbekannte Oberleutnant Morse entweder mit viel Glück oder aus Berechnung eine ausgezeichnete Maschine ausgesucht hatte. ›Mickey Mouse II‹ reagierte auf den leisesten Druck der Ruder und besaß jene besondere Wendigkeit, die der Mustang bei halbleerem Haupttank zu eigen ist.

Er zog den Steuerknüppel an und stieß in die Wolken. Ein paar Flocken schmutziger Baumwolle glitten über die Tragflächen, dann war es in der Kanzel plötzlich dunkel. Die nasse Regenwolke wurde an den Flügelenden wabernd fortgewirbelt; der Merlin-Motor gab jedoch weder ein Keuchen noch ein Zögern zu erkennen. Er fraß sich klaglos durch die nasse Wolke. Befriedigt ließ Farebrother die Maschine aus der Wolkenschicht fallen – gerade noch rechtzeitig; denn vor ihm lag das kreuzförmige Rollfeld von Steeple Thaxted. Er fing die Maschine ab, brachte Druck auf das Höhenruder und zog die Maschine langsam hoch. Er stieg weiter, legte die Maschine schief und kam zurück. Diesmal stieß er steil auf das Flugfeld hinab, um genügend Fahrtüberschuß für einen Looping zu bekommen. Als die Maschine auf dem Scheitelpunkt der Rolle mit dem ›Unterbauch‹ die Wolken berührte, flog er die Figur zu Ende und wand sich von dannen, wobei er kleine Wolkenstückchen mit sich fortriß.

Inzwischen war man auf ihn aufmerksam geworden. Männer hatten die großen schwarzen Abstellhallen verlassen; andere standen in Gruppen auf dem Paradeplatz. Vor den Kantinenzelten hatte sich eine Menschenmenge angesammelt. Als Farebrother im Tiefflug über den Platz zog, erkannte er im trüben Licht die Eßbestecke in den Händen der Männer. Auch auf den Dorfstraßen standen Leute. Einige Wagen hatten am Straßenrand angehalten, so daß die Fahrer zuschauen konnten. Farebrother fragte sich, ob sich unter den Männern, die im Regen vor dem Stabsgebäude standen, auch Oberst Dan und der Stellvertretende befanden.

Inzwischen hatte er genügend Vertrauen in die Maschine, um tiefer zu fliegen. Er machte einen erneuten Anflug; diesmal so tief, daß er mit der Geschwindigkeit runtergehen mußte, um dem Kontrollturm ausweichen zu können. Er schaffte es knapp. Die dort arbeitenden Männer warfen sich flach auf den nassen Boden, und beim nächsten Überfliegen sah Farebrother, daß ausgelaufene weiße Farbe den Asphalt mit großen, spinnenförmigen Flecken bekleckst hatte. Diesmal hielt er sich zwischen den Hangars und zog eine perfekte Acht übers Feld. Zum Abschluß machte er eine halbe Rolle dicht über dem Rollfeld und hielt die Maschine so lange in Rückenlage, bis der Motor nach Sprit schrie. Er flog noch ein halbes S, setzte zur Landung an und brachte die Maschine mit fast zärtlich zu nennender Weichheit auf den Boden.

Falls Farebrother, als er aus der Maschine kletterte, mit aufbrandendem Beifall gerechnet haben sollte, so wurde er enttäuscht. Abgesehen von dem gutmütigen Feldwebel Gill, der ihm beim Lösen der Gurte half, war niemand zu sehen. »Alles in Ordnung, Sir?« fragte Gill mit ausdruckslosem Gesicht.

»Sie sollten besser die Kerzen wechseln, Feldwebel«, sagte Farebrother. Wie er feststellte, trug Gill jetzt einen Gummimantel; Gesicht und Hosen waren regennaß.

»Ein Kerzenwechsel war eigentlich fällig, ich dachte aber, für einen Eingewöhnungsflug würde es noch reichen«, sagte Gill in seinem gedehnten texanischen Tonfall.

»Da haben Sie ganz recht, Feldwebel Gill.«

»Sie können den Schirm hierlassen. Ich werde ihn von einem der Jungs holen lassen.«

Gemeinsam mit Farebrother marschierte Gill zur Abstellhalle zurück. Es gab da eine primitive Küche; irgend jemand hatte Filterkaffee gekocht. Gill schenkte dem Piloten ungefragt ein.

»Ist 'ne gute Maschine, und gut gewartet.«

»Ist nicht meine«, sagte Gill. »Ich bin als Chef der Wartungsmannschaft für die ›Kibitzer‹ da auf der anderen Seite des Abstellplatzes verantwortlich. Für diese hier ist Kruger als Chef zuständig.«

»Aber er erlaubt doch Oberleutnant Morse, sie ab und an zu fliegen?«

»So ungefähr ist es«, sagte Gill mit ernstem Gesicht.

»Na, ich hoffe, daß es Kruger und Oberleutnant Morse nichts ausmacht, daß ich mir ihre Maschine mal ausgeliehen habe.«

»Oberleutnant Morse – sie nennen ihn hier übrigens Mickey Mouse – macht das nichts aus, er geht mit Flugzeugen mächtig grob um. Sagt, Flugzeuge sind wie Weiber – sie brauchen regelmäßig Zunder.« Gill lächelte noch immer nicht.

Farebrother bot Zigaretten an, aber Gill schüttelte den Kopf. »Kruger dürfte es auch nicht viel ausmachen«, sagte Gill. »Es bekommt keiner Maschine, wenn sie bei solchem Wetter unbenutzt herumsteht.« Er nahm seine Mütze ab und betrachtete sie gründlich. »Oberst Dan – das ist natürlich was ganz anderes. Den letzten Piloten, der hier über den Platz flog – ich meine, ein paar sichere hundert Fuß hoch über den Dächern und nicht etwa Gänseblümchen pflückend so wie Sie –, den hat Oberst Dan gegrillt. Der mußte vor den Kommandierenden General zum Rapport, bekam einen dienstlichen Verweis und durfte zur Strafe dreihundert Mäuse berappen. Dann hat ihn der Oberst in die Staaten zurückgeschickt.«

»Vielen Dank für die Information, Feldwebel.«

»Wenn Oberst Dan durchdreht, geht das sehr schnell, das werden Sie auch noch rausfinden.« Er wischte sich den Regen vom Gesicht. »Wenn Sie beim Auspacken nichts von ihm gehört haben, passiert auch nichts mehr.«

Farebrother nickte und trank seinen Kaffee.

Feldwebel Gill betrachtete Farebrother von oben bis unten, ehe er sich entschloß, ihm seine Ansicht mitzuteilen. »Schätze, Sie werden überhaupt nichts zu hören bekommen, Sir. Sehen Sie, im Augenblick sind wir mit Piloten mächtig knapp, und ich glaube nicht, daß Oberst Dan einen wegschickt. Schon gar nicht einen Offizier, der solch Gefühl für 'ne Maschine hat, die dringend 'nen Kerzenwechsel braucht.« Er sah Farebrother leicht grinsend an.

»Ich hoffe, Sie behalten recht, Feldwebel Gill«, sagte Farebrother. Gill behielt recht.

3.

Oberfeldwebel Harold E. Boyer

Hauptmann Farebrothers fliegerische Vorstellung dieses Tages wurde legendär. Manche behaupteten, daß jene Männer, die seinerzeit in Steeple Thaxted Dienst taten, übertriebene Darstellungen dieses Fluges gaben, um den Kameraden, die gerade auf Urlaub waren, eins auszuwischen; derlei Versuche, Farebrothers akrobatische Kunststückchen herabzusetzen, konnten aber nur von Leuten ausgehen, die nicht dabeigewesen waren. Farebrothers Kritiker wurden durch die Tatsache widerlegt, daß Oberfeldwebel Harry Boyer behauptete, es sei die größte Zurschaustellung fliegerischen Könnens gewesen, die er je gesehen habe. »Herr Jesus, nie zuvor hat mich ein Flugzeug dazu gebracht, die Nase in den Dreck zu stecken. Nicht einmal vor dem Krieg draußen auf den Inseln, wenn sich dort ein paar Offiziere vor den Augen ihrer Mädchen aufspielten.«

Harry Boyer war der anerkannt erfahrenste Flieger des Horstes. Er hatte in klapprigen Doppeldeckern schon nervöse junge Leutnants angeschnallt, die heute im Pentagon Generalssterne tragen. Egal von welchem Flugzeugtyp die Rede war: Harry Boyer hatte ihn angemalt, zusammengeschustert und war aller Wahrscheinlichkeit nach einmal mitgeflogen.

Harry Boyer erzählte nicht bloß von ›Farebrothers Tiefflug‹, wie es inzwischen überall hieß, sondern vermittelte beidhändig und mit beachtlichen Klangeffekten einen realistischen Eindruck der Angelegenheit. Die Vorstellung endete mit Boyers vollmundiger Wiedergabe von Tex Gills gedehntem »Alles in Ordnung, Sir?« und der abschließenden Imitation von Farebrothers geziert-steifem Neuenglandakzent: »Sie sollten besser die Kerzen wechseln, Feldwebel.«

Boyers Wiedergabe des Fluges war so beliebt, daß ein Dutzend um ihn gescharte Männer kein Auge für die exotische Tänzerin hatten, als er 1969 beim Treffen der Ehemaligen des 220. Jagdgeschwaders sein Kabinettstückchen erneut zum besten gab.

Oberfeldwebel Boyers Ruf als Schauspieler war jedoch nichts im Vergleich mit seiner Reputation als Organisator von Würfelspielen. Um mit Boyer zu würfeln, kamen sogar Soldaten vom in Narrowbridge stationierten Bombergeschwader, und etliche Male zeigten sich gar Offiziere vom 91. Bombergeschwader aus Bassingbourn.

Obschon Boyer und der Stellvertretende einen langen, bitteren und ränkevollen Kampf ausgefochten hatten, waren die Umtriebe des Oberfeldwebels nie ernsthaft eingeschränkt worden. Jedesmal aber, wenn durchgesickert war, daß schon wieder die ganze Nacht lang um vierstellige Einsätze gespielt worden war, fand sich Boyer seltsamerweise irgendwelchen Sonderaufgaben zugewiesen. So ergab es sich, daß sich Oberfeldwebel Boyer an jenem bewußten Tage als der für den Anstrich des Kontrollturms Verantwortliche wiederfand.

Als Farebrothers haarsträubende Einlage vorbei war, sah Boyer zum Stabsgebäude hinüber, weil er erwartete, daß der Stellvertretende und Oberst Dan wutschnaubend aus dem Haus gerannt kommen würden. Sie kamen jedoch nicht.

Es passierte überhaupt nichts, nur Tex Gill fuhr mit dem Rad zum Tower hinüber und legte es ins Gras, statt es an die frischbemalte Wand zu lehnen. »Wie hat dir das Ganze gefallen, Tex?« fragte Boyer. »Bei diesen langsamen Rollings berührte er mit einer Flügelspitze das Gras, die andere ragte in die Wolken. Hast du gesehen?«

»Er hat die Antennendrähte auf dem Towerdach gekappt«, sagte Tex Gill.

Entschlossen, sich von Tex Gill nicht hochnehmen zu

lassen, gab Boyer vor, nicht recht gehört zu haben. »Was hat er?«

»Er hat bei seinem Tiefflug die Antennendrähte gekappt.« Tex Gill war ein undurchsichtiger Pokerspieler, der dem ansonsten nicht beizukommenden Boyer häufig Geld abgenommen hatte. Deswegen sah der Oberfeldwebel nicht zu den Antennen hoch – er argwöhnte einen Scherz.

Tex Gill streckte die Faust vor, öffnete sie und zeigte einen Porzellanisolator mit einem Stückchen Draht daran vor. »Hab' ich der Maschine gerade vom Leitwerk gepflückt.«

»Weiß Oberst Dan das?«

»Das weiß nicht mal der Kerl, der diese tollen Schnörkel geflogen ist. Ich könnte mir vorstellen, daß wir beide jetzt 'ne neue Antenne installieren, während deine Jungs den Turm zu Ende streichen.«

»Das verstößt gegen die Vorschriften, Tex. Das geht nicht ohne Schreibkram und dergleichen.«

»Der Hauptmann ist gerade erst angekommen«, sagte Tex Gill. »Ich bin mit ihm zusammen letzte Nacht mit 'nem Laster aus London eingetrudelt. Wir wollen doch nicht, daß er beim Oberst unten durch ist, noch bevor er seine Sachen ausgepackt hat.«

Oberfeldwebel Boyer rieb sich das Kinn. Tex Gill konnte ein hinterhältiger Teufel sein. Gut möglich, überlegte er, daß der neue Pilot die ›Kibitzer‹ nehmen würde, und in dem Fall würde Tex sein Obermechaniker werden. »Nun, ich weiß nicht, Tex.«

»Wenn einer die abgerissene Antenne meldet, dann kommt der Stellvertretende hier rüber. Der kriegt dann mit, daß du erst die seinem Büro zugewandte Seite des Towers gestrichen hast, und merkt auch noch, daß irgendein tolpatschiger Trottel hier zwei 15-Liter-Eimer weiße Farbe auf das Vorfeld gekippt hat.«

Boyer sah auf die weißen Farbspritzer auf seinen Stiefeln, dann auf den Isolator in Tex Gills Hand. »Hast du in deinem Schuppen noch ein bißchen weiße Farbe?«

»Damit kann ich dir aushelfen, Harry.« Tex Gill warf

Boyer den Isolator zu. Boyer fing ihn auf und zwinkerte zustimmend. Bei Dienstschluß war der Tower gestrichen, die neue Antenne montiert. Von alledem erfuhren weder Hauptmann Farebrother noch Oberst Dan oder sein Stellvertreter etwas.

4.

Oberleutnant Z. M. Morse

Mit dickem Kopf und leeren Taschen kam Oberleutnant Morse nach vier Tagen London zurück. Verzweifelt versuchte er zu schlafen, mußte es aber über sich ergehen lassen, daß zwei junge Flieger auf seiner Bettkante saßen, Kaffee tranken und seine Schokoladeration vertilgten, dieweil sie ihm von dem phantastischen neuen Piloten, der der Staffel zugeteilt worden war, erzählten. »Was zum Teufel geht es mich an, was er mit 'ner P 51 alles anstellen kann?« fragte Morse. »Ich war mit meiner P 47 voll und ganz zufrieden, und wenn ich Oberst Dan wäre, wär' ich nicht so scharf darauf gewesen, uns mit diesen Kisten auszurüsten. Herrgott, sie sacken ohne jede Warnung weg, und jetzt erzählt man uns, daß die Kanonen klemmen, sobald man bei einer engen Wende zu schießen versucht.« Mit zerknittertem Hemd und losem Schlips lag Morse ausgestreckt auf dem Bett. Er griff nach seinem Kissen und klopfte es auf, ehe er es sich unter den Kopf schob. Eine im Korbsessel schlafende große schwarze Promenadenmischung öffnete die Augen und gähnte.

Morse, der sich so sehr daran gewöhnt hatte, Mickey Mouse oder MM genannt zu werden, daß er die Walt-Disney-Figur auf seine Maschine gepinselt hatte, war ein kleiner, schmuddeliger Arizona-Mann, vierundzwanzig Jahre alt. Seiner dunklen Hautfarbe wegen wirkte er selbst im englischen Winter jederzeit sonnengebräunt; und wegen seines langen, glänzenden Haars, der langen Koteletten und des schmalen, sorgfältig gepflegten Bärtchens wurde er gelegentlich fälschlich für einen Südamerikaner gehalten.

Diese Rolle zu spielen machte MM jederzeit Spaß. Gelegentlich pflegte er samstags abends nach ein paar spendierten Drinks und mit der passenden Partnerin versehen, seine eigene wackelige Version einer Rumba zu probieren.

»Man sagt, es soll fürchterlich gewesen sein«, sagte Rube Wein, MMs Rottenflieger. »Wie man hört, die größte Schau, die man je gesehen hat.«

»Und das in deiner Maschine«, ergänzte Earl Koenige, der in der Formation gewöhnlich als MMs Nummer drei flog. »Ich hätt's gerne selbst gesehen.«

»Wie alt seid ihr beiden Schwachköpfe eigentlich?« fragte MM. »Na los, mal ehrlich. Seid ihr überhaupt schon aus der Schule?«

»Ich bin einundneunzig, bald zweiundneunzig«, sagte Rube Wein, der in Princeton einen Grad in Mathematik erworben hatte. Die drei Männer lagen altersmäßig nur ein paar Monate auseinander, aber MM gefiel sich in der nicht unbegründeten Selbstgefälligkeit, daß er reifer als die anderen beiden wirkte. Stets darum besorgt, hatte er sich den Bart stehen lassen – dem jedoch noch einiges fehlte, um ordentlich buschig zu wirken.

»Wenn ich euch hier so bonbonkauend sitzen sehe, kann ich mich des Gedankens nicht erwehren, daß ihr lieber im Kinderwagen fahren solltet, statt euch mit 'nem Jagdflugzeug in eine Gegend zu begeben, wo wildgewordene Krauts euch Blei ins Hinterteil zu jagen versuchen.«

»Wer hat denn dem neuen Kleinen deinen Autoschlüssel gegeben, Papi?« fragte Rube Wein. Dieser in sich gekehrte Wissenschaftler wußte, wie man MM aufziehen konnte, und war bereit, sich über ihn lustig zu machen, wie es Earl Koenige nie gewagt hätte.

»Richtig«, sagte MM ärgerlich. »Warum hat er nicht ›Cinderella‹ oder ›Bebop‹ genommen oder besser noch ›Kibitzer‹, die ständig Schwierigkeiten macht? Wieso ist er ausgerechnet auf meine Maschine scharf? Dieser Scheißkerl Kruger kriegt sein Geld, damit er auf meine Maschine aufpaßt. Er hätte diesen neuen Kerl sie niemals fliegen lassen dürfen.«

»Warum hat er nicht Tuckers Maschine genommen?« fragte Rube Wein, der seinen Staffelkapitän absolut nicht riechen konnte. »Warum schnappt er sich nicht die prächtig bemalte ›Jouster‹ und fliegt sie möglicherweise zu Schrott?«

»Befehl von Oberst Dan«, erläuterte Earl Koenige, ein flachshaariger Bauernjunge, der in Fort Valley, Georgia, Landwirtschaft studiert hatte. »Oberst Dan hat dem Jungen befohlen, einen Eingewöhnungsflug zu machen. Ist natürlich nur 'ne Scheißhausparole, es wird aber behauptet, Farebrother habe gefragt, ob er verkehrtrum fliegen könne.« Als ihm die zweifelnden Blicke der anderen bewußt wurden, setzte er hinzu: »Vielleicht stimmt es ja nicht, aber genauso wird es erzählt. Der stellvertretende Kommandeur ist ganz wild – wollte Farebrother vor ein Kriegsgericht stellen.«

»Es sollte 'ne Dienstvorschrift über die Benutzung von anderer Leute Flugzeugen geben«, sagte MM. »Und auf dem Rücken fliegen ist nur was für Verrückte.«

Earl Koenige warf sein blondes Haar zurück und sagte: »Oberst Dan meinte, der neue Pilot sei noch nicht lange genug auf dem Horst, um sich mit den hiesigen Vorschriften und Gegebenheiten vertraut gemacht haben zu können. Und der Oberst sagte, daß das besonders schlechte Wetter an jenem Tage eine Situation geschaffen habe, wo es für einen neuen Piloten eine notwendige Maßnahme war, in der Umgebung des Horstes tief zu fliegen, um bei den erbärmlichen Lichtverhältnissen überhaupt eine Landung versuchen zu können.« Earl lachte. »Sagen wir's doch mal anders, Oberst Dan braucht jeden Piloten, den er in die Finger kriegen kann.« Nachdem er seine Geschichte losgeworden war, blickte Koenige MM an. Bei allem, was er tat, sah er beifallheischend auf seinen Rottenführer.

MM nickte billigend und schob sich einen frischen Kaugummi in den Mund. Diese Angewohnheit, gleichzeitig zu rauchen und Gummi zu kauen, machte es so leicht, ihn zu imitieren, konnte er doch mit einem einzigen Schwung der Kinnlade die Zigarette von einem Mundwinkel in den anderen befördern. Wollte jemand an der Theke mühelos

Gelächter ernten, so brauchte er bloß dasselbe zu tun und sich mit einem imaginären Kamm durchs Haar zu fahren, um MM auf unverkennbare Weise zu karikieren. »Natürlich! Klasse!« rief MM und klatschte in die Hände, als wollte er Hühner vom Kornspeicher treiben. »Und wunderbar erzählt. Und jetzt laß dir deine Rede setzen und drucken. Macht, daß ihr rauskommt. Na los! Ich fühl' mich nicht so übermäßig.«

Rube Wein beugte sich über den auf dem Bett ausgestreckten MM und sagte: »Jetzt ist Essenszeit, MM. Was hältst du davon, wenn ich dir 'n Paar von diesen schmierigen Würstchen und richtig pappigen Pommes frites mitbringe, wie sie bloß die Limeys zustande kriegen?«

»Raus!« brüllte MM, daß ihm vor Anstrengung der Kopf weh tat.

»Wie es heißt, soll der Neue die ›Kibitzer‹ bekommen, was bedeutet, daß er als deine Nummer vier fliegen wird, MM«, sagte Rube Wein.

MM warf mit einem Schuh nach ihm, aber Wein war schon aus der Tür.

Winston, MMs Hund, sah hoch, um sich zu vergewissern, ob er den Schuh apportieren solle, kam zu der Ansicht, daß nein, knurrte unüberzeugt und schloß wieder die Augen.

Kurz darauf klopfte es höflich, und ohne auf ein »Herein« zu warten, steckte ein langer, dünner Hauptmann seinen Kopf durch die Tür. »Oberleutnant Morse?«

»Kommen Sie rein und bleiben Sie nicht im Zug stehen«, sagte Morse und drückte seine Zigarette im Deckel einer Haarkremdose aus.

»Mein Name ist Farebrother, Oberleutnant. Ich bin Ihrer Rotte zugeteilt.«

»Jagen Sie Winston von dem Stuhl da und setzen Sie sich.« Nach MMs erstem Eindruck war der Neue ein schüchterner, unterwürfiger Typ in einer teuren, unvorschriftsmäßigen Lederjacke, mit goldener Rolex und einem lecken Füllfederhalter, der auf der Hemdentasche knapp über dem Herzen einen blauen Tintenfleck hinterlassen hatte. Seine Hauptmannsbalken waren schon so alt, daß sie ihren ursprünglichen Glanz verloren hatten. Nette Art von Überheblichkeit, registrierte MM bewundernd.

»Ich soll die ›Kibitzer‹ fliegen, denk ich.«

MM hörte einen feinen Ostküstenakzent heraus.

»Dann sind Sie also der Kerl, der ein Auge auf meine Maschine geworfen hatte.«

»Sie haben da ja 'nen wundervollen Vogel, Oberleutnant. Läuft wie 'n Schweizer Uhrwerk«, sagte Jamie diplomatisch. MM schnurrte wie eine Katze vor der Sahneschüssel. »Ich hab' sie aber nicht allzu hart rangenommen.«

»Wo sind Sie zu Hause, Hauptmann? New York, Boston, Phila?« Diese reichen Ostküstenjungs waren alle gleich, sie behandelten den übrigen Teil der Nation, als wären sie gerade 'ner Farm in Indiana entlaufen.

»Ich bin aus Kalifornien, Oberleutnant, aber im Osten zur Schule gegangen.«

»Was zu trinken, Hauptmann? Ich hab' noch Scotch.«

Farebrother hob ablehnend die schlanke Hand. MM ließ sich wieder in die Kissen fallen und sah den Besucher an – armer kleiner reicher Junge. Der Kleine stellt sich wohl vor, daß ein einsitziges Jagdflugzeug die Möglichkeit bot, Krieg zu spielen, ohne mit dem gemeinen Volk in Berührung zu kommen.

Farebrother sagte: »Und Sie wollen, daß ich den ganzen Krieg über Oberleutnant zu Ihnen sage, und Sie wollen mich Hauptmann nennen?«

MM griente und streckte eine Hand aus, die Farebrother ergriff. »Sagen Sie Mickey Mouse zu mir, das tun hier alle.«

»Meine Freunde nennen mich Jamie.«

»Machen Sie's sich bequem, Jamie, und werfen Sie mir doch mal 'ne Schachtel Zigaretten aus dem Karton auf meiner Feldkiste da rüber.« Morse klappte ein Streichholzbriefchen auf und vergewisserte sich, daß er noch Hölzchen hatte. »Haben Sie schon eine Stube?«

»Ich schlafe unten – ich teil' die Stube mit Leutnant Hart.«

»Dann haben Sie die Stube für sich allein. Hart hat irgendein Geschwür. Kommt nicht wieder. Wenn Sie 'nen

Rat annehmen wollen, dann lassen Sie sein Namensschild an der Tür und behalten so die Stube vielleicht für sich allein. So hab' ich das mit dieser auch gemacht. Ist doch sinnlos, sein Zimmer zu teilen, wenn man es vermeiden kann.«

»Warum sind wir in diesen kleinen Häuschen untergebracht?«

»Die Royal Air Force hat die Häuser für ihre Offiziere und deren Familien gebaut. Der schmale Lagerraum unten, wo man die Sandwiches herrichtet und rumbrutzelt, war mal die Küche.« Farebrother blickte sich in dem rauchverhangenen Zimmer um. Oberleutnant Morse hatte keinen Platz gelassen, daß noch jemand zu ihm ziehen konnte. Das zweite Bett war hochkant gestellt worden, und wo es einmal gestanden hatte, lag jetzt ein zerlegter Motorradmotor herum. Die Einzelteile lagen über den ganzen Fußboden verstreut; manche waren in ölfleckige Lappen gewickelt, andere lagerten in flachen Blechschachteln. In einer Ecke türmten sich Coca-Cola-Flaschen auf einer alten Kiste, an den Wänden hingen Pin-up-Fotos aus ›Yank‹ sowie ein farbiges Filmplakat, das ›Dawn Patrol‹ ankündigte. Über dem Bett hing ein Gürtel mit einer automatischen Coltpistole im Holster, darüber ein wunderbarer grauer Stetsonhut.

»Was ist denn das für ein alter Zivilist, der unten saubermacht?« fragte Farebrother.

»Wir haben englisches Zivilpersonal; werden hier Putzer genannt. Besorgen Ihnen die Wäsche und bringen Ihnen morgens Tee rauf. Nun, Sie brauchen gar nicht das Gesicht zu verziehen, ist immer noch besser als englischer Kaffee, das können Sie mir glauben. Wenn Sie Kaffee wollen, müssen Sie ihn sich selber machen.«

»Wie ich höre, sind Sie hier das ganz große As, wie?«

MM zündete sich sorgfältig eine Zigarette an und schwenkte das Streichholz, bis es erlosch. »Man muß nicht Freiherr von Richthofen heißen, um hier der Beste zu sein. Die meisten von unseren Jungs wären besser noch in der Fliegerschule und lernten, wie man mit 'nem Doppeldecker sanfte Kehren zieht.«

»Gilt das auch für die Piloten in Ihrer Rotte?«

MM zog an seiner Zigarette und schloß die Augen. »Rube Wein ist mein Rottenflieger – 'n Junge mit traurigen Augen und Segelohren. Wohnt unten. Ist als Flieger nicht besser oder schlechter als die meisten. Ist ein gescheiter kleiner Schweinehund, der unter angenehmem Leben nichts anderes versteht, als die Nacht durch Shakespeare zu lesen. Hat aber Augen wie ein indianischer Scout und Reaktionszeiten, wie ich sie noch nicht erlebt habe. Und lassen Sie sich von all dieser Bücherschnüffelei nicht täuschen: er ist ein zäher kleiner Scheißer. Wenn er an meiner Seite fliegt, geht's mir besser.« MM fuchtelte mit der Zigarette herum und schnippte Asche in den Blechdeckel. »Sie werden wahrscheinlich für Earl Koenige Rotte fliegen – ist ein besserer Pilot als Rube, hat ein natürliches Gefühl fürs Fliegen, ist aber ein etwas ängstlicher Bursche und geht nicht dicht genug ran, um zu Abschüssen zu kommen. Earl mag Flugzeuge, und da liegt sein Problem. Er hat immer Angst, wenn er mit Vollgas fliegt irgend etwas zu verbiegen oder den Motor kaputtzumachen. Er fliegt diese gottverdammten Mustangs, als müßte er die Reparaturen aus eigener Tasche bezahlen.«

Winston seufzte und glitt unbeholfen und unter vernehmlichem Knirschen des Weidengeflechts aus seinem Korbsessel. Farebrother setzte sich auf das Hundekissen und legte die Füße auf einen harten Stuhl. MM hatte Gelegenheit, Farebrothers handgearbeitete Stiefel zu bewundern.

»Wann glauben Sie, geht es wieder los?« fragte Farebrother.

»Nach dem Durcheinander über Gelsenkirchen hab' ich schon gedacht, daß wir nie wieder rauskämen. Hatte die Befürchtung, wir würden alle zur Infanterie versetzt.«

»Was ist denn passiert?«

MM schüttelte bekümmert den Kopf. »Wir fliegen hinter Oberst Dan her, der uns zum Treffpunkt mit den Bombern bei Emmerich lotst – das ist dicht bei der holländischen Grenze. Bis zum Ziel und wieder zurück sollten wir Jagdschutz fliegen. Hängen also alle hübsch dicht hinter Oberst

Dan. War wie beim Luftzirkus, nur daß die Wolken unter uns hingen und keiner was sehen konnte.«

»Die Bomber auch nicht?«

»Welche Bomber?« MM ruderte mit dem Arm, um anzuzeigen, daß er nichts sehen konnte. »Ich hab' überhaupt keine Bomber gesehen.«

»Was war denn los?«

»Ich will Ihnen mal sagen, was los war: nichts war los – das war los. Die Bomber haben das Ziel nie gefunden. Die kleinen schwarzen Zauberkästen, die angeblich durch die Wolken sehen können, kamen durcheinander, und die B 17 flogen meilenweit nördlich unserer Route. Ohne Verbindung zu Oberst Dan, der uns über Gelsenkirchen – zumindest besteht er drauf, daß es Gelsenkirchen war – kreisen und kreisen läßt; aber wir sehen nichts als Wolken. Dann fliegen wir in hübsch dichter Formation nach England zurück, streichen ein paarmal im Tiefflug über den Platz, um zu demonstrieren, was wir für verteufelte Asse sind, und haben noch genügend Zeit für ein paar Drinks vor dem Essen. Mein Gott, war das 'ne Scheiße.«

»Und die Bomber kamen unverrichteterdinge wieder zurück?«

»Ach nein, ihre Bomben haben sie schon abgeworfen. Sie haben ›Zufallsziele‹ bombardiert. Das ist ein hübscher Name, den sich die Luftwaffe dafür ausgedacht hat, daß man die Augen zumacht, die Bomben ausklinkt, Höhe gewinnt und macht, daß man aus der Hölle herauskommt.«

»Ich hab' gehört, daß die Bombergeschwader jetzt schwere Zeiten haben«, sagte Farebrother. »Ich habe waggonweise Bomberersatzteile gesehen.«

»Die sind seit 'ner Woche nach dem Bremen-Einsatz in langsamer Auflösung begriffen«, sagte MM. »Scheint, als hätten die Jungs von der Zielauswahl in High Wycombe 'ne Art Privatfehde mit den Bremern.«

Farebrother nickte höflich. »Ist gut zu erreichen, liegt gleich an der Nordsee«, sagte er. Er holte eine Schachtel Camel aus der Hemdtasche und schnippte sich mit dem Fingernagel eine Zigarette heraus. MM sah zu, wie er sie anzündete. Seine Hand war unerschütterlich ruhig wie ein Felsblock. Diese reichen Jungs sind doch alle gleich – vielleicht liegt das an den Schulen, die sie an der Ostküste besuchen. Bleib sachlich, lach nicht, furz nicht, schrei nicht, weine nicht. MM bewunderte das. »Was ist also passiert?« fragte Farebrother.

MM ertappte sich beim Tagträumen. Er war müde und verkatert – er hätte Farebrother bitten sollen, zu gehen und ihn allein zu lassen, tat es aber nicht. Er erzählte ihm von Bremen. Er erzählte ihm von dem, den es mitten durchgerissen hatte.

»Wir stellten fest, daß die letzte Welle meilenweit hinter dem abgesprochenen Zeitplan zurückhing«, sagte MM und unterbrach sich. Er hatte noch nie jemand von dem Zusammenstoß in der Luft erzählt, nicht einmal Rube, seinem engsten Vertrauten. Warum sollte er es diesem Mann hier erzählen? Vielleicht, weil man es einem Fremden eher erzählen konnte. »Zum Glück flogen wir nicht Geleitschutz für die B 24. Man nennt sie Bananendampfer; es heißt, es sind Flugboote, die dermaßen leckten, daß man Räder dranschraubte und sie Bomber taufte.«

Farebrother lächelte, hatte den Witz aber schon gehört. Seiner Ansicht nach überzog MM.

»Diese Maschinen brauchen jede Menge Zuwendung. Sobald sie über der Wolkendecke waren, schossen sie auch schon kreuz und quer durch den Himmel. Die Piloten konnten keine Formation halten.«

»Das macht der Davis-Flügel«, sagte Farebrother, »der ist für große Belastungen in der Flughöhe nicht konstruiert.«

»Sicher, so ungefähr wird's sein«, sagte MM. »Es fing schon schlecht an, hinter diesen Bananendampfern herzufliegen. Die hatten in den letzten Wochen so viele Ausfälle, daß die Piloten heute fast ausschließlich Ersatz sind. Die haben noch nie 'ne komplizierte Maschine geflogen.« Er schnippte Asche in den Deckel. »Sie sagten, Bremen ist leicht zu erreichen, weil es an der Küste liegt. Was Sie aber nicht wissen ist, daß sich die Funkmeßkette der Deutschen die ganze Küste entlangzieht. Alles, was von See her reinkommt, taucht auf ihren Schirmen auf. Und so lagen die Jäger schon auf der Lauer – Hunderte von Jägern. Sie haben uns mächtig Feuer gemacht.« MM merkte, daß seine Hände feucht wurden, und wußte, daß sich sein Gesicht gerötet hatte. »Hab' letzte Nacht zu viel getrunken«, erklärte er.

»Haben Sie sich mit den feindlichen Jägern eingelassen?«

»He, Jamie, wo haben Sie denn den Schnack her? Wollen Sie eigentlich General werden oder Reporter oder sonst was? Sicher, wir haben uns mit dem Feind eingelassen – wir haben uns mit ihm ordentlich und gründlich befaßt. Hätten wir uns noch ein bißchen mehr mit ihm eingelassen, würden unsere Eltern drauf bestehen, daß wir heiraten.« Einen Augenblick lang herrschte Schweigen, während MM heftig an seiner Zigarette zog. »Oberst Dan ist Führer Rot – Rot wird immer als Feuerwehr eingesetzt, deswegen übernimmt Oberst Dan gern Rot –, und ich führe die zweite Rotte. Wir sind an den B 24 vorbei, haben unsere Fliegenden Festungen gefunden und halten uns ganz in ihrer Nähe, wie's im Buche steht. Aber während wir noch darauf achten, ihnen nicht zu nahe zu kommen, damit uns ihre schießwütigen Bordschützen nicht abknallen, tauchen Me 110 am Horizont auf und lassen plötzlich ihre Raketen los.«

»Und keiner ist hinter ihnen her?«

»Als jeder noch glaubte, daß sie mit Fernraketen schießen würden, war es schon zu spät. Die Krauts waren verschwunden. Längst auf dem Rückweg zu ihrem Glas Bier. Und dann kamen die Me 109 durch unsere Formation getobt – und das Ganze spielte sich noch immer über dem Wasser ab, weit weg von jedem Ziel –, sie stoßen von oben durch die Bomber durch und nehmen für einen zweiten Anflug von unten her die Nase hoch. Oberst Dan geht auf sie los, und ein paar von uns kriegen einige Treffer ab, bevor sie wegtauchen. Während wir uns noch mit den Schätzchen herumschlagen, taucht die Rückzugssicherung auf. Das sind Thunderbolts, und die Jungs da drin halten alles, was rechteckige Flügel hat, für Messerschmitts. Wen überrascht es also, daß die Thunderbolts aus der Sonne runterstoßen und im ersten

Anflug gleich zwei von unseren Leuten fertigmachen? So haben wir an dem Tag zwei gute Piloten verloren, aber nicht einen einzigen bestätigten Abschuß zustande gebracht. Als wir uns dann langsam zum Rückflug formierten, da sehe ich so 'nen mondsüchtigen Kraut zurückkommen und auf die Bomber halten. Ich flog 'nen halben Looping und jagte ihn, aber er war schnell, wirklich schnell. Ich schick' ihm ein paar Feuerstöße nach, aber der fliegt schnurstracks weiter, macht überhaupt keine Ausweichmanöver. 'nen Augenblick lang denke ich: der Pilot ist vielleicht tot oder außer Gefecht gesetzt, da merk' ich, was dieser verflixte Schweinehund vorhat. Suchte sich 'ne flügellahm geschossene Festung aus und jagt ihr voll in die Flanke.«

Farebrother sagte nichts.

MM schlug die Hände zusammen und ließ sie verschränkt. »Ich war direkt hinter ihm, hab' alles gesehen. Er schlitzte dem Bomber die ganze Flanke auf. Ich konnte die Jungs sehen, die die Maschine flogen. Ich konnte die Sitze sehen und die Ausstattung, die Verdrahtung und das helle Aluminiuminnere. Ich war so dicht dran, daß ich die Jungs hätte anfassen können. Ich konnte ihre Gesichter sehen, als das ganze Ding auseinanderbrach. Scheiße! Mir war weiß Gott nicht zum Lachen zumute.« MM stieß seine Zigarette heftig in den Blechdeckel und rang sich ein Lächeln ab. »Gießen Sie sich 'nen Drink ein, wenn Sie einen wollen. Lockern Sie sich.«

»Ich fühl' mich locker genug«, sagte Farebrother. Der Stuhl quietschte, als er unbehaglich sein Gewicht verlagerte. »Wissen Sie vielleicht, wie der Flugplan über die Weihnachtsfeiertage aussieht?«

»Zum Teufel, Jamie, Sie sind noch keine fünf Minuten hier, und schon wollen Sie Urlaub machen.«

»Ein enger Freund von mir liegt in der Nähe von Norwich. Wir haben vereinbart, uns über Weihnachten möglichst zu sehen.«

»Sie haben doch nicht etwa vor, ein Bombergeschwader zu besuchen, oder?«

»Warum sollte ich nicht?«

»Na klar, es wird Ihnen da schon gefallen. Die Bombenflieger mögen uns, nennen uns über Funk ›kleine Freunde‹, nicht wahr? Die werden Ihnen ein paar Bier ausgeben und zum Klavier Lieder singen. Und das Hauptquartier ermuntert die auch noch zu all der Affenscheiße.«

»Und was ist daran so falsch?«

»Natürlich, ist 'ne feine Sache. Ich und Rube und Earl gingen öfter nach Narrowbridge rüber. Haben da B 17, leicht zu erkennen, haben am Heck ein rotes Karo mit 'nem weißen A drin. Ich hab' da einen besucht, der meinen Bruder kannte. Seine Familie hat bei Phoenix ein Restaurant, und ich selbst bin auch aus Arizona. Gab ein großes Palaver über Örtlichkeiten und gemeinsame Bekannte. Er hat hier seinen Navigator gemacht, und wir sprachen über zu Hause, zeigten uns gegenseitig Fotos von Mädchen, Müttern mit ihren Kindern, also diesen ganzen Familienkram, Sie kennen das ja.«

»Ja, ich weiß«, sagte Farebrother. Den Rest konnte er MMs Augen ablesen. »Und er war in der Maschine.«

»Ich konnte ihn *sehen*. Die Flanke der Maschine ging auf wie 'ne Sardinenbüchse. Er saß vor seinen Armaturen, aber von ihm war bloß noch die Hälfte da, Farebrother.« MM schnippte an seiner Kippe herum, um nicht feststellen zu müssen, ob seine Hände zitterten. »Aus und vorbei! Also keine Partys in Narrowbridge, hab' ich recht?«

»Das würde jeden aus der Fassung bringen, MM.«

»Natürlich würd' es das, das brauchen Sie mir nicht erst zu erzählen. Scheiß auf die Bombenflieger. Ich hab' ihnen nicht empfohlen, daß sie zu dieser lausigen Luftwaffe gehen sollten. Ist auch nicht meine Schuld, daß Oberst Dan befiehlt, Nahdeckung zu fliegen. Ich kann auch nichts dafür, daß Göring seinen Jagdfliegern sagt, sie sollten sich an die dicken Brummer halten und uns aus dem Wege gehen.«

»Ist es soweit?« sagte Farebrother. »Ich gehe lieber, damit Sie noch ein bißchen Schlaf kriegen.« Er erhob sich aus dem quietschenden Korbsessel. Winston lugte unter dem Bett hervor.

»Scheren Sie sich zum Teufel, Hauptmann Farebrother,

verflucht! Über mich brauchen Sie Ihre dünne weiße Nase nicht zu rümpfen. Da kommen Sie auch noch hin, und auf Ihre Schulausbildung im Osten brauchen Sie sich nichts einzubilden, wenn Ihnen die Krauts Blei in den Arsch jagen.«

Farebrother nickte höflich und schloß leise hinter sich die Tür. Farebrother wußte auf höchst elegante Weise unverschämt zu sein.

»Und lassen Sie Ihre blütenweißen Finger von meiner gottverdammten Maschine!« schrie MM gegen die geschlossene Tür.

5.

Hauptmann Charles B. Stigg

Offiziersheim
280. Bomberstaffel (H)
Cowdrey Green
Norfolk, England

Lieber Jamie,

Du kriegst Deine fünf Dollar! In meinem ganzen Leben war
ich nie glücklicher. Die Jungs hier sind freundlich, und der
Geschwaderkommandeur (»Sagen Sie doch, wie alle andern
auch, Porky zu mir!«) bläst in der Tanzkapelle die Trompete. Außerdem rotzt er seine B 24 in einer Art und Weise
auf die Landebahn, die mich an OA Jenkins erinnert; ist
vielleicht sein persönlicher Stil.

Die Staffel hat Prügel bezogen, und man hört, sobald
das Bier in Strömen fließt, eine Menge haarsträubender
Geschichten. Es sind aber prima Jungs – ich komme mir
richtig alt vor! Wir haben Kinder hier, die sich bloß einmal
die Woche rasieren müssen, sind aber feine Kerle. Keine
üblen Nachreden und kein Geschwätz, wie es der Stab in
Du-weißt-ja-wo so sehr schätzte. Und ich habe eine tolle
Mannschaft gekriegt. Und statt Schrott aus dem Ersatzteil-
depot bekam ich eine voll bemannte Maschine, als deren
Pilot ausfiel. Hat sich die Syph geholt (In Norwegen, sagte
der Stabsarzt und hielt uns einen hochgestochenen Vortrag
mit entsprechenden Farbdias, daß zwei oder drei Mann an
die frische Luft mußten!).

Ist 'ne gute Maschine, fast neu, und dazu die passende
Mannschaft, was ja von Vorteil ist. Heißt »Top Banana«,
achte also über dem Land der Hunnen mal auf uns.

Es sah so aus, als hätten wir heute einen Einsatz, aber während wir alle schon auf der Ringstraße waren, wurde er abgeblasen. Kann mir nicht vorstellen, wieso sie so lange brauchten, um sich festzulegen. Von da aus, wo die »Banana« stand, konnte ich kaum die rote Leuchtkugel sehen – wir waren knapp 500 Meter weit ab. Welche Enttäuschung! Und zwei Maschinen kamen zu Schaden, als sie auf dem Vorfeld mit den Flügelenden aneinandergerieten. Porky hat 'nen Bericht gemacht: »Auf dem Vorfeld großen Vögel in den Rücken zu stoßen ist ein ausdrücklich den Stabsoffizieren vorbehaltenes Sonderrecht.« Natürlich lieben ihn die Jungs alle.

Morgen nehme ich mir die Besatzung vor und übe Notwassern im ungeheizten öffentlichen Schwimmbad. Und das im Dezember? Der Krieg ist die Hölle. Für viereinhalb Pfund hatte ich heute die unverhoffte Gelegenheit, meine Bridgekenntnisse zu verbessern. Zum Schutz gegen das morgige Schwimmen hab' ich dabei meinen Kreislauf mit etwas Scotch angereichert. Außerdem war Gelegenheit, im Suff Briefe (wie diesen) nach Hause zu schreiben. Ich wünschte, Du wärst hier, Jamie, das würde die Sache erst richtig rund machen. Was ist mit Weihnachten? Sieht aus, als brauchte ich nicht OvD zu spielen oder anderen Dienst zu tun. Wie bist Du untergebracht?

Dein Freund
Charlie

6.

Hauptmann James A. Farebrother

Jamie Farebrother las Charlies Brief nun schon zum fünften Mal. Dann faltete er ihn und die Fünfdollarnote, die beigelegen hatte, und steckte beides in die Brieftasche wie ein Amulett, das ihn schützen sollte – nicht vor dem Bösen, sondern vor allergrößter Not.

Was sollte er antworten? Wie konnte er die vom Winterregen durchnäßte Zeltstadt beschreiben, oder die rotnasigen, triefäugigen Gestalten, deren zerschlissene Klamotten als GI-Uniformen kaum noch zu bezeichnen waren? Was gab es über den überarbeiteten Komiker von einem Kommandeur, über den unfreundlichen Stellvertretenden oder über den Rottenführer MM zu berichten, der sich allem Anschein nach in einen Nervenzusammenbruch hineinsteigerte? Vielleicht würde sich alles wieder normalisieren, wenn mit der Sonne auch die Einsatzbefehle für die dreckbespritzten Maschinen kämen; es fiel jedoch schwer, sich das vorzustellen.

Nur die Flüge mit der klapprigen ›Kibitzer‹ verhalfen Jamie zu seltenen Augenblicken des Zufriedenseins. Das Wetter besserte sich nicht. Die großen, schwarzen Hangartore blieben geschlossen und knarrten klagend im Wind. Die Flieger saßen stundenlang im Soldatenheim und kriegten sich in die Haare; zankten miteinander wie Schüler beim Nachsitzen. Die monotonen grauen Tage boten nur wenig Abwechslung. Abgesehen davon, daß MM dafür gesorgt hatte, daß sein neuer Pilot das paarweise Starten und Landen und das Formationsfliegen beherrschen lernte – all dieses spielte sich über dem Horst ab –, war in sieben Tagen nur ein einziger Start befohlen worden. Das Geschwader machte einen Überlandflug nach Yorkshire, stieß aber unerwartet auf eine vom Wetterdienst nicht gemeldete, undurchdringliche Gewitterfront. Die Mustangs kehrten aus allen Himmelsrichtungen zu ihrem Horst zurück. Es gab zwar keine Ausfälle, aber zwei Piloten landeten auf fremden Plätzen.

Die ›Kibitzer‹ machte auf dem Rückflug Schwierigkeiten mit dem Motor. Farebrother schaukelte sie behutsam nach Hause, wobei MM, Rube und Earl in seiner Nähe blieben. Als Tex Gill die Maschine indessen am Abend warmlaufen ließ, summte der Motor wie Musik in seinen Ohren.

»Wie 'ne Nutte«, so Tex über die ›Kibitzer‹, »hat zwar 'n goldenes Herz, aber man kann sich auf das alte Aas einfach nicht verlassen.«

Oberst Dan war mit dem Überlandflug des Geschwaders nicht zufrieden. Er rief die Offiziere noch am gleichen Nachmittag im Lageraum zusammen und nahm sie sich etwa eine Stunde lang vor. Sein Stellvertreter saß auf dem Pult. Mit verschränkten Armen und erhobenen Hauptes blickte er unverwandt zur Decke: eine Pose, die Heldisches und Kontemplatives gleichermaßen zum Ausdruck bringen sollte.

Oberst Dan war ständig in Bewegung, er schritt auf und ab, verschränkte die Arme, ruderte mit ihnen in der Luft herum, schrie, flüsterte, drohte und stieß mit dem Finger verärgert in Richtung seines aufgebrachten Publikums.

Hinter Farebrother saß MM zwischen Rube und Earl im Hintergrund des Lageraums. »Mehr üben«, sagte MM angewidert, »ich kann es förmlich riechen.«

»Und dabei war das nur Yorkshire«, sagte Rube. »Stell dir mal das Chaos vor, wenn wir mit Zusatztanks von Österreich nach Hause finden müßten!«

»Wir müssen für Farebrother 'ne neue Maschine besorgen«, sagte MM. Er gab mit dem Fliegerstiefel Jamies Stuhl einen heftigen Schub, um sicherzugehen, daß Jamie auch zuhörte. »Im Einsatz kann 'ne derartig alte Mühle dafür sorgen, daß wir alle aus der Stammrolle gestrichen werden.«

Am Abend gab es einen Betty-Grable-Film, und das Haus war gerammelt voll. In der Bar im Offiziersheim wurde kaum getrunken. Es dauerte nicht lange, und schon waren den älteren Unteroffiziersdienstgraden prächtig ausgemalte Berichte zu Ohren gekommen, welchen Anschiß Oberst Dan seinen Piloten verpaßt hatte. Im Schaukelstuhlklub stritten die Feldwebel verbissen über die Verdienste ihrer Schützlinge. Vor dem Aeroklub gab es eine Schlägerei, und ein Jeep wurde geklaut. Der Stellvertretende seufzte; all dies waren Anzeichen sinkender Moral. Oberst Dan pflichtete ihm bei. »Ich kam hierher, um Krieg zu führen«, sang ein Pilot namens Boogie Bozzelli und begleitete sich selbst auf dem Klavier. Er improvisierte eine Melodie, um seine Worte zu untermalen. »Seit meiner Ankunft habe ich nichts getan, als vor dem Wetter zu flüchten. Herr Oberst, kann ich mein Eintrittsgeld zurückhaben und im Sommer wiederkommen?« Oberst Dan fand das nicht amüsant. Er nahm sein Glas und entfernte sich.

Das Gefühl der Frustration besserte sich auch nicht, als am nächsten Morgen in aller Frühe das Geräusch von Flugzeugmotoren – es waren gleichfalls Merlins – unablässig über den Platz schallte, bis der Offizier vom Dienst die Rollfeldbefeuerung einschaltete. Der Lärm ließ niemand schlafen. Farebrother öffnete die Verdunkelung seines Schlafraums und erkannte draußen Rube und MM, beide schon voll angezogen. Im Osten verkündete der Himmel die nahende Morgenröte. Der Nachtwind blies stürmisch ins Fenster. Farebrother schloß es und legte sich wieder schlafen.

Am nächsten Morgen stand eine abgestellte Lancaster der R.A.F. auf dem Vorfeld: ein großer, mattschwarz glänzender viermotoriger Bomber. Lärmende GIs beglotzten ihn und machten Fotos. Die Besatzung – sieben Feldwebel – wurde bestaunt wie Besucher vom Mars. Da in Thaxted die einzige Messe für Bordbesatzungen im Offiziersheim untergebracht war, fand Farebrother bei seinem Eintreten die Männer von der R.A.F. beim Frühstück vor. MM winkte ihm zu, und so ging Farebrother zu ihm an den Tisch – der so gewählt war, daß er gute Sicht auf die englischen Flieger bot – und nahm Platz.

Vielleicht fühlten sich die Feldwebel zwischen all den Offizieren unbehaglich, denn sie waren zurückhaltend und verschlossen. Letzte Nacht waren sie über Berlin gewesen und hatten dort einen Teil des Leitwerks und ein Stück vom Flügel verloren. Der Flugzeugführer war ein graugesichtiger Junge von etwa zwanzig, die übrigen sahen wie unterernährte Schulkinder aus. Diese Flieger, die des Nachts kämpften, wirkten im Vergleich mit den lärmenden, sonnengebräunten Extrovertierten, die die amerikanischen Musterungskommissionen vorzugsweise als Flugzeugbesatzungen einzuteilen pflegten, blaß und in sich gekehrt.

Mickey Mouse fummelte unaufhörlich mit den Salz- und Pfefferstreuern herum und klopfte mit der Gabel aufs Tischtuch. »Sehen Sie sich diese Jungs an«, sagte er und wies mit der Gabel auf die Bomberbesatzung. »Diese Engländer kämpfen schon zu lange. Sie sind müde und abgeschlafft.«

»Nach einer Nacht ohne Jagdschutz über Groß-Berlin und mit halbweggerissenem Heck wären Sie wohl auch müde und abgeschlafft«, sagte Farebrother.

MM grinste gelassen. »Das werden wir bald rausfinden«, meinte er. »Mit diesen äußeren Zusatztanks bringen wir unsere Mühlen bis nach Kairo, falls sich die großen Tiere irgendeinen Grund dafür ausdenken sollten.« Mit der Zungenspitze versuchte er ein Stückchen Schinken zwischen den Zähnen freizubekommen. »Papptanks. Hört sich so an, als wenn bei der Metalleinsparung etwas übertrieben wird, hab' ich recht?«

»Lösen die sich überhaupt aus ihrer Halterung, wenn ich sie abwerfe?« fragte Farebrother.

»Da haben Sie was erfaßt, mein Lieber.« MM drehte sich etwas in seinem Stuhl, um die Männer von der R.A.F. besser sehen zu können. »Ein Spieß hat die Limeys gebeten, in der Nähe zu bleiben. Heute abend ist nämlich im Schaukelstuhlklub so 'ne Art Feier.«

»Und?«

»Sie wollen sich bloß 'n bißchen Sprit schnappen und

dann wieder zu ihrem Geschwader zurück. Sehen Sie sich doch diese Kinder mal an. Ob wir auch so aussehen, wenn wir erst wieder zu Hause sind?«

»Haben Sie heute morgen Radio gehört? Die englische Luftwaffe hat letzte Nacht über Deutschland dreißig schwere Bomber verloren. Dreißig Besatzungen! Natürlich wollen diese hier zurück und sehen, ob es ihre Kameraden geschafft haben.«

Oberleutnant Morse erhob sich und sagte: »Ich fahre mit meinem Motorrad nach Cambridge rüber, wollen Sie mit?« Winston, MMs schwarze Promenadenmischung, kroch unter dem Tisch hervor und schüttelte sich.

»Ich muß 'n paar Briefe schreiben.«

»Können Sie mir fünf Pfund leihen?« MM leerte seine Kaffeetasse. Farebrother reichte ihm das Geld, und MM nickte dankend. »Die waren also in Berlin letzte Nacht«, sagte er neidvoll. »Flieg' nach Berlin, und du kommst in die Schlagzeilen. Keiner will was über die Flak in Hannover oder die Fliegerabwehr von Kassel hören. Aber geh' nach Berlin, und du lieferst Schlagzeilen.«

»Und Sie wollen Schlagzeilen machen?«

»Da können Sie Ihren Arsch drauf wetten. Ein Schulkamerad von mir war auf 'nem U-Boot, das 'n japanisches Schiff versenkt hat. Unsere Stadt hat ihm zu Ehren 'ne Parade angeordnet. 'ne Parade! Er war bloß 'n Küchenbulle auf 'nem U-Boot. Hat nicht mal die Mittelschule zu Ende gemacht.«

Die Bar im Offiziersheim war düster; der größte Teil der Verdunkelungsjalousien blieb ständig geschlossen. Farebrother fand im Unterhaltungsraum eine Ecke, und trotz des Lärms, den die Männer in der Eingangshalle beim Schmücken des Christbaums verursachten, begann er seiner Mutter einen Brief zu schreiben.

»Kann ich Ihnen was zu trinken bringen, Sir?« fragte eine der englischen Ordonnanzen, ein völlig kahlköpfiger, vertrockneter Mann, krumm wie ein Fiedelbogen und von jener glänzenden, roten Gesichtsfarbe, die selbst einen schwer Magenleidenden noch vergnügt aussehen läßt.

»Danke, nein«, sagte Farebrother.

»Sie brauchen doch heute nicht zu fliegen, Sir«, redete ihm der andere gut zu. »Der Regen geht in Hagel über.« Farebrother blickte auf und sah so viel nassen Schnee an den Fensterscheiben herunterrutschen, daß die Aussicht auf die Tennisplätze hinter dem öden Rasen versperrt war. Aus den Lautsprechern drang von einer ramponierten, knackenden Platte die Big-Band-Version von ›Jingle Bells‹.

»Noch zu früh für Stoff, Lockenköpfchen. Der Hauptmann möchte 'ne Tasse Kaffee.« Es war Hauptmann Madigan. Nach der nächtlichen Fahrt auf dem Lastwagen von London erkannte ihn Farebrother wieder. »Nicht diesen Pulverscheiß, sondern richtigen Kaffee, und dazu ein Stück von dem Obstkuchen, den ihr Scheißkerle für euch selber reserviert.«

Die kahlköpfige Ordonnanz lächelte. »Sollen Sie haben, Hauptmann Madigan. Zwei echte Kaffee und zwei Stück besonderen Obstkuchen, kommt sofort.«

Madigan setzte sich nicht gleich. Er warf seine Mütze auf den Fenstersims und ging zum Kamin hinüber, um sich am Feuer zu wärmen. Sich umdrehend hielt er die Hände auf eine Art hinter dem Rücken, die er den Engländern abgeguckt hatte. »Mein Gott, dies muß der scheußlichste Ort von der Welt sein.«

»Waren Sie schon mal auf den Aleuten oder im Südpazifik?«

»Sprechen Sie einem Mann nicht das Recht zu nörgeln ab, Farebrother, oder ich halte Sie ab sofort für 'nen unverbesserlichen Optimisten.« Er bückte sich und zog die Fahrradklammern von den nassen Hosenbeinen. »Ich vermute, daß Sie in Ihrem Zimmer hier im Offiziersheim 'ne Dampfheizung haben, oder?«

»Ich bin in einem der Häuser jenseits der Straße untergebracht.«

»Gut, Chef; ich wohn' in einem der Zelte, die der Wind letzte Nacht umgerissen hat. Zeug und sonstiger Kram liegen jetzt wer weiß wie weit verstreut herum. Der Schlamm ist stellenweise knöcheltief.«

»Auf meiner Stube ist noch ein Bett frei.«

»Wessen?«

»Leutnant Harts.«

»Ist das der, den sie über Holland abgeschossen haben?«

»Oberleutnant Morse hat mir erzählt, Hart hätt' 'n Geschwür.«

Madigan sah ihn eine Weile an und erwiderte dann: »Dann wollen wir's bei 'nem Geschwür belassen.«

»Versteh ich nicht.«

»Oberleutnant Morse ist kein richtiger Jagdflieger«, sagte Madigan. »Er ist ein Filmstar, der in dieser Milliarden-Dollar-Eisenhower-Produktion 'ne Rolle als Jagdflieger spielt.«

»Sie meinen, er spricht nicht gern über Verluste?«

Bevor Madigan antworten konnte, wurde der Offizier vom Dienst über Lautsprecher ausgerufen.

»Stube drei im Haus elf«, sagte Farebrother. »Schmeißen Sie Ihre Sachen rein und warten Sie ab, daß Sie wieder vor die Tür gesetzt werden. So würd' ich's jedenfalls machen.«

Madigan klopfte Farebrother leicht auf die Schulter. »Farebrother, Sie sind nicht bloß der größte Pilot seit Dädalus, Sie sind auch noch ein Pfundskerl!« Madigan wiederholte dies noch einmal für die Ordonnanz, die eben mit Kaffee und Kuchen kam. »Sie haben sicher recht, Hauptmann Madigan«, sagte die Ordonnanz, »und vielen Dank für die Spielzeugflugzeuge.«

»Modelle für den Fliegererkennungsdienst«, erläuterte Madigan, als sich der alte Mann entfernt hatte. »Was soll ich damit auf der Pressestelle? Er gibt in der nächsten Woche 'ne Party für die Kinder aus dem Dorf.«

»Sie sind 'n richtiger Robin Hood«, sagte Farebrother. Er gab es auf, seiner Mutter schreiben zu wollen und wandte sich seinem Kaffee zu.

Madigan stand noch immer und suchte beunruhigt in seinen Taschen herum; es schien, als wenn er Farebrother etwas geben wollte. »Sehen Sie«, sagte er nach vergeblicher Suche, »ich kann mein Notizbuch im Augenblick nicht finden, aber Sie haben sich für Weihnachten doch noch nichts vorgenommen, oder?«

»Ich hab' gedacht, wir müßten vielleicht fliegen.«

»Selbst die Spatzen gehen zu Fuß, Farebrother. Sehen Sie sich den Mist da draußen an. Sie brauchen nicht studiert zu haben, um zu wissen, daß die Jungs von der Achten Luftflotte feuchtfröhliche Weihnachten feiern werden.«

»Und was ist mit den Presseoffizieren? Welche Art Weihnachten feiern die?«

»London ist ein Dreckloch«, sagte Madigan, nahm auf dem Sofa Platz und ließ Farebrother genügend Zeit, über diese Ansicht nachzudenken. »Und über Weihnachten wimmelt es in London von Kerlen, denen die Brieftasche locker sitzt. Ist nicht viel drin für 'nen Hauptmann ohne Flugzulage.«

Selbstbewußt faßte er sich an den Scheitel: nicht mehr allzu viele Haare zierten seinen großen, knochigen Schädel. Um das Beste daraus zu machen, hatte er sie über den Kopf verteilt. »Mir steht in Cambridge über die Feiertage ein wunderschönes Haus zur Verfügung. Sehen Sie, Farebrother, ich bin fest entschlossen, aus diesem Höllenloch hier rauszukommen.« Er lächelte gewinnend und entblößte eine Reihe großer, vollkommener weißer Zähne. Sein rechteckiges Kinn wirkte beim Lächeln noch ausgeprägter. »Und Sie machen mit, Kamerad. Ich besorg' uns die hübschesten Mädchen von ganz England.«

»Was ist denn mit Ihrer Hochzeit?« fragte Farebrother mehr provozierend als neugierig.

»Kürzlich nachts – Sie meinen, was ich da auf dem Lkw erzählt habe?« Er lächelte, über seine dreckverkrusteten Schuhe gebeugt. »Zum Teufel, das war doch niemals wirklich ernst gemeint. Und wie gesagt, nach London ist es viel zu weit.« Er trank einen Schluck Kaffee und tupfte sich mit einem Papiertuch die Lippen – bei einem Zweizentnermann mit der Figur eines Preisboxers eine etwas unangebracht behutsam wirkende Geste. »Ich verliebe mich immer in diese Nutten. Ich bin sentimental; das war noch stets mein Problem.«

»Ich bin froh, daß Sie mir das gesagt haben«, sagte Farebrother. »Ich hätte mir das nie vorgestellt.«

Madigan grinste und trank seinen Kaffee. »Die hübschesten zwei Nutten, die Sie je gesehen haben.« Und nach einer kleinen Pause setzte er hinzu: »Und zum Teufel, Farebrother, Sie können sich aussuchen, welche Sie haben wollen.« Er blickte auf, als erwarte er, Farebrother mit diesem selbstlosen Angebot überwältigt zu haben. »Und eins will ich Ihnen noch sagen, Kumpel. Es wird Ihnen nicht leid tun, daß Sie mir ʼne ordentliche Schlafgelegenheit verschafft haben.«

Farebrother nickte, obwohl ihm jetzt schon Zweifel kamen.

Den Rest des Tages benötigte Hauptmann Vincent Madigan für den Umzug nach Stube drei, Haus elf. Er hatte seine vor Nässe triefenden Habseligkeiten – unter anderem auch einen elektrischen Plattenspieler sowie eine bescheidene Sammlung von Opernplatten, die er aus seinem Büro mitgebracht hatte – auf dem ganzen Horst verstreut untergestellt gehabt. Das Wiedergabegerät stellte er auf den Fußboden, um für eine Kommode Platz zu schaffen, die er sich gegen Zigaretten eingetauscht hatte. Der Platz auf dieser Kommode war für Madigans Fotos reserviert. Von einem Bild seiner Mutter abgesehen, waren auf allen Fotos nur junge Frauen zu sehen – mal in Holz, mal in Leder, ja selbst in Silber gerahmt. Alle Bilder waren mit der schriftlichen Versicherung einer unstillbaren Leidenschaft versehen.

Farebrother inspizierte noch einmal Madigans Äußeres, das eines untersetzten, ansprechenden Mannes mit schütterem Haar und grober Nase von der gleichen Breite wie der Mund. Obschon er nur selten eine Brille trug, benötigte er sie, um die Plattenaufdrucke lesen zu können. War dies wirklich der Mann, dem dermaßen hübsche Mädchen ihre Liebe erklärten? Trotzdem war daran nicht zu zweifeln; denn Vince Madigan behandelte die Fotos nicht wie Trophäen. Er rühmte sich seiner Eroberungen nie. Im Gegenteil, seine Art war es, die ganze Welt wissen zu lassen, wie übel das andere Geschlecht auf seine altruistischen Liebesangebote reagiert hatte. Seinen Worten zufolge hatte Vince in Liebesangelegenheiten stets Pech gehabt.

»Irgendwie komm ich mit Frauen überhaupt nicht zurecht«, erklärte er Farebrother an jenem Abend, während er eine Platte umdrehte und die heftigen Geräusche, die die offenbar unmusikalischen Bewohner des Nebenraums verursachten, überhaupt nicht beachtete. »Wenn ich ihnen sage, sie sollen das Ganze nicht ernst nehmen...« Angesichts der Schlechtigkeit der menschlichen Natur zuckte er die Schultern. »Aber sie nehmen es immer ernst. Warum nicht bloß Freunde bleiben, sage ich. Aber nein, sie wollen geheiratet werden. Und sag ich dann: in Ordnung, ich will heiraten – bumms ändern sie ihre Meinung und wollen bloß Freundschaft.« Er nahm ein Tuch und säuberte eine Platte. »Manchmal denke ich, ich werd' die Frauen nie begreifen. Manchmal glaub' ich, diese gottverdammten Schwulen haben's da besser, Kumpel.«

»Ach was, wirklich?« fragte Farebrother, der gar nicht zugehört hatte. Er hatte gerade einen Absatz der Bedienungsanweisung für die P 51 immer wieder aufs neue überlesen. Dahinter verbarg sich eine große Anzahl Vorschriften, technischer Erläuterungen, Anweisungen und örtlich bedingter Einschränkungen. Eine entmutigende Aufgabe, sich das alles durchzulesen und einzuprägen! »Ich bin nicht sicher, Vince, daß ich all dies Zeug bis Weihnachten im Kopf habe.«

»Sie sind einfach zu verflucht gewissenhaft, Kumpel. Wer sonst im Geschwader hat sich durch all den Schund durchgewühlt? Bestenfalls Oberst Dan.«

»Ich bin der Neue, Vince. Sie erwarten von mir, daß ich mir die Sache reinziehe.« Er durchblätterte die Seiten. »Und dabei habe ich Jura aufgegeben, weil ich diese Art zu lesen nicht mehr ertragen konnte!«

»Der Mensch entgeht seinem Schicksal nicht, Farebrother.«

»Wie bitte?« sagte Farebrother, von Madigans Tonfall überrascht.

»Der Mensch entgeht seinem Schicksal nicht«, sagte Madigan lächelnd; und obwohl er lächelte, erkannte Farebrother in seinen Augen, daß es nicht als Scherz gemeint war. »Ist davon nicht in Mozarts ›Don Giovanni‹ die Rede? Jeder von uns versucht jemand anderer zu sein – wie Ihr Kumpel Morse zum Beispiel. Eigentlich ist die Hälfte der Jungs bloß Soldat geworden, um vor sich selber wegzulaufen.«

»Was haben Sie gegen MM?«

»Also, irgendwas stimmt mit dem nicht, Jamie.« Er legte die Platte auf den Teller, setzte die Mechanik aber nicht in Gang. »Jeder neue Offizier, der sich hier meldet, kriegt von mir 'nen Fragebogen, und so erfahre ich also den Namen der Eltern, deren Anschrift sowie Einzelheiten über Verwandte, die bei der Zeitung oder beim Rundfunk arbeiten. Und dann sind da noch Rubriken wie ›Schulbildung‹, ›Freizeitbetätigung‹ und ›Zivilberuf‹. Sie wissen das ja alles, haben ja selber so 'nen Bogen ausgefüllt. Morse trägt also in seinem Fragebogen ein, er hätt' auf der Staatsuniversität Arizona 'nen Grad in Ingenieurwissenschaften erworben. Dabei braucht man mit dem Burschen nur mal zu reden, und schon weiß man, daß er nicht mal das College zu Ende gemacht hat.«

»Er weiß 'ne Menge über Motoren.«

»Sicher, seine alten Herrschaften haben ja auch 'ne Tankstelle.«

»Na gut, aber...«

»Mir ist es scheißegal, wo er auf dem College war. Ich bin in keinster Weise versnobt, Farebrother. Mir hat 'n Mädchen das College bezahlt – eigentlich 'ne richtige Frau, verheiratet und all so was. War zehn Jahre älter als ich. Sind nach New York ausgerissen und lebten in 'ner Mietskaserne in der Zehnten Straße von ihrem Unterhaltsgeld. In dieser Zeit hab' ich an der New Yorker Universität 'nen Grad in Englisch gemacht.« Er rieb sich das Gesicht. »Ich hab' ihr das Geld schließlich zurückgezahlt, glaub' aber, daß sie gedacht hat, wir würden heiraten und bis zum Ende aller Tage miteinander glücklich sein.«

»Und deswegen vermuten Sie, er hätt' das College nicht zu Ende gemacht? Na und?«

»Warum, zum Teufel, gibt er es dann nicht zu? Und wenn er in diesem Punkt schon lügt – warum spielt er dann verrückt, wenn die Abwehroffiziere seine Behauptungen anzweifeln?«

»Nun mal langsam, Vince. Über seine Angaben entscheidet die Abwehr anhand des von ihm zurückgebrachten Filmmaterials.«

Mit versöhnlicher Geste hob Madigan die Arme und wechselte zu Beanstandungen anderer Art über. »Ich fotografiere jeden neuen Piloten in seiner Kanzel, klar. Dann schicke ich 'nen Hochglanzabzug an seine Lokalzeitung und 'ne Pressemeldung an jeden, der auch nur entfernt interessiert sein könnte. So hab' ich es in Ihrem Fall letzte Woche auch gemacht – mein Feldwebel hat schon 'ne ganze Menge Zeugs rausgeschickt. In ein paar Wochen schicken Ihnen Freunde oder Nachbarn oder auch Ihre Eltern ein paar Ausschnitte zu. Sie zeigen sie rum, und bevor Sie sie wieder ins Kuvert zurückgesteckt haben, steht schon MM in meinem Büro und will wissen, warum ausgerechnet Sie solche Publicity kriegen und er nicht. Können Sie verstehen, wie mich das ankotzt?«

»Machen Sie sich nichts draus, Vince.«

Madigan fuhr mit dem Tuch noch einmal über die Platte und prüfte, ob die Nadel staubfrei sei. »Morse ist ein mozartianischer Charakter«, sagte er, während er sich bückte und von der Seite her prüfend über die Oberfläche der Platte blickte. »Läuft dauernd vor sich davon; sucht, was er nicht mal beschreiben kann.«

»Lassen Sie uns doch mehr von der ›Entführung‹ hören, Vince.«

Erstmalig bemerkte Madigan in der Stimme seines Stubenkameraden einen Anflug von Verdrossenheit. Eigentlich hätte er es besser wissen und nicht über Morse reden sollen; diese Piloten hielten doch stets gegen die übrigen

Offiziere zusammen. Er lächelte und las erneut vom Platten-
aufkleber vor. »Achten Sie mal darauf, wie sich Constanzes
Rezitativ bis zu dem Wort ›Traurigkeit‹ steigert und Mozart
dann zu Moll übergeht, um den Umschwung der Stim-
mungslage zu kennzeichnen. Für mich ist dies eine der
bewegendsten Opernarien. Wunderbar!«

»Woher haben Sie Ihre Opernkenntnisse, Vince?«

Madigan verschränkte die Arme und blickte, während er
über die Frage nachdachte, zur Decke empor. »Nach dem
College war es mein erster Job bei 'ner Zeitung. Ich sollte
ein Mädchen interviewen, das ein Stipendium für die Juil-
liard-Musikhochschule New York gewonnen hatte. War ein
wunderbares Mädchen, Jamie.« Madigan stellte den Plattenspieler an, setzte sich und lauschte der Musik mit
geschlossenen Augen.

Farebrother wandte sich wieder seinen Unterlagen zu.
Fast eine weitere Stunde lang spielte Madigan Platten,
sichtete seine wieder versammelten Besitztümer und sprach
kaum ein Wort. Farebrother hielt ihn für zutiefst beleidigt,
schließlich aber kehrte ein Teil seiner Munterkeit zurück, so
daß er sagen konnte: »Mir kam da gerade so'n Gedanke,
altes Haus. Wie wär's denn mit dieser hier für Sie?« Er hatte
die Brille auf der Nase und hielt Farebrother ein Foto hin.
»'ne große Brünette mit Riesentitten. Wird schon von Limo-
nade besoffen.«

»Sie schulden mir nichts, Vince!«

»Sehr zärtlich, sehr leidenschaftlich.« Anhand des Fotos
suchte er sich zu erinnern. »Völlig ungebunden; kein Ehemann, keine Freunde, um die man sich Sorgen machen
müßte.«

Farebrother blätterte sein P-51-Handbuch eine Seite weiter und stellte fest, daß dem ›Notwassern‹ die Warnung
vorangestellt war, es sei davon auszugehen, daß das Flugzeug »innerhalb von ca. zwei Sekunden« untergehe. Er
schüttelte den Kopf.

»Wie wär's denn, wenn wir sie für Ihren Freund, den Ba-
nanendampfer-Captain, reservieren?«

»Charlie würde sie wohl gefallen, ja, doch.«

»Ich hab' auch den Offizier von der Marketenderei eingeladen. Sind Sie damit einverstanden? Wissen Sie, wir brauchen doch schließlich auch Schnaps, Süßigkeiten und Zigaretten.«

»Ist nicht meine Party, Vince.«

»Unsere Party, na klar. Sie brauchen nichts weiter zu machen als hinzukommen.« Er steckte die Platte in ihre Papierhülle. »Aus Höflichkeitsgründen hab' ich natürlich auch Oberst Dan eingeladen. Ich kann mir aber nicht vorstellen, daß er auftauchen wird.«

»Wieviel Leute erwarten Sie denn?«

»Ich hätte mir 'ne Liste machen sollen.«

»Vielleicht mache ich freiwillig OvD.«

»Stellen Sie sich nicht so an«, sagte Madigan, »das wird die größte Party aller Zeiten.« Er ließ die Platte in die Tragekiste gleiten, in der er seine Aufnahmen verwahrte. »Victoria Cooper!« rief er plötzlich aus und schnickte mit den Fingern in der Luft. »Intellektuell, Jamie. Sehr englisch, sehr Oberschicht; dunkles Haar und ein wunderschönes Gesicht. Genau Ihr Typ – groß, mit Klassefigur. Victoria! Sie werden verrückt nach ihr sein.«

»Ist sie auch eine von Ihren sentimentalen Unbesonnenheiten?«

»Ich hab' kaum ein Wort mit ihr gewechselt. Ist 'ne Freundin von Vera. Von Vera hab' ich Ihnen doch erzählt, oder?«

»Kümmern Sie sich nicht drum, Vince«, sagte Farebrother nervös.

»Sie könnten da der erste sein, Jamie. Victoria Cooper – ich bin überzeugt, daß Vera für uns 'ne doppelte Verabredung arrangieren könnte.«

»Nun hören Sie schon auf, Vince, ja. Die Oper und so, das kann ich ja noch begreifen, aber halten Sie sich aus meinem Privatleben raus, ja!«

»Sie sagten, daß es in Ihrem Leben keine Frauen gibt. Was meinten Sie eigentlich mit ›Oper noch begreifen können‹? Sie wollen damit doch nicht etwa sagen, daß Sie Mozart nicht mögen?«

»Ich komme auch ohne ihn zurecht. Ich war immer schon ein Dorsey-Fan.«

»Das ist Tanzmusik.« Madigans Kinn fiel herab; er schien ehrlich erschüttert. »Großer Gott, und ich hab' gedacht, daß ich hier in dieser Bruchbude 'nen echten Kumpel gefunden hätt', jemanden, mit dem ich reden kann.«

»War alles nur gespaßt, Vince.«

Madigan erholte sich langsam von seinem Schock. »Himmel, und ich hab' geglaubt, Sie wären mal 'ne Minute lang ernst.« Er lächelte und zeigte seine vollkommenen Zähne. »Warten Sie nur, bis Sie Victoria Cooper erst zu sehen kriegen – sie wird sich auch für Sie interessieren. Sie interessiert mich nicht, weil sie bei ihren Eltern wohnt.« Er nahm die Brille ab und steckte sie in ein Lederetui. »Mein Vater hat mich meiner Mädchen wegen praktisch aus dem Haus gejagt. Mutter schien das nie was auszumachen. Ist doch komisch, daß es Frauen nichts auszumachen scheint, wenn ihre Söhne in der Gegend rumbalzen. Hat fast den Anschein, als ob sie selber ihren Spaß dran haben.«

7.

Victoria Cooper

Victoria war Privatsekretärin beim Verleger einer Lokalzeitung. Das Blatt erschien einmal wöchentlich und hatte, da Zeitungspapier knapp war und rationiert wurde, lediglich acht Seiten. Victoria indessen genoß ihre Arbeit; verschaffte sie ihr doch Zugang zu den fernschriftlichen Agenturmeldungen und den Reiz der Bekanntschaft mit jenen Männern, die an den entlegensten Fronten gestanden hatten. Sie brachte gerade die Wandkarte auf den neuesten Stand der Dinge, als Vera eintrat. »Amerikanische Truppen haben mit Unterstützung australischer Kriegsschiffe an der Südküste Neu-Britanniens einen festen Brückenkopf gebildet.« Als sie das entsprechende Stückchen Pazifikküste gefunden hatte, steckte sie dort ein Fähnchen.

»Ich bringe Ihnen Tee, Fräulein Cooper.«

»Das ist nett, Vera.« Die Besucherin war eine kleine, lebhafte Frau mit blondgefärbtem kurzem Lockenhaar. Sie war zwar kein junges Mädchen mehr, aber ihre Sommersprossen und die Stupsnase gaben ihr ein jugendlich-jungenhaftes Aussehen, das auf Männer – legt man die Reaktion des Redaktionsstabes zugrunde – zu wirken schien.

»Ich mußte ohnehin hier raufkommen.« Vera wedelte mit einer Handvoll Pressefotos, ehe sie diese in den Korb auf dem Schreibtisch warf, ordnete dort einige Papiere, um für ihr Bleiben einen Vorwand zu haben. »Einem Freund von mir hat man über Weihnachten eine wundervolle Wohnung überlassen. Die sollten Sie mal sehen – Zentralheizung, Teppiche und überall kleine Tischlampen. So was sieht man sonst nur im Film. Und romantisch!«

»Sie Glückliche, Vera!«

»Er ist Amerikaner, 'n Hauptmann. Trinken Sie doch Ihren Tee, Fräulein Cooper. Hauptmann Vincent Madigan. Ich sag' Vince zu ihm. Er ist groß und kräftig und sieht unheimlich gut aus, wie Pat O'Brien, der Filmschauspieler. Er spricht auch so ähnlich.«

»Hört sich an, als wären Sie hin und her gerissen.«

»Ach was, nichts dergleichen«, sagte Vera hastig, »wir sind bloß befreundet. Mir tun diese Amerikaner leid – sind so weit weg von zu Hause und ihren Familien.« Sie griff nach ein paar Fotos und tat so, als sehe sie sich diese an. »Ich hab' gesagt, ich würde zu der Weihnachtsparty ein paar Freundinnen mitbringen. Sie sagten doch, Ihre Eltern wären über die Feiertage nicht da, und da hab' ich gedacht...«

»Ich glaube kaum, Vera.« Sie war mit dem amerikanischen Freund einmal bekanntgemacht worden, als dieser Vera vor dem Büro abholte, und fragte sich daher, ob sie es vergessen hatte oder ob es ihr einfach gefiel, ihn erneut zu beschreiben.

»Ist doch Weihnachten, Fräulein Cooper«, schmeichelte Vera. »Ich guck' bei Ihnen auf dem Nachhauseweg ganz kurz rein, ist gleich um die Ecke. Und da dachte ich, Sie könnten vielleicht mitkommen – allein würd' ich nämlich nicht gern hingehen. Sie haben da ganz wunderbaren Kaffee und fabelhafte Schokolade – Candies sagen sie dazu.«

»Ja, hab' ich schon gehört«, sagte Victoria. Es war herablassend gemeint, und Vera faßte es auch so auf. Eilig griff sie sich ein paar Auszahlungsbelege, um sie zur Kasse zu bringen, und wandte sich zum Gehen. Und da Victoria zu diesem munteren Mädchen nicht grob sein wollte – die andere würde vielleicht annehmen, daß es ihres Akzentes wegen sei oder weil sie nicht auf dem College gewesen war –, sagte sie: »Ich gehe mit Ihnen, Vera. Ich kann ein bißchen Abwechslung gebrauchen, darf aber nicht zu spät nach Hause kommen. Ich muß mir noch die Haare waschen.«

Vera quietschte vor Begeisterung – ein Verhalten, das sie zweifelsohne irgendeinem Filmsternchen aus Hollywood abgelauscht hatte. »Ach, ich bin ja so froh, Fräulein Cooper. Das wird nett werden – er hat 'nen Freund dabei – hilft ihm beim Schmücken und so«, fügte sie etwas zu schnell hinzu.

»Gehe ich da zu einer sogenannten ›blinden Verabredung‹, Vera?«

Vera lächelte schuldbewußt, ohne jedoch etwas zuzugeben. »Sie sind immer richtig nett, richtige Gentlemen, Fräulein Cooper.«

»Ich hoffe doch sehr, daß Sie mich nicht den ganzen Abend über Fräulein Cooper rufen werden.«

»Wir treffen uns also um sechs, Victoria.«

Victoria bemerkte sofort, weswegen Vera von der Wohnung, die den Amerikanern zur Verfügung stand, so beeindruckt war. Sie war elegant und behaglich zugleich, mit guten, wenn auch vernachlässigten antiken Möbeln eingerichtet, zu denen auch abgetretene Perserteppiche und ein paar holländische Aquarelle des neunzehnten Jahrhunderts gehörten. Bis auf ein paar vereinzelte Porzellane waren die Bücherschränke leer. Vermutlich gehörte die Wohnung irgendeinem Tutor oder sonstigen Universitätsangehörigen, der zur Zeit Frontdienst leistete. Unverkennbar jedoch, daß die Wohnung im Augenblick von Amerikanern belegt wurde: in verschiedenen Ecken lagen Sportartikel herum – Golf- und Tennisschläger, sogar ein Baseballhandschuh –, und auf dem Tisch in der Diele stapelten sich bunte Lebensmittelkartons, Konservenbüchsen und stangenweise Zigaretten.

Sie war mit einigen Befürchtungen in die Jesus Lane gekommen – in halber Erwartung dessen, dort jene primitiven, räuberischen Wilden anzutreffen, wie ihre Mutter sie in der Mehrzahl aller amerikanischen Soldaten sah. Sie wäre nicht sehr überrascht gewesen, wenn sie ein halbes Dutzend Männer angetroffen hätte, die, billige Zigarren rauchend, im Unterzeug über haariger Brust um einen Kartentisch versammelt hockten und um Geld pokerten. Die Wirklichkeit konnte sich von diesem Klischee kaum stärker abheben.

Hauptmann Madigan und sein jüngerer Freund saßen in

maßgeschneiderten Uniformen im Wohnzimmer und lauschten Mozart. Beide hatten sich in jener entspannten Weise ausgestreckt, zu der wohl nur Amerikaner fähig zu sein scheinen – die Füße weit von sich gestreckt und die Köpfe tief in die Kissen vergraben, hatten die beiden Mühe, zur Begrüßung ihrer Besucherinnen auf die Beine zu kommen.

Vincent Madigan bekannte, sie vorher bereits getroffen zu haben, und erinnerte sich dermaßen mühelos an Ort und Zeit, daß sie kaum zweifelte, die Einladung müsse von ihm ausgegangen sein. »Ich freue mich, daß Sie hereingeschneit sind«, sagte Madigan und tat weiterhin so, als sei Victoria nur zufällig hier. Er stellte die Musik ab. »Darf ich Hauptmann James Farebrother vorstellen?« Sie nickten sich zu. Madigan sagte: »Laßt mich euch Mädchen einen Drink machen. Martini, Vera? Wie ist es mit Ihnen, Fräulein Cooper?« Er beugte sich vor und las die Flaschenetiketten. »Scotch, Gin, Portwein, irgend etwas namens Oloroso – scheint hier schon 'ne Weile rumzustehen – oder einen Martini wie Vera?« Seine Stimme war unerwartet leise, kaum vernehmlich, und sein Akzent war so ausgeprägt, daß es sie einige Mühe kostete, ihn zu verstehen.

»Einen Martini, bitte.«

James Farebrother bot Zigaretten an und bat um Erlaubnis, rauchen zu dürfen. Alles war so formell, daß Victoria ein Kichern unterdrücken mußte. Sie suchte Farebrothers Blick und lächelte eindringlich. Er grinste zurück.

Farebrother war etwas größer als sein Freund, aber nicht so stämmig, und trug das Haar so kurz geschnitten, wie sie es bislang nur in Hollywoodfilmen gesehen hatte. Sie hielt ihn für etwa gleichaltrig – für fünfundzwanzig. Beide Männer waren muskulös und athletisch. Madigan hatte die Figur des Boxers oder Footballspielers; Farebrother besaß dagegen die federnde Anmut des Läufers.

»Sie müssen Mozart-Liebhaber sein«, sagte sie.

»Nein, Vince ist der Opernfreund. Ich schlage bloß den Takt mit.«

Seine Uniform war eindeutig Maßarbeit. Sie bemerkte,

daß er im Gegensatz zu Vince Madigan einen seidenen Binder dazu trug. Ein Geschenk von Freundin oder Mutter oder Offenbarung einer verborgenen Eitelkeit?

»Wir werden in einem kleinen italienischen Lokal am Ende der Straße essen«, verkündete Madigan beim Servieren der Getränke. »Da gibt es phantastische italienische Kalbsschnitzel – so gut, wie ich sie von zu Hause in Minneapolis her gewöhnt bin.«

Das war eine groteske Empfehlung, und ihre Versuchung zu lachen, ließ sich kaum unter Kontrolle bringen. Madigan hielt Victorias Belustigung fälschlicherweise für Entrüstung. Selbstbewußt fuhr er, sein Haar ordnend, mit der Hand über den knochigen Schädel, trat zurück und verschüttete, als er gegen das Sofa stolperte, fast seinen Drink. »Okay«, sagte er, »okay, ich weiß, was ihr Engländer über Mussolini so denkt, und da habt ihr nicht unrecht, Victoria.«

»Das meinte ich nicht«, sagte Victoria. Sie blickte zu Vera hinüber, die in den Sportartikeln herumstöberte. Bei Vera war alles in Ordnung; sie hatte kurzes, lockiges Haar, das jederzeit gepflegt aussah. Victoria jedoch entsetzte sich bei dem Gedanken, in ihrem unmodernen Twinset, das sie des öfteren im Büro trug, und mit verfilzten Haaren in ein schickes Restaurant zu gehen.

»Seht euch das hier an«, sagte Vera und wedelte mit dem Baseballhandschuh an ihrer Hand. »Seid ihr zum Kriegführen rübergekommen oder zur Sommerolympiade?«

»Wir gehen in den ›Blauen Eber‹«, sagte Madigan, »das ist viel besser.«

»Nein, bitte«, sagte Victoria, »bleiben Sie bei Ihrem ursprünglichen Vorhaben, aber ich muß wirklich nach Hause.«

»Bitte, gehen Sie nicht, Victoria«, sagte Farebrother. »Wir haben hier in der Wohnung genug zu essen. Warum hauen wir uns nicht ein paar Eier in die Pfanne und essen Schinken dazu?« Sein Akzent war weicher und kam nicht so stark durch wie bei Madigan.

»Oh, Victoria«, sagte Vera, »Sie hassen die Italiener doch nicht wirklich?«

»Natürlich nicht«, sagte Victoria. Sie sah schweigend zu, wie ihre Freundin mit einem der neuen Tennisschläger, den sie aus der Hülle genommen hatte, ein paar Schläge probierte. Die Enttäuschung war Vera von den Augen abzulesen – sie liebte Restaurants. »Gehen Sie doch mit Vince – ich möchte Ihnen den Abend nicht verderben.«

»Wir bleiben auch nicht lange«, versprach Vera sanft. In Gesellschaft von Männern wurde sie ganz anders, anregend und amüsant. Victoria blickte sie mit neuerwachtem Interesse an. Sie war älter als Victoria – dreißig oder darüber –, aber es ließ sich nicht leugnen, daß sie es war, die auf die meisten Männer attraktiver wirkte. Ihre Kritiker im Büro – und an ihnen herrschte kein Mangel – behaupteten, daß Vera das Selbstwertgefühl der Männer steigerte; sie wäre leicht hinzureißen und entgegenkommend – aber Victoria wußte, daß das nicht stimmte. Vera war herausfordernd, streitlustig und jederzeit bereit, Rangordnung und Werte einer männlich geprägten Welt ins Lächerliche zu ziehen – wozu ihr der Krieg reichlich Gelegenheit bot.

Sie blickte in einen Spiegel, strich sich über das lockige blonde Haar und verzog den Mund, um Lippenstift aufzutragen. »Wir bleiben nicht lange«, wiederholte sie Richtung Spiegel. Es war ebenso Appell wie Feststellung – sie wollte Vince Madigan am Restauranttisch für sich allein haben. Sie wandte sich um und wechselte mit Victoria einen Blick, wobei sie feststellte, daß dieser der Gedanke an eine Stunde Alleinsein mit James Farebrother nicht unangenehm war – als Alternative blieb ihr nur der Heimweg in die kalte elterliche Wohnung in der Royston Road.

»Ich werde hier irgend etwas kochen«, sagte Victoria. Die Verheißung galt Vera ebenso wie James Farebrother.

»Das ist prima«, sagte dieser, »lassen Sie mich Ihren Drink auffrischen, dann zeig' ich Ihnen die Küche.«

Die beiden anderen gingen mit beinahe unziemlicher Eile. Victoria begann die Lebensmittel, die die beiden Offiziere in der Marketenderei gekauft hatten, auszupacken. Für jemanden, der vier lange Jahre im kriegsgeschüttelten England verbracht hatte, bot sich ein atemberaubender

Anblick. Da gab es Büchsen mit Schinken und Butter, Obstkonserven und Saft, Biskuits, Zigaretten und Sahne. Es fanden sich sogar ein Dutzend frischer Eier, die Madigan auf Hobdays Farm neben dem Fliegerhorst erstanden hatte. »Ich habe noch nie so viele wundervolle Sachen gesehen«, sagte Victoria.

»Sie reden wie meine Schwester, wenn sie am Weihnachtsabend ihre Bescherung auspackt«, sagte Farebrother. Er schaltete den Plattenspieler ein, nahm jedoch die Lautstärke etwas zurück.

»Die Zuteilungen sind bis auf ein Ei die Woche runter, und die Büchse Butter da entspricht ungefähr einer Viermonatsration.« Er lächelte sie an, und sie sagte: »Ich fürchte, wir werden alle nahrungsbesessen. Wenn der Krieg vorüber ist, bekommen wir das Gefühl für das rechte Maß vielleicht wieder.«

»Inzwischen aber wird gepraßt.« Er griff sich ein paar Konserven. »Schinken und Eier und süßen Mais und Spaghetti in Bologneser Sauce. Es sei denn natürlich, daß Ihr Embargo gegen alles Italienische allumfassend ist; in diesem Falle werden wir Hauptmann Madigans Rigoletto-Platten feierlich zerbrechen.«

»Ich hasse die Italiener nicht.«

Er legte eine Hand auf ihren Arm und sagte: »Ganz unter uns, Victoria: die italienische Küche in Minneapolis ist fürchterlich.«

Sie lächelte. »Ich habe wirklich nicht...«

»Ich weiß, Sie haben einfach nichts anzuziehen und glauben, Ihr Haar wär 'ne Katastrophe.«

Sie fuhr sich mit der Hand ins Haar.

»Tut mir leid«, sagte er, »ich hab' bloß Spaß gemacht, Ihr Haar sieht phantastisch aus.«

»Wie haben Sie es erraten, warum ich nicht gehen wollte?«

»Vicky, ich habe schon jede mögliche Entschuldigung fürs Versetztwerden gehört.«

»Kann ich schwer glauben.« Noch nie hatte jemand Vicky zu ihr gesagt, aber aus dem Mund dieses gutaussehenden

Amerikaners klang es nicht unangebracht. »Können Sie einen Öffner auftreiben und eine Büchse Schinken öffnen?«

Während sie die Bratpfanne erhitzen ließ und Brot schnitt, beobachtete sie ihn beim Öffnen der Konservendosen. Er verletzte sich am Finger. Ungeschicklichkeit war bei einem Mann seines Schlages eine überraschende Unzulänglichkeit. »Sind Sie Flieger?«

»P 51, Mustang-Jäger.« Er faßte über sie hinweg, um ein Messer aus der Schublade zu nehmen. Als seine Hand dabei ihren bloßen Arm berührte, erschauerte sie.

»Geleitschutz für die Bomber?«

»Sie scheinen gut informiert zu sein.« Er nahm das Messer und lockerte damit den Schinken in der Dose.

»Ich arbeite in einer Zeitungsredaktion.«

»Ich habe gar nicht gewußt, daß die englischen Zeitungen die amerikanische Luftwaffe schon einmal erwähnt haben.« Er blickte auf. »Tut mir leid. So sollte sich das nicht anhören.«

»Unsere Blätter widmen ihre meiste Aufmerksamkeit der Royal Air Force – das ist nur natürlich, wenn man bedenkt, wie viele Leser Verwandte haben, die...« Sie unterbrach sich.

»Sicher«, sagte er und schüttelte heftig die Schinkenbüchse, bis das Fleisch auf den Teller glitt.

»Wie viele Einsätze haben Sie geflogen?«

»Keinen«, sagte er, »ich bin gerade angekommen. Schätze, es war ein bißchen voreilig, mich vernachlässigt zu fühlen.«

»Das Wetter ist schlecht. Wie viele Eier soll ich nehmen?«

»Vince bekommt sie lastwagenweise. Nehmen Sie alle, wenn Sie wollen.«

»Also zwei für jeden.« Sie schlug die Eier ins heiße Fett.

»Für Bombenangriffe am Tage brauchen wir klaren Himmel. Die Royal Air Force hat Zauberkästen, mit deren Hilfe sie im Dunkeln sehen können, aber wir fliegen bloß am Tage.« Er legte Schinkenscheiben auf die Teller.

»Am Tage und bei klarem Wetter – wird es den Deutschen damit nicht leichtgemacht, euch abzuschießen?« Sie tat, als wäre sie voll damit beschäftigt, Fett über die brutzelnden Eier zu löffeln, wußte aber, daß er sie ansah.

»Aus diesem Grunde sind wir Jagdflieger da.«

»Und was ist mit der Flak?«

»Schätze, an dem Problem wird noch gearbeitet«, sagte er grinsend. Abrupt brach die Musik im Nebenzimmer ab. Er griff nach ihr. »Victoria, du bist die einzige...« Er nahm sie behutsam bei der Schulter, um sie in die Arme zu schließen. Sie gab ihm einen flinken Kuß auf die Nase und tauchte weg.

»Ich drehe Mozart um«, sagte sie. »Sie können inzwischen die Teller auf den Tisch stellen.«

Sie saßen in der engen Küche und aßen. Er goß kaltes amerikanisches Bier in zwei Gläser und ermunterte Victoria lebhaft, sich die Butter dick auf die Crackers zu streichen. Er selbst rührte das Essen kaum an. Victoria sprach von ihrer Arbeit und ihrem redegewandten Vetter, der kürzlich persönlicher Referent eines Abgeordneten geworden war. Er erzählte ihr von seiner wunderbaren Schwester, die einen Barbesitzer und Alkoholiker geheiratet hatte. Sie erzählte ihm von den Kümmelkuchen, mit denen ihre Mutter bei dem jährlichen Wettbewerb der Frauenvereinigung Preise gewonnen hatte. Er erzählte ihr von Amelia Earhart, die im Januar 1935 nach einem Alleinflug von Honolulu auf dem Flugplatz von Oakland eingetroffen war, und wie dies seinen Entschluß, fliegen zu lernen, hatte reifen lassen. Im Alter von vierzehn Jahren ließ man ihn das Steuer einer riesigen dreimotorigen Ford-Maschine, an der ein enger Freund seines Vater beteiligt war, übernehmen.

Wenn man verliebt ist, gibt es so viel zu erzählen, so viel zuzuhören. Sie wollten sich alles erzählen, was sie jemals gesagt, gedacht oder getan hatten. Ihre Welten stießen aufeinander. Victoria war überwältigt vom Zauber eines befremdlichen Volkes, das seine niedrigsten Offiziere wie Generale kleidete, Mais aß, Eier mit Schinken unberührt ließ, Nylonstrümpfe erfand und Kinder Flugzeuge steuern ließ.

»Vince sagt, jeder von uns hat zwei Gesichter; er versucht fortwährend zu beweisen, daß diese Vorstellung hinter allem steht, was Mozart schrieb.«

Was hatte er vorhin sagen wollen? fragte sie sich. Victoria, du bist die einzige für mich. Victoria, du bist das einzige Mädchen, das ich heiraten könnte. Victoria, du bist das einzige englische Mädchen, das keine vier frischen Eier braten kann, ohne daß bei zweien das Gelb zerläuft. Es verlangte sie nach den auf seinem Teller zurückgelassenen Eiern, und sie wünschte, sie hätte sich die heilgebliebenen auf den eigenen Teller getan.

»Nicht gerade die Aufmachung, die sie in den Opern bringen, sondern die Musik, die jeden der beiden Charaktere erläutert.«

»Seid ihr beide Opernliebhaber?«

»Wenn mich jemand davon abhalten könnte, so ist das Vince.«

Sie lächelte. »Er ist überspannt, hat mir Vera erzählt. Hat jeder in Minneapolis solchen Akzent? Manchmal kann ich kaum verstehen, was er gerade sagt.«

»Vince ist viel herumgekommen – New York, Memphis, New Orleans. Er sagt, Frauen mögen Männer mit leiser, schleppender Stimme.«

Sie sah auf die Uhr. Die Zeit war so schnell verflogen. »Ich muß gehen. Meine Eltern sind nicht da, und ich hab' vor Weihnachten noch so viel zu tun.«

»Vince und Vera werden tanzen gegangen sein.«

Sie erhob sich. Sie wußte, daß sie aufstehen mußte, ehe – und man stelle sich vor, Vera käme zurück und fände sie hier.

»Bitte, geh nicht«, sagte er.

»Doch, sonst wird alles verdorben.«

»Was wird verdorben?«

»Dies mit uns.«

In der Diele widersetzte sie sich seiner Umarmung, bis er auf den am Oberlicht befestigten riesigen Mistelstrauß wies. Da küßte sie ihn und klammerte sich an ihn, als sei er der einzige Rettungsring auf sturmgepeitschtem Meer. Sie sorgte sich verzweifelt, daß er sie vielleicht nicht fragen würde, wann er sie wiedersehen könnte, aber kurz bevor sie sich mit dieser Frage selbst erniedrigte, sagte er: »Ich muß dich wiedersehen, Vicky. Bald!«

»Auf der Party.«

»Das ist nicht bald genug, aber ich schätze, daß wir uns damit abfinden müssen.«

Solche Narreteien währen nicht ewig, und je größer die Verrücktheit, desto kürzer ihre Dauer. So oder ähnlich sagte sie sich am nächsten Morgen. Fühlte sie sich schon etwas ausgeglichener, und war dies ein Maßstab für die nur begrenzte Verzauberung, die dieser gutaussehende Amerikaner bewirkt hatte, der in ihr Leben getreten war?

»Schon gut«, sagte Vera nachdrücklich, als Victoria einen harmlosen Scherz über ihre späte Rückkehr machte. »Sie sind jung.« Sie strich ihr Kleid über den Hüften glatt, die von der kaum verdaulichen Kriegskost schon schwer geworden waren. »Ich bin neunundzwanzig.«

Victoria schwieg. Vera warf die Lippen auf und sagte: »Zweiunddreißig, wenn ich ganz ehrlich sein soll.« Sie spielte mit der goldenen Kette, die sie stets um den Hals trug, und wickelte sie um ihren Finger. »Mein Männe ist viel älter als ich.« Sie bezeichnete ihren abwesenden Gatten nie anders als Männe. Es schien, als fände sie das Wort ›Mann‹ zu formell und bindend. »Wer weiß, wann ich ihn wiedersehe, Victoria.« Die Möglichkeit, daß ihr Mann fallen könnte, ignorierte sie. »Es dauert Ewigkeiten, bis sie aus Burma wiederkommen. Wissen Sie, wo Burma liegt, Victoria? Am anderen Ende der Welt. Ich hab's mir auf der Karte angesehen. Was erwartet man von mir? Wenn Reg wiederkommt, bin ich vielleicht vierzig und zu alt, um noch an irgend etwas Freude zu finden.«

Victoria fragte sich, wie lange Vera wohl noch so tun würde, als wäre Vince Madigan nichts weiter als ein guter Freund. Sie empfand Sympathie. Wie konnte sie der armen, unglücklichen Vera raten, sich eines Mannes wegen, der vielleicht niemals wiederkehren würde, dem Leben zu verschließen? Trotzdem konnte sie Vera nicht ermutigen, ihn zu hintergehen. »Da kann ich Ihnen keinen Rat geben, meine Liebe«, sagte Victoria.

»Es ist *unerträglich*, die ganze Zeit sich selbst überlassen zu bleiben«, sagte Vera fast entschuldigend. »Deswegen habe ich Reg ja hauptsächlich geheiratet – ich war einsam.« Sie lachte mit leisem Krächzen. »Die ist gut, nicht wahr?« Sie drehte die Goldkette ein, bis sie ihr in den Hals kniff. »Wie sollte ich denn wissen, daß ich nach knapp zwei Jahren Ehe mir wieder selbst überlassen sein würde? Seit meinem fünfzehnten Lebensjahr war ich bei der Gräfin von Inversnade in Stellung. Ich fing als Küchenhilfe an und war zum Schluß Zofe. Sie hätten mal ihre Schuhe sehen sollen, Victoria. Dutzende von Paaren, und Handtaschen aus Paris. Ich hab' mich da wohl gefühlt.«

»Und warum sind Sie dort fortgegangen?«

»Die Regierung erklärte, daß Hausangestellte in der Kriegswirtschaft arbeiten müßten. Nicht, daß ich wüßte, wie meine Tätigkeit hier den Krieg zu gewinnen hilft, indem ich dem Kassierer bei den Lohnabrechnungen helfe und all den faulen Reportern Tee ranschaffe.«

»Seien Sie nicht traurig«, sagte Victoria, »wir haben Heiligabend.«

Vera nickte und lächelte, wirkte aber nicht glücklicher. »Sie kommen doch heute abend mit, nicht wahr?«

»Ich muß erst nach Hause und mich umziehen.« Sie versuchte, ihre normale Stimmlage beizubehalten – sie wollte nicht zu erkennen geben, wie versessen sie auf das Wiedersehen mit Jamie war –, aber Veras kluge Augen durchschauten sie.

»Was ziehen Sie an?« fragte Vera munter. »Ein langes Kleid?«

»Das gelbe Seidenkleid meiner Mutter. Ich habe es ändern lassen. Die Schwester dieses Mädchens aus dem Personalbüro hat es gemacht. Sie hat es gekürzt und aus dem, was sie unten abgeschnitten hat, wallende Ärmel und einen Gürtel genäht.«

»Vince wird schlecht werden, wenn er mich in dem grünen Kleid sieht«, sagte Vera. »Aber ich habe nichts anderes. Er hat mir angeboten, mir was zu kaufen, aber ich habe keine Kleiderkarte.«

»Sie sehen in dem grünen Kleid wunderbar aus, Vera.« So war es wirklich.

»Vince versucht, für mich 'nen Fallschirm abzustauben. 'nen ganzen Fallschirm. Vince sagt, die sind aus reiner Seide. Aber auch wenn es bloß Nylon ist, wäre das schon was.« Sie erinnerte sich plötzlich ihrer Pflichten und nahm die ausgehende Post aus dem Korb. »Victoria«, fragte sie mit leiser Stimme, als ob die Antwort für sie bedeutsam wäre, »hassen Sie Partys?«

»Ich bin sicher, es wird wunderbar werden«, antwortete sie ausweichend, denn in Wahrheit haßte sie Partys.

»Es sind lauter Fremde. Vince hat jede Menge Leute vom Fliegerhorst eingeladen, und die bringen ihre Mädchen mit. Nicht zu sagen, wer mich da alles sehen wird – und anfängt, sich das Maul zu zerreißen.«

»Darum sollten Sie sich erst kümmern, wenn es soweit ist«, riet Victoria. Offenbar wußte Vera nicht, daß ihre außereheelichen Beziehungen im Schreibsaal unten bereits Gegenstand endloser Diskussionen waren. Vera trägt die neuen Patenthöschen, hatte Victoria ein Mädchen sagen gehört: ein Ami, und schon sind sie runter. Die anderen hatten gelacht.

Vera stand im Eingang und sah ihre Freundin spottlustig an. »Sie weinen wohl nie, wie? Ich kann Sie mir nicht weinend vorstellen?«

»Ich bin nicht der weinerliche Typ«, sagte Victoria, »ich fluche lieber.«

Vera nickte. »Alle Mädchen, die auf der Universität waren, fluchen«, sagte sie und lächelte. »Ich geh' schon vor. Ich kenn' nämlich Vince: wenn ich nicht da bin, und er sieht ein anderes Mädchen, schnappt er es sich gleich.«

Victoria fiel keine beruhigende Antwort ein.

Schon vom Fluß her konnte man den Lärm hören. Vor der Tür hielten Taxis, und ein Offizier der königlichen Luftwaffe wartete dort offenbar auf ein Mädchen; denn er trug dessen Pelzmantel und Handtasche über dem Arm.

Victoria brauchte gar nicht zu klopfen. Sie hatte schon die Hand gehoben, um den Messingklopfer zu betätigen, als der Hausmeister die Tür aufschwang und beim Zurückschlagen des Vorhangs etwas Whiskey verschüttete. »Machen Sie schnell, Mädchen, denken Sie an die Verdunkelung.« Er artikulierte sorgsam, sein Lächeln und der unstete Blick verrieten jedoch seine Trunkenheit.

Das Haus war voller Leute. Einige Tischlampen waren zerbrochen, andere trugen Schirme aus Buntpapier. Trotzdem reichte das Licht, um zu erkennen, daß das Wohnzimmer zur Tanzdiele umfunktioniert worden war. Die Paare standen dichtgedrängt im Halbdunkel; der Enge wegen blieb ihnen nichts anderes übrig, als sich in den Armen zu halten und rhythmisch zu wiegen.

Neben amerikanischen Uniformen erkannte Victoria auch ein paar englische Luftwaffenoffiziere und polnische Piloten. Männer ohne Mädchen saßen auf den Treppenstufen, tranken aus der Flasche und diskutierten über die bevorstehende Invasion oder redeten davon, was sich ›in der Heimat‹ so tat. Als sich Victoria an den Männern vorbei ihren Weg bahnte und die Treppen hinaufstieg, waren leise Pfiffe und bewunderndes Gebrummel zu hören. Unter dem Vorwand, ihr Halt zu geben, befühlte mehr als einer ihre Beine.

Sie fand Jamie und Vince Madigan auf einem Treppenabsatz. Die beiden waren gerade mit Wiederbelebungsversuchen an einem Mädchen beschäftigt, das nach überreichlichem Genuß eines Gebräus, in dem Kirschen und getrocknete Pfefferminze schwammen, das Bewußtsein verloren hatte. Das Zeug wurde Bowle genannt, roch aber wie mit Honig versetzter medizinischer Alkohol. Victoria nahm sich fest vor, davon auch nicht einen Schluck zu trinken.

»Sie braucht frische Luft«, sagte Vera, die aus einem anderen Zimmer kommend hinzutrat. »Bringt sie runter auf die Straße.« Vera schien hier das Kommando zu haben. Obwohl sie ständig behauptete, Menschenmengen und Partys zu hassen, blühte sie bei solchen Anlässen auf.

»Boogies Freundin«, erläuterte Jamie, »er ist ebenfalls Flieger – der Klavierspieler da unten.« Victoria nahm seinen Arm, er schien jedoch zu beschäftigt, um es wahrzunehmen. Vera lächelte, um anzudeuten, wie sehr ihr Victorias blaßgelbes Kleid gefiel, und beide sahen gelassen zu, wie zwei Offiziere in braunledernen Fliegerjacken mit mehr Eifer als Behutsamkeit das zusammengesunkene Mädchen die Treppe hinabtrugen. Die Männer auf der Treppe summten den Trauermarsch, während das unglückliche Opfer von dannen geschleppt wurde.

»Hast du alle diese Leute eingeladen?« fragte Victoria.

Jamie schüttelte den Kopf. »Die meisten sind Freunde von Vince, und ein paar sind uns von der Straße weg zugelaufen. Was trinkst du?«

»Auf keinen Fall eure Bowle.« War es zuviel verlangt zu erwarten, daß er ihr zu einem Chignon eingerolltes Haar bemerkte und das hochgeschlossene Kleid mit Stehkragen und der winzigen schwarzen Schleife?

»Tut's Whiskey?« Ehe sie noch antworten konnte, goß er ihr ein und stopfte die Flasche wieder in die Seitentasche seines Uniformrocks. Mit leuchtenden Augen blickte er unentwegt in die Runde, um festzustellen, wer alles anwesend war. Er war nicht betrunken, hatte vermutlich aber bereits früh zu trinken begonnen. »Wie ist's damit?« Er hielt das halbgefüllte Whiskeyglas in die Höhe.

Victoria hatte nie zuvor unverdünnten Whiskey getrunken, wollte ihm aber keinen Anlaß geben, sich zu entfernen. Auch als sie so dastanden, wurde sie, sooft Männer vorbeikamen, die sich etwas zu essen, zu trinken oder die Toilette suchten, fortwährend betatscht und gestreichelt. »Wunderbar«, sagte sie und führte den Whiskey an die Lippen, ohne zu trinken. Er roch so merkwürdig.

Als er bemerkte, daß sie an dem Glas nur schnüffelte, sagte er erläuternd: »Bourbon. Wird aus Mais gebrannt.«

Er beobachtete sie. Sie probierte einen Schluck und

stellte fest, daß der Bourbon nach nasser Pappe schmeckte. »Köstlich«, sagte sie.

»Wie ich sehe, bist du ganz versessen darauf«, spottete Jamie.

Victoria lächelte. Er hatte sie noch immer nicht geküßt; allerdings war aber nicht zu erkennen, daß er sich für ein anderes Mädchen interessierte. Er zog sie näher an sich, um einem amerikanischen Marineoffizier, der sich mit den Ellbogen den Weg zur Toilette bahnte, Platz zu machen. Als er das Schloß verriegelt fand, hämmerte er an die Tür und brüllte: »Beeil dich da drinnen, dies ist ein Notfall!« Jemand lachte, und ein auf der nächsten Treppenstufe hockender Mann sagte: »Er hat 'n Mädchen mit reingenommen. Wenn ich in Eile wär', würd ich das Klo da oben benutzen, Kumpel.« Der Seemann fluchte und rannte hinter ihm vorbei nach oben.

Victoria versuchte an der Party Gefallen zu finden und sah Jamie an. »Sind die meisten von deiner Staffel?«

»Der da drüben ist Oberst Dan. Er ist Kommandeur des Geschwaders, die reinste Fehlbesetzung.«

Victoria drehte sich um und erblickte einen kleinen, fröhlichen Mann mit gewaltiger Nase und unordentlicher Frisur, der ernsthaft auf ein großes, dunkelhaariges Mädchen mit blumengemustertem Turbanhut und schwarzsamtenem Cocktailkleid einredete.

»Ist das seine Frau?«

»Sie gehört zum Chor des Windmill-Theaters. Letzten Monat haben sie auf dem Horst 'ne Vorstellung gegeben – bevor ich hierher kam.«

»War das ein amerikanischer General, der gesagt hat, der Krieg ist die Hölle?«

»Und der da ist Major Tucker.« Der Major stand an der Treppe, trank aus seiner eigenen silbernen Feldflasche und blickte mit finsterem Gesicht mißbilligend vor sich hin. Victoria fühlte sich mit ihm verbunden, sagte es aber nicht.

Jamie nahm sie fester bei der Schulter, freilich nur, um sie beiseitezuziehen und einem schon etwas älteren Feldwebel Platz zu machen, der eine Kiste Gin in ein Zimmer, das man in eine Bar verwandelt hatte, hinauftrug. »Vielen Dank für die Einladung, Hauptmann«, sagte der Feldwebel völlig außer Atem.

»Ich freu mich, Sie hier zu sehen, Feldwebel Boyer«, sagte Jamie.

Harry und der Gin wurden oben mit lautem Hurrageschrei begrüßt. Unten begannen Boogie und die von ihm zusammengetrommelten Musiker »Bless 'em All« zu spielen; dazu hüpften die Tänzer im Verein auf und nieder.

»Du haßt das, Vicky. Ich seh's deinem Gesicht an.«

»Nein«, schrie sie, »es macht richtig Spaß.« Inzwischen hatten die Tänzer unten das ganze Haus zum Zittern gebracht. »Kann man sich hier irgendwo hinsetzen?« Ihre gelben Schuhe waren noch nie besonders bequem gewesen, und so streifte sie für ein Weilchen die Fersenriemchen ab.

»Wir können's ja mal unten versuchen«, sagte Jamie und stürzte sich in die Menge. Sie versuchte ihm zu folgen, aber mit dem Glas in der Hand und gelösten Schuhen konnte sie nicht Schritt halten. Ein Schuh ging verloren, und mit einiger Mühe gelang es ihr, die Leute so weit auseinanderzudrängen, daß sie nach ihm suchen konnte. Als sie ihn schließlich gefunden hatte, war ein schwarzer Stiefelabdruck auf der gelben Seide und ein Riemen abgerissen. Das war ihr letztes Vorkriegspaar Schuhe. Sie sagte sich, lachen oder wenigstens Gleichmut bewahren zu müssen, hätte am liebsten aber geweint.

»Sag, wenn es dir nicht gefällt«, sagte Jamie unvermittelt, als sie am Ende der Treppe zu ihm stieß.

Sie fragte sich, was passieren würde, wenn sie ihm erzählte, wie unglücklich sie sich fühlte, beschloß aber, die Gelegenheit nicht wahrzunehmen. »Warum tanzen wir nicht?« fragte sie.

Wenn sie vorgehabt haben sollte, die Grenzen von James Farebrothers Fähigkeiten und Talenten herauszufinden, so bot die Einladung zum Tanz die beste Gelegenheit dazu. Selbst in dem Gedränge, während der unermüdliche Boogie seine eigene, verträumte Version von ›Moonlight Becomes You‹ spielte, trat ihr Jamie auf die Zehen – besonders schmerzhaft, weil sie beschlossen hatte, auf Strümpfen zu tanzen, um nicht den endgültigen Ruin ihrer Schuhe zu riskieren.

»Ich bin keine große Nummer im Tanzen«, sagte er endlich, »laß es genug sein.«

Er fand Plätze auf dem Sofa. Sie hatten aber gerade erst ein paar Minuten gesessen, als ein Oberleutnant kam und sagte, er möchte nach oben kommen, um Vince zu helfen. Jamie entschuldigte sich wortreich; sie aber fürchtete, er wäre insgeheim froh, von ihr loszukommen. Sie bedauerte ihren Anflug von schlechter Laune, hatte sich aber so sehr auf einen gelungenen Abend gefreut.

»Versprich mir, dich nicht von der Stelle zu rühren«, sagte Jamie und quetschte ihren Arm. Sie nickte, und wie einem folgsamen Kind drückte er ihr einen Kuß auf die Stirn.

Schwer ließ sich der eben angekommene Oberleutnant auf Jamies Platz fallen. »Kennen Sie Jamie schon lange?«

Sie sah ihn an: ein hübscher Junge, der sich einen Bart wachsen lassen wollte. Er hatte ein gebräuntes Gesicht, rabenschwarzes welliges Haar und lange Koteletten, die den Eindruck des Südamerikanischen abrundeten, worauf er offenbar Wert legte. »Ja, ich kenne ihn schon lange«, sagte sie.

Lächelnd enthüllte er blitzendweiße Zähne. Er trug eine recht mitgenommene Mütze, schob sie in den Nacken, als ob er sie so besser erkennen könnte. Er kaute Gummi und rauchte gleichzeitig, nahm die Zigarette aus dem Mund und warf sie in Richtung Kamin, ohne sich darum zu kümmern, wohin sie fiel. »Jamie ist gerade erst in Europa angekommen«, sagte er. »Ich heiße Morse, alle sagen Mickey Mouse zu mir.«

Victoria lächelte und sagte nichts.

»Also haben Sie gelogen. Ende der Szene.«

»Und Sie sind kein Gentleman.«

Er schlug sich lachend auf die Schenkel. »Da haben Sie recht, meine Dame.«

Sie wurden eng aneinandergedrückt, und obwohl sie versuchte abzurücken, gelang es ihr nicht.

»Kaugummi?«

»Nein, danke.«

»Wo hat sich Jamie 'ne Klassefrau wie Sie aufgegabelt?« fragte er. »Sie sind 'n ganz anderer Schlag als die Frauen, die im Rotkreuzklub in der Trumpington Street herumlungern.«

»Tatsächlich?«

»T'sächlich, ja, t'sächlich.«

»Ich wundere mich, daß Sie mich da nie zur Kenntnis genommen haben«, sagte Victoria.

MM grinste, riß eine Camelpackung auf und bot ihr die Schachtel. Sie hatte noch nie geraucht, folgte aber einem Impuls und nahm eine Zigarette. Er gab ihr Feuer. »Sind Sie Jamies Mädchen?«

»Ja.« Das schien ihr die einfachste Lösung zu sein, weitere Annäherungsversuche abzublocken. »Was ist los mit Hauptmann Madigan?«

»Nichts ist passiert, Mädchen, ihm wird auch nichts passieren. Vince ist pfiffig – ist Fußfanterist. Bleibt unten und schwenkt die Frauen rum. Und wir sind die Armleuchter, die sich den Arsch wegschießen lassen.«

»Ich meine, was im Augenblick los ist«, sagte Victoria. »Wozu braucht er Jamie?« Sie zog an der Zigarette und begann zu keuchen.

»Madigan braucht Bedeckung«, sagte MM unbestimmt.

Victoria stand auf und suchte die Tür.

»Scheinwerfer, Bewegung, Kamera!« rief MM und ahmte mit Daumen und Zeigefinger einen Fotografen nach. »Wohin des Wegs, meine Dame?«

»An einen Ort, den ihr Amerikaner so überaus feinfühlig ›Puderkammer‹ nennt.«

»Ich halt' Ihnen den Platz hier frei.«

»Bemühen Sie sich nicht«, sagte Victoria. MM lachte leise vor sich hin.

Sie zwängte sich hinter den Musikern durch und stieg treppauf. Seit sie sich zuletzt durch die auf der Treppe hockenden Männer gequält hatte, war eine Menge getrunken worden. Inzwischen hatten sich fast alle zu engumschlungenen Paaren zusammengefunden und achteten nicht darauf, wer oder was sich an ihnen vorbeidrückte.

Auf dem obersten Treppenabsatz lagen langausgestreckt zwei laut schnarchende Offiziere. Ein Mädchen wühlte einem von ihnen die Taschen durch. Als sie Victoria erblickte, richtete sie sich auf. »Irgendwie muß ich Geld für'n Taxi nach Hause zusammenkriegen, Süße«, verkündete sie im breiten Tonfall des Londoner Südens.

Victoria ging wortlos weiter. Der nicht mehr ganz junge Mann, den Jamie Feldwebel Boyer genannt hatte, lehnte im ersten Zimmer an der Wand. Er war hemdsärmelig, trug keine Krawatte und sah Oberst Dan zu, der ein Paar Würfel gegen die Wand warf. Auf dem Fußboden türmte sich ein riesiger Haufen Pfundnoten. Als sich Victorias Augen an das schummerige Licht gewöhnt hatten, erkannte sie weitere Männer mit dicken Geldpacken in den Händen.

»Na los doch«, rief Oberst Dan den von seiner Faust umschlossenen Würfeln zu, ehe er sie gegen die Wand warf. »'ne Zwei«, schrie er, nachdem die Würfel ausgerollt waren. Ringsum herrschte ein Höllenlärm. Victoria riß es fast von den Beinen, als sich der Oberst bückte, um die Würfel aufzuheben, dabei das Gleichgewicht verlor und gegen sie stolperte. »Hick, oh, Verzeihung, Ma'am.«

Im nächsten Stockwerk fand sie Jamie. Er umklammerte die nackten Oberarme eines frech aussehenden Mädchens in glänzendem grauen Kleid, das vorn zu tief ausgeschnitten war und über dem Hintern zu stramm saß. »Bleib vernünftig«, sagte Jamie zu ihr. »Hat keinen Sinn, 'ne Szene zu machen. So was kommt nun mal vor, das ist der Krieg.«

Die Augenschminke des Mädchens war vom Weinen verschmiert und lief ihr streifig die Wangen hinab. »Um Himmels willen, verschon' mich damit«, sagte sie bitter. »Ihr Scheißamis braucht *mir* nichts vom Krieg zu erzählen. Jahre vor Pearl Harbor sind meine Mutter und ich schon ausgebombt worden.«

Sie bemerkte, daß Vince Madigan eine kurze Eisenhower-Bluse mit Ordensspange und albernen Schwingen trug. Auch er versuchte vernünftig mit dem Mädchen zu reden.

»Ich bring dich bis nach Market Hill, da suchen wir 'n Taxi, und dann fährst du nach Hause.«

Das Mädchen ging nicht darauf ein. Zu Jamie gewandt sagte sie: »Du denkst, ich bin betrunken, was?«

Von unten drangen ein paar feurige Rebellenschreie herauf, und auf dem Klavier wurden die Akkorde von ›Dixie‹ widerhallend angeschlagen. Plötzlich bemerkte Jamie, daß Victoria die Szene beobachtete. »Ach, Victoria«, sagte er.

»Ach, Victoria», plapperte das Mädchen wie ein Papagei, »was hast du mit dem armen Prinz Albert gemacht?« Sie lachte kurz und bitter auf.

Jamie ließ das Mädchen los und wandte sich entschuldigend lächelnd Victoria zu. »Eine von Vinces Freundinnen«, erklärte er ruhig. »Sie droht, Vera in Stücke zu reißen.« Unten sangen ausgelassene Stimmen: »In Dixieland, I'll take my stand, to live and dieeee in Dixie…«

Vince trat näher an das graugekleidete Mädchen heran und begann sanft wie bei einem nervösen Pferd auf sie einzureden. Als das Licht auf sie fiel, wirkte sie kaum älter als achtzehn. Der verzweifelte Blick hatte sich verflüchtigt, sie war nur noch ein bekümmertes Kind. Sie hob eine große rote Hand, um ein Aufstoßen zu unterdrücken.

»Oder hast du etwa ein Mädchen zuviel eingeladen?« fragte Victoria kühl.

»Nicht mein Typ«, sagte Jamie treuherzig.

Über Jamies Schulter hinweg sah Victoria, daß Madigan das Mädchen fest in den Arm nahm und gierig liebkoste. Victoria wich Jamies Kuß aus und sagte: »Nicht jetzt und nicht hier.«

»Ich glaub', ich brauch' was zu trinken«, sagte Jamie und gab sie frei. »So langsam hab' ich aber genug.«

»Du *hast* genug«, sagte Victoria ärgerlich.

»Aber nicht genug von dir.«

»Würdest du mich nach Hause bringen?«

»Wart' noch 'n paar Minuten«, sagte Jamie. »Mein Kumpel Charlie Stigg könnte noch kommen. Ich hab' dir doch gesagt, daß ich ihn eingeladen hab'!«

»Dann gehe ich eben allein nach Hause«, sagte sie. Jamie

griff nach ihrem Arm. »Du solltest lieber Hauptmann Madigan helfen«, sagte sie und befreite sich von seiner Hand. »Ich glaube, seine Freundin muß sich gleich erbrechen.«

Das Mädchen klammerte sich an das Geländer, beugte sich vor und erbrach sich auf den Treppenbelag.

Victoria arbeitete sich die Treppe hinunter und fand ihren Mantel unter einem Berg khakibrauner Militärmäntel auf dem Fußboden. Sie erspähte Vera, die neben MM stand und die Männer beobachtete, die auf das Klavier geklettert waren. Einer von ihnen, Earl Koenige, schwenkte die Fahne der Südstaatenkonföderierten. »Look awaay, look awaay, look awaay, Dixielaand!«

Sie versuchte, Vera per Blick mitzuteilen, daß sie gehe; aber Vera hatte nur noch Augen für ihren frischgefundenen Oberleutnant. Sie schmiegte sich eng an ihn. So war Vera nun einmal; für sie waren Männer bloß Männer, austauschbare Ware wie Seidenstrümpfe, Kanarienvögel oder Bücher aus der Bibliothek. Ihr war jeder Mann recht, der ihr Vergnügen schaffen konnte. Sie suchte keinen Ehemann, den hatte sie schon.

Es fiel Victoria nicht schwer, ein Taxi zu finden – alle paar Minuten fuhr ein anderes vor und brachte weitere Leute zur Party.

Als sie zu Hause war, begann es zu regnen. Sie wohnte in einem alten viktorianischen Haus, einem durchdacht ausgeführten Bau mit gotischen Türmchen und bunt verglasten Fenstern. Die dunklen Umrisse des Hauses hinter windgepeitschten Bäumen trugen wenig zu ihrer Ermunterung bei. Sie eilte den Kiespfad im dichter fallenden Regen hinunter. Das Haus war kalt und leer; trotzdem schloß sie mit einem dankbaren Aufatmen die geschnitzte Eichentür hinter sich. Manchmal beneidete sie Vera um deren affektierte Seufzer hinter dezent vorgehaltenem Spitzentaschentuch, wobei sie es zu verhindern wußte, ihr Make-up zu verschmieren. Anschließend wirkte Vera stets wie neugeboren – eine Befreiung, der Victoria heute abend dringender als je zuvor bedurfte. Dennoch weinte sie nicht.

Sie durchschritt die Halle und stieg die gediegene Treppe

empor. Sie gedachte den Platz aufzusuchen, wo sie sich stets aufgehalten hatte, wenn sie sich unglücklich fühlte: ihr Zimmer ganz oben unter dem Dach. Sie ging am Schlafzimmer ihrer Eltern und dem Vorratsraum, der einmal ihr Kinderzimmer gewesen war, vorbei. Im nächsten Stock passierte sie das Dienstbotenzimmer, das jetzt aber leerstand, da im Hause kein Personal mehr wohnte. Sie ging am versperrten Zimmer ihres Bruders und am Spielzeugschrank vorbei, auf dessen Türen die aufgeklebten Blumenbilder mittlerweile verblichen und herabfielen.

Vom obersten Korridorfenster blickte sie auf den dunklen Garten und den Tennisplatz hinab, der des Winters wegen abgedeckt war. Sie konnte sich an die Leere des Hauses nicht gewöhnen und ertappte sich in der Hoffnung, ihrer Mutter Stimme oder des Vaters unbeholfenes Cellospiel zu vernehmen.

Dankbar trat sie in ihr Schlafzimmer und schloß die Tür hinter sich. Hier wenigstens konnte sie ganz sie selbst sein. Von der Kommode herab wurde sie von einer Reihe Puppen beäugt, die sich den Platz mit Victorias Haarbürsten teilen mußten; der räudige Teddybär indessen war herabgefallen und lag, alle viere von sich gestreckt, auf dem Boden. Sie hob ihn auf, ließ ein Bad ein und entkleidete sich mit derselben einstudierten Sorgfalt, die sie allen ihren Verrichtungen zukommen ließ. Sie hängte ihr Kleid auf den Bügel und schob Leisten in ihre ramponierten gelben Schuhe, ehe sie diese ins Regal stellte.

Ihre Mutter pflegte verächtlich von einem ›Museum‹ zu sprechen, Victoria aber sträubte sich, irgend etwas wegzugeben. Sie würde alles behalten – die gerahmte Schmetterlingssammlung an der Wand, die Puppenstube und die Kiste mit Seevogeleiern. Sie streifte mit dem Finger über ihre Kinderbücher – von Enid Blyton bis Richmal Crompton, dazu ihre großen Sammelalben. Sie war fest entschlossen, dies alles und für alle Zeiten aufzuheben, wie sehr man sie auch hänseln mochte.

Sie schaltete die elektrische Heizung ein, zog sich ganz aus und wischte sich die Schminke ab, bevor sie ins heiße

Bad stieg. Während sie im warmen, duftenden Wasser saß, den Bourbongeschmack auf der Zunge verspürte und wußte, daß sie sich zuviel Hautkrem ins Gesicht geschmiert hatte, versuchte sie sich an jedes seiner Worte zu erinnern und suchte nach verborgenen Anzeichen von Liebe oder Zurückweisung. Aus dem Radio kam angenehme Musik, die aber plötzlich zugunsten der mit unverkennbarem Dialekt befrachteten Stimme eines Sprechers des amerikanischen Soldatensenders abbrach, der allen Hörern eine frohe Weihnacht und ein siegreiches neues Jahr wünschte. »Scher dich zum Teufel«, schleuderte ihm Victoria entgegen, und prompt brachte er Duke Ellington.

Während sie sich abtrocknete, klingelte es an der Tür. Weihnachtssänger? Partygänger auf der Suche nach Fortsetzung? Es klingelte erneut. Sie warf sich einen Morgenmantel über und lief die Treppe hinab. Plötzlich gewahrte sie den Umschlag, der in den Briefkasten geschoben war. Er hing mit einer Ecke im Briefschlitz, trug eine Feldpostnummer und war leer. Sie drehte ihn um und las auf der Rückseite ein gekritzeltes »Tut mir leid, Liebes. Jamie«.

Sie zog den Morgenrock fester um die Schultern und öffnete die Tür. Es war dunkel im Garten, und der Regen prasselte laut auf die Bäume. »Jamie?« Sie glaubte im Schutz der Ilexbäume einen Mann zu erkennen. »Bist du's, Jamie?«

»Heute abend ist alles schiefgelaufen, Liebes. Meine Schuld.«

»Komm lieber rein.«

»Ich konnte kein Taxi finden und wollte mir MMs Motorrad leihen, aber er ist mit Vera damit irgendwohin weg.«

»Du bist ja klatschnaß. Mach zu, wegen der Verdunkelung.«

»Das vergeß ich immer«, sagte er. Das Wasser tropfte vom ledernen Mützenschirm und lief ihm das Gesicht hinunter. Sie fühlte den Regen von seinem Mantel auf ihre bloßen Füße tropfen. »Ich hab' in Market Hill gewartet, aber als es erst einmal zu regnen angefangen hatte, wollte jeder ein Taxi haben.«

»Du bist zu Fuß gekommen? Du bist ja verrückt!« Sie lachte vor Freude und umarmte ihn, so kalt und naß wie er war.

»Ich glaube, ich liebe dich, Vicky.«

»Du zweifelst also noch?« neckte sie. »Hast du nichts von Vince gelernt?«

Er lachte. »Ich liebe dich.«

»Ich liebe dich, Jamie. Laß uns nie wieder streiten.«

»Nie wieder, großes Ehrenwort.«

Das waren kindliche Versprechungen, aber nur kindliche Zusicherungen werden der einfachen Tatsache einer Liebe gerecht. Sie liebte ihn mit einer ihr völlig unbekannten Raserei, holte ihn sich aber aus denselben prosaischen Gründen ins Bett, die schon so viele andere Frauen dazu veranlaßt hatten – sie brachte es nicht fertig, sich unter Liebe etwas anderes vorzustellen.

Danach schwieg er unendlich lange. Sie wußte, daß er zur Decke blickte; er lag so ruhig, daß sie sein Herz schlagen hören konnte. »Bist du noch wach?« fragte sie.

Er streckte den Arm aus, um sie enger an sich zu ziehen. »Ja, ich bin noch wach.«

»Heute ist Weihnachten.«

Er beugte sich über sie und küßte sie sanft, aber teilnahmslos.

»Bist du verheiratet?« fragte sie so beiläufig wie möglich.

Er lachte. »Die Frage kommt zur falschen Zeit«, sagte er. Als er sich ihrer bangen Besorgnis bewußt wurde, zeigte er ihr seine bis auf einen Siegelring nackten Hände.

»Weder verheiratet noch verlobt, nicht einmal ein festes Verhältnis.«

»Du machst dich über mich lustig.«

»Natürlich.«

»Das Mädchen...«

»...war sehr krank. Das kam von der Bowle, die hat 'ne ganze Menge Leute außer Gefecht gesetzt. Vince hat alles reingetan, was er gerade finden konnte.«

»Wer war das Mädchen?«

»Vince hat sie letzte Woche kennengelernt. Sie arbeitet in

der Wäscherei. Ich mußte ihm versprechen, dir nicht zu sagen, daß sie auch da war, weil er wußte, daß du dich verpflichtet fühlen würdest, es Vera zu erzählen.« Er rollte sich herum und blickte ihr in die Augen. »Inzwischen wirst du erraten haben, was von Vince zu halten ist. Er ist all das, wovor jede Mutter ihre Tochter warnt.«

»Er ist kein Flieger, oder?«

»Nein, er ist PO, Presseoffizier. Er kauft den Reportern was zu trinken, führt sie über den Fliegerhorst und schickt ihnen Verlautbarungen zur Veröffentlichung zu.«

»Vera hat er erzählt, er hätte zwanzig Einsätze über Deutschland geflogen.«

»Er hat die Bluse mit den Schwingen und dem anderen Kram immer im Koffer. Er erzählt seinen Mädchen, sie sollten doch nett zu ihm sein, weil er vom nächsten Feindflug vielleicht nicht zurückkehren würde.« Er lachte.

Auch Victoria lachte, es klang aber nicht überzeugend. Sie hielt Jamie ganz fest und fragte sich, wie das belastende Wissen zu ertragen wäre, daß Jamie vielleicht nicht zurückkäme. Warum war Jamie nicht Presseoffizier oder etwas anderes, wobei er sein Leben nicht einzusetzen brauchte?

»Hast du Earl Koenige gesehen?« fragte Jamie. »'nen strohblonden Jungen mit Südstaatenakzent und großen, ungläubigen Augen?«

»Ist das der, mit dem du fliegen sollst? Er wirkt kaum älter als sechzehn.«

»Der hat seine Kiste voll im Griff«, sagte Jamie, der Komplimente dieser Art nur ungern machte, »aber kurz nachdem du weg warst, ist er vom Klavier gefallen. Er wollte gleichzeitig steppen und die Südstaatenfahne schwenken.«

»Hat er sich verletzt? Er sah betrunken aus.«

»Ich glaub', Earl hat zum erstenmal Whiskey probiert. Seine Eltern sind abstinent, Bauern und fleißige Kirchgänger. Nein, er sprang vollkommen in Ordnung sofort wieder auf und sagte, hoffentlich ist das Klavier heil geblieben.«

»Und ist dein Freund Charlie noch gekommen?«

»Er hat mir 'ne Nachricht geschickt. Sein Navigator

durfte nicht raus, und da ist die ganze Besatzung bei ihm geblieben. Sag mal, hast du ein Aspirin?«

»Auf dem Tisch unter der Lampe.«

Er riß die Schachtel auf und schluckte zwei Tabletten trocken hinunter. »Erst hab' ich gedacht, er hätt' sich den Schädel eingeschlagen, aber Earl fällt dauernd vom Fahrrad oder kippt sich heißen Kaffee über den Leib. Er schreibt seinen alten Herrschaften täglich, und ich vermute, er wüßte ihnen gar nichts zu erzählen, wenn er seine Unfälle nicht hätte.«

»Na, dann dürfte es ihm bei seinem nächsten Brief an Stoff nicht mangeln«, sagte Victoria. »War das wirklich euer Kommandeur? Er würfelte mit einem Feldwebel, nannte ihn Harry, und die Whiskeyflasche ging zwischen beiden hin und her. Nach jedem Wurf wechselten ganze Bündel von Fünfpfundnoten den Besitzer.«

Jamie runzelte die Stirn. »Der Oberst ist schwer zu durchschauen«, sagte er. »Vince hätte heute abend beinahe einen Zusammenstoß mit ihm gehabt.«

»Vince?«

»Er hatte diese verdammte Bluse an, als der Oberst kam. Ich dachte, wir würden 'ne richtige Kraftprobe erleben. ›Was haben Sie da für eine Uniform an, Hauptmann Madigan‹, sagte der Alte. Vince salutierte unverschämt und sagte: ›Die mit dem Christbaumschmuck, Sir.‹ Der Oberst lächelte und nahm Vince den angebotenen Drink ab. ›Wenn der Kommandeur der Feldgendarmerie heute abend reinkommen sollte, Madigan‹, sagte Oberst Dan, ›dann stecken sie uns beide ins Loch.‹ Vince grinste und sagte: ›So sehe ich das auch, Herr Oberst...‹ Und auf diese Weise kann sich Vince überall rausreden. Er hat mir erzählt, daß er mit 'ner verheirateten Frau durchgebrannt ist, als er noch zur Schule ging.«

»Arme Vera.«

»Von wegen arme Vera. Nachdem Vince sich entfernt hatte, hockte Vera mit MM auf der Treppe und knutschte mit ihm rum.«

»Ob das am Krieg liegt, daß man so wird?«

»Sei nicht so weibisch«, sagte Jamie. »Die Leute schnappen sich eben ihr kleines Stückchen Glück, wenn sich die Gelegenheit bietet. Ich will nur sagen, warum sollten wir uns wegen Vera oder Vince Sorgen machen? Die müssen mit ihrem Leben selber zurechtkommen. Wer weiß denn schon, wann sich MM die Farm kauft, oder ich zum Beispiel.«

»Die Farm kauft?«

»Na ja, wenn die Regierung unsere Lebensversicherung auszahlt.«

»Sag' so etwas nicht. Ich kann den Gedanken nicht ertragen, daß dir etwas zustoßen könnte!« Sie zog sich die Decke über den Kopf.

»Komm raus da, du verrücktes Mädchen.« Er zog ihr die Decke weg und betrachtete bewundernd ihren nackten Körper. »Bist du sicher, daß deine Eltern nicht nach Hause kommen?« Sie verneinte brummend mit dem Kopf unter dem Kissen.

»Wieso bist du so sicher?«

Sie schleuderte das Kissen fort, rollte sich herum und lachte ihn wegen seiner Nervosität aus. »Weil sie bei meinen Großeltern in Schottland sind. Haben heute morgen angerufen. Du kannst dich wieder beruhigen.«

»Und du wolltest nicht mit?«

»Wir haben gearbeitet. Mein Vater sagte, ich sollte mir deswegen nicht extra frei nehmen – der Krieg geht vor.«

»Dein Vater hat recht«, sagte er und streichelte sie. »Väter haben immer recht.« Sie beobachtete ihn. Vorher hatte er gar nicht so gebräunt ausgesehen, aber jetzt wirkte er, verglichen mit ihrer Haut und den weißen Laken, wie eine Bronzestatue.

»Hatte dein Vater auch immer recht?« fragte sie.

»Von meinem Vater weiß ich überhaupt nichts«, erwiderte er.

»Das tut mir leid.«

»Er ist nicht tot. Meine Eltern ließen sich scheiden, als ich noch ganz klein war. Ich blieb bei meiner Mutter, und sie hat dann wieder geheiratet, einen Mann namens Farebrother. Ich denke, so ein frischverheirateter Mann wird es auf die

97

Dauer leid, in jedem Hotel bei der Eintragung erklären zu müssen, wieso sein kleiner Sohn einen fremden Namen hat.«

»Wie heißt denn dein Vater?«

»Bohnen, Alexander Bohnen. Seine Familie stammt aus Norwegen, waren Schiffbauer.«

»Dein Vater auch?«

»Schätze, damit war nicht viel zu verdienen.« Er blickte immer noch zur Decke. »Gibst du mir eine Zigarette, Schätzchen?«

»Wenn du ›Schätzchen‹ zu mir sagst, hört sich das an wie bei Vince.« Sie reichte ihm das Zigarettenpäckchen, das er zusammen mit dem goldenen Feuerzeug auf den Nachttisch gelegt hatte.

»Mein Vater ist Anlageberater in Washington, D.C., oder zumindest war er das. Nun ist er ein richtiger Oberst – 'n Kükenoberst* heißt das bei uns in der Luftwaffe. Er wurde von heute auf morgen vom Zivilisten zum Obersten, und natürlich ist er Offizier im Stabe. Der Unterschied zwischen einem Stabsoffizier und einem Anlageberater liegt hauptsächlich in der Gewandung.«

»Natürlich? Ich weiß nicht, was ein Anlageberater so tut.«

»Ich auch nicht«, gab Jamie zu. »Vermutlich aber erzählt er Leuten, die 'ne Million Dollar brauchen, wo sie das Geld billig herkriegen können.«

Victoria lachte. Dies war für sie ein weiterer Ausblick in die verrückte amerikanische Welt. »Das klingt nach einem Mann, der Wunder tun kann.«

»Das sind meines Vaters eigene Worte.«

»Du magst ihn nicht.«

»Er ist zäh, praktisch und erfolgreich. Mein Vater arbeitet rund um die Uhr, trinkt mit den richtigen Leuten und speist mit den richtigen Leuten. Meine Mutter mußte in

---

* Ein »Chicken Colonel« trägt Adler als Rangabzeichen auf dem Kragen, am Schiffchen bzw. am Helm, während der Oberstleutnant, der ebenfalls mit »Colonel« angesprochen wird, ein Ahornblatt als Rangabzeichen trägt.

einer Stadt, in der es eine Art scharfer politischer Wettbewerb ist, ein großes Haus führen, die Gastgeberin spielen; und mein Vater ist ein unnachsichtiger Kritiker. Er hat nicht wieder geheiratet – er braucht keine Frau, sondern eine hauptberufliche Haushälterin.«

»Und war deine Mutter zufrieden?«

»Sie war immer still und gelassen. Mein Stiefvater ist kein großer Geist, aber er macht genügend Mäuse, so daß beide immer schön in der Sonne sitzen und es sachte angehen lassen können. Santa Barbara ist der richtige Ort, um etwas sachte angehen zu lassen.« Jamie gab sich Feuer. »Mein Vater hätte Politiker werden sollen. Er ist ein Tausendsassa. Vermutlich hat er geglaubt, Onkel Sam verliert den Krieg, wenn er nicht den Rock anzieht und der amerikanischen Armee zeigt, wo es langgeht.«

»Hast du ihm je geschrieben?«

»Ich kriege ein monatliches Rundschreiben – hektografiert, meinen Namen setzt er jedoch eigenhändig ein –, denselben formlosen kleinen Informationsbrief, den er allen seinen wichtigen Geschäftsfreunden zuschickt. Und daher weiß ich, daß er hier in England bei unserer Luftwaffe dient.«

»Schreibst du nicht zurück?«

Er nahm einen Zug aus der Zigarette. »Nein, ich schreib nicht zurück. Du wirst doch jetzt nicht anfangen, mir deswegen die Hölle heiß zu machen?«

»Wir haben Weihnachten, Jamie. Du könntest ihn doch mal anrufen.«

»Mein Vater wird gar nicht gemerkt haben, daß Weihnachten ist.« Er hatte die Zigarette zwar gerade erst angeraucht, doch sie schmeckte ihm nicht mehr, so drückte er die Glut auf Victorias Puderdose aus und warf den Stummel in eine Blumenvase. Victoria war entsetzt, unterließ es aber, »ihm die Hölle heiß zu machen«. Sie beugte sich vor und schaltete das Licht wieder aus. Dann kuschelte sie sich in seinen Arm. »Gut«, sagte er, »ich werde ihn morgen früh anrufen.« Victoria rückte näher an ihn heran und stellte sich schlafend.

8.

Oberst Alexander J. Bohnen

Selbst dem jüngsten Kellner des Savoy-Hotels genügte ein Blick, um die Amerikaner unter den Gästen auszumachen. Sie spielten mit dem Essen herum, hielten die Gabel in der Rechten, rückten vom Tisch ab und drehten ihre Stühle zur Seite, stießen sie manchmal gar zurück, so daß sie mit übereinandergeschlagenen Beinen sitzen konnten. Lediglich die englischen Gäste hielten die Knie unter dem Tisch und widmeten sich von ganzem Herzen ihrem Essen.

Oberst Bohnen kannte die meisten Männer, mit denen er an jenem Tage in einem separaten Raum bei Tisch saß; und selbst diejenigen, die er nie zuvor gesehen hatte, waren ihm nicht fremd; denn er hatte sein ganzes Leben in der Gesellschaft solcher Männer verbracht – Geschäftsleute, öffentlich Bedienstete und Diplomaten, von denen jetzt aber ein großer Teil die Uniform einer der drei Waffengattungen trug. Bohnens weißhaariges Gegenüber gehörte zu seinen engsten Freunden. »Und wenn ich hundert Jahre alt werden sollte«, wandte sich Bohnen ihm zu, »ein solcher Schlag wie heute morgen, als ich die Stimme meines Sohnes am Telefon hörte, wird mich wohl nie wieder treffen.«

»Ich bin froh, daß er angerufen hat, Alex.«

»P 51! Er ist Hauptmann und zum 220. Jagdgeschwader versetzt worden. Er soll über Deutschland Geleitschutz fliegen.« Der Oberst legte die Gabel beiseite und schob seinen Teller zurück.

»Sie haben zweifellos alles für ihn arrangiert«, sagte der ältere Mann mit kaum wahrnehmbarem Spott.

»Er ist mein einziger Sohn!« sagte Bohnen abwehrend.

»Natürlich habe ich einen meiner Mitarbeiter bei seinem kommandierenden Offizier anrufen und andeuten lassen, das Hauptquartier habe ein besonderes Interesse an diesem frisch abkommandierten Hauptmann.« Bohnen kratzte sich im Gesicht. »Er bekam eine ziemlich widerborstige Antwort. Um die Wahrheit zu sagen: Ich mache mir Jamies Kommandeurs wegen einige Sorgen.« Seine Stimme verlor sich.

»Machen Sie es nicht so spannend, Alex.«

»Die Leistungsbewertung seines Obersten ist ›exzellent‹; so drückt man das in der Armee aus, wenn einer nichts taugt. Seine Leistungsberichte sind überladen mit Ausdrükken wie ›unorthodox‹ und ›allzu vertrauensvoll‹ und ›unbekümmert‹. Für einen jungen Leutnant auf Kneipentour mag das gut und schön sein, es ist aber nicht die Sprache, die ich auf einen Obersten und Kommandeur eines Jagdgeschwaders angewandt wissen möchte.«

»In dem Ihr Sohn dient, meinen Sie. Ist er auf der Militärakademie gewesen?«

Bohnen schüttelte den Kopf. »Einen Mann aus West Point ließe ich mir noch gefallen; aber dieser Kerl ist ein heruntergekommener Pilot, der sich dem Fliegerkorps angeschlossen hat, nachdem er mit der Kunstfliegerei nicht mehr zurechtkam.«

»Ist das Jamies Auffassung?«

Bohnen erschrak. »Mein Gott, lassen Sie Jamie bloß nicht merken, daß ich seinen Kommandeur überprüft habe. Sie wissen doch, wie korrekt und eigen Jamie immer ist.«

»Ich würde den Jungen nach all den Jahren gar nicht mehr erkennen. Ich habe Mollie seit fast drei Jahren nicht mehr gesehen.«

Als der Name seiner Frau fiel, runzelte Bohnen die Stirn und streifte Asche von seiner Zigarre. »Jamie war ein umgängliches Kind, ging sorgsam mit seinem Spielzeug um, war seinen Freunden gegenüber rücksichtsvoll und vertraute seinen Eltern – vielleicht vertraute er ihnen zu sehr. Mollie hat seine Einstellung mir gegenüber negativ beeinflußt. So schrecklich sich das auch anhören mag, aber ich habe mir deswegen zu keiner Zeit irgendwelche Verbitterung gestattet.«

»Mit Mollies Vater war nur schwer auszukommen. Sie wird es von ihm haben.«

»Er hat einen florierenden Konzern geerbt«, sagte Bohnen. »Welchen Grund hatte der alte Tom, sich so stur zu stellen? Er erbte ein Vermögen und warf es in den Rinnstein. Wie ich hörte, starb er nahezu völlig verarmt. Sein Großvater müßte sich im Grabe herumdrehen. Sie brauchen nur ein beliebiges Buch über die amerikanische Geschichte aufzuschlagen, und schon finden Sie eine Washbrook-Ernte- oder -Zugmaschine. Als der alte Tom Washbrook mir die Hand seiner Tochter überließ, fühlte ich mich wie im siebenten Himmel. Ich liebte Mollie sehr und war fest davon überzeugt, ihrem Vater plausibel machen zu können, was zur Rettung des Unternehmens zu tun sei; er aber hörte mir gar nicht zu – ich war zu jung, um Ratschläge zu erteilen. Manchmal glaube ich, daß er absichtlich das genaue Gegenteil dessen tat, was ich anregte oder vorschlug. Von Mollie kam keine Unterstützung; sie schlug sich stets auf die Seite ihres Vaters. ›Er hat ein Recht darauf, Fehler zu machen‹, pflegte sie mir gern zu sagen.«

»Mollie liebte ihren Vater, Alex, Sie wissen das. Sie liebte ihn abgöttisch.«

»Sie sah zu, wie er sein großes Unternehmen in Grund und Boden ruinierte. Ist das Liebe?«

»Sie haben also nichts mehr von Mollie gehört?«

»Ich denke, für Mollie gab und gibt es nur einen Mann und wird es stets nur einen einzigen Mann geben. Sobald sie sich von mir abgewandt hatte, sträubte sie sich, auch nur an mich zu denken. Sie sagte, sie wolle eine saubere Trennung, und ich mußte mich damit abfinden, obwohl es auch den Verlust meines Sohnes bedeutete. Ich wußte, daß er eines Tages zu mir zurückfinden würde, und ich danke Gott, daß Er gerade diese Weihnacht Seinen Willen geschehen ließ.«

Bohnens Gegenüber sah auf die Uhr. »Ich würde gern bleiben und den Jungen wiedersehen, Alex.«

»Er erzählte mir, daß er ein wundervolles Mädchen kennengelernt hat«, sagte Bohnen, »und er gibt mir Gelegenheit, sie ebenfalls kennenzulernen.«

»Die englischen Züge sind alle des Teufels, Alex. Hat er es weit?«

»Ich habe einen Wagen geschickt«, sagte Bohnen.

Der andere Mann lächelte. »Freut mich zu sehen, daß der Krieg Ihren Stil nicht beeinträchtigt, Alex. Meinen Sie, ich sollte mir auch eine Khakiuniform anziehen?«

»Das Führen eines Luftwaffenverbandes unterscheidet sich nicht von einer Unternehmensführung«, sagte Bohnen feierlich. »Eigentlich läßt sich die Luftwaffe in Kriegszeiten leichter als ein Unternehmen führen. Als Boeing und Lockheed in Schwierigkeiten waren, sagte ich zu meinem Chef, es würde wahre Wunder gewirkt haben, wenn man die Möglichkeit gehabt hätte, einem paar dieser Direktoren dort mit einem Erschießungskommando zu drohen.«

»Das können Sie ruhig laut sagen, Alex.«

»Und was ist mit der verdammten Fluglinie, in die Sie so viel gutes Geld gesteckt haben? Ein paar Hinrichtungen im *dortigen* Direktorium hätten ebenfalls Wunder gewirkt.«

»Das Soldatenleben liegt Ihnen offenbar.«

»Es ist faszinierend«, sagte Bohnen. »Und es ist eine gewaltige Aufgabe. Zur Zeit gibt es hier auf den Inseln mehr amerikanische als britische Soldaten. Und unsere Flugzeuge übertreffen die der Royal Air Force zahlenmäßig um etwa viertausend!«

»Was kommt als nächstes, Alex? Buckingham Palace?«

»Stellen Sie sich etwas Großes vor«, sagte Bohnen und lachte.

»Ich muß gehen.« Er blickte sich im Speiseraum um, sah dann wieder Bohnen an. »Wer ist der Gastgeber?«

»Brett Vance. Sie kennen doch Brett – er hat kurz vor dem Krieg ein großes Vermögen mit Kakaotermingeschäften gemacht –, das große Scheusal mit Brille, zieht gerade da drüben in der Ecke Blumen aus dem Gesteck. Kein Grund, die Dankbarkeit zu übertreiben. Er hat die Armee gerade überredet, seine Schokolade in jeder Soldatenkantine Europas zum Verkauf anzubieten.«

»Gute Arbeit, Brett Vance«, sagte der alte Mann sardonisch.

»Können Sie sich vorstellen, wie viele Tafeln Schokolade von den Soldaten hier vertilgt werden? Unzählige Divisionen kräftiger, gesunder junger Männer auf dem Marsch, beim Schanzen und so weiter, und das Tag und Nacht bei jedem Wetter.«

»Soll das heißen, daß Sie Schokoladeaktien kaufen?«

Bohnen wirkte schockiert. »Sie sollten mich besser kennen. Da sollen sich doch andere auf dem Markt engagieren, wenn sie wollen; aber solange ich der Armee diene, verschwende ich keinen Gedanken, mich an derlei zu beteiligen.« Er sah sein Gegenüber lächeln und fragte sich, ob er auf die Probe gestellt werden sollte.

»Sie werden ein richtiger Musterknabe, Alex. Ich glaube, vielleicht ziehe ich doch die Geschäftstüchtigkeit vor, die ich früher von Ihnen gewohnt war.«

»Ich habe den vorigen Krieg nicht mitgemacht. Ich habe das Gefühl, als schuldete ich Uncle Sam so einiges, und daher widme ich mich mit aller Kraft meiner jetzigen Aufgabe.«

Auf diese leidenschaftliche Erklärung Bohnens fiel dem älteren Mann keine Erwiderung ein. Drüben, am anderen Ende des Saales, verabschiedeten sich einige Gäste. »Herzliche Grüße an Jamie. Bin gespannt zu hören, welchen Eindruck Sie von seinem Mädchen bekommen haben.«

»Jamie ist noch zu jung zum Heiraten«, sagte Bohnen.

»Und was ist mit seinem Kommandeur – wollen Sie zulassen, daß *der* heiratet?«

»Sehr spaßig«, sagte Bohnen. »Vermutlich denken Sie, ich mischte mich zu sehr ein.«

»Lassen Sie den Jungen sein eigenes Leben leben, Alex.«

»Ich sehe Sie also nächste Woche«, sagte Bohnen. »Sie könnten für mich einige Berichte für Leute in Washington überbringen.«

»Nehmen Sie den Jungen nicht so hart ran, Alex. Jamie hat nicht die Härte, die wir uns damals im Jahre neunundzwanzig haben antrainieren müssen.«

»Er wird nicht bevorzugt behandelt. Er ist Soldat, und wir haben Krieg.«

»Es ist ernst, Vater. Wir lieben uns.« Nach so vielen Jahren der Trennung fand er das Gespräch mit seinem Vater schwierig.

»Und wann bekomme ich Gelegenheit, die junge Dame kennenzulernen?« Oberst Bohnen zog seine Uhr zu Rate.

»Um Viertel nach drei. Sie dachte, wir wären vielleicht ganz gern ein Weilchen unter uns. Im Augenblick ist sie unten und ißt mit ihrer Tante zu Mittag.«

»Das ist sehr rücksichtsvoll von ihr«, sagte Bohnen, der sich fragte, ob die Absicht dahinterstand, Jamie Gelegenheit zu geben, seine Zustimmung zu einer vielleicht beabsichtigten Heirat einzuholen.

»Sie wird dir gefallen, Vater. Es war ihre Idee, dich anzurufen.«

Wie sehr ähnelte der Junge doch Mollie: der gleiche Mund und die gleichen weitgeöffneten ernsten grauen Augen und das gleiche nervöse Benehmen, als erwarte er, daß Alex Bohnen ihm den Kopf abreißen würde. Was erwartete der Junge – ein väterliches Geplauder über das Unglück, das einer überstürzten Ehe auf dem Fuße folgen kann? Oder den Vortrag des Stabsoffiziers über die soziomedizinischen Folgen zufälliger Verhältnisse? Beides würde er nicht zu hören bekommen. »Sicher werde ich sie mögen«, sagte Bohnen und füllte das Glas mit Château Margaux nach. »Iß die Lammkoteletts, bevor sie kalt werden.« Jamie hatte seinem Vater die Wahl der Speisen und Getränke überlassen, weil er wußte, wieviel Freude es ihm bereiten würde. Er behielt recht; Bohnen war das Menü mit äußerster Sorgfalt durchgegangen und hatte sich beim Zimmerkellner des langen und breiten nach der Temperatur des Weines erkundigt und ihn befragt, wo das Lamm gezogen worden war.

»Eine herrliche Mahlzeit«, sagte Jamie.

»Es ist besser, hier oben in meiner Suite servieren zu lassen. Ich hätte gern mit dir gegessen, hatte aber eine offizielle Einladung für heute mittag.«

»Ist auch ein wunderbarer Claret.« Bohnen bemerkte, daß sein Sohn einen typisch englischen Ausdruck für roten Bordeaux benutzte, und fragte sich, ob die Erziehung des Jungen vom alten Tom Washbrook, dessen Tafel legendär war, beeinflußt worden war, oder durch seinen nichtsnutzigen Schwager, der die Erträge seiner Bar plus Grillroom in Perth Amboy vertrank.

»Die Kellerei des Savoy bleibt im Fluß. Dies ist das beste Hotel der Welt, und die Geschäftsleitung kennt mich seit lange vor dem Krieg.«

»Ein vierunddreißiger Jahrgang«, sagte Jamie, der die Flasche gedreht und das Etikett gelesen hatte. »Du bist also immer noch sehr beschäftigt.«

»Wir stecken mitten im größten Expansionsprogramm der Geschichte, und da taucht der Doolittle auf, um General Eaker abzulösen.«

»Was verbirgt sich dahinter?«

»Versetz dich zurück in den letzten Oktober und lies über den Angriff auf Schweinfurt nach, wie ich es in Erarbeitung eines vertraulichen Berichts tun mußte. Es war ein langer Anflug bei klarem Himmel, und sie haben unsere Bomber auf dem Hin- und Rückflug nach allen Regeln der Kunst fertiggemacht. Kein Jäger flog Geleitschutz, und die Deutschen hatten reichlich Zeit, zu landen und nachzutanken, ehe sie noch mehr unserer Jungs abschlachteten. Bereits auf dem Anflug gingen achtundzwanzig Bomber verloren, und als die Verbände das Ziel erreicht hatten, waren vierunddreißig Maschinen nach Treffern oder wegen technischen Versagens umgekehrt. Der Rückflug war noch schlimmer.«

»Ich höre, Vater.«

Bohnen blickte seinen Sohn an. Er wollte ihn nicht ängstigen, wußte aber auch, daß er so leicht nicht zu ängstigen sein würde. »Wenn die Wahrheit darüber je ans Licht kommt, reißt der Kongreß das Oberkommando in Stücke. Jede

Chance, daß Amerika einmal eine selbständige Luftwaffe*
bekommt, ist dann für alle Zeiten dahin. Selbst heute veröffentlichen wir noch nicht die ganze Wahrheit. Wir haben
noch niemandem etwas von unseren Maschinen erzählt, die
ins Meer stürzten oder mit gefallener oder verwundeter
Besatzung landeten. Wir sagen nicht, daß auf je drei im
Gefecht verwundete Soldaten vier Mann kommen, die mit
Erfrierungen ins Lazarett müssen, und wir erzählen auch
niemandem, wie viele Bomber verschrottet werden, weil die
Reparatur unwirtschaftlich ist. Wir reden nicht von den
Männern, die sich lieber vors Kriegsgericht stellen lassen als
noch einmal in den Kampf zu ziehen, und auch nicht von den
psychiatrischen Fällen, die wir mit Drogen vollpumpen und
nach Hause schicken. Wir lassen keine Reporter auf die
Fliegerhorste, auf denen die Moral der Truppe zu wünschen
übrig läßt, und gewähren ihnen keinen Zugang zu den
Entscheidungen, die wir zu treffen hatten, um keine weiteren Verbände ohne Eskorte jene wehrhaften Ziele anfliegen
zu lassen.«

»Das klingt schlimm.«

»Wir haben die wahre Geschichte des Angriffs auf
Schweinfurt nie freigegeben, und ich denke, wir werden es
auch nie tun.«

»Mit unseren Mustangs werden wir sie den ganzen Weg
eskortieren.« Jamie hatte vergessen, mit welcher Anspannung sich sein Vater stets seiner Arbeit widmete. Er
wünschte, ihn einmal entspannt zu erleben, aber dazu kam
es nie.

»Den ganzen letzten Monat lang habe ich mich für zusätzliche Tanks für Langstreckenflüge eingesetzt. Im Augenblick benutzen wir englische Tanks aus Preßpappe, bekommen jedoch nicht genügend. Letzten Freitag kriege ich
einen langen Bericht aus Washington, aus dem hervorgeht,
daß sich Abwurftanks aus Pappe nicht herstellen lassen. Es

---

* Zur damaligen Zeit nannte sich die amerikanische Luftwaffe »United
States Army Air Force«, es handelte sich also organisatorisch um fliegende
Verbände des amerikanischen *Heeres*.

ist dieser bürokratische Geist, mit dem wir uns plagen müssen, Jamie.«

»Eine Mustang ist die beste Maschine, die ich je geflogen habe.«

»Das wußte letztes Jahr schon jeder, bloß die ›Experten‹ vom Beschaffungsamt nicht; sie schienen sich darüber zu ärgern, daß die Maschine einen von Engländern entwickelten Motor brauchte, um ein echter Erfolg zu werden. Aufgrund der entsprechenden Einwände gingen der Luftwaffe einige Monate verloren – und diese verlorene Zeit bezahlen die Bomberbesatzungen mit ihrem Blut.«

»Wird es unter Doolittle besser werden?«

»Neue Maschinen, neue Vorstellungen, ein neuer Kommandierender. Ich hoffe sehr, daß er mit den Engländern klarkommt. Das brennt uns zur Zeit am meisten auf den Nägeln.«

»Mit den Engländern?«

»Churchill will, daß wir unserer Verluste wegen nur noch nachts fliegen.«

»Bedeutet ein Nachtangriff nicht bloß Flächenbombardement? Einfach nur Bomben in die Zentren der großen Städte zu werfen? In Stadtmitte liegt kein Industriekomplex. Wie kann er mit dieser Politik jemals den Krieg beenden?«

»Nachtangriffe würden bedeuten, von der Royal Air Force mehr Rat und Ausrüstung zu bekommen. Erst erteilen sie uns Ratschläge, dann geben sie uns Unterricht, und zum Schluß auch noch die Befehle.«

»Aber Eisenhower ist doch zum Oberkommandierenden der anglo-amerikanischen Invasionstruppen ernannt worden.«

»Das hört sich sehr kameradschaftlich an«, sagte Bohnen. »Das klingt, als ob sich die Engländer damit abgefunden hätten, von uns Befehle entgegenzunehmen. Aber warte nur, bis der Name von Eisenhowers Stellvertreter fällt, und du wirst sehen, daß das ein Engländer sein wird. Uns in dem Bomberkommando der königlich-britischen Luftwaffe aufgehen zu lassen, ist eine weitere Stufe des englischen Plans.

Churchill spricht immer vom ›Bombardieren rund um die Uhr‹ und schlägt vor, daß wir unter einem einzigen Oberbefehlshaber koordiniert vorgehen. Du weißt, was das heißt: ein Oberbefehlshaber fürs Heer, also auch ein Oberbefehlshaber der alliierten Bomberflotte. Und wer bringt für diese Aufgabe die besten Voraussetzungen mit? Arthur Harris. Sollten wir quengeln, werden uns die Engländer daran erinnern, daß Eisenhower schließlich den Oberbefehl erhalten hat. Und genau so wird das laufen. Die Engländer werden alle wichtigen Kommandostellen besetzen und uns daran erinnern, daß sie letztlich doch Eisenhower unterstellt sind.«

Jamie stocherte im Gemüse herum, um ein paar Zwiebelstückchen, die er nicht mochte, beiseitezuschieben. Bohnen fiel ein, daß er dies schon als kleines Kind getan hatte, und er hatte ihn deswegen des öfteren gescholten. Jamie betupfte sich mit der Serviette verwöhnt die Lippen und nippte an seinem Glas. »Von Politik verstehen die Engländer was, nicht wahr?«

»Darin übertreffen sie sich selbst. Montgomery kann den Hörer in die Hand nehmen und mit Churchill reden, sooft ihm danach ist. Harris – der Oberkommandierende der Bomberflotte der Royal Air Force – sitzt mit Churchill beim Mittagessen und zeigt ihm anhand von Bilderbüchern, was die R.A.F. in Deutschland angerichtet hat. Kannst du dir vorstellen, daß Eaker, Doolittle oder gar General Arnold Gelegenheit hätten, sich mit dem Präsidenten persönlich zu unterhalten? So wie die Sache im Augenblick steht, hat Montgomery, via Churchill, mehr Einfluß auf Roosevelt als es unsere eigenen Stabschefs haben.« Bohnen nahm einen Schluck Château Margaux und legte eine Pause ein, um den Nachgeschmack zu genießen. »1928 war der große Jahrgang; aber dieser 34er Margaux kommt ihm sehr nahe. Eines Tages setze ich mich zur Ruhe und widme den Rest meiner Tage dem Vergleich der 28er und 29er Jahrgänge.«

»Ich glaube, wir müssen weiterhin strategische Ziele bombardieren«, sagte Jamie ruhig. Er hatte nicht vorgehabt, in diese Erörterung von höherer Warte aus, die sein Vater offenbar so sehr genoß, hineingezogen zu werden.

Bohnen schüttelte den Kopf. »Wir müssen uns an die deutsche Luftwaffe halten, Jamie. Wir haben keine andere Wahl. Wir haben nicht mehr viel Zeit bis zur Invasion des Festlandes – wir müssen die unbestrittene Luftüberlegenheit über jenen Küstenstreifen gewinnen. General Arnolds Neujahrsbefehl wird es offiziell verlautbaren: Die deutschen Flugzeuge sind in der Luft, am Boden und bereits bei der Fertigung zu vernichten. Es wird rauh werden, verdammt rauh.«

»Mach dir meinetwegen keine Sorgen, Vater.«

»Mach ich nicht«, sagte Bohnen. Sein Sohn sah so verletzlich aus, daß er nach ihm greifen und ihn in die Arme nehmen wollte, wie er es gewohnt war, als Jamie noch klein war. Er hätte beinahe über den Tisch hinweg nach seiner Hand gegriffen, aber Väter tun derlei ihren erwachsenen Jagdfliegersöhnen nicht an. Mütter sind da in gewisser Weise besser dran.

Victoria erschien pünktlich, und Bohnen war von dem hochgewachsenen, dunkelhaarigen und selbstbewußten Mädchen, das ihn begrüßte, überrascht. Sie war anscheinend wohlerzogen und besaß all jene altmodischen Tugenden, die ihm vor so langer Zeit in Jamies Mutter erschienen waren.

»Sie haben eine Zimmerflucht über dem Fluß, Oberst. Anscheinend sind Sie ein einflußreicher Mann.«

»Ich wünschte, ich wäre es, Fräulein Cooper.«

»Bezaubernd, Herr Oberst.«

»Ich bin nicht einmal ein richtiger Oberst, bloß ein rausgeputzter Zivilist. Ich bin ein Hochstapler, Fräulein Cooper. Keiner von euren vergoldeten oder versilberten. Ich bin durch und durch ein Hochstapler.«

Sie lachte weich. Bohnen hatte stets behauptet, daß eine Frau, stärker noch als ein Mann, alles Wissenswerte mit ihrem Lachen verrät – verräterisch nicht nur, worüber und wann sie lacht, sondern auch der Klang ihres Lachens. Victoria hatte ein schönes Lachen: gefällig und trotzdem natürlich und mehr aus dem Herzen als aus der Bauchhöhle.

»Sie sehen zu jung aus, um Jamies Vater zu sein«, sagte sie.

»Wer könnte einem derartigen Kompliment widersprechen«, sagte Bohnen.

Sie ging zum Tisch hinüber, wo Jamie seine Mahlzeit beendete. Sie küßten sich zurückhaltend.

»Darf ich Ihnen etwas Tee oder Kaffee bestellen, Fräulein Cooper?«

»Sagen Sie doch bitte Victoria zu mir. Nein, danke, ich werde Jamie etwas Wein stibitzen.« Jamie beobachtete die beiden. Sie schienen sich bereits gut genug zu kennen, um auf eine Art miteinander die Klingen zu kreuzen, die Jamie noch nicht probiert hatte.

Bohnen entnahm der Vitrine ein weiteres Weinglas. »Jamie sagt, seine Mutter sei Engländerin«, sagte Victoria.

»Das behauptet Mollie gern. In Wahrheit kam sie etwas früher als vom Arzt vorausberechnet, und ihre Eltern waren da gerade in England. Tom baute bei Bradford eine Traktorenfabrik. Mollie wurde in einem stattlichen, vornehmen Haus in Wharfedale, Yorkshire, geboren. Wie es heißt, besorgte die Dorfhebamme im Schein einer einzigen Öllampe die Entbindung, während der alte Tom kesselweise Wasser heiß machte.«

»Wie romantisch.« Sie blickte Jamie an, der leise lächelte.

»Kennen Sie diesen Teil der Erde, Victoria?«

»Auf dem Wege nach Schottland bin ich dort mit dem Zug schon durchgefahren.«

»Welch ein Versäumnis. Ich bin dort schon unzählige Male zur Fuchsjagd gewesen. Wunderbare Landschaft. Mögen Sie Pferde?«

»Nicht so sehr«, gab sie zu.

»Nun, ich wußte doch, daß Sie einen schweren Charakterfehler haben müßten, Victoria.« Er lächelte. »Zum Glück ein Fehler, mit dem sich mein Sohn mühelos abfinden wird. Ich weiß noch, wie ich Jamie das erstemal auf ein Pferd setzte. Er war sehr klein, brachte aber mit seinem Geschrei den ganzen Stall ins Wanken. Der Führer der Meute kam herausgelaufen, um nachzusehen, ob ich vielleicht mein

Kind zu Tode prügelte.« Er wandte sich an Jamie. »Erinnerst du dich an die Zeit auf Onkel Johns Farm in Virginia?«

»Ich bin mehr für Flugzeuge«, sagte Jamie leicht verlegen.

»Er weiß eben, wie man unangenehmen Fragen ausweicht«, sagte Bohnen, »das hat er von seiner Mutter gelernt.«

Jamie goß etwas Wein ein und schwieg. »Mein Sohn ist ein bißchen eigensinnig, Victoria. Vielleicht haben Sie bereits gemerkt, wie stur er sein kann.« Es war eine spaßhafte Bemerkung, die darin enthaltene Warnung war indessen unüberhörbar.

Victoria berührte Jamie leicht mit der Hand. Er hielt den Kopf gesenkt, blickte zu ihr auf und lächelte.

»Wollte nicht nach Harvard. Statt dessen ging er nach Stanford.«

»Da konnte ich ein Jahr früher anfangen«, sagte Jamie.

»Und das hatte einiges Gute für sich«, sagte Bohnen und lächelte zum Beweis, daß er sich darüber nicht mehr ärgerte. Er wandte sich an Victoria. »Er wurde ein Jahr früher fertig und konnte seine Jurastudien ein Jahr eher beginnen – dann schmiß er alles hin und ging zur Luftwaffe. Du könntest heute praktizierender Anwalt sein, Jamie. Ich hätte dich in der Kanzlei eines der tüchtigsten Anwälte in Washington oder New York unterbringen können.«

»Ich wollte aber zur Luftwaffe.«

»Du hättest Oberst der Kriegsgerichtsbarkeit sein können.« Da Jamie nichts erwiderte, fügte Bohnen hinzu: »Vermutlich wäre das nicht allzuviel im Vergleich mit der Möglichkeit, mit einer P 51 über Deutschland zu fliegen.«

»So ist es, Sir.«

»Ich muß ihn bewundern, Victoria. Er wird jedoch nie auf meine gutgemeinten Ratschläge hören.« Bohnen lachte, als habe er versagt.

»Und wieviel haben Sie sich von Ihrem Vater raten lassen?« fragte Victoria. In Liebenswürdigkeit gebettete Kritik dieser Art hatte auch sie stets von ihrer Mutter zu hören bekommen. Und oft genug geschah es wie hier durch Dritte.

Die Spitze entging Bohnen nicht. »Ich hoffe, wir Amerikaner sind in Ihren Augen nicht zu vorwitzig, Victoria.«

»Meine Wahrsagerin behauptet, ich würde zwei geheimnisvolle, gutaussehende, energische Männer kennenlernen.«

»Sie glauben doch nicht etwa an Wahrsagungen, Victoria? Eine vernünftige, moderne junge Frau wie Sie?«

»Ich glaube, was ich glauben will«, sagte sie lächelnd. »Sie werden das sicher verstehen.«

»Nach dieser Methode werten auch meine Analytiker die Fotos der Luftaufklärung nach Bombenangriffen aus. Ich verstehe das recht gut.«

Jamie, der offenbar gehen wollte, spielte mit seinem Weinglas. »Trink doch den Wein aus, Jamie. Geh nicht, bevor die Flasche Margaux leer ist.«

Victoria bemerkte in seinem Tonfall einen Anflug von Besorgnis, und er tat ihr jetzt ein wenig leid. Sie erkannte den verzweifelten Wunsch, sein Sohn möge doch bleiben.

Jamie trank langsam seinen Wein und erhob sich. »Ich gehe mit Vicky heute abend noch zu einer Vorstellung. Anschließend muß ich zum Horst zurück.«

Bohnen fragte nicht, welche Vorstellung das sei, weil es möglicherweise nur ein höflicher Vorwand war. Sein Sohn wollte sein Mädchen für sich allein haben, und warum auch nicht?

»Viel Spaß, Jamie.«

»Hab' mich gefreut, dich wiederzusehen, Vater.«

»Paß auf dich auf, Jamie. Sie auch, Victoria.« Sie küßte ihn auf die Wange. Das Mädchen hat verstanden, dachte Bohnen. Kinder hören eines Tages auf, Kinder zu sein; Eltern aber bleiben Eltern, liebevolle Eltern. Darin liegt ihre Tragik.

Bohnen griff nach einem schweren Aktenkoffer und öffnete ihn. »Ich muß in den nächsten zwei Stunden noch eine ganze Menge lesen«, erklärte er beiden. »Und ihr müßt gehen. Der Wagen steht zu eurer Verfügung – ihr könnt fahren, wohin ihr wollt. Der Fahrer ist späten Feierabend gewöhnt.«

»Gib auf dich acht«, sagte Jamie.

Bohnen tat, als sei er völlig mit dem Inhalt seiner Tasche beschäftigt. »Sieh zu, daß du draußen in Steeple Thaxted nicht in Schwierigkeiten kommst«, sagte Bohnen, ohne von seinen Papieren aufzublicken, »sonst zieht mir mein General das Fell über die Ohren.« Er blickte auch nicht auf, als die beiden den Raum verließen. Jamie schloß leise die Tür, als wollte er seinen Vater nicht stören.

9.

Hauptmann James A. Farebrother

Mit Vince Madigan die Stube zu teilen, brachte einige Unbequemlichkeiten mit sich. Dazu gehörte die Art, wie er seine Besitztümer um sich ausbreitete. Unter Stapeln von Magazinen, Opernplatten, Sportgeräten, Duftwässern, Salben, Haarwuchsmitteln und angefangenen Liebesbriefen konnte Farebrother das eigene Bett kaum noch erkennen. Dazu kamen noch schleifchenumwickelte Pakete mit Nylonstrümpfen sowie Obstkonserven, die in Vince Madigans Liebesleben eine fundamentale Rolle spielten.

Mickey Mouse weckte die beiden am Morgen nach der Weihnachtsdienstbefreiung. Er war auf eine Zigarette aus. »Was ist denn hier losgewesen?« fragte er und betrachtete Vinces in der ganzen Stube verstreute Sachen. »Sieht ja aus, als wär 'ne Fünfzigkilobombe eingeschlagen.« Winston schlüpfte ins Zimmer und beschnüffelte Madigans Feldkiste.

»Sehen Sie mich nicht so an«, sagte Farebrother, »ich war gestern in London und bin erst heute morgen um fünf wiedergekommen.«

»Ich war in Cambridge«, sagte MM. »Mein Motorrad ist kaputt. Ich hab' den Lkw verpaßt und mußte sieben Pfund für ein Taxi bezahlen.«

»Großer Gott«, sagte Vince und kletterte aus dem Bett. »Sieben Pfund! Jeder Taxifahrer bringt dich für 'ne Stange Lucky Strike nach London und besorgt dir noch was zu vögeln.«

»Mehr als solche dämlichen Redensarten kann man von 'nem Presseoffizier nicht erwarten.« Er zog eine Grimasse. »Ich hatte keine Stange Luckies, du Schwachkopf.«

Madigan gähnte und scheuchte Winston von seinen geheimen Schokoladenbeständen. »Wohin sind Sie nach der Party gegangen, Jamie? Ich sah noch, daß Sie Earl Koenige vom Fußboden auflasen, und dann sind Sie mit Vicky verschwunden.«

»He«, sagte MM, »diese Vicky ist 'ne sagenhafte Frau.« Mit ausgestreckten Armen zeichnete er ihre Figur nach.

»Sie haben mich ganz schön im Stich gelassen«, beschwerte sich Madigan, der seine zweite Socke nicht finden konnte. »Nachdem Sie weg waren, kam die kleine Brünette wieder zurück. Vera drehte durch. Wär MM nicht dabei gewesen, hätte sie mich krankenhausreif gemacht. Stimmt's, MM?«

»Vera ist in Ordnung«, sagte MM gelassen.

»Vera ist nicht bloß in Ordnung«, sagte Vince Madigan aufgebracht, »auf sie kommt's mir an. MM, ich hab' dir gesagt, daß Vera treu ist.«

MM wollte gar nicht hören, daß Vera treu war. »Oberst Dan hat Sie gestern gesucht, Jamie«, sagte er und wechselte das Thema.

»Höchstpersönlich?« fragte Farebrother.

MM nickte.

»Das soll schon was heißen«, sagte Vince Madigan.

»Schätze, er hat angenommen, Sie hätten sich davongemacht«, sagte MM. Er bemerkte, daß Winston in aller Ruhe an einer Socke herumnagte und schubste ihn wieder unter das Bett, ohne daß Madigan etwas bemerkte.

»Ich hatte Urlaub bis zum Appell«, sagte Farebrother.

»Er sagte, Sie wüßten, daß Sie auf dem Plan stehen«, sagte MM.

Farebrother nickte. Es überraschte ihn nicht, daß er zum Flugdienst eingeteilt war. Piloten waren so knapp, daß Oberst Dan und die übrigen Offiziere des Geschwaderstabes beinahe jeden Einsatz fliegen mußten. »Operativ?«

»Wir proben keinen Vorbeiflug«, sagte MM. »Wer kommt mit zum Essen?«

Farebrother frühstückte mit MM – Vince Madigan suchte noch immer seine Socken –, und danach spielten sie Karten.

Farebrother sagte etwas über Vera, aber MM ermunterte ihn nicht zu weiteren Fragen. Er wollte nicht, daß irgend jemand glaubte, daß er sich mit Vince Madigans verflossenen Freundinnen einlassen würde. Es kursierten zu viele Witze über Madigans Weiber, die angeblich reihenweise mit geröteten Augen und dicken Bäuchen vor dem Tor stehen und nach dem Pfarrer verlangen.

Die Piloten warteten den ganzen Morgen über. Die Bomber griffen den Marinestützpunkt Kiel an. Der Kriegshafen war zwar ein heftig verteidigtes Ziel, aber das 220. Jagdgeschwader war zur Rückzugssicherung eingeteilt und wurde erst gebraucht, nachdem sich die Bomber auf den Rückflug gemacht hatten.

Die entspannte Haltung der Flieger täuschte. Wie Amateurschauspieler in einem schlechten Stück hielten sie Bücher und Magazine in den Händen, ohne zu lesen; sie rauchten, ohne zu inhalieren; redeten, ohne anderen zuzuhören. Oberst Dan in seinem unvermeidlichen kurzärmeligen Khakihemd stand in der Ecke und kratzte sich aus Nervosität die Oberarme so heftig, daß seine Fingernägel rote Striemen hinterließen. Bei ihm stand Major Kevin Phelan, der Einsatzleiter des Geschwaders. Sie führten zum wiederholten Male diese Unterhaltung.

»Letztes Jahr hatte Notre Dame die beste Footballmannschaft seiner Geschichte – tut mir leid, Kevin.«

Major Phelan befingerte seine Nase, die man ihm in einem Spiel für die Fighting Irish gebrochen hatte, griente und sagte: »Die zweitbeste.«

»Ich rede nicht vom Talent, ich spreche von der Taktik. Ich rede von Clark O'Shaughnessy, und was er damals in den dreißiger Jahren für die Jungs von der Universität Chicago getan hat.« Der Oberst blickte kurz auf seine Uhr und fuhr dann fort: »Sie sind zu jung, um sich daran erinnern zu können, daß sie in das Rosen-Stadion einzogen sind, nachdem sie die letzten Spiele der Saison alle gewonnen hatten.«

Major Phelan war keineswegs zu jung, um sich zu erinnern. Er sagte: »Das war 1940. Im gleichen Jahr haben die

Chicago Bears die Redskins mit einundsiebzig zu null fertiggemacht. Ich war dabei, Oberst. Hab' das Spiel gesehen.«

»Und jeder Trainer im Lande ging zur T-Formation
über«, sagte Oberst Dan. »Haben Sie die Aggies in dem Jahr
davor spielen sehen, als sie die amerikanische Meisterschaft
gewannen?« Er blickte erneut auf die Uhr. Beide wußten,
daß sie sich nur unterhielten, um sich die Wartezeit zu
vertreiben.

»Noch jede Menge Zeit«, sagte Major Phelan.

»Wir sollten die Bomber über dem Ziel sichern«, sagte
Oberst Dan. »Glauben die in der Gruppe vielleicht, wir
wären für einen ganzen Einsatz nicht gut genug?«

Phelan antwortete nicht.

Durch das Fenster sah Oberst Dan, wie Boogie Bozzelli
seinem unzertrennlichen Kumpan Costello einen Ball
zuwarf, der ihn seinerseits auffing und mit müheloser Bewegung zurückschleuderte. »Sind die verrückt geworden?
Draußen im Regen Ball zu spielen?«

Major Phelan verzichtete diplomatisch darauf, Oberst
Dan darauf hinzuweisen, daß es zu regnen aufgehört hatte.
»Die stammen beide aus Florida, Oberst.«

Oberst Dan grinste. Er und Phelan stimmten seit langem
darin überein, daß alle Südstaatler leicht verrückt waren.
»Wir müssen größtenteils über der Nordsee fliegen«, sagte
er angewidert. »Noch so 'n lausiger Routineeinsatz!«

»Da kann man nicht sicher sein, Oberst. Entlang der
ganzen nördlichen Küstenlinie liegt ein Jägerstützpunkt
neben dem anderen. Denken Sie an Bremen: Im gleichen
Augenblick, als wir die Küste erreicht hatten, fielen die
Krauts wie Wespen beim Picknick über uns her.« Phelan ließ
seinen Blick durch den Raum schweifen. »Ein paar
Abschüsse täten der Moral hier wahrhaftig nicht schlecht.«

MM hatte die Beine ausgestreckt, die Füße auf den Tisch
gelegt und stellte sich schlafend. Earl Koenige blätterte in
einem Fliegererkennungsbuch. Rube Wein saß mit einem
Reiseschachspiel am Tisch. Neben sich hatte er eine Ausgabe der »Besten Partien der Großmeister« und spielte die
Züge einzeln nach. Seit Farebrothers Ankunft hatte Rube

Wein kaum mit ihm gesprochen. Er sprach überhaupt kaum mit jemand. Selbst seine sportlichen Erfolge auf dem College hatte er in Disziplinen wie Springen und Schwimmen errungen; Sportarten also, in denen man auf sich allein gestellt ist. Er war von muskulöser Gestalt und trug das schwarze Haar so glatt zurückgebürstet, daß es wie ein glänzender Helm wirkte. Er saß allein am Tisch. Manche behaupteten, Rube Wein bliebe deswegen stundenlang allein, weil er sich auf den Dr. rer. nat. vorbereitete, den er nach Kriegsende schnellstmöglich machen wollte. Andere meinten, er wäre bloß mürrisch und ungesellig. Wie auch immer: Er tat wenig, um zu einem Gespräch über das Notwendigste hinaus anzuregen. Lediglich MM schien mit Rube Wein zurechtzukommen – sie lachten und scherzten sogar miteinander –, aber MM täuschte gegenwärtig Schlaf vor. Wein sah auf und begegnete Farebrothers Blick, ließ sich jedoch kein Erkennen anmerken und wandte sich wieder seinem Schachproblem zu.

Mittags wurden sie zur Einsatzbesprechung gerufen, und anschließend fuhren sie auf einem Lastwagen zu den Barakken am schlammigen Rand des Flugplatzes. Ihre Abstellplätze befanden sich neben dem Schießstand; dort war es bitterkalt, und die Regenpfützen und der Schlamm blieben bis in den Sommer hinein stehen.

Die Piloten der Staffel betraten der Reihe nach die Ausrüstungskammer. An der einen Wand standen offene Regale. Jedem Piloten war ein Verschlag und ein alter Metallspind zugewiesen. Auf den Regalen lagen Fallschirm, Schlauchboot, Helm, Schutzbrille, Sauerstoffmaske, Schwimmweste und Fliegerkombination. Der Kammerunteroffizier wartete mit einer Garnitur Unterwäsche auf Farebrother. Die langen Unterhosen waren zerschlissen und schmutzig; der Unteroffizier aber meinte, Farebrother würde froh sein, wenn er da oben welche hätte, und so folgte Jamie seinem Rat.

Der Kammerunteroffizier hauste in einem winzigen Kabuff am Ende der Ausrüstungsbaracke. Er sah aus, als hätte er Lungenentzündung; seine geröteten Augen tränten, und seine Nase war dermaßen verstopft, daß ihm das Sprechen schwerfiel.

Major Tucker sagte: »Passen Sie auf, wenn Sie niesen müssen, Feldwebel. Ich möchte nicht, daß Sie mit Ihren Bazillen die ganze Einheit infizieren.« Drüben am anderen Ende der Kammer begann Rube Wein zu lachen, dem Staffelkapitän aber war es ernst. »Wer lacht da?« fragte er verärgert, sprach aber weiter; denn er erwartete nicht, daß sich der Schuldige melden würde. »Dieser Infektion wegen haben wir laufend Ausfälle.«

»Scheiße«, sagte MM mit gespielter Fassungslosigkeit, »und ich habe immer behauptet, diese gottverdammten Nazis wären daran schuld.«

Tucker sah zu ihm hinüber, schnaubte und wandte sich wieder Farebrother zu. Tucker war ein strammer dreißigjähriger West-Point-Absolvent. Er war älter als die meisten Piloten und wirkte mit seinem welligen hellbraunen Haar und dem schmalen Bärtchen irgendwie stutzerhaft. Tucker hieß bei allen nur »Der Weinkellner«. Sein kühles, pedantisches Gehabe und die herablassende Miene trugen zu seiner Unbeliebtheit bei. Gerüchteweise hieß es, er bliebe nur so lange beim Geschwader, bis im Divisionsstab die entsprechende Stelle frei würde.

»Nehmen Sie sämtliche persönlichen Sachen aus Ihren Taschen, Farebrother. Sie kennen die Vorschrift.« Jamie holte Geldtasche, Fotos von Schwester und Mutter, ein paar Briefe und Kleingeld hervor und legte alles in sein Spindfach. Die Schranktür war verbeult und verzogen. Der Staffelkapitän sah Jamie zu.

»Wo ist der Spindschlüssel?« fragte Jamie.

Tucker befingerte unruhig seinen Schnurrbart. »Der Spind gehörte einem Piloten von der zweiten Rotte«, sagte Tucker. »Hatte den Schlüssel in der Tasche, als er in den Kanal stürzte. Wir mußten den Spind mit einem Reifenheber aufbrechen, damit wir seine Habseligkeiten nach Hause schicken konnten. Lassen Sie die Tür lieber offen. Der Kammerunteroffizier ist ständig anwesend.«

Tucker entfernte sich, und Farebrother nahm eine

Schachtel Aspirin, ein paar Dollarscheine, »The Last Time I Saw Paris« von Elliot Paul und stopfte sich alles wieder in die Taschen.

MM sah zu. Er sagte: »Das Problem ist, daß die Sachen, die warmhalten, zu auffällig sind, um darin ausreißen zu können.«

»Darum also hab' ich alles an«, sagte Farebrother. Er konnte sich kaum bewegen und kam sich lächerlich vor.

»So lange einem die zusätzlichen Klamottten das Blut nicht abschnüren, sollte man froh über sie sein. Manchmal funktioniert die Cockpitheizung nicht. Die Mustangs wurden für die Royal Air Force konstruiert, und den Engländern macht Kälte nichts aus.«

Der Kammerunteroffizier übergab Farebrother eine Fluchtausrüstung. Dazu gehörten ausländisches Geld, farbige Fluchtkarten, ein paar Tafeln Schokolade und ziemlich alte, in Würfelform gepreßte Datteln, die unter geflohenen Fliegern als sehr nahrhaft galten. Die meisten Piloten trugen ihre Colt-Pistolen im Schulterholster. Farebrother jedoch ließ seine Waffe und das Reservemagazin im Spind zurück, obwohl sie auch zur Fluchtausrüstung gehörten. Er zog die Gurte seiner Schwimmweste fest.

»So ganz ohne Waffe?« fragte der Feldwebel.

»Ist mir zu schwer, und außerdem schieß ich ganz erbärmlich.«

Der Kammerunteroffizier half ihm ins Fallschirmgeschirr. »Ist besser, wenn ich auf Ihre Waffe aufpasse. Hier gibt's Leute, die würden die eigene Mutter verkaufen, wenn sie 'ne Colt-Selbstladepistole dafür kriegen könnten.«

Farebrother beugte sich so weit vor, daß sich die Gurte seiner normalen Sitzhaltung im Cockpit entsprechend anziehen ließen.

Earl Koenige war schon lange fertig, lehnte an einem Spind und beobachtete mit den gierigen Augen einer Modenschaudebütantin, wie sein neuer Rottenflieger eingekleidet wurde.

»Ich hab' gehört, Sie verstehen was von juristischen Dingen, Hauptmann«, sagte er.

Farebrother blickte auf und fragte sich, woher diese Information wohl stammte. Earl Koenige war ein großer, blonder junger Mann mit offenem Gesicht, großen Füßen und jener Unbeholfenheit, die für Bauernjungen oft so charakteristisch ist. Er hatte die von der Armee für Pilotenanwärter vorgeschriebene Zahl von Collegejahren mit dem Studium der Landwirtschaft hinter sich gebracht. »Ich brauch 'nen Rat, Hauptmann.« Als er beim Frühstück neben Farebrother gesessen hatte, bekam er kein Wort heraus.

»Was müssen Sie denn wissen?« fragte Farebrother lustlos.

»Vor anderthalb Jahren hab' ich meinem Schwager zweitausend Dollar gepumpt. Er wollte zur Vergrößerung seiner Hühnerfarm ein Stückchen Land kaufen, in Athens, Georgia, nicht allzuweit von meinem Zuhause entfernt. Er rechnete damit, daß er von der dortigen Heereseinrichtung einen Liefervertrag bekommen würde. Er sagte, ich würde so 'ne Art Partner werden.«

»Welche Art Partner?« fragte Farebrother und klinkte sein Fallschirmgeschirr auf, so daß er sich wieder aufrichten konnte. »Vielen Dank, Feldwebel.«

»Auf meine Briefe hab' ich keine Antwort bekommen. Ich mag meine alten Herrschaften mit der Sache nicht belästigen, und meine Schwester beantwortet mir auch keinen Brief. Meinen Sie, ich sollte mir 'nen Anwalt nehmen?«

»Haben Sie irgendwas schriftlich, Earl?«

»Ich hab' ihm 'nen Scheck gegeben; ich denke, den hat er eingelöst.« Draußen begannen die Führer der Wartungsmannschaften die Merlins warmlaufen zu lassen. Die Nissenhütte zitterte und dröhnte blechern, als der Propellerluftstrudel einer in der Nähe abgestellten Maschine auf ihre Außenhaut traf. »In die Maschinen«, brüllte Major Tucker schon in der Tür. Mickey Mouse klopfte Earl auf den Rücken und sagte: »Los geht's, Junge.«

Draußen warteten Jeeps, um die Piloten das kleine Stückchen zu ihren Maschinen hinüberzufahren. Die Männer trieben, während sie auf die schmalen Sitze kletterten, allerlei Unfug.

»Das waren meine ganzen Ersparnisse«, sagte Earl zu Farebrother. »Ich hab' gedacht, damit könnte ich nach dem Krieg vielleicht was anfangen.«

»Vielleicht ist auch bloß die Post schuld«, sagte Farebrother und schickte sich an, auf den Beifahrersitz zu klettern.

»Da sitz' ich immer«, sagte Earl Koenige.

Farebrother stieg wieder aus und quetschte sich neben Mickey Mouse und Rube Wein auf den Rücksitz. Earl rutschte auf seinem Sitz herum und setzte die Unterhaltung fort. »Anderthalb Jahre lang?«

»Sie waren schließlich ständig auf Achse«, sagte Farebrother. »Aufnahmezentrale, Vorschulung, Grundkurs, Fortgeschrittenenschulung auf Einmotorigen, dann zu Ihrem Geschwader und schließlich nach Europa. Kann doch sein, daß säckeweise Post hinter Ihnen her ist.«

Earl nickte, wirkte jedoch nicht überzeugt. Der Fahrer ließ den Motor an. Der Ausrüstungsoffizier nickte Farebrother zu und sagte: »Viel Glück, Sir«, als ihm bewußt wurde, daß dieser seinem ersten Feindflug entgegenfuhr. Farebrother winkte, als die Jeeps mit singenden Reifen auf dem regennassen Asphalt der Ringstraße davonbrausten. Es roch nach gemähtem Gras und hochoktanigem Treibstoff. Ein berauschendes Duftgemisch.

»Mickey sagt, ich könnte es mit einem Bankeinzug versuchen«, fuhr Earl fort. »Er sagte, ich solle der Bank meines Schwagers schreiben.«

»Das würde ich mir als letzte Möglichkeit vorbehalten«, sagte Farebrother. Er blickte wie ein Tourist in die Runde. Für ihn war dies der erste Vorgeschmack des Krieges, und den wollte er sich keinen Augenblick lang entgehen lassen, und ganz gewiß nicht durch Erörterungen über Hühnerfarmanteile.

»Vielleicht ist das für Leute Ihres Schlages nicht viel Geld«, sagte Earl eingeschnappt, »aber es sind meine ganzen Ersparnisse zuzüglich dem, was ich von meiner Tante geerbt hab'!«

»Das ist schon ein Haufen Geld«, versuchte Farebrother

ihn zu besänftigen, aber Earl tat, als studierte er seine Flugroute und wandte sich nicht mehr um.

Die Jeeps schwenkten auf das Abstellfeld ein und kamen zwischen Earls Maschine und der ›Kibitzer‹, die Farebrother zugeteilt war, zum Stehen. Die Männer sprangen ab und kamen auf dem schlüpfrigen Gras unter dem Gewicht ihrer Fallschirmpacken beinahe ins Straucheln. Mit quatschenden Stiefeln betrat Farebrother den schlammigen Grasstreifen. Trotz der schweren Kleidung schnitt der naßkalte Wind in die Haut.

Feldwebel Gill hatte die »Kibitzer« warmlaufen lassen und stand nun auf einer Fläche der Maschine, den Kopf tief in den Kragen seiner wollgefütterten Jacke gezogen. Als Farebrother an die Maschine trat, schob Gill das Kanzeldach auf. Die Mustang war noch nicht sehr alt, trotzdem hatte das üble Wetter schon dafür gesorgt, daß unter der stumpfgrünen Farbe hier und da Metall zum Vorschein kam. Von den Pfortöffnungen der Maschinenkanonen liefen schwarze Streifen über die Flügelprofile, und frischgestrichene Metallplatten verdeckten etliche Einschußlöcher.

»Hallo, Hauptmann.« Feldwebel Gill streckte die Hand aus, um Farebrother ins Cockpit hinaufzuhelfen. Gills Arm stützte ihn, während er die Beingurte des Fallschirms anzog und in die Kanzel kletterte. Er warf den Fallschirmpacken in den Metallbehälter neben dem Sitz und zerrte an dem zusammengefalteten Schlauchboot, auf dem er saß. Mit einem kleinen Kunstgriff ließ sich die Preßluftflasche so zurechtrücken, daß sie nicht während des ganzes Fluges schmerzhaft drückte.

Die vier Mustangs der ersten Rotte unter dem Befehl von MM standen dichtgedrängt nebeneinander auf ihren ringförmig angeordneten Stellplätzen unmittelbar neben der Ringstraße. Aufgetürmte Sandsäcke schützten die Maschinen vor feindlichem Tieffliegerbeschuß, wozu es allerdings noch nie gekommen war; und so waren die Sandsackpferche zwischenzeitlich stellenweise bereits eingestürzt. An den geschlossenen Enden der Abstellplätze hatten sich die Bodenmannschaften aus großen Holzverschlägen und Wellblechtafeln Schutzhütten gebaut. An den tiefen Regenpfützen vorbei verliefen zwischen den Hütten dieser kleinen Barackenstadt kreuz und quer schlammige Trampelpfade. Stromdrähte führten in die fensterlosen Buden, und so erstrahlte deren Inneres selbst an diesem grauen wolkenverhangenen Tag in gelbem Licht, das durch die Ritzen zwischen Holz, Metall und Segeltuch nach draußen fiel.

Unmittelbar neben Farebrothers Maschine stand Earl Koeniges ›Happy Daze‹, deren Nase ein leichtbekleidetes Mädchen und eine Whiskyflasche zierten. Auf MMs ›Mikkey Mouse II‹ prangte – revolverschwingend unter einem Cowboyhut – die Walt-Disney-Figur. Auf der ›Kibitzer‹ verbarg sich ein nacktes Mädchen hinter Spielkarten. Rube Weins Maschine wirkte vergleichsweise schmucklos, trug sie doch nur den sorgfältig aufgemalten Namenszug ›Daniel‹. Rubes irischer Obermonteur nannte die Maschine ›Dany‹; Farebrother indessen argwöhnte, daß sich Rube den Namen als Ausdruck eigener Seelenforschung ausgesucht hatte, ist ›Daniel‹ doch das hebräische Wort für ›Der Richter Gottes‹.

Feldwebel Gill fand die Schultergurte und war Farebrother beim Anlegen behilflich. Gill gehörte zu jenen Chefs einer Bodenmannschaft, die keinem Piloten zutrauen, von sich aus das Richtige zu tun. »Sauerstoffmaske, Mikrophon und Kopfhörer einstöpseln«, grummelte er und achtete darauf, daß Farebrother es auch richtig machte. »Gemisch weg, voller Anstellwinkel, bißchen Gas. Starten Sie heute paarweise?«

Farebrother geriet einen Augenblick lang in Panik. »Ich weiß es nicht.«

»Halten Sie sich auf der Ringstraße dicht hinter Leutnant Koenige«, riet Gill, »und dann machen Sie alles nach, was Oberleutnant Morse und sein Rottenflieger tun. Sie haben reichlich Zeit, Flügel an Flügel heranzurücken.«

»Vielen Dank, Feldwebel.« Schon ein einziger solcher Fehler würde das ganze Geschwader aus dem Zeitplan werfen.

»Der beste Pilot auf dem Horst braucht auch den besten

Obermonteur. Wenn Sie mir Zeit lassen, dann bekommen wir vielleicht auch noch die beste Maschine.« Er beugte sich hinunter und klatschte mit der flachen Hand auf den Flugzeugrumpf.

»Ich meine, der Motor klingt einwandfrei.«

»Der Technische Offizier behauptete, daß etliche Maschinen Probleme mit dem Kompressor hätten. Ich kann aber nicht feststellen, daß bei dieser hier irgendwas nicht stimmt, Hauptmann. Wenn der Vorverdichter aber anfängt, unregelmäßig zu laufen, dann sollten Sie lieber umkehren.«

»Und wenn der Rückflug sehr weit ist?«

»Reduzieren Sie den Betriebsdruck, fliegen Sie vorsichtig und halten nach 'nem großen Flugplatz Ausschau.« Er klopfte Farebrother auf die Schulter. »Sie wird schon keine Schwierigkeiten machen, Hauptmann, aber lassen Sie's wirklich sachte angehen, solange der Rumpftank noch voll ist; 'ne schwanzlastige Maschine ist für Ihre Kunststückchen nicht das richtige.«

Farebrother blickte wieder auf die Instrumente und kontrollierte die Einsatzanweisungen, die er sich mit Tintenstift auf den Handrücken geschrieben hatte. Er sah auf die Uhr und fragte sich, ob sie vielleicht stehengeblieben war. Als er sie sich ans Ohr hielt, hörte er sie ticken.

»Oberst Dan rollt jetzt auf die Startbahn«, sagte Gill, der sich auf die Zehenspitzen gestellt hatte und so von der Tragfläche aus das ganze Rollfeld überblicken konnte.

Farebrother schaltete Magnetzündung und Batterie ein und betätigte dann gleichzeitig Zündschalter und Benzinpumpe. Der Motor jaulte, und mit einem Knall zündete der erste Zylinder. Die Propellerblätter ruckten und standen still. Dann, als es schon so aussah, als wollte der Motor nicht anspringen – die Einspritzpumpe! Energisch betätigte er die Förderpumpe. Es gab einen zweiten und dritten Knall, danach dröhnte der Motorenklang wie tausend Furien im Metallgerippe der Maschine wider, als der Propeller drehte, undeutlich wurde und sich in eine blaßgraue Drehscheibe verwandelte.

Er gab etwas mehr Gas und hörte, wie sich der Motorenklang änderte. Die Vibrationen des Motors übertrugen sich auf seine Fußsohlen. Er blickte zu Feldwebel Gill hinüber. Der nickte beifällig. Farebrother winkte ihn fort, und Gill sprang auf den Boden. Farebrother löste die Bremsen und wartete, daß sich die Propellerblätter in die kalte Luft fraßen und die schwere Maschine langsam vorwärtszerrten. Zur Linken sah er Earls ›Happy Daze‹ aus ihrem Splitterschutz herausrollen. Er trat leicht auf die Bremse, um die eigene Maschine in Linie hinter Earl auf die Ringstraße zu bringen.

Heute flog die erste Rotte in Position Blau. Die vier Maschinen rollten vor und formierten sich in Abständen von etwa 140 Metern hinter Tuckers Rotte zur Linie. Am Ende des Rollfeldes winkte der Starthelfer so schnell er nur konnte die Maschinen ab. Oberst Dan war in der Luft, und hinter ihm stiegen die Maschinen auf derselben unsichtbaren Rampe in den Himmel. Als Earl von der Ringstraße auf die Startbahn rollte, brachte Farebrother seine Maschine auf gleiche Höhe. Er konnte fühlen, wie die Räder seiner Maschine den glatten Asphalt verließen und auf die gegossene Betonpiste kamen. Er blickte zu Earl hinüber. Außer Sicht seiner Freunde wirkte das Gesicht des Jungen angespannt und verzerrt. Er blickte Farebrother an, gab jedoch nicht zu erkennen, daß er ihn schon einmal gesehen hatte. Dann schloß er das seitliche Kanzelfenster. Farebrother tat dasselbe und war dankbar, nun da er darauf wartete, daß die Reihe an ihn kam, vor dem naßkalten Wind geschützt zu sein. Inzwischen wimmelte es am Himmel von Flugzeugen.

Oberst Dan, der als erster gestartet war, kam von Süden her zurück und begann Formation zu bilden. Inzwischen war die gesamte Führerstaffel in der Luft. Der Starthelfer schwenkte fortwährend seine Fahne, und die Maschinen rasten paarweise wie sich bei der Hand haltende Kinder die Startbahn hinunter.

Dann waren sie an der Reihe. Die Flugzeugnase versperrte ihnen die Sicht nach vorn, und die Tragflächen hinderten sie, die Rollfeldbegrenzung zu erkennen. Trotzdem rasten sie, als die wild geschwenkte Flagge ihren Start freigab, vorwärts. Die Motoren röhrten unter Vollast, die Reifen trommelten auf die Piste, und immer schnellere Vibrationen schüttelten die Maschine. Plötzlich endeten das Geräusch und die Wahrnehmung der über den Beton rasenden Reifen, und mit einem leichten Gieren glitt die ›Kibitzer‹ in ihr ureigenstes Element hinüber. Ein paar Abstellhallen, die »Zeltstadt« und schließlich die Dorfstraße zogen unter Farebrother vorbei. Er wendete mit Earl, wobei er die Maschine nur leicht schräg legte, und schloß direkt hinter der Führerstaffel auf. Inzwischen hatte Oberst Dan seine dritte Platzrunde geflogen. Alle drei Staffeln hielten lockere Formation und stießen ostwärts in die dicke graue Wolkenschicht, die zum Greifen nahe schien.

Wegen seiner Vorbehalte gegenüber dem Geschwader hatte Oberst Dan zu der Maßnahme gegriffen, die Wolkendecke im Verband zu durchstoßen. Erfahrenere Geschwader stießen paarweise durch, ohne sich indessen zu verlieren.

Jedes Flugzeug hat zu der es umgebenden Luft ein ganz individuelles Verhältnis. Die leichten Übungsdoppeldekker, die kaum mehr als motorisierte Drachen waren, ruckeln dort mühsam durch die Luft, wo große Passagierflugzeuge noch unbeeindruckt wie Ozeandampfer ihre Bahn ziehen. Jagdflugzeuge indes sind eine besondere Rasse. Für einen spezifischen Zweck gezüchtet, sind sie unnatürliche Wesen wie Sumo-Ringer oder Kastraten. Ein Jagdflugzeug ist ein bemanntes Geschoß, dessen Pilot wie eine Hexe auf dem Besenstiel rittlings auf seinem Motor sitzt.

Farebrother hätschelte die eigenwillige ›Kibitzer‹ durch die dicke graue Suppe in die Höhe, behielt ständig Earls Maschine im Auge und hielt dichte Formation. Farebrother war schon allein geflogen, noch ehe er sechzehn war, und ließ sich von schlechtem Wetter nicht bangemachen; er besaß jedoch keinerlei Erfahrungen mit derlei heftigem Durcheinander, geschlossenen Wetterfronten und Wolkendecken, die bis in den Himmel ragten.

Er gewann immer mehr Höhe. Während sie mit fünfzig anderen Maschinen durch die Wolken zu stoßen versuchten, zog Earl seine Maschine etwas zur Seite, um die Formation ein wenig aufzulockern. Farebrother fürchtete ihn zu verlieren und gab Gas, um aufzuschließen. Er sah, daß Earl sich umwandte und winkte. Vielleicht wollte er seinem Nebenmann bedeuten, etwas auszuscheren; da aber kein anderes Flugzeug zu sehen war, blieb Farebrother an ihm kleben. Wieso hatte Earl eine Hand zum Winken frei? Farebrother hielt mit einer Faust den Steuerknüppel umklammert und schob mit der anderen ständig den Gashebel hin und her, um Position zu halten. Er blickte sich um, konnte aber keine anderen Flugzeuge ausmachen.

In 2600 Meter Höhe hatten sie die Wolkendecke durchstoßen. Bei der Wetterbesprechung hatte man sich um 900 Meter vertan; aber alle waren viel zu erleichtert, um sich deswegen zu beklagen. Farebrother blinzelte in das blendendhelle Licht. Seit er Amerika verlassen hatte, war ihm solch Sonnenschein noch nicht begegnet, und trotzdem war selbst über dieser anonymen Wolkenlandschaft dessen Fremdartigkeit nicht zu verkennen. Kein Himmel über jenen Übungsflugplätzen zeigte jemals diese windgetriebenen, bauschigen Wolken, und nicht einmal mitten im Winter hatte er die Mittagssonne so tief über dem Horizont stehen sehen.

Oberhalb des Wetters war es leicht, mit der ›Happy Daze‹ Position zu halten. Earl war der geborene Pilot. Er flog mit derart mühelosem Können, daß er seinen Nebenmann mitriß. Backbords von Earl führte ›Mickey Mouse II‹ die Rotte an: Rube Wein hing jenseits von ihr wie der Zeigefinger einer Hand leicht zurück. Keiner von ihnen besaß Earls anmutige Gewandtheit, aber trotzdem flogen sie im Vergleich zu dem unbeholfenen Anblick, den andere Rotten des Geschwaders boten, in guter Formation.

Die untere Staffel wurde von Major Tucker angeführt. Oberst Dan flog an der Spitze der anderen Staffel auf gleicher Höhe, und die sechzehn Maschinen der oberen Staffel hielten sich ungefähr eine Meile westlich.

Farebrother drückte auf die Knöpfe seines Funkgerätes, doch außer atmosphärischem Knacken war auf keinem Kanal Empfang. Nacheinander riefen drei Piloten »Slingshot« (dahinter verbarg sich Oberst Dan) und meldeten, sie müßten wegen technischer Schwierigkeiten umkehren. Drei Reservemaschinen setzten sich an deren Stelle, und die drei nicht benötigten Ersatzmaschinen wendeten und flogen ebenfalls nach Hause. Nun galt es, sich auf den langen Flug einzustellen. Farebrother behielt die Zeit im Auge. Als sein Rumpftank etwas leichter geworden war, schaltete er auf Abwurftanks um. Seine Position ließ sich anhand der Uhr bloß schätzen; denn nach wie vor lag eine dichte Wolkendecke unter ihm. Aus den Kopfhörern kamen schrille Störgeräusche – erstes Anzeichen dafür, daß sich das Geschwader über den Friesischen Inseln befand und in den Wirkungsbereich der deutschen Funkortung geraten war. Zwei Minuten später erschienen haufenweise schwarze Sprengwölkchen vor ihnen: Die Deutschen begannen mit funkgesteuerter Flak durch die Wolken zu schießen. Die häßlichen Rauchpilze lagen fast 300 Meter zu tief, aber Oberst Dan änderte den Kurs, um der deutschen Luftüberwachung ein heftiges Ausweichmanöver vorzutäuschen. Die List schien gelungen; denn die nächsten Salven lagen ebenfalls weit unter ihrer Flughöhe.

Bald hatten sie die heftig verteidigten Inseln hinter sich gelassen, und das Flakfeuer hörte auf. Das Geschwader erreichte den vereinbarten Treffpunkt vor der deutschen Küste vier Minuten vor der festgelegten Zeit. Heimkehrende Bomber waren jedoch nicht zu sehen. Oberst Dan setzte seinen Kurs fort – froh über die Gelegenheit, tiefer in Feindesland eindringen zu können.

Wettersysteme über der Ostsee hatten die Wolkendecke zerrissen, so daß sie nun unter sich das graugrüne schleswig-holsteinische Flachland erkannten. Aus dieser Höhe konnte man bis zum östlichen Küstenstrich sehen, und schon überstürzten sich in den Kopfhörern die Stimmen von Piloten, die die von Sprengwölkchen der Flak gewissenhaft schwarzgetüpfelten zartweißen Kondensstreifen am Horizont erkannt hatten. Der Verband hatte seine Bomben erst spät abgeworfen, und die erste Welle wandte erst jetzt ihrem Ziel den Rücken.

»An Slingshot von Sparkplug Blau zwei.« Rube Wein rief Oberst Dan mit wie üblich gemessener, knapper Stimme. »Großer Freund, neun Uhr, ganz tief.«

Während sich jeder andere mit den am Horizont aufkommenden Flugzeugen befaßte, hatte Rube Wein eine Fliegende Festung ausgemacht, die tief unter ihnen in Bodennähe heimwärts taumelte.

»An Sparkplug Führer von Slingshot. Stellen Sie eine Rotte ab, die dem Krüppel nach Hause hilft.«

»Wird gemacht. Roger«, sagte Major Tucker, und leiser: »An Sparkplug Blau Führer von Sparkplug Führer. Bringen Sie den Großen Freund mit Ihrer Rotte nach Hause.«

Als MM die Sendetaste drückte und den Befehl bestätigte knackte es zweimal im Kopfhörer. Dann flog die ›Mickey Mouse II‹ völlig unverhofft einen halben Looping. Die übrigen drei Maschinen folgten im Sturzflug. Froh, daß sich ihnen eine Chance bot, durch den Himmel zu jagen, stürzten sich die vier Piloten so steil hinab, daß die Nadeln ihrer Höhenmesser, bevor die Maschinen knapp über dem Boden abgefangen wurden, wild zu rotieren begannen.

Sie huschten knapp über ein Dorf mit hohem Kirchturm hinweg, flogen dann, als leichte Flak zu feuern begann, grellen Lichterketten entgegen. Sie konnten den Großen Freund nun sehen – eine B 17, die sich im Westen von dem trüben, blaßroten Himmel dunkel abhob. Als sie sich der Küste näherten, wurde das Feuer heftiger. Zu den silbrigweißen Spuren der 20-mm-Flak gesellten sich die roten Fährten der 4-cm-Geschosse. Aber die Leuchtspurgeschosse stiegen nur träge in den Himmel und jagten in weitem Abstand über sie hinweg.

Plötzlich wechselte die Landschaft – ein altertümlicher Bus, ein paar Radfahrer, ein modernes Hotel, ein Streifen Strand und dann das Meer.

Aus dieser geringen Höhe sah die Welt ganz anders aus. Das Meer glänzte im Licht der untergehenden Sonne wie nasser Stahl und erstreckte sich bis zum Horizont, wo amboßköpfige Gewitterwolken das Heranrücken einer Kaltfront erkennen ließen. Der schwerbeschädigte Bomber wich den der norddeutschen Küste und Holland vorgelagerten Inseln in weitem Bogen aus. Dieser Umweg brachte ihn aber der Schlechtwetterfront näher. Die vier Mustangs fädelten sich längsseits des beschädigten Bombers ein. Die Piloten verringerten ihre Geschwindigkeit und blickten besorgt in die Runde, ob die Deutschen irgendwo warteten.

Ein plötzlicher Regenschauer fegte über das Kanzeldach. Die Lufttemperatur sank, und die feuchtwarme Luft in der Kanzel machte die Scheiben beschlagen. Als Farebrother sich mit der behandschuhten Hand ein Guckloch gewischt hatte, konnte er sehen, daß Earl sich ebenfalls die Scheibe klarwischte. Wegen der hohen Luftfeuchtigkeit veränderte sich das Motorengeräusch; ein satteres Kraftstoff-Luft-Gemisch brachte alles wieder in die Reihe.

»An Sparkplug Blau Führer von Sparkplug Blau zwei. Da ist irgendwas im Wasser. Kann ich mal runter und nachsehen?«

»Klar«, sagte MM. »Sparkplug Blau: gib Stoff!«

Die vier Jäger warfen ihre Außentanks ab. »Daniel« stürzte sich steil in die Tiefe und flog dicht über der schäumenden See von dannen. Die anderen drei umflogen weiterhin den Bomber; denn anders konnten sie mit der langsameren Maschine nicht gleichauf bleiben. Sie hielten sich aber aus deren Reichweite und gaben der Bomberbesatzung reichlich Zeit, sich von ihren freundlichen Absichten zu überzeugen. Versuche, mit dem Bomber auf der Notrufwelle Kontakt aufzunehmen, waren vergeblich.

Die Maschinen jagten über die in der einbrechenden Dunkelheit nur noch verschwommen wahrnehmbaren Schaumkämme der hochgehenden See hinweg, als die Finsternis plötzlich von Leuchtspurgeschossen erhellt wurde. Rube Wein feuerte auf irgend etwas, und dieses Etwas gab Antwort. Es war eins der großen Heinkel-Wasserflugzeuge; seine Farbe ebenso grau wie die winterliche See. Rube beschrieb einen Kreis und machte einen neuen Anflug. Die Heinkel war beim Starten und hatte Mühe, von der wogenden See freizukommen. Diesmal brachte

Rube einige Treffer an – am Rumpf der Heinkel blitzte es mehrfach hell auf. Dann schwiegen ihre Waffen.

Rube griff nach einer Schleife erneut an und schickte einen weiteren langen Feuerstoß zu dem sich langsam bewegenden Wasserflugzeug hinüber. Rings um die Heinkel peitschten die Einschläge das Wasser hell auf, das Benzin in den Schwimmertanks fing Feuer, und das Wasserflugzeug explodierte in einem gewaltigen Feuerball. ›Daniel‹ tauchte auf der anderen Seite aus dem Rauchvorhang auf, stieß fast senkrecht hinab und umkreiste noch einmal das treibende Wrack, ehe er zu den anderen, die noch immer den lahmgeschossenen Bomber umkreisten, zurückflog.

Niemand beglückwünschte ihn über Funk. Rube Wein nahm seine Position neben MM wieder ein und beteiligte sich an dem trägen Kreisen. Die Mustangs rückten etwas näher an den Bomber heran, da sich dessen Besatzung inzwischen an ihre Gegenwart gewöhnt hatte.

Der Bomber – ›Clarissa Mine‹ mit Namen – war von der Flak schwer beschädigt worden. In seiner Außenhaut klafften schartige Löcher, deren Ränder silbrig glänzten. Dort hatte das unter den Einschlägen rot aufglühende Metall die Farbe weggefressen. Von der Nase bis zum gewaltigen Leitwerk wies die Maschine über ihre volle Länge solche Brandlöcher auf. Niemand hielt die träge hin und her schwingenden Rumpf-MGs besetzt, und nichts regte sich in den Türmen – sie waren leer. Nur im Cockpit zeigte sich Leben: der Kopilot hob eine Hand und winkte grüßend.

Da er jetzt eskortiert wurde und die Bedrohung durch deutsche Jäger nachgelassen hatte, versuchte der Pilot der Fliegenden Festung etwas Höhe zu gewinnen. Aber die große Maschine war kampfesmüde, ächzte und zitterte bei jedem Meter, den sie höherkletterte. Knapp über 600 Meter stellte der Pilot seine Bemühungen ein und ließ die waidwunde Maschine in Horizontalflug gehen.

Der äußere Backbordmotor verlor schon längere Zeit Öl, das im Luftzug auf der Backbordtragfläche zu einem schwarzen Streifenmuster verlief. Die Motorverkleidung qualmte. Der Pilot versuchte verzweifelt, die Propellerblätter in Segelstellung zu bringen, ehe der Motor seinen Geist aufgab. Seine Anstrengungen brachten nicht viel; denn der Motor selbst mußte die erforderliche Kraft aufbringen – der Motor aber verreckte. Unter ihren Augen löste sich die Motorverkleidung, flatterte, und dann zerfetzten die wie Geschosse durch die Luft sausenden Teile des auseinanderbrechenden Motors das Blech. Kurz darauf flogen die Blätter von der rotierenden Propellerwelle und wirbelten wie der Stock eines Tambourmajors durch die Luft.

Die beiden Piloten hatten keine Zeit mehr, zu den sie begleitenden Jägern hinüberzuwinken, vielmehr alle Hände voll zu tun, die Maschine, die Mannschaft und sich selbst in Sicherheit zu bringen. Das Tageslicht schwand, und vor ihnen lag noch viel Wasser.

Wunderbarerweise stürzte die Maschine nicht ins Wasser, sondern hielt Höhe und quälte sich vorwärts. Ein weiterer Motor qualmte stark, eine Tragfläche kippte weg, und das Querruder schwang heftig herum, als die Piloten ins Ruder stiegen, um die Maschine auf Kurs zu halten. Ächzend, schwankend und schlingernd hielt sich die große Boeing Meile für Meile in der Luft.

Als erstes erblickten sie die Wolken – große, graue, steilwandige Kumuluswolken, die wie ein Dach über England hingen. Die oberen Wolkenschichten waren sonnenbeschienen; böengepeitscht strahlten sie die leuchtenden Farben der sinkenden Sonne wider. Die Wolken sahen aus wie Eiskrem mit Zuckerguß, übergossen mit Honig, Kirschsirup und Orangensaft.

Als das Land selbst in Sicht kam, begann Farebrother an eine echte Chance zu glauben. In Küstennähe gab es Notlandeplätze, wo sich Großflugzeuge auf Landebahnen fallen lassen konnten, die die Breite eines durchschnittlichen Flugfeldes hatten. Es gab Plätze, wo ein Flugzeug mit blockiertem Seitenruder aus nahezu allen Himmelsrichtungen landen konnte.

›Clarissa Mine‹ aber sollte es nicht bis zu einem Notlandeplatz schaffen. Niemand an Bord hatte die Zeit, Energie oder Neigung, nach einem solchen Platz Ausschau zu halten. Noch ehe sie die Küste Englands überflogen, ging der Pilot in den Sinkflug. MM flog in der Hoffnung voraus, einen passenden Landeplatz zu finden, als ›Clarissa‹ – das Wasser noch unter sich – über die Nase wegkippte. Das Fahrwerk ließ sich nicht ausfahren; die Hydraulik war zerschossen.

Sie senkte sich tiefer und tiefer. Ungeduldig fegte ›Clarissa Mine‹ die oberen Äste der großen Bäume zur Seite. Im zunehmenden Zwielicht wirkte das Gras grau, warfen Bäume und Büsche unnatürlich lange Schatten. ›Clarissa‹ sackte noch tiefer. Die vier Mustangs flitzten wie Brautjungfern bei einer Hochzeit um sie herum. Noch tiefer – ihr Schatten griff nach ihr, als gälte es, ihren blutenden, verstümmelten Leib zu umarmen.

Dann Bodenberührung. Zerschellend wühlte sich die Maschine durch Büsche, Hecken, Wege, Zäune und kleinere Bäume. Ausgerissene Vegetation wirbelte wie ein Heuschreckenschwarm um sie herum, dann brach ein Motor los und schnitt eine tiefe Furche in die Erde. Eine Ziegelsteinscheune riß der Maschine säuberlich ein Flügelende ab und fiel in sich zusammen.

Die Nase in einer Hecke, das Schwanzende einen Feldweg blockierend – so kam die große ›Festung‹ endlich zum Stehen. Leute kamen über die Felder gelaufen, andere schwangen sich aufs Rad und näherten sich auf der Straße. In dem geschundenen Rumpf der Maschine indessen regte sich nichts. Langsam setzte sich der Staub, und in einiger Entfernung hing eine dünne Rauchsäule über dem abgerissenen Motor. »Das wär's«, sagte MM und führte seine Rotte nach Hause.

»Scheiße«, sagte MM, »warum, zum Teufel, hast du das gemacht, Rube?« Seit ihrer Landung lag eine Auseinandersetzung in der Luft. Die Männer hatten sich nur angeknurrt und Bodenmannschaften und Nachrichtenoffizier gerade mit den nötigsten Worten bedacht. Es blieb niemand verborgen, wenn MM aufgebracht war.

»Was gemacht?« fragte Rube Wein. Nervös strich er mit der Hand eine dunkle Haarsträhne zurück, sein Gesicht jedoch war unbewegt. Lediglich in seinen Augen lag ein Ausdruck amüsierter Verachtung.

»Das war ein Rettungsflugzeug«, sagte Earl Koenige.

»Ist das mein Bier?« fragte Wein. Er lehnte sich zurück und gab sich betont gelangweilt-träge. Von den vor dem Einsatz geschluckten Benzedrintabletten war er jedoch angespannt und ruhelos, so daß er ständig an dem Reißverschluß seiner Jacke herumfummelte und pausenlos wie in Zerknirschung die Hände rang.

»Die haben welche aus dem Wasser gezogen«, sagte Earl.

»Und deswegen regst du dich auf?«

»Ja-ah.« In Earls Stimme schwang eine Warnung mit – die Warnung vor dem schwerfälligen Zorn des Südstaatlers. »Ja-ah, so ist es.«

»Vielleicht nimmst du an, es wäre einer von deinen Verwandten gewesen. Hast du viele Onkel und Cousins in der deutschen Luftwaffe, Earl?«

»Jetzt ist aber Schluß, Rube«, sagte MM.

»Onkel Sam zahlt mir jeden Monat dreihundert Piepen, damit ich Deutsche abschieße. Was soll ich denn deiner Meinung nach tun?«

»Diese Wasserflugzeuge tragen Rotkreuzembleme«, sagte MM. »Es könnte doch sein, daß der Kraut gerade einen von unseren Jungs aus dem Bach gezogen hat.«

Rube holte eine Schachtel Zigaretten aus der Tasche und zündete sich ohne Eile ein Stäbchen an. Earl Koenige sagte: »Möglicherweise hast du ein paar von unseren Leuten erledigt.«

Rube Wein wandte sich an Earl. »Erzähl' mir nicht solchen Unsinn, du scheinheiliger kleiner Kraut. Wenn ihr die Maschine zuerst gesehen hättet, dann hättet ihr sie genauso fertiggemacht. Kommt mir doch nicht mit dieser sentimentalen Scheiße, bloß weil ihr selbst nicht zum Schuß gekommen seid.«

»Rottenführer bin ich, Rube«, sagte MM ruhig. »Du hast dich davongemacht, um dem Hunnen eins zu verpassen, weil du genau gewußt hast, daß ich ihn hätte laufenlassen, wenn du mir was davon erzählt hättest.«

»Ist doch Scheiße«, sagte Rube Wein. »Du würdest doch deine eigene Mutter vom Himmel holen, bloß damit du noch 'nen weiteren Balken aufs Leitwerk gemalt kriegst.« Er trat näher an MM heran und versuchte ihn mit einem wilden Blick aus der Fassung zu bringen. »Diese gottverdammten Nazischweine bringen meine Leute zu Tausenden um. Ihr wißt doch gar nicht, was bei denen los ist. Für euch ist dies hier vielleicht nur 'n phantastischer Schützenverein; aber ich bin hergekommen, um Nazis abzuschießen. Erzählt mir also nicht solchen Unsinn wie ›Du mußt in die neutrale Ecke, wenn der andere auf der Matte liegt‹. Die Royal Air Force schießt schon seit neunzehnhundertvierzig Rotkreuzflugzeuge ab.«

»Ich bin Rottenführer«, sagte MM mit unverminderter Wut. Disziplinlosigkeit ärgerte ihn ebenso wie korrektes Benehmen. »Du stürzst dich auf die Hunnen, wenn ich's dir befehle, aber nicht eher.«

»Oder du meldest mich bei Major Tucker?« machte sich Rube Wein über ihn lustig.

»Verschwinde«, sagte MM, »ich möchte mit Jamie reden.«

Earl Koenige nahm seine Handschuhe und sagte: »Ja, nun, ich muß auch gehen.«

MM legte eine Hand auf seinen Arm und hielt ihn zurück, bis Rube Wein gegangen war. »Earl«, sagte MM, »bist du Antisemit?«

Earl blickte MM eine Weile an und sagte dann: »Du meinst, ob ich die Juden hasse und all das Zeug?«

»Richtig.«

Earl trat nervös von einem Bein auf das andere, wie es seine Art war, wenn er mit einer direkten Frage konfrontiert wurde. Earl wollte niemandem die Unwahrheit sagen – sein Vater hatte ihm das Versprechen abgenommen, stets die Wahrheit zu sagen, und dieses Versprechen nahm Earl sehr ernst. »Sieh mal, MM«, sagte er entschuldigend, »ich bin nicht sicher.«

»Quatsch«, sagte MM gereizt.

»Vor Rube hab' ich noch keinen getroffen – außer meinem Chemieprof auf dem College. Und den mochte ich sehr.«

»In Ordnung, Earl«, sagte MM, »mir fiel das gerade so ein, das ist alles. Das beste ist, wir behalten diese Geschichte vorläufig für uns. Erst mal sehen, was Rube in seinen Einsatzbericht schreibt oder ob er den Abschuß bestätigt haben will.«

»Die Maschine flog nicht mal«, sagte Earl. »Man kann doch keinen zusammenschießen, der noch nicht mal in der Luft ist.«

MM schloß die Tür hinter Earl und ließ einen theatralischen Seufzer der Erleichterung vernehmen. »Er macht sich selbst *verrückt*«, sagte er, als ob die Aussicht nicht allzu unerträglich wäre.

»Earl?« fragte Jamie.

»Na, Rube wird damit schon fertig. Hast du bemerkt, wie er über das Benzedrin herfällt? Rube ist schon so aufgeregt wie nur möglich. Aber Earl wird verrücktspielen, wenn er schließlich dahinterkommt, daß Rube ihn für 'nen Nazi hält.«

»Wahrscheinlich hast du recht«, sagte Farebrother. »Wolltest du darüber mit mir sprechen?«

»Ich bin es leid, bei den beiden immer Schiedsrichter spielen zu müssen«, sagte MM. »Rube wird in letzter Zeit richtig komisch. Am Himmel ist ein großer, glänzender Berg, und er muß da mitten reinfliegen. Zuerst war das nur ein Scherz, aber jetzt brütet er irgendwie darüber nach. Er sagt, die Deutschen stecken jüdische Kriegsgefangene ins KZ – deswegen hat er auf jedem Flug sein Schießeisen dabei. Sagt, er will wenigstens ein paar mit auf die Reise nehmen und ähnliches Scheißzeug. Ich hab' versucht, vernünftig mit ihm zu reden, aber er hört gar nicht hin.«

»Du meinst, daß ihm das durch den Kopf geht, wenn er Earl hochnimmt und 'nen Nazi nennt?«

MM nickte. »Das Problem ist nur, daß Rube der denkbar beste Rottenflieger ist und ich keine Zeit verplempern kann, mir 'nen neuen abzurichten.«

»Willst du mit mir über Rube reden?«

MM schüttelte den Kopf, ging im Zimmer auf und ab und sah dann längere Zeit aus dem Fenster. Schließlich sagte er: »Ich schlaf mit Vera. Sie hat 'n kleines Häuschen in der Stadt.«

»Großartig«, sagte Farebrother, um ihm über die Pause hinwegzuhelfen.

»Vera ist nicht die erste in meinem Bett, bei weitem nicht.«

»Sicher nicht«, sagte Farebrother.

MM schwang den Kiefer herum und beförderte die Zigarette in den anderen Mundwinkel. »Ich denke, nach dem Krieg wird Vera mit mir nach drüben gehen«, sagte er stolz.

»Hast du sie gebeten, dich zu heiraten?«

»Sie ist ganz anders als die Collegemädchen, die ich kannte. Sie ist ganz Frau. Und hübsch, nicht wahr, Jamie?«

»Klasseweib«, sagte Farebrother, auf Zeitgewinn bedacht, da er sich Vera gerade als MMs Frau vorzustellen suchte.

»Neulich abends, auf der Party, haben alle nach mir geguckt. Ist wirklich 'n tolles Gefühl, so 'ne Puppe am Arm zu haben.«

»Hast du mir nicht erzählt, daß Heiraten aus der Mode gekommen ist? Wolltest du nicht nächstes Wochenende mit den beiden Mädchen nach London, die Vince beim Tanzen kennengelernt hat?«

»Vera könnte hier auf dem Stützpunkt kriegen, wen sie wollte«, sagte MM zwischen Stolz und Unsicherheit schwankend. Plötzlich blickte er auf. »Nein, ich hab' Vince gesagt, ich hätte meine Ansicht über sein Vierertreff geändert.«

»Wie hat denn dies ›Mit-nach-Amerika-nehmen-Gerede‹ angefangen, MM? Hat Vera davon angefangen?«

»Zu meinen Eltern können wir nicht ziehen, da wohnt schon mein verheirateter Bruder mit seinen beiden Kindern. Und die Tankstelle wirft nicht so viel ab, daß wir alle davon leben können.«

»Vera möchte nach Amerika gehen?«

»Nein. Sie liebt England. Ich müßte für mich schon was

richtig Gutgehendes finden, wenn ich Vera mit nach Hause nehmen sollte.«

»Ehe wir nach Hause kommen, müssen wir noch sehr viel Krieg führen, MM.«

MM wischte Farebrothers mahnenden Einwand beiseite. »Wenn ein Pilot mehr Abschüsse als Rickenbacker* hat, glaubst du, daß er dann berühmt ist? Richtig berühmt? So berühmt, daß er bei einer Luftfahrtgesellschaft 'nen Spitzenjob bekommt?« MM nahm die Zigarette aus dem Mund und blies sie an, weil er nicht sicher war, ob sie noch brannte. »Die Bomberpiloten werden in der Luftfahrt die besten Jobs bekommen – schließlich haben sie Hunderte von Flugstunden auf Viermotorigen. Uns Jagdflieger wird keine Fluggesellschaft haben wollen.«

»Darüber hab' ich noch gar nicht nachgedacht«, sagte Farebrother. »Ich glaub' aber, du hast recht. Aber 'n Freund meines Vaters ist an 'ner Fluglinie beteiligt. Ich könnte ihm ja mal schreiben – mal vorfühlen, verstehst du?«

»Das wär phantastisch, Jamie.«

»Stammt die Idee mit der Fluggesellschaft auch von Vera?«

MMs Gesichtsaudruck veränderte sich. »Mach dir von Vera keine falschen Vorstellungen. Sie gehört nicht zu denen, die bloß hinterm Geld her sind, wenn du das meinen solltest. Vera hat gesagt, ich sollte beim Fliegen vorsichtig sein. Sie hat sich die ganze Zeit meinetwegen Sorgen gemacht.«

»Du bist der geborene Flieger, MM. Du brauchst dir um einen Job keine Sorgen zu machen.«

MM drückte seine Zigarette aus. »Du bist hier der einzige, mit dem ich reden kann. Du bist der einzige, von dem ich 'ne direkte Antwort bekomme. Und da du und Vicky – deswegen verstehst du so was auch.«

»Immer, Mickey Mouse.«

---

* Edward W. Rickenbacker war Amerikas erfolgreichster Kampfflieger des Ersten Weltkriegs.

»Hast du Lust, mit mir auf dem Motorrad nach Cambridge rüberzufahren?«

»Ich geh' mit Vicky und ihren Eltern bei Ptomaine Tommy essen.«

»Tolle Sache!« Er klopfte auf seine Taschen, als suchte er Kleingeld. »Sag' mal, kannst du mir noch mal 'nen Fünfer pumpen?«

»Und mein Spezi von den Bananendampfern kommt auch.« Farebrother reichte ihm eine Fünfpfundnote. MM lächelte und nickte. Er konnte auch ohne viel Worte danke sagen.

»Mit der besten Freundin!« MM schüttelte den Kopf. »Du lebst gefährlich. Ich halte Vera von all diesen Schürzenjägern fern.«

Jamie Farebrother konnte sich nicht erinnern, Charlie Stigg jemals bei besserer Laune gesehen zu haben. Er blickte über den gedeckten Tisch hinweg Victoria in die Augen. Ihr Lächeln bestätigte ihm, daß sie in Charlie den wunderbaren Kameraden sah, den er ihr angepriesen hatte; überdies gar noch mehr. Charlie hatte bereits sechs Einsätze über Deutschland geflogen, von denen sich vier als überaus gefährlich erwiesen hatten. Charlies Worten zufolge hatte es sich bei diesen Einsätzen aber nur um spektakuläre Fehlschläge gehandelt, zu denen er selbst durch ein gerüttelt Maß eigener Unzulänglichkeit beigetragen hatte.

Farebrother fiel ein, daß sein Vater einmal behauptet hatte, der wahre Geschichtenerzähler gebe seine Späße unbewegten Gesichts zum besten; für Charlie Stigg jedoch galten eigene Spielregeln. Er lachte brüllend über die eigenen Scherze, erzählte ihnen mit unentwegtem Lächeln ›die wahre Geschichte des Kampfes der Achten Bomber‹. Flakbeschuß und die Angriffe deutscher Jagdflieger waren nicht mehr als nur ablenkendes Rankenwerk seiner Geschichte von einem Bombenschützen, der nicht durchs Zielgerät sehen, und von einem Navigator, der sich Steuerbord erst merken konnte, nachdem er sich ein Stück Bindfaden um den rechten Arm gebunden hatte. Des weiteren war von einem übergewichtigen Kanonier die Rede, der von Charlie und einem Obermonteur aus seinem winzigen Geschützturm befreit werden mußte.

Jamie lachte Tränen, und Charlies junger Kopilot – Leutnant Madjicka – schaffte es, so zu lachen, als hörte er die Geschichten zum ersten Male; dabei kannte er sie doch längst auswendig. Charlie bestand darauf, daß Madjicka ›Fix‹ genannt wurde: »Er ist auch so 'n verdammter Jurist.«

Jamie Farebrother hatte Charlie schon hundertmal klargemacht, daß er lediglich ein einziges Jahr lang Rechtswissenschaften studiert hatte: aber es half nichts. Ähnliche Hoffnungslosigkeit war in Leutnant Madjickas Augen zu erkennen: beide sahen sich verständnisvoll an. »Hallo, Fix, alles klar?« sagte Jamie.

Madjicka war ein zurückhaltender junger Mann. Seinen blauen Augen entging nichts. Wie man es von einem Jurastudenten erwarten konnte, steuerte er zu Charlies Berichten über ihre gemeinsamen Flüge sachgemäße, wenn auch vorsichtige Bemerkungen bei. Sein Humor setzte Charlies unbekümmerter, ausgelassener Erzählweise einen trockenen Skeptizismus auf. Er trank nur mäßig und rauchte nicht. Er besaß keine jener nervösen Angewohnheiten, die man bei anderen Fliegern so häufig beobachten konnte – er zappelte nicht herum, ließ nicht die Fingergelenke knacken und lachte nicht, wo es nichts zu lachen gab. Er war bedächtig. Alles in allem, sagte sich Farebrother, war Felix Madjicka ein Mann, wie man ihn sich in einer brenzligen Situation nur an seiner Seite wünschen konnte.

»Leichengift-Tommy« lautete der Name, den die Amerikaner dem Ladbrooke-Grillrestaurant, einem beliebten Speiselokal in der Newmarket Road, gegeben hatten. Bei Tommy waren zu jeder Zeit Steaks, Hummer, Wein und Whiskey zu haben. Trotz unvorschriftsmäßiger, astronomischer Preise und trotz angedeuteter Vergünstigungen – (»Willkommensgruß für unsere prächtigen amerikanischen Verbündeten«) die die Gewähr boten, daß jedem Amerikaner das Doppelte dessen berechnet wurde, was ein engli-

scher Soldat hätte zahlen müssen – waren Speisesaal, Grill-
raum und die im oberen Stockwerk gelegenen kleinen Speise-
zimmer stets so voll besetzt, daß Tische längere Zeit im
voraus bestellt werden mußten.

Victorias Vater erzählte eine Anekdote von einer deutschen Fliegerbombe, die in seinen St.-James-Club eingeschlagen war. Farebrother musterte die kleine Tischgesell-
schaft und dachte, Mühen und Aufwand hätten sich gelohnt.
Charlie Stigg hörte Victorias Mutter zu und spendete der
launigen Geschichte ihres Vaters seinen Beifall. Das Kerzen-
licht vergoldete ihre fröhlichen Gesichter, und Victorias
langes, glattes Haar schimmerte wie poliertes Metall. Ihre
Haut war blaß, ihre Schultern wirkten über dem schwarzen
Seidenkleid, das im gedämpften Licht provozierend glänzte,
schneeweiß. Sie sah so schön aus, daß Jamie über den Tisch
hinweg nach ihr hätte greifen mögen, um sich zu vergewissern, daß sie aus Fleisch und Blut und auch wirklich sein war.

»Noch etwas Kaffee, Dr. Cooper?«

»Ich werde alt, mein Junge. Dieses scheußliche Zeug läßt
mich nachts keinen Schlaf finden.«

Victorias Eltern schickten sich als erste zum Gehen an, und
Victoria meinte, mit ihnen gehen zu müssen. »Ich hole schon
mal den Wagen vom Parkplatz«, sagte ihr Vater. »Mutter und
ich werden unten auf dich warten.«

Charlie Stigg begriff, was von ihm erwartet wurde. Er
sprang auf die Füße, blickte auf die Armbanduhr und verkündete seinen unmittelbar bevorstehenden Aufbruch. Bevor er
ging, blinzelte er Jamie zu und gab ihm einen wollüstigen
Knuff. Felix Madjicka mußte seinem Hauptmann die Treppe
hinunterhelfen. »Nächste Woche Groß-Berlin!« brüllte
Charlie. »Ziel: Reichskanzlei. Sieh dich vor, Adolf!«

»Immer nur eine Stufe auf einmal, Baron Stigg«, sagte
Madjicka im salbungsvollen Tonfall eines Familienanwalts.
»Mylord sollten mir lieber das Glas geben.« Über diesen
Scherz mußte Charlie kichern, und Farebrother empfand
einen Anflug von Bedauern, daß er nicht mehr bei allen
Späßen Charlies dabeisein konnte.

Als sie schließlich allein waren, nahm Jamie Victoria wild

verlangend in die Arme. Von überall her drang der Lärm der Zecher an ihr Ohr.

»Ich hasse es so sehr, dich mit jemand teilen zu müssen, Jamie«, sagte sie. »Ist das sehr schlimm?«

»Ich liebe dich, Vicky.«

»Lieb von dir, daß du meine Eltern hinzugebeten hast.«

Sie blickte sich ein letztes Mal im Zimmer um. War dies vielleicht auch nur ein prätentiöses Lokal mit quastenbehangenen Lampenschirmen und billigem Wiener Gestühl, so würde sie es doch niemals vergessen. »Ich habe noch nie in einem Separée gespeist – das muß ja furchtbar teuer gewesen sein. Ich habe es sehr genossen, Jamie. Ich danke dir dafür.«

»Ich bin deinen Eltern ihrer Gastfreundschaft wegen sehr verpflichtet. Und sie beköstigen mich zu Lasten ihrer Lebensmittelmarken!« Irgendwo unten wurde jemand darauf aufmerksam gemacht, »auf die Verdunkelung zu achten«.

»Ich habe ein Geschenk für dich«, sagte Victoria.

»Ein Geschenk?«

»Ein ganz altes Medaillon. Ich habe etwas Haar von mir hineingetan. Ist das furchtbar altmodisch?«

»Ich werde es für immer und ewig bei mir tragen.«

Sie verschloß ihm mit den Fingern die Lippen. »Du brauchst mir nichts zu versprechen. Ich hatte nur Angst, du würdest mich für albern halten. Ich habe das Medaillon, seit ich sechzehn bin. Ein Geschenk meiner Großtante.«

Er legte das Medaillon auf seine flache Hand, küßte es und schob es in die Tasche. An der Tür hüstelte jemand diskret. Als die beiden sich umwandten, erkannten sie Leutnant Madjicka. »Kann ich Sie mal ganz kurz sprechen, Hauptmann?«

Farebrother hielt sie immer noch in seinem Arm. Sie sagte: »Ich muß gehen, Liebling. Meine Eltern werden unten in der Halle wahrscheinlich schon unruhig.«

Madjicka, dem es widerstrebte, Anlaß ihrer Trennung zu sein, beantwortete ihren eigenartigen Blick mit einem Nicken.

»Fahrgelegenheit klar?« fragte Farebrother den jungen Offizier.

»Ganz für uns allein . . .« Er legte die Stirn in Falten, als käme ihm ein Aufschub gelegen, und sagte: »Sicher doch, die Fahrgelegenheit ist bestens; unser Oberst ist ein feiner Kerl und hat uns 'nen Wagen mit Fahrer zur Verfügung gestellt.«

Victoria umarmte Jamie ein letztes Mal, griff nach ihrer Handtasche und wandte sich zum Gehen.

»Wo ist Charlie?« fragte Farebrother.

»Charlie liegt der Länge nach auf einer Bank in der Halle. Der Portier hat ihm ein Kissen unter den Kopf geschoben, und jetzt schnarcht er.«

»Schnarcht? Jetzt schon?«

»Er ist völlig fertig, Sir. Er hat heute abend 'ne Schau abgezogen, aber sobald wir nach unten kamen, war's vorbei mit ihm.«

»Ist mir ganz entgangen«, sagte Farebrother, preßte liebevoll Victorias Arm und winkte ihr zum Abschied.

»Wir haben ordentlich was abgekriegt«, sagte Madjicka. Sich vergewissernd, daß niemand mithörte, blickte er in die Runde. »Sie haben heute abend nur die halbe Geschichte zu hören gekriegt. Der in seiner Kanzel eingeklemmte Kanonier hatte beide Beine verloren, und die Schnur, die wir dem Navigator um den Arm gewickelt haben, war 'ne Aderpresse, mit der wir ihm die Arterie abgebunden haben. Wir hatten bei sechs Einsätzen mehr Feindberührung als andere Besatzungen während ihrer ganzen Dienstzeit.«

»Was wollen Sie damit sagen, Leutnant?«

»Charlie sagt, Ihr Vater ist beim Stab.«

»Ich wünschte bei Gott, er hätte Ihnen das nicht erzählt.«

»Charlie spricht viel von Ihnen, Sir. Ich denke, Sie wissen, daß Charlie Sie für was ganz Besonderes hält.« Er bemerkte Farebrothers Unbehagen und wartete ein Weilchen, ehe er fortfuhr. »Ich behalt's für mich, Sir. Sie können sich drauf verlassen. Unterdessen würden Sie Ihrem Kumpel aber 'nen richtigen Gefallen tun, wenn Sie irgendwie 'ne Möglichkeit finden, ihn vom Feindflug freizustellen.« Madjicka hielt inne und blickte Farebrother an. »Ich meine, ganz schnell, Sir.«

Farebrother schwieg, sah Madjicka in die Augen und wartete ab.

»Manche Jungs kommen einfach nicht klar«, sagte Madjicka. »Ich bin mächtig erbaut von Hauptmann Stigg – einer der nettesten Kerls, die ich je getroffen habe. Aber wenn die Flak zu schießen anfängt, ist er völlig fertig. Wir fliegen in dichter Formation, und diese B 24 sind nicht so stabil wie 'ne Fliegende Festung: Es gehört verteufelt viel dazu, sie auf Kurs zu halten; besonders dann, wenn man durch Sperrfeuer fliegen muß und neben sich nichts anderes als wackelnde Maschinen hat. Manche Jungs können derlei verdrängen, andere aber...« Madjicka streckte eine geballte Faust aus und klopfte mit der anderen sachte darauf. »Charlie wird damit nicht fertig. Hat zuviel Phantasie. Haben manche in meiner Gegenwart schon gesagt. Er schnallt sich los und sagt zu mir, er müßte die Flugroute checken oder zum Bordingenieur gehen. Ich bringe die Maschine dann ganz allein übers Ziel. Verstehen Sie mich jetzt nicht falsch. Ich will nicht meckern. Die Besatzung hat das aber nicht gern, Sir. Sie glauben, daß keiner von ihnen noch eine Chance hat, wenn es mich erwischen sollte.«

»Die Engländer haben auf ihren Bombern bloß einen Flugzeugführer.«

»Das weiß ich nicht, Sir, und Sie selbst wissen, daß das in keiner Weise von Belang ist. Wir sind nicht bei der Royal Air Force. Die Mannschaft hat vier Hände am Ruder verdient, und so hat es unsere Luftwaffe schließlich auch vorgesehen.«

»Sie haben recht, Leutnant.«

»In mancher Hinsicht ist er mutig wie ein Löwe. Auf unserm ersten Flug gerieten wir in ein Unwetter, und er brachte uns heil durch. Ein anderes Mal verloren wir die Fühlung, und er blieb ganz gelassen, während ich selbst reichlich Schiß hatte. Und den jungen Lange hat er so sanft wie ein Baby aus seinem Turm geholt. Ich hätte das nicht geschafft, Sir. Selbst den Ärzten ist das auf den Magen geschlagen. Den Lange hatte es mitten durchgerissen. Er starb noch in derselben Nacht.« Madjicka entdeckte auf seinem Handgelenk einen nichtexistierenden Fleck und biß sich auf die Knöchel, als wollte er sich selber Schmerz zufügen.

»Armer Charlie«, sagte Farebrother. Seine Stimme war nur ein Flüstern.

»Ich bin sicher, daß er nicht mehr lange fliegt, Sir. Ich denke, er hat so ziemlich alles mitgemacht, was sich ertragen läßt. Ich fürchte, er könnte sich weigern, aufzusteigen, und das würde für ihn mit Sicherheit Kriegsgericht bedeuten.«

»Meinen Sie?« sagte Farebrother. »Wir haben 'nen Offizier, der nach dreiundzwanzig Einsätzen beschloß, genug zu haben. Er macht jetzt im Geschwaderhauptquartier als technischer Inspekteur Dienst. Spike Larsson, netter Kerl. Nichts, wofür er sich schämen müßte.«

»Na ja, vielleicht ist so was bei den Jagdfliegern möglich; aber sind Sie schon mal auf 'nem Bomberstützpunkt gewesen? Auf jede Maschine kommen zehn Mann Besatzung – und diese Leute laufen da zu Hunderten herum. Auf der Basis sind so viele Leute untergebracht, daß selbst das Standorttheater gesonderte Vorstellungen für die einzelnen Einheiten ansetzt. Die meisten Besatzungen bestehen aus Unteroffizieren und Mannschaften – Kanoniere, Jungs, die zu Hause irgend 'nen Film gesehen haben und sich einbilden, mit Fliegen den Krieg auf die elegante Art hinter sich zu bringen. Und dann sehen diese Leute, daß ihren Kameraden ein paar Finger – manchmal auch die Hände – abfrieren, und schon kommt ihnen der Gedanke, einen Fehler gemacht zu haben, daß dieser Fehler aber nicht unbedingt tödlich sein muß. Nach jedem schweren Einsatz versucht 'ne Menge Leute, aus dem Schlamassel rauszukommen. Der Oberst sagt jedem von ihnen ein und dasselbe: entweder du fliegst, oder du gehst in den Bau.«

»Aber Charlie baut doch nicht bloß Mist.«

»Na ja, vielleicht sollten Sie das mal den Bordschützen erzählen, die gerade im Loch sitzen, weil sie behauptet haben, sie kriegten vom Fliegen immer Kopfschmerzen.

Der Oberst hat ihnen ein Aspirin und 'nen Freifahrtschein in den Bau in die Hand gedrückt.«

Jamie schloß die Augen. Ihm erschien das alles wie ein Alptraum, aus dem man schweißgebadet erwacht. Als er die Augen wieder öffnete, war Madjicka noch da und wartete auf eine Antwort.

»Vielleicht glauben Sie, ich...«

»Nein«, sagte Farebrother, »niemand kann so dämlich sein, sich so was aus den Fingern zu saugen, um sich selbst auf den Pilotensitz zu befördern. Was meinen Sie, wie lange es dauern wird, bis Sie Ihren nächsten Einsatz fliegen müssen?«

»Uns fehlt 'n Bordschütze und 'n Navigator. Außerdem ist unsere Besatzung nächste Woche mit Urlaub dran. Die ›Top Banana‹ wird zusammengeflickt und wartet auf 'nen neuen Turm. Vor Monatsende ist sie auf keinen Fall flugtüchtig, vielleicht dauert's sogar noch länger.«

»Ich weiß nicht, ob ich da irgendwas machen kann«, sagte Farebrother.

»Charlie hat vor, Sie während unseres Urlaubs zu besuchen.«

»Ich werd' wohl übers Wochenende frei kriegen, dann können wir uns in London treffen.«

»Reden Sie mit ihm, Herr Hauptmann. Vielleicht kann ihm auch ein Psychologe helfen. Das wäre unserm Stabsarzt aber keineswegs recht, das ist ein richtiger Kommißkopp, Sir, wenn Sie mir den Ausdruck durchgehen lassen wollen.« Madjicka zog ein Paar Lederhandschuhe aus der Tasche und schlug sich gewissermaßen selbstkasteiend auf die andere Hand. »Ich kümm're mich jetzt lieber um Hauptmann Stigg, Sir.«

»Vielen Dank, daß Sie mir dies alles erzählt haben, Fix. Ich kann mir vorstellen, daß Sie das hart angekommen ist.«

»Charlie ist noch härter dran«, sagte Madjicka.

10.

Oberst Daniel A. Badger

»Diese Kerls brauchen keinen Kommandeur«, sagte Oberst Dan, »die brauchen 'n Kindermädchen, verdammich.« Er knallte die Hand auf den Tisch.

»Das wußten Sie doch schon, als Sie sich einverstanden erklärten, hierher zu kommen«, sagte sein Stellvertreter ruhig und ordnete die Papiere, die Oberst Badger durcheinandergeworfen hatte.

Der Stellvertretende hatte recht. Als Oberst Dan das Kommando übernommen hatte, war die Moral der Truppe auf dem Tiefpunkt gewesen. Schuld daran waren die mangelnden Führungsqualitäten seines Vorgängers, schwere Verluste sowie eine Reihe technischer Schwierigkeiten mit den P 47 ›Thunderbolts‹, die seinerzeit vom Geschwader geflogen wurden. Aus diesem Grunde war er so scharf darauf gewesen, die Maschinen gegen Mustangs auszuwechseln – das Geschwader brauchte dringend einen neuen Anfang.

Eigentlich wurde die Umrüstungsentscheidung von höchster Stelle schon getroffen, noch ehe Oberst Dans Anforderung hinausging. Seine Abkommandierung war größtenteils darauf zurückzuführen, daß er die geplante Umrüstung überwachen sollte. Gerüchteweise verlautete jedoch, daß er die großen Tiere mit Whiskey hätte schmieren müssen, um die neuen Maschinen zu bekommen, und Oberst Dan sorgte dafür, daß dieses Gerücht stets neue Nahrung bekam. Er wollte seine Männer glauben machen, die Maschinen seien Machenschaften dieser Art wert, und bald hatte er heraus, seinen Piloten diese kleinen, schlanken Maschinen zu ›verkaufen‹. Er sprach indessen kaum von den übergroßen Tanks, die diesem Flugzeugtyp Langstreckenflüge ermöglichten. Er wollte nicht, daß jemand zu grübeln begann, wie tief man mit diesen Maschinen in Feindesland eindringen könnte. Wer jedoch eine Kraftstoffuhr zu lesen verstand, würde erraten, daß das 220. Geschwader aufsteigen würde, um den Bombern im Rahmen ihrer maximalen Reichweite sicheres Geleit zu geben, und das hieß nichts anderes als bis zu deren jeweiligem Bombenziel.

»Sechs Mann im Bau«, sagte Oberst Dan, als wunderte er sich.

»Taxi geklaut«, erläuterte sein Stellvertreter, »und dann auf der Oxford Street 'nen Doppeldeckerbus gerammt.« Der Stellvertretende stand unverändert hinter Oberst Dan und sortierte vorgebeugt dessen Papiere.

»Ein Feldwebel vom rollenden Instandsetzungstrupp«, sagte Oberst Dan, während er die Liste der Delinquenten durchging, »und ein Obermonteur. Wir können auf diese Leute nicht verzichten, Duke.«

Der Stellvertretende hüstelte höflich. Gewöhnlich deutete er damit an, daß es noch schlimmer kommen würde. »Was da in London passiert ist, kümmert mich nicht so sehr«, sagte er, »schließlich war Weihnachten, und wenn man den Latrinenparolen trauen kann, dann sind wir immer noch besser als der Durchschnitt.« Er verschränkte die Arme. »Was mich beunruhigt, sind die Streitereien und Raufereien im Dorf, in Long Thaxted. Derlei passiert mit schöner Regelmäßigkeit.«

»Wenn's Sold gibt?«

»Nein, Sir, nicht nur am Zahltag. Damit würde ich fertig werden. Nein, so geht das jeden Freitag- und Samstagabend. Letztes Wochenende mußte sich die Militärpolizei Verstärkung besorgen. Major Tarrant sagt, da hätten vierzig oder fünfzig Mann auf der Straße vor der ›Krone‹ randaliert. Selbst wenn man unterstellt, daß der Major geneigt ist, jedes Anzeichen gehobener Stimmung schon für den sich ankündigenden Weltuntergang zu halten, so hört sich das doch alles sehr nach echtem Krawall an.«

»Derlei kann ich nicht gebrauchen, Duke! Sowie irgendeine Limey-Zeitung davon erfährt, finden wir uns in den Schlagzeilen wieder – und mir reißt der Divisionskommandeur den Arsch auf.«

»Wir brauchen mehr Feldgendarmerie«, sagte der Stellvertretende.

»Major Tarrant ist ein feiner Kerl«, sagte Oberst Dan, obwohl es Leute gab, die schon gehört hatten, daß er den Kommandierenden der Militärpolizei einen »fuchsgesichtigen, untersetzten Klugscheißer« genannt hatte. »Aber er ist auch nur Mensch. Er verlangt nach mehr Militärpolizisten, um sich aufzuwerten.«

»Er braucht mehr Leute«, wiederholte der Stellvertretende gleichmütig.

»Stöhnen Sie mir doch nichts vor, Duke. Wenn dieser dämliche Schweinehund Tarrant um mehr Leute einkommt, dann fragt man bei der Division doch, weswegen. Und dann geht er her und erzählt, daß seine Feldgendarmen hier jede Nacht 'nen Aufstand niederschlagen müssen.« Er knallte die Faust auf den Schreibtisch. »Und wohin bringt mich das Ganze, Duke? Auf die Schwarze Liste der Division, und zwar ganz nach oben.«

»Möchten Sie, daß Long Thaxted zum Sperrgebiet wird?«

»Warum passiert denn so was immer in der ›Krone‹?«

»Weil das 'n großes, gemütliches Lokal ist. Offener Kamin im Schankraum und Teppiche auf dem Boden. In solch ein Lokal geht man mit seinem Mädchen. Der ›Engel‹ und ›Lord Nelsen‹ sind primitiver – Sägespäne auf dem Fußboden und Spuckeimer, wenn Sie wissen, was ich meine. In solchen Lokalen haben wir kaum Schwierigkeiten.«

»Und warum, zum Teufel, prügelt man sich da rum?«

»Da gehen auch englische Soldaten hin, Herr Oberst, Luftwaffenangehörige wie Infanteristen aus dem Ausbildungslager in Thaxted Green. Und wenn einer sein Glas umkippt oder 'n bißchen zu sehr an die Theke drängelt oder 'ne Bemerkung über das Wetter in England fallenläßt...«

»Wenn die sich des Wetters wegen prügeln, dann geh ich vielleicht auch rüber und verdresch mal einen.«

Der Stellvertretende hatte keinen Nerv für Oberst Dans Flapsigkeit. Er rückte seine randlose Brille zurecht; anscheinend benötigte er dazu stets beide Hände. »Hauptsächlich geht's um Geld, Herr Oberst. Um Geld und Weiber.«

Mit nach eigenem Dafürhalten großer Langmut sagte Oberst Dan: »Im ganzen Universum, Duke, dreht es sich hauptsächlich um Geld und Weiber.«

Der Stellvertretende überhörte Oberst Dans philosophische Einlassung und sagte: »Ich hab' mir zum Vergleich mal die Soldtabellen angesehen, Sir. Ein englischer Gefreiter bekommt nicht mal den vierten Teil dessen, was ein einfacher amerikanischer Soldat kriegt. Wenn Sie daran denken, daß die Engländer weder Zigaretten, Alkohol noch Schokolade kriegen – was die US Army praktisch verschenkt –, dann macht das schon einen Unterschied.«

»So ist es!«

»Und wenn dann ein englischer Infanterist für vielleicht drei Dollar im Monat in Italien gestanden hat und nach Hause kommt, in die Kneipe geht und findet da 'nen Ami vor, der seinen Whiskey mit Fünfpfundnoten bezahlt, 'ne hübsche Einheimische im Arm hat und dicke Marketenderzigarren raucht, dann dreht er durch. Stellen Sie sich mal vor, Sie kriegten mit, daß überbezahlte Ausländer mit 'nem amerikanischen Mädchen im Arm bei Ihnen zu Hause durch die Stadt spazierten.«

»Ist dieser Limey-Kneipier jemals wegen Schadenersatzes vorstellig geworden?«

»Nein, Sir. Mit zivilen Schadenersatzansprüchen haben wir nicht viel zu tun. Als im letzten Oktober die ›Sad Sack‹ über die Piste hinausschoß, ging 'ne Scheune zu Bruch. Manchmal müssen Bauern abgefunden werden, wenn die Abwurftanks auf Ackerland fallen. Unsere Flugzeugführer werden inzwischen regelmäßig darauf hingewiesen, daß sie ihre Tanks über der offenen See abzuwerfen haben, und wenn das nicht möglich ist, doch wenigstens unmittelbar gegenüber dem Flugfeld.«

Oberst Dan schwang mit dem Stuhl herum und blickte

aus dem Fenster. »Und was ist mit dem Privatwagen, den ich letzten Monat in Cambridge verbeult hab?«

»Ich hab's geschafft, die Sache mit 'ner freiwilligen Zahlung beizulegen«, sagte der Stellvertretende, »der Vorfall wurde also nicht aktenkundig.«

»Sie haben's unter den Teppich gekehrt, nicht wahr, Duke?«

»Morgen kommt 'n Oberst von der Flugsicherheit zu uns, Herr Oberst. Wenn Sie für den ein paar Minuten erübrigen könnten, dann würde die ganze Inspektion viel glatter über die Bühne gehen.«

Guter alter Duke, dachte Oberst Dan. Erinnert mich an 'ne erwiesene Gefälligkeit und verlangt sofort Gegenleistung. »Ich möchte, daß jeder hier auf dem Stützpunkt erfährt, daß ich an den nächsten, die im Dorf Schwierigkeiten kriegen, ein Exempel zu statuieren gedenke. Geben Sie Tarrant ein paar kräftige Leute – Flieger: ich möchte nicht, daß er seine Militärpolizei verstärken läßt. Und sorgen Sie dafür, daß jeder erfährt, daß ich jeden, der sich noch mal bei 'ner Rauferei erwischen läßt, unnachsichtig disziplinarisch bestrafen werde.«

»Eine ausgezeichnete Lösung, Herr Oberst. Und ich werde den Sicherheitsoffizier fürs Mittagessen vormerken.«

»Ob sich dieses lausige Wetter wohl ändert?« fragte Oberst Dan. Er schwang mit dem Stuhl zurück und fand auf dem Schreibtisch zwischen seinen farbigen Telefonen und diversen Ablagekörben noch Platz für seine Füße. Der Stellvertretende brachte seine Papiere in Sicherheit und dachte nicht im entferntesten daran, Oberst Dans rhetorische Frage zu beantworten. Was das Wetter betraf, so gab es nur einen einzigen, dem Oberst Dan zuzuhören bereit war, und dieser eine gehörte nicht etwa zu den Wetterfröschen, die die höhere Führung mit exakten Wetterkarten versorgten, sondern es war Major Phelan, der Einsatzleiter. Oberst Dan wählte seine Nummer. »Na, wieder nüchtern, Sie nichtsnutziger irischer Suffkopp?« fragte er. Nachdem er sich die am anderen Ende der Leitung geäußerte Entrüstung angehört hatte, polterte er unbeholfen: »Sicher doch, ist in

153

Ordnung, Leutnant. Holen Sie Major Phelan ans Telefon. Sagen Sie ihm, Oberst Dan möchte ihn sprechen.« Mit der Hand deckte er die Sprechmuschel ab und schnitt Feldwebel Kinzelberg, dem Schreiber des Stellvertretenden, der just eingetreten war, um ein paar vom Obersten abgezeichnete Papiere zu holen, ein Gesicht. Kinzelberg konnte sich gut vorstellen, was am anderen Ende der Leitung passiert war, reagierte auf Oberst Dans Grimasse aber nur mit leer starrendem Blick.

Oberst Dan, den Hörer noch immer wartend am Ohr, sagte: »Jetzt ungefähr werden die großen Entscheidungen fallen, Duke.«

Scroll blickte auf die Uhr, es war halb fünf. »In High Wycombe, meinen Sie?«

»Achtes Bomberkommando beziehungsweise Führungsstab der Achten Luftflotte, wie wir jetzt vermutlich werden sagen müssen. Können Sie sich die neue Dienststelle vorstellen? Sechs hohe Stabsoffiziere, und, wenn Sie den Meteorologen mitrechnen, sogar sieben, stehen im Tiefbunker in ihrem Dienstzimmer vor 'ner bunten Karte und überlegen sich, ob sie uns 'nen weiteren Routineeinsatz über dem Pas de Calais zuschieben sollen.«

»Dadurch kriegen wir unsere Maschinen wenigstens in die Luft, und die Jungs haben Gelegenheit, weitere Erfahrung zu sammeln – und zwar ohne eigene Verluste.«

»Es ist bloß 'ne Frage der Zeit, bis die deutsche Luftwaffe 'n paar Staffeln dahin zurückverlegt. Eines schönen Tages wird ein solcher Routineeinsatz mit 'nem Blutbad enden. Und selbst wenn das nicht passiert, äußert sich im Bombenwerfen von oberhalb der Wolkendecke aus ein Vertrauen in die Navigation, das ich nicht teilen kann.« Dann sprach er ins Telefon: »Hallo, Kevin, macht das Wetter mit?«

»Höchst fragwürdig«, sagte Phelan.

»Sagen wir's mal anders rum, Kevin. Glauben diese Schwachköpfe im Stab, daß sich das Wetter bessert?«

»Über Fernschreiber kam, daß über dem Atlantik 'ne neue Schlechtwetterfront liegt. Hängt der gegenwärtigen verdammt dicht auf den Fersen.«

»Bleiben Sie mir mit Ihren Zweideutigkeiten vom Leibe, Sie polnischer Bauernlümmel!«

Wenn Oberst Dan keine derben Späße über Phelans irische Abkunft mehr einfielen, entsann er sich eines gängigen Scherzes, nach dem Major Phelan eigentlich Phelanski heißen würde. Phelan hatte an diesem Scherz seine Freude: das Namensschild an seiner Bürotür trug inzwischen die Aufschrift »Major Phelanski«.

»Vielleicht wird man's morgen früh riskieren, falls über Deutschland klare Sicht ist.«

»Jetzt schwafeln Sie aber. Vielen Dank, Kevin.« Die Füße nach wie vor auf dem Tisch und das Telefon auf den Knien haltend, erreichte Oberst Dan einen alten Freund beim Divisionsstab. »Na, viel zu tun?«

»Ich darf darüber, wieviel wir zu tun haben, keinerlei Auskünfte geben, und schon gar nicht einem zweitklassigen Flieger wie dir.«

»Hör' ich da den Ticker 'nen Einsatzbefehl ausspucken, oder hast du 'ne unheimlich flinke Tippse?«

»Wir haben viel zu tun, Dan.«

»Vielen Dank, Mike. Bei Gelegenheit geb' ich 'n Bier aus.« Oberst Dan hängte ein und stellte das Telefon wieder auf den Schreibtisch. »Hörte sich so an, als käm' bei der Division gerade 'n Befehl durch, Duke.«

»'ne große Sache?«

»Ich hab' so das Gefühl, Duke. Nehmen Sie 'ne Luftwaffeneinheit, die längere Zeit nicht mehr raus war, tun Sie 'nen Wetterumschwung dazu, und Sie kommen von selbst drauf.« Oberst Dan nahm seine Kaffeetasse, sah, daß sie leer war, und setzte sie wieder ab. Er konnte sich vergegenwärtigen, was sich beim Divisionsstab jetzt abspielte. Zunächst einmal würde man sich den kaum verständlichen Bürokratenjargon des Fernschreibens mühsam klarmachen, dann würde es den Rest des Nachmittags kosten, um das Ganze in die entsprechenden Einzelbefehle umzusetzen – Flugrouten, Zielpunkte, Bombenabwurfhöhen, Zeitpläne, Regelung des Funkverkehrs sowie genaue Anweisungen bezüglich Formation, Aufmarschordnung und Notmaßnahmen. »Ich werd' jetzt erst mal 'nen Happen essen, Duke, dann geh' ich auf meine Stube und werd' mir 'n paar von diesen Papieren durchlesen. Da sieht's dann wenigstens keiner, wenn ich über dem Mist einnicke. Wenn irgendwas ist, rufen Sie mich an. Ansonsten bin ich heute abend gegen zwölf wieder im Lagerraum.«

»Sie sind gestern nacht erst spät ins Bett gekommen, Herr Oberst.«

»Und ich hab' zuviel getrunken. Und ich sollte mich mehr bewegen. Und ich habe Übergewicht. Und als Kampfflieger bin ich zu alt.«

»Das hab' ich nicht gesagt.«

»Ich bin sechsunddreißig, Duke. Bei unserem nächsten Großeinsatz wird bei jeder Kampfgruppe 'n Brigadegeneral in der Führungsmaschine mitfliegen. Bei den schweren Bombern lassen sich die hohen Tiere auf diese Weise unterbringen, aber bei uns Jagdfliegern ist derlei nicht drin. Wenn ich hier abgelöst werde, dann werd' ich für den Rest meiner Laufbahn 'nen Schreibtisch fliegen. Ich mag gar nicht dran denken, Duke.«

»Sobald ich was Neues hör', ruf' ich Sie an, Sir.«

Gegen Mitternacht klingelte das Telefon neben Oberst Dans Bett; der Stellvertretende war am Apparat. »Sie hatten recht, Sir. Aus dem Fernschreiber kommen ellenlange Einsatzbefehle.«

»Wenn ich ganz selten einmal recht habe, Duke, dann sind Sie jederzeit aufrichtig genug, das zuzugeben. Ich wünschte aber doch, Sie könnten Ihren überraschten Ton dann etwas unterdrücken.«

»Ich bin in der Befehlszentrale. Kommen Sie runter, Sir?«

Oberst Dan rieb sich die Augen und warf einen Blick auf die Uhr. Nichts in der Welt konnte ihn in den winzig kleinen, fensterlosen Fernschreibraum locken. Bei dem bloßen Gedanken daran bekam er bereits einen Anfall von Klaustrophobie. »Wir treffen uns im Lagerraum, Duke.«

»Jawohl, Sir.«

Oberst Dan kleidete sich flink an und ging über den Korridor zu Major Phelans Zimmer. Der Einsatzleiter lag angekleidet auf dem Bett und schnarchte geräuschvoll. Auf seiner Feldkiste stand eine leere Flasche Johnnie Walker. Oberst Dan stieß mit dem Fuß nach der Kiste, dann trat er gegen das Bett. »Aufwachen, Kevin, 's geht los.«

Das Schnarchen hörte auf, und Major Phelan kam mit einem überraschten Schnauben zu sich. Langsam schwang er die Beine aus dem Bett und band sich, noch immer halb schlafend, die Schuhe zu. Er gähnte, kam auf die Beine und zog sich den Krawattenknoten zu. Dann griff er nach seiner weichen Feldmütze und stülpte sie sich auf den Kopf. Schließlich zog er die Mütze so weit nach vorn, daß sie fast seine buschigen Augenbrauen berührte.

Kevin Phelan war ein gutaussehender Mann. Er hatte breite Schultern, wie man sie von einem ehemaligen Verteidiger von ›Notre Dame‹ erwarten konnte. Seine Footballspielerlaufbahn war beendet, als ihm jemand ins Gesicht trat. Seitdem hatte er eine gebrochene Nase und einen entstellten Unterkiefer. Letzterem hatte er es zu verdanken, daß sein Lächeln auch ungewollt stets sardonisch wirkte. Er nahm seine Uniformjacke vom Türhaken und sagte: »Also haben sich die Wetterfrösche dafür geradegemacht.«

Oberst Dan öffnete das Fenster und betrachtete den Nachthimmel. Beide wußten, daß die Befehle von der Achten Bomberflotte erst dann über Fernschreiber kamen, wenn die Meteorologen den Optimismus der Stabsoffiziere gutgeheißen hatten. Phelan griff sich die leere Whiskeyflasche und hielt sie so lange über den Kopf in die Höhe, bis er ihr noch ein paar letzte Tropfen entlocken konnte.

»Sie sind ein Ferkel, Phelan.«

»Ich fürchte, Sie haben recht, Herr Oberst.«

»Wenn Sie nicht gerade der verdammt beste Einsatzleiter der ganzen Luftwaffe wären, hätte ich Sie schon längst mit 'nem Tritt in den Arsch vom Horst gejagt.«

»Ich habe vollstes Verständnis für Ihre Zwangslage, Herr Oberst«, sagte Phelan.

»Ich fahr den Jeep«, sagte Oberst Dan.

Draußen war es feucht und kalt. Trotz jagender Wolkenfetzen waren ein paar Sterne zu erkennen. Oberst Dan fuhr einen Umweg über Hangar Vier. Durch den gelben Lichtspalt zwischen den Türflügeln sahen sie die ›Pilgrim‹, Oberst Dans Maschine.

»Die Jungs haben getan, was sie konnten«, sagte Phelan, »aber sie ließ sich nicht rechtzeitig wieder hinkriegen, Sir.«

»Ist mir auch recht. Ich will mit dem Aberglauben aufräumen, daß es nicht gut wär, die Maschine zu wechseln.«

»Nehmen Sie lieber meine, Herr Oberst«, sagte Phelan. »Sie brauchen 'n Funkgerät, das auf der Bomberfrequenz liegt.«

»Und was machen Sie?«

»Ich hab' 'n Auge auf 'ne neue Maschine geworfen.« Als Einsatzleiter hatte Phelan unter den neu eintreffenden Maschinen natürlich freie Auswahl.

»Sie sind 'n gottverdammter Intrigant, Kevin.«

»Wir Polen müssen zusammenhalten, Herr Oberst.«

Oberst Dan lächelte und fuhr mit voller Absicht über die holprige Fahrbahnkante, so daß Phelan beinahe durch das Segeltuchverdeck des Jeeps geschleudert worden wäre. In Phelans Gegenwart fühlte er sich stets wohl; Phelan schien sich in seiner behaglichen Gelassenheit durch nichts stören zu lassen.

Bei ihrem Eintreffen herrschte im Lageraum schon emsige Geschäftigkeit. Der Nachrichtenoffizier, der Zeugmeister, der stellvertretende Kommandeur, ein paar Schreiber und ein Fernschreibsoldat beobachteten den wachhabenden Offizier, der die langen Papierstreifen des eingegangenen Befehls am Schwarzen Brett befestigte. Eine Ordonnanz trat ein und brachte ein Tablett mit Sandwiches und zwei Thermoskannen Kaffee. Der Raum hing voller Tabakqualm. Als der Oberst eintrat, verschwanden jedoch die Zigaretten, und die Anwesenden nahmen schwerfällig Haltung an.

Der Wachhabende war ein aufgeregter junger Flugzeugführer, der, als er sich umwandte und Oberst Dan erblickte, sein Schächtelchen Reißnägel fallen ließ. »Es handelt sich um Braunschweig, Sir«, sagte er.

Oberst Dan nickte. Phelan stand schon vor der Karte. Oberst Dan ließ ihm Zeit und las unterdessen die wichtigsten Passagen des Einsatzbefehls, der so lang war, daß das Papier auf den Boden hinabhing. »Was meinen Sie, Kevin?«

Major Phelan hatte etwas Exhibitionistisches an sich: insofern war Oberst Dan für die bevorstehende Schau gerüstet. Phelans Aussprache nahm bereits jenen leichten irischen Klang an, der immer dann hervortrat, wenn er in Erregung geriet oder sich ärgerte. Er griff nach dem Sandwichteller. »Welche sind welche?« fragte er den wachhabenden Offizier. »Ich mag Puter. Käsesandwiches kann ich nicht ausstehen.«

Nachdem er das Gewünschte bekommen hatte, goß er sich Kaffee in eine dickwandige Porzellantasse. »Hübscher Flug bis Braunschweig.« Er biß ins Sandwich, blickte noch einmal auf die Wandkarte und zog dann seinen Zielführer zu Rate. Angesichts einer so intensiven Zielausspähung las sich die Ortsbeschreibung kaum anders als die Übersetzung eines knappen Geographie-Stichworts.

»Halberstadt«, las er vor, »Eisenindustrie und Fleischverarbeitung. Berühmt wegen seiner ›Halberstädter‹, steht hier. Damit sind wohl die Halberstädter Würstchen gemeint.« Er blickte auf. »Meine Herren, wir sind dabei, das Herz der vaterländischen Wurstindustrie zu zerstören. Vermutlich halten die Strategen im Führungsstab der Luftflotte dies für die sicherste Methode, den Nazis schnellstmöglich Einhalt zu gebieten.«

Oberst Dan wurde ungeduldig. »Da sind Junkers-Werke, Kevin. Kommt mir so vor, als hätt' ich schon mal was von 'nem Flugzeugtyp namens Halberstadt gehört.«

»Sie haben recht, Herr Oberst«, sagte der junge Wachhabende, der sich seine Zeit hauptsächlich mit Groschenheften über den Ersten Weltkrieg vertrieb. »Ein deutscher Doppeldecker, ein Einsitzer. Es gab aber auch zweisitzige Ausführungen...«

»Dachte ich's mir doch«, sagte Oberst Dan und kam

vermutlich langatmigen Erläuterungen zuvor. »Welche Route schwebt Ihnen vor, Major Phelan?«

»Geradewegs hin und auf direktem Weg zurück. Das dürfte den deutschen Planern nicht allzuviel Mühe machen, die günstigste Stelle zu finden, uns abzufangen.«

»Diesmal haben wir 'n volles Programm«, sagte Oberst Dan. »Treffen mit der uns zugewiesenen Kampfgruppe kurz vor dem Ziel. Dranbleiben bis P 38 und Jugs als Rückzugssicherung auftauchen.«

»Könnte ein schwerer Einsatz werden«, sagte Kevin Phelan.

»Vernichtet die deutsche Luftwaffe am Boden und in der Luft. So lautet General Arnolds Neujahrsbotschaft, und genau das werden wir tun. Hat gar keinen Wert, sich mit Scheinangriffen oder Zickzackkursen aufzuhalten. Darauf fallen die Deutschen doch nicht rein. Diesmal werden ihre Jäger aufsteigen und kämpfen müssen.«

Während die anderen Material für die morgige Einsatzbesprechung aussonderten, setzte sich Oberst Dan in eine Ecke. Major Phelan biß in ein neues Sandwich und ließ sich neben ihm nieder. Ganz ruhig sagte er: »Herr Oberst, wer, zum Teufel, könnte das Geschwader zusammenhalten, wenn Sie fallen sollten? Wer?«

Oberst Dan rückte ein Stückchen ab und klopfte sich Phelans Brotkrümel vom Jackenärmel. »Tut mir leid, Herr Oberst«, sagte Phelan und ging ihm dabei zur Hand.

»Ich werde diesen Einsatz fliegen«, sagte Oberst Dan. Er blickte zu seinem Stellvertreter hinüber, der die übrigen Offiziere in ein ernsthaftes Gespräch verwickelt hatte. Er fragte sich, ob Duke Scroll Kevin Phelan zu dieser Frage verleitet hatte.

»Ich meine es ernst, Oberst.«

»Verdammt, Kevin, glauben Sie vielleicht, ich wär' so 'ne Art überdrehter Naivling, der ›Terry und die Piraten‹ gelesen hat, oder der auf 'nen Orden scharf ist, wie Oberleutnant Morse? Seit ich hier bin, habe ich versucht, für unser Geschwader ausgewachsene Kampfaufträge zu kriegen. So, und jetzt haben wir einen entsprechenden Einsatzbefehl gekriegt. Wenn ich jetzt mit den Jungs nicht aufsteige, dann könnte ich hinterher mit genausowenig Respekt rechnen, als wenn ich 'ne Schreibmaschine fliegen würde. Nein, Kevin, ich werde morgen fliegen, und mehr gibt's dazu nicht zu sagen.«

Jedes Gespräch verstummte, als sich plötzlich die Tür öffnete. Im Rahmen stand Major Spurrier Tucker, der sich etwas blöd vorkam, plötzlich so im Zentrum des Interesses zu stehen. Unbehaglich begann er, seinen Siegelring von der Kriegsakademie am Finger zu drehen. Die meisten der im Lageraum versammelten Männer wirkten so, als wären sie seit Stunden in ein Pokerspiel um hohe Einsätze vertieft; Major Tucker aber wirkte adrett und rasiert, und seine braunen Schuhe blitzten. »Nun, vielleicht ist das der Einfluß von West Point«, dachte Oberst Dan. »Was gibt's Major Tucker?« fragte er.

Tucker verlagerte sein Körpergewicht von einem Bein aufs andere, und sein hübscher kleiner Schnurrbart zitterte, als er zu einer Entschuldigung ansetzte – weshalb er störe, obwohl über der Tür doch das rote Licht an sei. »Entschuldigen Sie mein Eindringen, Herr Oberst«, stotterte er, »aber ich wollte gerade ins Bett, als . . .«

Ganz offensichtlich hatte er etwas von dem Einsatzbefehl läuten gehört. »Lassen Sie doch Ihre verdammten Entschuldigungen, Tucker«, sagte der Oberst. »Inzwischen diskutieren selbst die Mädchen im Rotkreuzklub unsere Zielpunkte.«

Tucker rang sich ein Lachen ab. Kein Wunder, daß er ›Weinkellner‹ genannt wurde. »Werde ich das Geschwader auch morgen führen, Sir?«

Oberst Dan versuchte fair zu bleiben, ganz besonders Untergebenen gegenüber, die er instinktiv nicht mochte. Aus Tucker würde nie ein richtiger Pilot werden, aber das galt für drei Viertel aller Flugzeugführer der amerikanischen Luftwaffe. Tucker war West-Point-Absolvent, Vorkriegs-Berufssoldat, der für seine Personalakte eine gewisse Kampferfahrung brauchte, um sodann in den Stabsdienst überwechseln zu können. Was Oberst Dan anging, so konnte dieser Augenblick gar nicht früh genug kommen. Seiner Meinung nach hätte man Tucker niemals zum Staffelkapitän ernennen dürfen, obwohl dieser von seinen ehemaligen Vorgesetzten blendende Beurteilungen bekommen hatte.

»Laut Absprache...«

»Ich weiß, was abgesprochen ist, Tucker«, sagte der Oberst. »Treten Sie ab und lassen Sie mich in Ruhe.« Die Staffelkapitäne bekamen regelmäßig Gelegenheit, das Geschwader zu führen. Ebenso ließ man die Rottenführer hin und wieder die Staffel übernehmen. Eigentlich war Tucker die Führung beim nächsten Einsatz versprochen worden, aber, zum Teufel, dies war ein Großeinsatz, und Major Spurrier Tucker war – nun, eben Tucker. »Sie werden's rechtzeitig erfahren, Major«, sagte der Oberst.

Tucker widerstand der Versuchung, zackig zu salutieren. Statt dessen öffnete er den Reißverschluß seiner braunen Fliegerjacke, schob beide Hände in die Taschen und tat alles Erdenkliche, was seiner Meinung nach einen Piloten, dem der Kaugummi ausgegangen war, kennzeichnete. »Je eher ich es erfahre, desto besser, Sir«, sagte Tucker. »Es gibt da 'nen Haufen Instruktionen und Verhaltensweisen, die ich mir vorher durch den Kopf gehen lassen muß, wenn ich morgen das Geschwader übernehmen soll.«

»Ihr kleines Köpfchen wird das schon rechtzeitig schaffen, Tucker. Und falls ich mich entschließen sollte, Sie für dieses Mal zurückzustellen, dann war's für Sie immer noch 'ne zweckmäßige Übung.«

»Sie werden mich doch nicht zurückstellen, Herr Oberst«, sagte Tucker und versuchte dabei zu lächeln, was ihm aber nicht so recht gelang.

»Und nun machen Sie, daß Sie wegkommen, Major. Wir haben alle morgen 'nen anstrengenden langen Tag vor uns. Übrigens, wie macht sich der neue Hauptmann Farebrother. Wie kommen Sie mit ihm zurecht?«

Tucker wußte, daß es am zweckmäßigsten war, auf eine solche Anfrage positiv zu reagieren. »Ausgezeichnet, Oberst. Er ist ein sehr begabter Flieger und kommt mit seinen Staffelkameraden gut zurecht. Gibt's 'nen besonderen Grund, daß Sie seinetwegen beunruhigt sind?«

»Wer, zum Teufel, sagt denn, daß ich seinetwegen beunruhigt bin?«

Tucker lächelte nervös, als hätte er es mit einem wohlhabenden, aber senilen Verwandten zu tun. »Seit seiner Ankunft haben Sie mich schon viermal nach Farebrother gefragt. Ist irgendwas Besonderes mit ihm los, Sir?«

»Ich weiß gern Bescheid, was sich hier so tut«, erläuterte Oberst Dan. »Sehen Sie irgend'nen Grund, weswegen ich mich nicht danach erkundigen sollte, wie ein frisch abkommandierter Pilot hier bei uns zurechtkommt?«

»Da gibt's überhaupt keinen Grund, Sir, wirklich nicht.«

Tatsache indessen war, daß Offiziere vom Führungsstab der Achten ganz diskret telefonische Auskünfte über Farebrother bei Oberst Dan einzuholen suchten. Offiziere vom Hauptquartier der Achten Luftflotte, deren Codename übrigens ›Pinetree‹ lautete. Nur die wenigsten der Pinetree-Federfuchser wußten, was ein Jagdflugzeug war oder daß es überhaupt einen ›Geschwader‹ genannten Verband gab, mit dem ein Haufen Luftkutscher gegen den Feind flog. Wer, zum Teufel, war Farebrother, daß er höheren Orts Freunde hatte? Nun, Oberst Dan hatte nicht vor, dieses Problem mit Tucker zu erörtern. »Na gut, bleiben wir also bei unserer Vereinbarung, Spurrier. Sie werden morgen das Geschwader führen.«

Tucker lächelte und salutierte gleichzeitig. Oberst Dan sagte sich, versprochen ist versprochen, aber sein schlechtes Gewissen vermittelte ihm die Vorahnung, daß ein ›General‹ Tucker seine Personalakte bearbeiten würde, wenn die Luftwaffe darüber zu entscheiden hätte, ob Oberst Dans Dienstzeit zu verlängern sei oder ob man ihm den Stuhl vor die Tür setzen sollte.

Wenn Kevin Phelan das Jahr '44 dazu benutzt hätte, der Luftwaffe klarzumachen, an schönen Tagen tief ins Reich einzufliegen, statt es genau andersherum zu handhaben, dann wäre der Krieg vielleicht schon eher gewonnen worden. Dieser Januar-Fliegerangriff war ein typisches Beispiel dafür.

Die zu diesem Einsatz befohlenen Flieger – und in jenen Tagen hieß das praktisch jeder Flugzeugführer des Stützpunkts – versammelten sich am Morgen zur Einsatzbesprechung. Als I a war es Major Phelans Aufgabe, den größten Teil der Lagebesprechung vorzubereiten. Er würde den Einsatz mitfliegen, und den Piloten war es sehr recht, daß Kevin zum fliegenden Personal gehörte. Auf der Wandkarte hinter ihm spannten sich rote Fäden zwischen Steeple Thaxted und dem knapp fünfhundert Meilen weiter östlich gelegenen Braunschweig.

Drei Ziele – für jede der im Siebzig-Meilen-Abstand fliegenden Kampfgruppen eines. Die gesamte Bomberflotte – von der Führungsmaschine der ersten Staffel bis zum letzten Bomber – würde einen Luftraum von mehr als dreihundert Meilen einnehmen. Es würde sehr schwer werden, eine solch langgezogene Bomberflotte abzusichern. Oberst Dan hatte den Nachrichtenoffizier des Geschwaders angewiesen, dieses darzulegen. Dieser erhob sich und kam der Aufforderung nach. Er sagte, daß die deutsche Luftwaffe mit Sicherheit auf eine derart flagrante und provokative Verletzung ihres Luftraums äußerst heftig reagieren würde. Die Krauts würden mit allen ihnen zu Gebote stehenden Maschinen über die Eindringlinge herfallen.

Es gab eine kurze Verzögerung, weil man einen Funkcode verlegt hatte, und Mickey Mouse, der in einer der hinteren Reihen saß, las laut und vernehmlich aus einem englischen Technikmagazin vor. Es war ein widerlich lobhudelnder Bericht über tollkühne Leistungen der R.A.F. über »Feindesland«. Beim Vorlesen befleißigte sich MM eines hochgestochenen, übertriebenen englischen Tonfalls. Die nervlichen Anspannungen der Piloten lösten sich in befreiendem Gelächter.

Oberst Dan freute sich, die Einsatzbesprechung kurz und knapp halten zu können. Er hatte schon Lagebesprechungen bei Bombergeschwadern erlebt, bei denen ausführliche

Beschreibungen der Zielorte, der Abwurfstellen, Ausgabe der Funkcodes und sonstige Sachen die Anspannung der Besatzungen nur noch gesteigert hatten. Jagdfliegern indes brauchte man kaum mehr als »Mir nach« zu sagen – heute allerdings hieß es, Major Tucker zu folgen. Oberst Dan bedauerte das bereits.

Nach der Lagebesprechung blieb er bei den Fliegern im Bereitschaftsraum und spielte mit Tucker Schach. Während der Oberst eine Partie nach der anderen verlorengeben mußte, äußerte Tucker seine Zweifel an der Weisheit der höheren Führung, die bei ganz offenkundig miserablem Wetter diesen Angriff angesetzt hatte. Oberst Dan verdroß dies. Er selbst kritisierte Ranghöhere nur selten.

»Stellen Sie sich vor, die Bomber drehen eine Runde nach der anderen, um sich in dieser Suppe, gelinde gesagt, zu formieren«, sagte Oberleutnant Morse, der hinter den beiden stand und ihnen beim Schachspiel zusah.

Oberst Dan antwortete nicht: er versuchte seine Dame zu retten. Aber auch er machte sich Sorgen wegen der Hunderten von Bombern, die Stunde um Stunde über East Anglia kreisten; erst Paar für Paar, dann Rotte für Rotte, schließlich Staffel für Staffel nahmen sie ihren Platz innerhalb der gewaltigen Bomberflotten ein, um sich nach Deutschland auf den Weg zu machen.

»Vielleicht haben wir über Deutschland offeneres Wetter«, sagte Tucker. »Ziehen Sie den doch«, riet Morse und wies mit nikotinbraunen Fingern auf Tuckers Läufer. Tucker starrte zu ihm hinauf und zog einen Turm. Morse sagte: »Über Deutschland wird's noch schlimmer sein. Bei solchen Wolken zieht das Wetter stets nach Osten.«

»Wer sagt das?« wollte Oberst Dan wissen.

»Jamie Farebrother«, sagte Morse. »Er hat all dies Meteorologenzeug studiert. Der Oberst wird Ihren Turm schlagen«, warnte er Tucker.

»Haben Sie noch mehr Perlen der Weisheit für uns, Farebrother?« rief Oberst Dan und blickte dorthin, wo dieser stand. Dann wandte er sich wieder dem Schachbrett zu und beschloß, Tuckers Turm zu schlagen.

»Jawohl, Herr Oberst«, sagte Farebrother. »Was die Meteorologen 'ne dünne Wolkendecke nennen, ist in Wirklichkeit sechseinhalbtausend Meter dick.« Oberst Dan warf Tuckers Turm mit unnötiger Heftigkeit in die Schachtel. »Wo, zum Teufel, haben Sie das her, Hauptmann? Auf solche Weise kommen grundlose Gerüchte in Umlauf, und das möchte ich nicht.«

»Ein Pilot von den Wetterfliegern trinkt nebenan Kaffee, Sir. Er ist gerade gelandet.«

»Wollen Sie mich zum Narren machen, Hauptmann?«

»Warum sollte ich das tun, Sir?« Oberst Dan entging nicht, daß Farebrother ihn bereits dafür hielt, und Farebrothers flinker Ostküstenakzent minderte die Verärgerung des Obersten keineswegs. Er war drauf und dran, Farebrother eine Zigarre zu verpassen, als Kevin Phelan durch die Tür stürzte.

»Die Wolken schieben sich immer höher auf«, sagte Phelan.

»Sicher«, sagte Oberst Dan. »Die Wolkendecke ist ungefähr sechseinhalbtausend Meter hoch.«

»Sie haben ganz recht«, sagte Phelan bewundernd. »Und wissen Sie, daß ein paar Jäger schon umgekehrt sind?«

»Die P 38 stellten fest, daß die Wolken über Holland zum Durchstoßen zu hoch waren. Sie sind jetzt auf dem Rückflug.«

Oberst Dan schüttelte den Kopf und blickte wieder aufs Schachbrett. Tucker, dessen Turmopfer es ermöglicht hatte, nahm gerade Oberst Dans Dame aus dem Spiel. Verdammt, hätte er doch bloß nicht auf Morse gehört. Was verstand der schon von Schach? War vielleicht ein prima Jagdflieger, redete aber zuviel.

»'s wird Zeit, Herr Oberst«, sagte Major Phelan.

»Schade um das Spiel«, sagte Tucker, »diese Partie hätten Sie ganz gewiß gewonnen.«

Oberst Dan blickte ihn an, schnaubte und schwieg.

Tucker ist einfach zu geschniegelt, dachte Oberst Dan, oder zu ängstlich, sich 'nen Ruf als Führer zu verschaffen. Sie waren gerade erst über der holländischen Küste, als etliche Piloten Flugzeuge sichteten.

»An Slingshot. Hier Sparkplug Grün zwei. Kondensstreifen zwei Uhr, über uns.«

Weitere Meldungen dieser Art folgten.

»Hier Slingshot. Schluß mit dem Gequassel. Hab' ich selbst gesehen. Topkick Gelb und Topkick Grün. Stoff geben und nachsehen!«

»Topkick Gelb Führer an Slingshot. Roger.«

»Topkick Grün Führer an Slingshot. Roger, Ende.«

Es war witzlos; Oberst Dan wußte es. Die Feindflugzeuge, sofern es welche waren, änderten den Kurs, so daß die beiden Rotten der Staffel ›Topkick‹ keine Chance hatten, näher heranzukommen. Kurz darauf kehrten die acht ausgeschickten Maschinen zurück und gliederten sich wieder ein.

Es war geplant, ungefähr achtzig Kilometer vor dem Ziel zu der führenden Bomberkampfgruppe zu stoßen. Oberst Dan blickte auf die Uhr; es würde nicht mehr lange dauern. Man befand sich über Holland und flog knapp oberhalb der Kumuluswolken. Bläßliches Sonnenlicht drang durch die meilenweit über ihnen hängende, lückenlose Wolkendecke.

Oberst Dan hörte, daß der Einsatzbefehl für die Zweite und Dritte Kampfgruppe widerrufen wurde, aber das betraf sie selbst nicht. Die Erste Kampfgruppe setzte den Flug fort; Oberst Dans Verband blieb bei ihr. Er dachte, das Hauptquartier wäre der Ansicht, es wäre schon zu spät, sie ebenfalls zurückzurufen. Aus dem Einsatzbefehl ging hervor, daß die mit Radar ausgerüstete Pfadfindermaschine zu seiner Formation gehörte. Diese konnte durch die Wolken »sehen«. Die übrigen Bomber der Formation würden sich anschließen, sobald sie bemerkten, daß die Führermaschinen ihre Bomben abwarfen.

Oberst Dan, der die 195. Staffel – ›Payoff‹ – führte, wandte den Kopf und blickte zu dem an seiner Seite fliegenden Major Phelan hinüber. Phelans neue Mustang trug die

Aufschrift »Phelanskis irische Rose«. Ja, das war einer von Phelans geheimnisvollen Scherzen. Deswegen also hatte er Oberst Dan seine ›Wildgans‹ überlassen: ein weiteres Beispiel von Phelans komplexer Persönlichkeit. War der rätselhafte Major ein spaßhafter Phelanski oder gehörte er zu den legendären »Wildgänsen«? War er ein irischer Verbannter und Söldner, der nach dem Tode auf einem fremden Schlachtfeld zurückkehrte, um in seinem Heimatland als Spuk herumzugeistern? Oberst Dan blickte zur anderen Seite, wo Tucker in seiner protzig bemalten ›Jouster‹ die Formation anführte. Zumindest hält er Kurs, dachte Oberst Dan und schämte sich dieses Gedankens wegen ein wenig. Vielleicht faßte er Tucker zu hart an. Vielleicht faßte er allesamt zu hart an. Vielleicht war das Geschwader bloß nicht gut genug. Nach den furchtbaren Blutbädern der Oktoberangriffe war dies der erste Versuch der Achten Bomberflotte, tief nach Deutschland hineinzustoßen. Nachdem nunmehr zwei Kampfgruppen zurückgerufen und der größte Teil der Jägereskorte dem Wetter nicht gewachsen war, begann das Unternehmen sich zu einer Katastrophe zu entwickeln.

Oberst Dan wurde durch ›Es-ist-soweit‹-Rufe von Topkick Gelb Führer und Grün Führer aus seiner Gedankenversunkenheit aufgeschreckt. Nachdem die Außentanks abgeworfen waren, reichten ihre Treibstoffreserven gerade noch für den Rückflug.

Jetzt war alles zu spät, aber Tucker fand die Bomber ungefähr vierzig Kilometer abseits des vereinbarten Treffpunkts. Er befahl der 195. Staffel – die Oberst Dan führte –, Höhe zu gewinnen und sich gute zwölfhundert Meter über die Bomber zu setzen. Die anderen beiden Staffeln, von denen die eine nur noch ihre halbe Stärke hatte, flogen beiderseits der Bomberflotte; zwei Rotten der 199. Staffel flogen in gut sechzehn Kilometer Entfernung Deckung. Sie hielten sich in der Sonne – oder zumindest dort, wo ein trüb-weißer Wolkenfleck die Sonne vermuten ließ. Die Jäger umkreisten fortwährend die Bomber, da sie nur auf diese Weise mit den langsameren Maschinen gleiche Höhe halten konnten.

Oberst Dan sah zu, wie die Maschinen hinabstießen und

wieder hochgezogen wurden. In unbekümmertem Rhythmus nahm er mit seinen Rotten Kurswechsel für Kurswechsel vor. Tief unter sich sah er den Rest des Geschwaders die gleichen eintönigen Manöver vollführen. Er beobachtete Tucker. Dieser flog steif und hölzern, die andere Rotte aber – Grün – eng und koordiniert. Das mußte die Rotte A sein: Morse, Wein, Koenige und Farebrother. Jetzt wo ihm einfiel, wer die vier waren, durfte er seine Meinung über sie nicht ändern.

Er fragte sich, wie Farebrother wohl den ersten Vorgeschmack eines richtigen Kampfes genießen würde. Farebrother war ein dreister Kerl; er besaß jene hochmütige Widersetzlichkeit, mit der sich Oberst Dan nur schlecht zurechtfand. Die kleine Schau seines fliegerischen Könnens, die er am Tag seiner Ankunft geboten hatte, fand statt, als das Geschwader größtenteils auf Urlaub war. Aber Farebrothers Reputation hatte nicht darunter gelitten, daß nur relativ wenige Augenzeugen seiner Kunststückchen wurden. Im Gegenteil: die Männer, die damals Dienst tun mußten, bekamen Gelegenheit, vor ihren aus dem Urlaub zurückkehrenden Kameraden zu prahlen. Inzwischen war Farebrothers Luftakrobatik dermaßen verbrämt und zu einer Demonstration solchen Könnens aufgebauscht worden, daß der Freiherr von Richthofen das große Zittern bekommen hätte und blaß um die Nase geworden wäre. Oberst Dan schalt sich, weil er es zuließ, daß Mißfallen sein Urteilsvermögen trübte. Es war ein verdammt starkes Stück gewesen. Aber Mustangs auf die Hinterbeine zu reißen war nicht dasselbe, wie gegen die Deutschen zu kämpfen. Na gut, Hauptmann, dachte der Oberst, wir wollen doch mal sehen, wie weit Sie heute mit solchen Kunststückchen kommen.

Er stieß erneut hinab und leitete ein neues Z ein. Da unten waren nur Wolken und die großen B 17, die wie stählerne Galeonen auf grauem, sturmgepeitschtem Meer ihren Kurs hielten.

In der Kanzel war es kalt. Oberst Dan wollte die Heizung höher drehen, aber sie lief schon auf voller Kraft. Er hatte sich gerade überlegt, daß Kälteempfindlichkeit ein Anzeichen langsamen Alterns ist, da bemerkte er die Eisbildung an der Innenseite seines plexigläsernen Kanzeldachs. Irgendwie mußte die Heizung nicht in Ordnung sein. Er streckte die Hand aus und kratzte mit behandschuhtem Finger das Eis fort. Es gelangen ihm aber bloß kleine Gucklöcher.

Über Funk kamen weitere Meldungen. Ungefähr ein Dutzend zweimotorige Messerschmitt-Jäger stiegen auf, um sich in den Kampf zu stürzen. Sie flogen zwar noch ein gutes Stück tiefer als die B 17, kletterten aber hinter den Bombern steil aus den Wolken. Wie die Feindaufklärung behauptete, operierte die deutsche Luftwaffe mit jeweils drei Staffeln von einem Fliegerhorst aus, hielt es also praktisch ebenso wie die Amerikaner. Insofern bestand die Chance, daß diese deutsche Staffel die Jäger ablenken sollte, während sich die übrigen beiden aus anderen Richtungen über die Bomber hermachen würden.

»Slingshot an Payoff Führer. Payoff Rot und Payoff Blau sollen sich mit den Me 110 befassen.«

Oberst Dan schlug auf die Sendetaste. »Payoff Führer an Slingshot. Roger. Wird gemacht.« Er legte den Wählschalter auf eine andere Frequenz und sagte: »Payoff Rot und Blau. Geben Sie Stoff, es geht los.«

Na gut, Tucker, wenigstens sind Sie Gentleman genug, um Ihren Kommandeur auf die Hunnen anzusetzen. Acht Mustangs sollten für 'n Dutzend schwerfällige zweimotorige Messerschmitts eigentlich mehr als genug sein. Oberst Dan nahm die Flugzeugnase hoch und sah, wie die weißen, flaumigen Wolken am Horizont wie ein vom Bettgestell rutschendes Federbett nach unten wegkippten. Mit den anderen sieben Maschinen unmittelbar hinter sich, schoß er nach einer halben Rolle im Sturzflug in die Tiefe. Die Welt stand jetzt kopf, das weiße Federbett bildete die graue Zimmerdecke, auf der die Messerschmitts herumkrabbelten und mit jeder Sekunde größer wurden. Der Höhenverlust war ausreichend, um die Frontscheiben wenigstens teilweise zu enteisen. In der Hoffnung, sie wieder in Gang zu bringen, schlug Oberst Dan kräftig gegen die Heizung.

Von oben her senkrecht durch eine feindliche Formation zu stoßen ist nicht gerade die Taktik, die auf dem Schießlehrgang gelehrt wird, aber angesichts der Schießkünste dieses Geschwaders bot nur die Draufsicht ein hinreichend sicheres Ziel. Oftmals konnte man die Piloten nicht anders an den Feind bringen, als mit ihnen direkt durch dessen Formation hindurchzustoßen. »Payoff Rot und Blau. Freie Zielwahl. Ende.« Er nahm die führende Messerschmitt ins Visier. Bei den Deutschen blitzte es auf: ihre Heckschützen eröffneten das Feuer.

Die letzten hundert Meter rasten wie ein durchdrehender Film vorbei. Die Messerschmitts zögerten, öffneten ihre Formation und kamen wie Schnellzuglokomotiven auf ihn zugerast. Oberst Dan betätigte den Abzug. Unter dem Einschlag der Geschosse blitzte es an den Tragflächen der deutschen Führungsmaschine auf. Die Einschüsse näherten sich den unter den Flächen der Messerschmitt hängenden Raketen, von denen eine explodierte. Es gab einen gewaltigen orangefarbenen und roten Blitz, der Oberst Dans Gesichtsfeld völlig ausfüllte. Die Gewalt der Explosion schleuderte seine Mustang in die Höhe, und er hörte, wie durch die Luft schwirrende Teile der Messerschmitt winzige Aluminiumstückchen aus dem Gerippe seiner Maschine stanzten. Er verlor die Kontrolle über die Mustang. Scheiße, ausgerechnet auf diese Weise erwischt zu werden, dachte er. Aber er zog den Steuerknüppel heran, daß er ihm fest gegen den Bauch stieß, und betete. Langsam richtete sich die Maschine wieder auf. Es roch nach verbranntem Kraftstoff und Gummi, die auf seine Maschine geschleudert und klebengeblieben waren. Er warf einen Blick in den Spiegel, sah aber nichts als schmierigen schwarzen Rauch.

Armer Teufel. Diese zweimotorigen 110* waren unbeholfene Scheißdinger. Wegen des zusätzlichen Gewichts der unter den Tragflächen hängenden großen Raketen hatten

---

* Die Messerschmitt-Werke AG firmierten bis zum 30. 6. 1938 als Bayerische Flugzeugwerke, daher trugen alle vor diesem Datum von Messerschmitt konstruierten Typen die Kennbuchstaben Bf, später allgemein Me.

die Maschinen gegen entschlossene Angreifer kaum eine Chance.

Eine weitere Messerschmitt flog so nahe an Oberst Dan vorbei, daß er hinter den vielen kleinen Fensterscheiben ihrer Kanzel die Gesichter der Besatzung sehen konnte. Eine andere Me war vor ihm. Er hatte noch Zeit für einen schnellen Feuerstoß, ehe der Deutsche, von Oberst Dan hinterrücks attackiert, nach unten wegtauchte. Oberst Dan sah keine Einschläge und ließ sich steil fallen. Phelan hielt sich noch immer ganz in seiner Nähe – Kevin, das Salz der Erde.

Oberst Dan flog eine engere Kehre, bis er eine neue Messerschmitt erblickte. Diese flog unbeirrt weiter: die einzige Maschine, die auf Angriffskurs blieb. Tief unter Oberst Dan flogen die Bomber – der führende Kampfverband, dessen drei Riegel mit insgesamt sechshundert Meter Höhenunterschied flogen.

Der Hunne war hinter dem vorausfliegenden Riegel her, aber Oberst Dan nahm ihn aufs Korn und schickte ihm in der Hoffnung, ihn ein wenig abzulenken, schon von weitem einen Feuerstoß entgegen. Feuerschweife zuckten unter den Flächen der Messerschmitt. Oberst Dan hoffte schon auf einen Sonntagstreffer. Da aber lösten sich langsam Raketen aus dem Rauch und näherten sich auf ihrer feurigen Bahn bedrohlich dem Bomber, während der Deutsche zu einer Kehre ansetzte.

Aus dem Funkgerät kam heftiges Stimmendurcheinander, Oberst Dan wußte nun, daß auch seine übrigen Staffeln in den Luftkampf verwickelt waren. Er tauchte hinter der Messerschmitt her, aber eine andere Mustang kam in Sicht, und so überließ er dieser den Deutschen und entfernte sich langsam, sich ständig umblickend. Kevin war noch immer bei ihm, die restlichen Maschinen von Payoff Rot und Blau aber hatten ihre Opfer etwa dreihundert Meter tiefer in die obersten Wolkenschichten gejagt.

»Payoff Führer an Payoff Blau und Rot. Über den Wolken hinter mir Formation bilden.«

Dort, wo die deutschen Raketen krepiert waren, umlagerten schwarze Rauchwolken die Bomber. Oberst Dan legte sich in eine steile Kehre, um unter sich blicken zu können. Die Wolken waren hier nicht allzu dicht, so daß er gelegentlich Teile der Landschaft unter sich erfassen konnte. Berge: der Harz, der schneebedeckte Brocken, in der Walpurgisnacht Ziel aller Hexen nach Angst und Schrecken verbreitendem Flug durch eben diesen Himmel.

Er flog die Bomber an, und Phelan folgte ihm. Hinter ihnen stiegen zwei Mustangs steil in den Himmel. Und noch drei, nein, vier – also keine Verluste, Gott sei Dank.

Er ließ seine Maschine steigen, um sich erneut über die Bomber zu setzen. Jetzt sicherte nur noch die halbe Staffel ›Payoff‹. Tucker hatte ›Sparkplug‹ zur Jagd auf weitere Deutsche abgezogen. Er hätte bei den Bombern bleiben sollen. Vielleicht ein unsinniger Befehl, aber Befehl ist Befehl: Bleiben Sie in der Nähe, damit die Bomber sehen können, daß jemand zu ihrer Unterstützung da ist. Die Bomberflieger brauchen keine Pressefotos, auf denen Jagdpiloten Abschußbalken auf ihre Maschinen malen, sie brauchen Abschirmung. Tucker, wo stecken Sie?

Mit majestätisch langsamer Präzision änderten die Bomber ihre Formation. Jeder der achtzehn Maschinen starken Riegel schloß dicht hinter den Führungsmaschinen auf, so daß aus der meilenbreiten Formation ein schmaler Bomberstrom wurde, der seine Last konzentriert abwerfen konnte.

Das trübe Sonnenlicht glitzerte auf der schmutzigbraunen Bemalung der gewaltigen Tragflächen, und hier und da reflektierte der metallische Anstrich mancher Bomber einen Sonnenstrahl, als die Kampfgruppe langsam tiefer ging und zum Anflug ansetzte. Das Flakfeuer hatte sich verstärkt. Die Sprengwölkchen sprenkelten den Himmel wie Pockennarben. Der Himmel hinter ihnen war meilenweit vom Geschützfeuer gerötet. Die roten Feuerbälle der Granatexplosionen kamen den Maschinen immer näher.

Die Flugzeugwerke unter ihnen wurden von massierter Artillerie eifersüchtig bewacht. An Bord der Führungsmaschine des ersten Riegels befand sich der Kommandeur der Kampfgruppe, ein Brigadegeneral. Auf diese Maschine konzentrierte sich das Flakfeuer, das gleiche war übrigens auch bei vielen Jägerangriffen der Fall. Gerüchtweise hieß es, die Deutschen würden den Abschuß eines Kampfgruppengenerals auf der Stelle mit dem Ritterkreuz honorieren.

Langsam öffneten sich die Bombenschächte der Führungsmaschine. Als sie den Abgangspunkt erreichte, erhellte Sperrfeuer einen Himmel, aus dem es anscheinend kein Entkommen gab. Salve um Salve wurde in stets denselben Teil des Luftraums hinaufgejagt. Jede Maschine mußte diesen Würfel explodierender Luft und schwirrender Stahlbrocken durchstoßen. Die Luft wallte und waberte wie gewisse giftige Seeanemonen.

Niemand zögerte. Das Kommando an Bord lag nicht mehr in den Händen der Piloten, es war an die Bombenschützen gegangen, die mit ans Zielgerät gepreßten Augen versuchten, das in Wolken und Pulverdampf verschwimmende Ziel zu erfassen.

Auf der Jägerfrequenz herrschte ein einziges Durcheinander kaum vernehmlicher Stimmen. Tucker versuchte einen Schwarm deutscher Jäger, der von Osten her die Bomber angegriffen hatte, abzuwehren. Oberst Dan sah ein Gewirr winziger Pünktchen, die in weiter Ferne wie Mücken durch den Himmel schwärmten. Oberst Dan hoffte, daß Tucker sich nicht zu weit fortziehen lassen würde. Oberst Dans einzige verbliebene Staffel allein konnte die gesamte Bombermacht nicht decken, und der Weg führte keineswegs nach Osten.

Oberst Dan flog sein Z zu Ende und ließ die Maschine über einen Flügel abkippen, um einen Blick zur Erde werfen zu können. Ein Flickenteppich von Feldern umgab die Stadt, deren dunkleres Grau von bläßlichen Wolken verwässert wurde. Durch die Stadt zog sich das silbrige Band eines Flusses. Plötzlich blitzten tausend blendendhelle Lichtpünktchen jenseits des Flusses auf. Die Lichter flackerten und erloschen. Die Landschaft wackelte unter den Druckwellen wie Pudding, und Rauch verhüllte die Hitzestrahlung. Dann legte sich die Maschine gerade und versperrte Oberst Dan die Aussicht auf das ›Zentrum der Einschläge‹.

Zwei Fliegende Festungen – die ›Hot Tamale‹ und die ›Prom Trotter‹ – hatten Flaktreffer erhalten und fielen langsam aus der Formation heraus. Oberst Dan versuchte auf Bomberfrequenz zu gehen, empfing aber nur vom deutschen Störsignal überlagerte, unverständliche Stimmen. Die ›Prom Trotter‹ hatte noch einen Motor verloren und sackte ab. Die anderen Bomber der Formation schlingerten und kurvten, um nicht mit ihr zu kollidieren. Sie schmiert ab! Sie schmiert ab! Keine dermaßen beschädigte Maschine kann sich in der Luft halten. Der erste Fallschirm bläht sich, dann ein weiterer. Drei, vier, fünf, sechs andere öffnen sich und segeln sanft durch die rauchverhangene Luft. Sieben, acht, neun. Dann stellte sich die Fliegende Festung, die ihre Höhenflosse verloren hatte, auf die Nase und trudelte erst langsam, dann immer schneller unaufhaltsam in die Tiefe; denn eine B 17 ließ sich unter diesen Umständen nicht mehr abfangen. Oberst Dan schauderte. Neun Fallschirme, so war es immer: Der Pilot kam nicht mehr raus, denn er mußte die Maschine halten, während die Kameraden ausstiegen. Dieser Junge würde nie wieder auf einem Studentenball das Tanzbein schwingen: die Zentrifugalkräfte drücken ihn erbarmungslos von innen gegen die Rumpfwand, während er wohl an all das denken mochte, was einem Mann in den letzten paar Sekunden seines kaum gelebten, viel zu kurzen Lebens noch einmal vor Augen tritt.

Das schlimmste Sperrfeuer hatten sie hinter sich, und die über dem Bombenziel aufsteigende schmutzigdunkle Rauchsäule fiel zurück. Wenden! Wann, zum Teufel, drehen sie endlich ab – wir fliegen immer noch ostwärts! Bald werden die deutschen Jäger wieder da sein, und diesmal müssen wir uns um beschädigte Bomber und verwundete Besatzungen kümmern. Oberst Dan nahm Gas weg, änderte Gemisch und Anstellwinkel und brachte die Mustang auf langsamste Geschwindigkeit. Alle würden ihr Tempo so lange drosseln müssen, bis man die lahmgeschossenen Bomber sich selbst überlassen konnte. Endlich begann der Verband abzudrehen.

Nachdem die Bomberverbände das Ziel in Linie überflogen und ihre Bomben abgeworfen hatten, ließen sie sich sanft etwa sechshundert Meter tiefer fallen. Dadurch erhöhte sich ihre Geschwindigkeit, und sie kamen schneller aus dem Wirkungsbereich der Flak heraus. Außerdem hatte der Nachrichtendienst in Erfahrung gebracht, daß die Vorhaltberechnung der Flak wegen der veränderten Höhe und Fluggeschwindigkeit ungenau wurde.

Als die Bomber am Sammelpunkt in Schräglage gingen und in weitem Bogen wendeten, drosselte das führende Geschwader die Geschwindigkeit und ließ den oberen und unteren Riegel neben sich aufschließen, so daß die etwa sechzig Bomber eine rund anderthalb Kilometer breite Formation einnahmen. So war gewährleistet, daß die eigenen Maschinenwaffen zum größtmöglichen gegenseitigen Vorteil eingesetzt werden konnten. Inzwischen hatte gut zehn Kilometer hinter ihnen die nächste Bombergruppe den Sammelpunkt ebenfalls erreicht und vollführte dasselbe komplizierte Manöver.

Oberst Dan blickte auf den Kraftstoffanzeiger. Sein Treibstoff wurde knapp; den anderen erging es auch so, aber noch meldete niemand, daß ihm der Sprit auszugehen drohte. Wo, zum Teufel, blieb die Rückzugssicherung? Plötzlich war Oberst Dan auf Bomberfrequenz. ›Blackwood‹ rief die Funkleitmaschine und verlangte, das Alarmsignal zu senden.

»Payoff Rot zwei an Payoff Führer. Unbekannte Maschine, drei Uhr, eigene Höhe.«

Oberst Dan drehte am Wählschalter. Zwar hatte er seinen Piloten schon oft genug gesagt, daß ein solches Verhalten unvertretbar sei, aber wenn er müde war, tat er es manchmal selbst. Zum Teufel, er konnte doch nicht schon müde sein! Der Einsatz war noch längst nicht vorüber. Ja, er konnte die Deutschen sehen. Sie lagen etwa zehn Kilometer steuerbords querab auf Parallelkurs.

Oberst Dan ging auf Empfang. Die Bomberpiloten unterhielten sich lautstark, wie fabelhaft sie das Ziel bepflastert hatten, und irgend jemand machte schreiend auf einen drohenden Zusammenstoß aufmerksam. Wahrscheinlich wurde eine Maschine von schwerverwundeten Piloten geflogen oder – schlimmer noch – Bordingenieur oder Navigator versuchten nach dem Ausfall der beiden verzweifelt, die Maschine heil nach Hause zu bringen. Auf der Jägerfrequenz konnte er seine eigenen Flieger reden hören, ihre Stimmen kratzten wie Messer auf einem Blechteller. Trotz der unverständlichen Worte waren das hektische Geschrei und die Warnrufe verbissen kämpfender Männer herauszuhören. Hoffentlich wissen Sie auch, was Sie da tun, Tucker, dachte Oberst Dan. Er rief noch einmal Kevin Phelan: »Payoff Rot zwei, was meinen Sie, sind das da drüben Zweimotorige?«

»Müßten's eigentlich sein«, sagte Major Phelan. »Wie Sie sehen, haben die genügend Sprit, um den günstigsten Moment abzuwarten. Ende.«

Klugscheißer. »Payoff Rot zwei, sagen Sie mir, wenn die Ihrer Meinung nach näher kommen. Ganz klein bißchen mehr Sprit, und wir hätten denen die Hölle heißmachen können. Aus und Ende.«

Er blickte nach unten. Die ›Hot Tamale‹, über Braunschweig beschädigt, hielt mit. Die Maschinen der untersten Staffel hatten ihre Formation geöffnet, um ihr Platz zu machen. Der Steuerbordflügel war schlimm durchlöchert, die Hälfte des Steuerbordhöhenruders abgerissen, so daß der Riesenvogel zum Kreisen tendierte. Die beiden Piloten waren indes fest entschlossen, westwärts zu fliegen. Diese Interessenkollision war für den unbeständigen Kurs der Maschine verantwortlich.

Oberst Dan befragte Uhr und Kraftstoffanzeige. Wo, zum Teufel, blieb die Rückzugssicherung? Sein Kraftstoffvorrat war schon fast so weit geschrumpft, daß er die Bomber sich selbst überlassen und mit seiner Staffel auf direktem Weg nach Hause fliegen mußte. Tucker, der mit dem Rest des Geschwaders dabei war, aus Richtung Magdeburg vorgetragene Angriffe zurückzuschlagen, würde noch weniger Sprit haben, denn Luftkämpfe bedeuteten erhöhten Treibstoffverbrauch.

Er flog noch ein paar Minuten weiter und rief dann

Blackwood Führer und meldete ihm den unerfreulichen Sachverhalt.

»Also dann, Blackwood Führer. Wünschte, wir könnten noch bleiben. Hals- und Beinbruch. Ende.«

Der Führer der Bomberformation beobachtete ebenfalls die in seiner Flanke fliegenden Messerschmitt-Zerstörer, ließ seiner Stimme jedoch nichts anmerken.

»Vielen Dank, Kleine Freunde«, sagte er mit monotoner, emotionsloser Stimme. Als ob ein Kind die Szene einer Samstagsmatinee zu Ende spielte, so heuchelte er Gleichmut angesichts der Tatsache, daß die Jäger zu heißer Dusche und saftigen Steaks zurückkehrten, dieweil er zurückblieb, um von den ihm geduldig nachschleichenden Messerschmitts in der Luft zerrissen zu werden. Oberst Dan warf einen letzten wehmütigen Blick zur ›Hot Tamale‹ hinüber; sie würde es niemals bis nach Hause schaffen. Die Position, die in diesem unteren Bomberriegel von der Führungsstaffel eingenommen wurde, hieß im Luftwaffenjargon ›Purple Hurt*-Ecke‹. An dieser Stelle würden die beutehungrigen Messerschmitts zuschlagen, und eine lahmgeschossene Maschine war ein gefundenes Fressen für einen Deutschen, der sich heute abend noch einen Abschußbalken aufs Leitwerk zu malen gedachte.

Oberst Dan ging auf Heimatkurs und versuchte, seine im Stich gelassenen Schützlinge zu vergessen. Es gab Zeiten, da ihm eine Schreibtischtätigkeit gar nicht so übel vorkommen wollte, und dieser Augenblick gehörte dazu.

Über Holland hörte er, daß Tucker Funkkontakt mit dem Horst aufzunehmen suchte; aber im Norden standen noch immer Sturmwolken, und im Funkgerät knackten atmosphärische Störungen – sicheres Anzeichen dafür, daß kein Funksprechkontakt in England ankommen würde, und das bedeutete: niemand dort würde einen Hilferuf von ›Blackwood‹ empfangen können. Über dem Kanal konnte der phänomenal scharfsichtige Major Phelan Tuckers abge-

---

* Verwundetenabzeichen

kämpfte Formation ausmachen, und die beiden schlossen auf.

»Payoff Führer, wir hatten Verluste«, sagte Tucker. »Und Sparkplug Grün Führer ist mit seiner Rotte befehlswidrig aus der Formation ausgeschert.«

»Roger, aus und Ende«, sagte Oberst Dan verärgert. Sparkplug Grün Führer war Oberleutnant Morse, und zu ihm gehörten Wein, Farebrother und dieser andere Pilot – Koenige.

Als sie Steeple Thaxted erreichten, regnete es. Oberst Dan wachte eifersüchtig über das Vorrecht des Geschwaderkommandeurs, als erster zu landen. Er hielt sich beim Landeanflug zurück, weil er sehen wollte, ob Major Tucker seine Führerrolle bis zum letzten Augenblick spielen würde. Der aber war viel zu gerissen und forderte Oberst Dan über Funk auf, als erster aufzusetzen.

»Sie werden's noch weit bringen, Major Tucker«, sagte Oberst Dan beim Einslippen und brachte eine saubere Landung zuwege. Tucker antwortete nicht.

Oberst Dan ließ die ›Wildgans‹ über die Ringstraße zu den Splitterschutzboxen rollen, wo die Maschinen des Geschwaderstabes abgestellt wurden. Er stellte fest, daß dort bereits die Jeeps des Lagerkommandanten und des Jägerleitoffiziers standen.

›Butch‹ Walton, Oberst Dans Obermonteur, kletterte auf die Tragfläche, um ihn vom Fallschirm zu befreien und ihm zu helfen, all die Drähte und Schläuche des Sauerstoffgeräts zu lösen, ohne das Flüge in höherer Atmosphäre nicht möglich waren.

»Sie haben Besuch, Herr Oberst«, sagte Butch, »'n Brigadegeneral.« Der Regen trommelte auf die Tragflächen, und wenn die Tropfen auf die heißen Auspuffrohre fielen, zischte es wie aus einem Sack Schlangen.

»Hockt der etwa im Jeep des Leitoffiziers?« Generale sah man nur höchst selten in offenen Jeeps, die keinen Schutz vor dem schlammigen Spritzwasser boten. »Genau, Sir. Gelandet ist er mit 'ner C 47 mit drei Generalssternen auf der Nase, 'n richtig hohes Tier.«

Oberst Dan drehte sich gliedersteif um und sah den General mit unter das Kinn gezogenen Knien auf dem engen Vordersitz des Jeeps sitzen. Anscheinend hatte er sein Vergnügen daran.

Der Oberst hievte sich aus dem Cockpit. Er fühlte sich steif, krank und ausgetrocknet; eine Unterredung mit einem General brauchte er etwa ebenso dringend wie drei Runden mit Joe Louis. Er benötigte beide Hände, um sich aus der Kanzel zu befreien. »Hört sich an, als wären Sie beeindruckt, Butch.« Er drückte auf den Schnellverschluß des Fallschirms, zerrte sich den Packen auf die Schulter und kletterte zu Boden.

Der Lagerkommandant, der zugehört hatte, fügte hinzu: »Dieser General hat einen dabei, der bloß rumsteht und für ihn Notizen macht, und ihm Kaffee und 'n paar Pfannkuchen holt. Und selbst der ist 'n Major.«

»Die verdammte Heizung ist hinüber«, sagte Oberst Dan, »ich wär fast erfroren. Und die Scheiben tauten überhaupt nicht ab.«

»Ich werd' mich drum kümmern, Herr Oberst«, sagte Butch und runzelte die Stirn, als hätte sich der Oberst über die Tischmanieren seines Lieblingskindes beschwert.

»Und tun Sie um Himmels willen irgendwas an diesen Erleichterungsröhren. Wenn die einfrieren, bepißt man sich ja von oben bis unten.«

Der Asphalt glänzte regennaß, und der Jeep spiegelte sich so deutlich in der Nässe, daß Fahrzeug und Abbild kaum voneinander zu unterscheiden waren. Der General im schicken weißen Trenchcoat kletterte vom Beifahrersitz und entließ mit einem Wink den Fahrer.

Oberst Dan sah den Jeep des Stellvertretenden in einiger Entfernung über das Vorfeld gerast kommen, daß die Wasserpfützen hoch aufspritzten. Duke Scroll, der an der Windschutzscheibe festen Halt suchte, bemühte sich, Oberst Dan noch vor dessen Zusammentreffen mit dem General zu erreichen, es gelang ihm jedoch nicht.

»Oberst Badger? Ich bin Bohnen aus High Wycombe.«

Unter der Last seines Fallschirmpackens nahm Oberst

Dan Haltung an und salutierte. Bohnen lächelte und tippte in Kenntnisnahme dieser militärischen Aufmerksamkeit mehr beiläufig mit der Hand an die Mütze.

»Irgendwelche Ausfälle, Oberst?«

Oberst Dan zog sich den Fliegerhelm vom Kopf und ließ ihn am Kinnriemen am Nacken baumeln. »Alle meine Piloten waren auf Feindflug, Sir. Diese Staffel erwischte ein paar deutsche Jäger, hatte jedoch keine eigenen Verluste.« Er blickte auf und sah, daß der Rest des Geschwaders noch bei der Landung war. »Heute hat einer meiner Staffelkapitäne das Geschwader geführt, Sir. Sie wurden in ein größeres Luftgefecht verwickelt und weit auseinandergedrängt. Wir mußten ungefähr 'ne Stunde warten, bis wir wußten, was mit den einzelnen passiert war. Und selbst dann hätte sich der eine oder andere noch von einem fremden Flugfeld melden können. Bei solchem Wetter...«

»Ich weiß«, sagte Bohnen teilnahmsvoll. Der ständige Nieselregen ließ seinen weißen Trenchcoat langsam dunkler werden.

Oberst Dan zuckte zusammen, als der Jeep des Stellvertretenden mit blockierenden Rädern rutschend und quietschend zum Stehen kam. Der General zuckte nicht zusammen, vielleicht war er taub.

Das Fahrzeug stand noch nicht ganz, da sprang Duke schon vom Sitz. Bei ihm war ein Offizier, dessen Gesicht Oberst Dan noch nicht gesehen hatte; er nahm daher an, daß es sich um den Kaffeeholer-Major handelte. Mit herrischer Geste bedeutete Scroll Butch Walton, den Fallschirm des Obersten im Jeep zu verstauen. Anschließend erwies er dem General eine formvollendete Ehrenbezeigung.

»Bei diesem Wetter sollten wir hier nicht stehenbleiben«, sagte General Bohnen. »Können wir uns irgendwohin zu einem Gespräch zurückziehen?« Das Wort »privat« brauchte er nicht eigens zu erwähnen.

»Wir haben da 'nen Staffel-Einweisungsraum«, sagte Oberst Dan, der seine gelbe Schwimmweste anbehielt, um den General daran zu erinnern, daß er einen schweren Tag hinter sich hatte.

»Genau das Richtige«, sagte Bohnen und kletterte hinten auf den Jeep. Duke setzte sich auf den Beifahrersitz und wies den Fahrer an, zum Besprechungsraum der 199. Staffel hinüberzufahren. Oberst Dan und der Kaffeeholer-Major klemmten sich links und rechts neben den General. Dukes Jeep war an den Seiten offen; der feine Regen durchnäßte Oberst Dans Lederjacke und seine Hosen, und dem Kaffeeholer-Major spritzte der Dreck auf die Ärmel. Der General zwischen ihnen blieb indessen trocken. In Oberst Dan regte sich der Gedanke, dieser General wäre wohl gar nicht so dumm. Er bemerkte, daß sich Duke auf dem Sitz herumdrehte, um dem General Feuer zu geben und ihm von Zeit zu Zeit zuzulächeln. Dukes West-Point-Ausbildung hatte bei ihm einen gewaltigen Respekt vor Dienstgraden hinterlassen – diese Kerls von der Kriegsakademie behandeln Generale ungefähr so, wie die Einsatzgeber der organisierten Beifallsspender auf High-School-Sportfesten ihre Football-Asse behandeln. Oberst Dan allerdings hatte keine Kriegsakademie besucht. Bevor er zur Luftwaffe ging, war er Postflieger gewesen, und Generale bedeuteten ihm daher nichts. In seinen Augen war die Welt nur zweigeteilt: in Piloten und Passagiere. Als Scroll ihm eine Zigarette anbot, winkte er ab.

»Dieses englische Wetter ist wirklich was«, sagte Bohnen.

»Wir haben versucht, Material für 'ne Sporthalle zu bekommen«, sagte Duke. »Bei diesem Wetter kann man ja nicht mal Football spielen; wir haben zwar ein paar Volleyballmannschaften, wissen aber nicht, wo die spielen sollen.« Duke wandte sich Oberst Dan zu, blickte ihm voll ins Gesicht und nickte weise. Duke wollte ganz sichergehen, daß Oberst Dan auch verstand, worum es bei dieser Unterhaltung ging, und Oberst Dan verstand. In Erwartung dessen, was der General nach Ansicht der beiden jeden Augenblick vorbringen könnte – die Raufereien vor der »Krone« in Long Thaxted – war Duke bereits dabei, seine Verteidigungsstellung auszubauen.

»Die Männer sind lustlos und deprimiert«, sagte Duke zum General. »Das äußert sich in Krankmeldungen. Sie gehen ins Revier und klagen über geringfügige – vielleicht sogar überhaupt nicht vorhandene – Schwierigkeiten wie Kopfweh, Schüttelfrost, Fieber und Magenverstimmung.«

»Ich hoffe, Sie wollen mich nicht um eine Besserung des Klimas bitten«, sagte Bohnen.

Duke quittierte den Scherz des Generals mit höflichem Lächeln. »Wir brauchen bessere Beschäftigungs- und Unterhaltungsmöglichkeiten, Sir. Im Augenblick hocken die Männer entweder in ihren Zelten und denken an zu Hause oder sie gehen auf ein Bier in die Messe.«

Das läuft ja bestens, Duke, dachte Oberst Dan. Die ›Krone‹ in Long Thaxted wurde als Teil des Problems überhaupt nicht zur Sprache gebracht.

»Haben Sie schon einmal daran gedacht, in einer Flugzeughalle Volleyball zu spielen oder zu boxen?« sagte Bohnen.

»Bis Oktober haben wir das so gehalten. Als das Wetter sich aber verschlechterte, brauchten wir Platz für andere Zwecke; wir haben so viel Ausrüstung, die unter Dach und Fach gebracht und trocken gelagert werden muß.«

»Notieren Sie den Sachverhalt, Major Price«, sagte der General. Der Kaffeeholer-Major holte irgendwo unter seinen vielen Kleidungsstücken ein Notizbuch hervor und machte eine entsprechende Eintragung, während der Jeep anhielt, um eine gerade gelandete Mustang ausrollen zu lassen. »Wir müssen uns um diese Sachen kümmern, *bevor* Schwierigkeiten entstehen«, sagte Bohnen, als handelte es sich um eine schwerwiegende Stabsentscheidung, die nur ein General treffen konnte.

»Ich will die Zigarette haben, Duke«, sagte Oberst Dan. Duke drehte sich um und reichte ihm das Stäbchen nach hinten. Erleichtert lächelten sie sich an, weil sie inzwischen wußten, daß der Besucher nicht gekommen war, um den Raufereien im Dorf auf den Grund zu gehen.

Der Jeep hielt vor der Hütte, in der sich der Gefechtsstand der 199. Staffel befand. Nur ein diensthabender Schreiber war anwesend, und Duke schickte ihn zum Kaffeekochen, während er selbst voraneilte und die Beleuchtung des Einweisungsraums einschaltete. Es war ein kleiner Raum, der nur benutzt wurde, wenn die Staffeln einmal eine ihrer ganz seltenen getrennten Einsatzbesprechungen abhielten. Weiche Ledersessel standen herum. Eine Kerosinheizung sorgte für angenehme Temperaturen; ferner gehörten helle Lampen, Schreibblöcke, Landkarten und Telefone zur Ausstattung. Oberst Dan hatte keine Ahnung, was ihm der General erzählen wollte; aber hier, weit von den luchsohrigen Großschnauzen entfernt, die den Geschwadergefechtsstand bevölkerten, konnte er sein Anliegen ebensogut vorbringen. Duke wies den Schreiber an, die Rolläden hochzuziehen. Nachdem der Angriff nun vorbei war, bedurften Karte und Einsatzbefehle keiner weiteren Geheimhaltung, und das Zimmer mußte dringend gelüftet werden.

Der General entledigte sich seines feinen weißen Trenchcoats und reichte ihn an den Kaffeeholer-Major weiter. Oberst Dan sah seine Vermutung bestätigt: viel Uniformstoff ohne Flugzeugführerabzeichen. Auch Ordensbänder waren nicht zu sehen. Was auch immer seine besondere Befähigung sein mochte, Bohnen war kein Kriegsakademie-Absolvent, wie ein Blick auf seinen Ringfinger verriet. »Habe ich recht gehört? Hatten Sie nicht Kaffee bestellt?« sagte der General. Nachdem er Mantel und Mütze abgelegt hatte, konnte sich Oberst Dan ein besseres Bild von ihm machen. Der General war ein hochgewachsener Mann von Anfang Vierzig mit welligem Grauhaar und grauem Oberlippenbart. Während die beiden Männer sich über der Heizung die Hände wärmten, beobachtete Bohnen Oberst Dan wie den Bewerber um eine hochdotierte Stellung. Duke nickte und schlüpfte, gefolgt von dem Major, durch die Tür, um die beiden Männer allein zu lassen. »Erzählen Sie mir was von Ihrem Geschwader«, sagte General Bohnen.

»Gute Jungs«, sagte Oberst Dan, »aber sie haben zu Hause zu lange gelernt, wie man mit 'ner P 39 und P 40 in fünfzehnhundert Meter Höhe gegen die Japaner fliegt. Plötzlich bekommen sie andere Maschinen, müssen sich mit dem schlechtesten Wetter der Welt abplagen und eine ganz andere Kampfführung lernen – in zehntausend Meter Höhe.«

»Ist die Tafel da aktuell?«

»Der heutige Einsatz«, bestätigte Oberst Dan. Er zog die Vorhänge zur Seite, hinter denen die Karte mit den roten Bändern zwischen Stützpunkt und Braunschweig zum Vorschein kam. »Wir bereiten alle Einweisungsräume entsprechend vor, auch wenn wir wissen, daß die Einsatzbesprechung für das Geschwader angesetzt ist. Ich denke, man kann nie wissen, ob der Plan nicht vielleicht geändert wird, so daß eine Staffel gesondert eingewiesen werden muß.«

Bohnen nickte, trat an die Tafel und klopfte gegen die Täfelchen mit den Namen der Piloten.

»Das farbige Flugzeug symbolisiert die taktische Farbe«, erläuterte Oberst Dan. »Das Flugzeug auf der Windrose weist auf die zu benutzende Startbahn hin. Die Leerstellen sind für die Startzeiten vorgesehen, und die Ziffern bedeuten die Kompaßzahl, vom Stützpunkt aus gerechnet. Wir haben den Raum nicht benutzt, deshalb fehlen die letzten Einzelheiten der Flugbesprechung.«

»Sie überlassen nicht viel dem Zufall, Herr Oberst.«

»Die Offiziere meines Geschwaders sind erfahrene Leute, Sir.«

General Bohnen las die Namen der Piloten. »Haben Sie gemerkt, was heute passiert ist?« fragte er über die Schulter.

»Die Zweite und Dritte Kampfgruppe sind zurückgerufen worden. Ich hab' gehört, wie der Befehl durchkam.«

»Mit Ausnahme der Führungsgruppe der Dritten. Sie war kurz vor dem Ziel und konnte den Spruch nicht mehr nachprüfen. Wie ist die Sache gelaufen, Oberst?«

»War recht gefährlich, Sir. Überm Ziel war das Wetter offener, und die Krauts haben selbst ihre Nachtjägerverbände gegen uns in die Schlacht geworfen.«

»Das ist jetzt deren ›Luftschlacht um England‹. Genau das habe ich gestern noch zum Oberkommandierenden gesagt. Das ist ihre ›Luftschlacht um England‹. Sie werfen alles und jedes in die Schlacht – ohne Rücksicht auf Verluste.«

»Meine Leute sind auf alles gefaßt, Herr General.«

»Das bezweifle ich nicht, Oberst.«

Er drehte sich um, als wollte er noch einen Blick auf die Einsatztafel werfen.

»Wir haben die Bomber so lange wie nur möglich eskortiert«, sagte Oberst Dan.

Bohnen drehte sich wieder um und blickte den Obersten mit vor Erstaunen und Überraschung weitaufgerissenen hellblauen Augen scharf an. Oberst Dan geriet angesichts dieses starrenden Blicks leicht außer Fassung. »Acht Maschinen vorzeitig zurückgekehrt«, sagte der General. »Darüber möchte ich mehr wissen.«

»Bereits auf dem Anflug, über Holland, Sir. Hatten Feindflugzeuge ausgemacht. Major Tucker stellte zwei Rotten zur näheren Aufklärung ab. Wenn ich das Geschwader geführt hätte, hätte ich dasselbe befohlen, Sir.«

»Meine Hochachtung vor Ihrer Loyalität, Oberst Badger.« Es klopfte, und der Kaffee wurde gebracht. Duke hatte sogar Untertassen und Löffel aufgetrieben, der Zukker aber befand sich in einem Blechgefäß, das einem sorgfältig ausgespülten Aschenbecher verräterisch ähnlich sah.

Bohnen rührte in seinem Kaffee und sagte: »Aber Ihre Männer sind nicht dicht genug an die Maschinen herangegangen, um sie identifizieren zu können; wir wissen also nicht, ob es Feindflugzeuge waren. Waren vielleicht ein paar vom Feindflug heimkehrende englische Spitfires. Vielleicht war es auch eine von unseren Wetterstaffeln.«

»Ich weiß noch nichts Näheres, Sir.«

»Aber ich«, sagte Bohnen. »Ich war bei ihrer Schlußbesprechung dabei. Ich erfuhr, daß ihre Abwurftanks noch fast voll waren.«

»Jawohl, Herr General, noch fast voll. Hatten vor ein paar Minuten erst auf Abwurftanks umgeschaltet.«

»Wäre es nicht zweckmäßiger, von Anfang an auf Abwurftanks zu fliegen?«

»Wir fliegen zunächst immer auf Rumpftank hinter dem Pilotensitz. Ist der Sprit bis auf etwa hundert Liter runter, dann schalten wir um.«

»Weshalb?«

»Das ist gängige Einsatzpraxis, Herr General. Durch das Gewicht des Kraftstoffs im Rumpftank verlagert sich der Schwerpunkt der Maschine. Ist ungefähr so, wie Kradfahren mit Sozius – das Gewicht lastet an der falschen Stelle. Im Luftkampf können wir uns mit vollem Rumpftank nicht richtig entfalten, und andererseits gibt's keine Möglichkeit, den Sprit auf die Schnelle abzulassen.«

Bohnen schürzte die Lippen. »Waren das da über der holländischen Küste wirklich Deutsche?«

»Ich kann's nicht sagen, Herr General.«

Bohnen zog ein ledernes Zigarrenetui aus der Tasche. »Rey del Mundo«. Er hielt Oberst Dan das Etui hin. »Coronas. Bessere Zigarren gibt's gar nicht. Wie's heißt, raucht auch Winston Churchill diese Marke.«

Oberst Dan bediente sich. Es hätte ihm auch nichts ausgemacht, wenn der alte Marx solche Zigarren geraucht hätte – eine gute Havanna war schwer aufzutreiben. Beide Männer unterzogen sich dem Ritual des Beschnüffelns, Beschneidens und Anzündens. Oberst Dan fragte sich, ob der General wohl erwartete, er würde das Zigarrenende abbeißen und auf den Fußboden spucken; er beäugte ihn mit vorsichtigem Interesse.

»Lassen Sie mich noch mal nachfassen«, sagte Bohnen beim Entfernen der Bauchbinde, »waren die Maschinen über der Küste wirklich deutsche?«

»Ist das wichtig, Herr General?«

Bohnen antwortete nicht sofort. Er brachte seine Zigarre mit jener Konzentration in Gang, zu der nur wahre Liebhaber guten Tabaks fähig sind. Oberst Dan erfaßte die Bedeutung – Zigarren waren ungefähr die einzige Schwäche, die sein Vater je an den Tag gelegt hatte. Erst nachdem er ein wenig Rauch geschmeckt hatte, blickte der General auf. »Acht Maschinen hätten heute vielleicht den Ausschlag gegeben.« Er stand wie eine Silhouette vor dem Fenster. Das Tageslicht war inzwischen fast völlig geschwunden. Der ausgestoßene Rauch umschloß ihn wie eine bläulichgrau schimmernde Hülle. »Acht aus dem Gefecht herausgehaltene Maschinen hätten für die Bomber vielleicht weitere dreißig Minuten Geleitschutz bedeutet. Ich brauche Ihnen nicht zu erzählen, was das für deren Besatzungen geheißen hätte.« Bohnen sah, daß Oberst Dan seine Zigarre rauchte, als wollte er ihr auf gar keinen Fall Gewalt antun.

»Sie haben recht, Herr General.«

»Angenommen, die Deutschen postieren dort an der Küste ein Jagdgeschwader. Nehmen wir weiter an, sie führen gegen jedes Jagdgeschwader, das wir als Geleitschutz rausschicken, einen Scheinangriff.«

Oberst Dan blickte Bohnen mit frischgewonnener Hochachtung an. »Ich glaub' nicht, daß das Deutsche waren, Sir. Und wenn ja, dann würde ich sagen, sie hatten jedenfalls nicht die taktische Gliederung, die man braucht, um einen Angriff der von Ihnen gerade beschriebenen Art vorzutragen.«

Bohnen nickte und zog angestrengt an seiner Zigarre. »Fehlt nur noch, daß ein einziger brillanter Kraut diese Schwachstelle herausfindet – das könnte das Ende aller Bombenangriffe auf das deutsche Hinterland bedeuten. Die Achte Bomberflotte könnte ebensogut ihre Koffer packen und nach Hause fahren; denn um den Krieg zu gewinnen, wäre sie in diesem Falle nicht weiter zu gebrauchen.« Oberst Dan nickte, während der General im Zimmer herumwanderte. »Und das würde bedeuten, wir hätten keine Chance mehr, nach dem Krieg eine unabhängige Teilstreitkraft zu werden.«

Oberst Dan sagte: »Gewiß« und gab sich Mühe, so besorgt auszusehen, wie Bohnen anscheinend war; aber eigentlich machte er sich wegen der Farbe der Uniformen und um die Befehlsstränge in Washington keine Sorgen. Er wollte nichts anderes als weiterhin fliegen.

»Sie glauben, Ihr Geschwader war zu lange zur Ausbildung in den Staaten?« fragte Bohnen.

»Das trifft's nicht ganz, Herr General.«

Der General hielt die zigarrenbewehrte Hand in die Höhe, als wollte er auf dem Times Square den Verkehr anhalten. »Ich mag Männer, die den Schneid haben, offen zu reden. Sie sagten, Ihre Männer wären übertrainiert, und mein Vorgesetzter im Hauptquartier neigt ebenfalls Ihrer Ansicht zu.«

»Manche meiner Piloten haben, seit sie hierher abkommandiert wurden, viermal die Flugzeuge gewechselt, und jetzt haben sie trotz des lausigen Wetters den größten Teil der Tricks gelernt, die beim Luftkampf in großen Höhen unerläßlich sind. Ich würde sagen, wir haben hier einen Haufen außergewöhnlicher Flieger, Herr General. Sie sind kampfbereit und brennen auf Einsatz.«

Mit gesenktem Kopf und gerunzelter Stirn setzte General Bohnen seine Wanderung fort. Oberst Dan wartete schweigend. Dann trat der General ans Fenster und blickte auf das Flugfeld hinaus. Die weißgetünchten Farmgebäude hinter der Flugplatzeinzäunung leuchteten unnatürlich hell. Rauch stieg aus den Schornsteinen. »Wie auf 'ner Weihnachtskarte«, sagte der General.

»Wie darf ich das verstehen, Sir?«

»Die englische Landschaft – sieht aus, wie auf 'ner Weihnachtskarte. Die sanften Hügel in der Dämmerung, die reetgedeckten Kotten und die Kühe. Haben Sie auf der Schule mal was von Wordsworth gelesen, Herr Oberst?«

Oberst Dan wußte nur wenig über Poesie, wußte aber, wann er gönnerhaft behandelt wurde, und schätzte das gar nicht. »Hinter der Bodenwelle da liegen noch weitere weiße Farmgebäude. Wenn meine Jungs zurückkehren, pendeln sie über der Stelle ihre Maschinen aus. Wenn sie ihre Formation auflösen, nehmen sie Gas weg, fahren die Landeklappen ein bißchen aus und gehen auf Segelstellung, um bei Rückenwind Fahrt zu verlieren. Dann wenden sie gegenüber der Hauptlandebahn und fahren die Klappen voll aus, daß sie beim Ansetzen zum Landeanflug noch hundertvierzig drauf haben – auf diese Weise kommen sie dann mit echten hundert glatt über den Zaun. Dann vergewissern sie sich noch schnell, daß die weißen Kotten und die Farm dahinten hübsch auf einer Linie liegen, und setzen dann bei 'ner Fahrtanzeige von achtzig sauber auf.« Oberst Dan zupfte an seinem Ohr; Bohnen aber machte von der eintretenden Pause keinen Gebrauch. »Wissen Sie, Herr General, diese Mustangs sind unnachsichtige Scheißdinger. Bei fünf-undsiebzig rutschen sie weg – das Drehmoment schmeißt sie im letzten Augenblick auf den Rücken. Nach so 'ner Bruch-landung steigen Sie nicht mehr aus. Deshalb sag' ich meinen Jungs immer, sie sollen mit den Rädern aufsetzen. Das Leitwerk bleibt in der Luft – so hat man bessere Sicht und ist jederzeit in der Lage, mit voller Pulle durchzustarten und noch mal anzufliegen.« Oberst Dan kratzte seinen Arm. »Wordsworth? War das nicht 'n Dichter oder so was Ähnli-ches?«

Der General blickte ihn mit großen blauen Augen so lange an, bis Oberst Dan nervös an seiner Schwimmweste herumzufummeln begann. »Ich höre Sie laut und deutlich, Herr Oberst«, sagte er ruhig. »Sie wollen mir zu verstehen geben, daß ihr flugerprobten Leute, denen ›Fahrtanzeige‹ und ›Ansetzen zum Landeanflug‹ ein Begriff ist, das Sagen haben solltet. Nichtflieger wie ich sollten wieder in ihr hübsches, warmes Hauptquartier zu ihrem Wordsworth zurückkehren und es Ihnen überlassen, Krieg zu führen, Farmgebäude in eine Reihe zu bringen und sauber auf der Landebahn aufzusetzen.«

Oberst Dan leugnete es nicht; beide wußten, daß er genau dies gemeint hatte. »Schätze, Sie haben nicht den weiten Weg gemacht, um meine Poesiekenntnisse abzufragen, Herr General.«

Bohnen lächelte gutmütig. Man wußte ja nie, woran man bei ihm war – er war ganz anders als die hohen Tiere, die Oberst Dan bislang kennengelernt hatte.

»Wenn Sie glauben, ich wüßte nicht, wie man Farmge-bäude in Fluchtlinie bringt und mit 'ner P 51 da draußen landet, dann haben Sie schon recht«, räumte Bohnen ein. »Aber vielleicht sollten Sie sich mal dem Gedanken zuwen-den, daß Sie hinter meinem Schreibtisch in High Wycombe nun auch nicht gerade der tollste Hecht wären.«

»Ich weiß gar nicht, womit Sie's im Hauptquartier zu tun haben.«

»Dann werde ich's Ihnen sagen«, meinte Bohnen mehr

als maliziös. »Ich bin der Problemlöser vom Dienst. Sie schicken mich los, um Probleme aufzuspüren – problematische Maschinen, problematische Geschwader ....«

»Und problematische Obersten?«

In diesem Augenblick brachte das Dröhnen von Merlin-Motoren das Mobiliar zum Zittern, und beide kamen noch rechtzeitig ans Fenster, um drei Mustangs der 199. Staffel erkennen zu können, die in fünfzehn Meter Höhe über den Platz jagten und sich dann schief legten, um bei einer Platzrunde langsam Höhe zu gewinnen. Drei Maschinen – ein schlechtes Zeichen. Oberst Dan biß sich auf die Lippen und horchte angestrengt nach dem Motorengeräusch der fehlenden Maschine. Als es endlich vernehmbar war, keuchte der Motor ein wenig. Der vierte Mann versuchte gar nicht erst irgendwelchen gefälligen Schnickschnack, sondern flog direkt an und setzte seine Maschine auf, während die andern noch immer in der Luft kreisten. Der Oberst betrachtete das Telefon, entschied sich jedoch gegen einen Anruf, um festzustellen, ob inzwischen alle zurück wären.

»Problematische Piloten, wollte ich sagen.«

»Haben wir hier nicht, Herr General. Unsere Flieger sind so gut wie jeder andere in unserer Luftwaffe. Mein Geschwader ist voll einsatzfähig. Wir werden mit jedem Einsatz fertig, zu dem Sie uns befehlen wollen.«

»Gut«, sagte Bohnen, lächelte und ließ sich Zeit. Oberst Dan hatte das Gefühl, Bohnen direkt in die Hände gearbeitet zu haben. »Die neue Strategie besagt, daß wir die feindliche Luftwaffe zu schlagen haben, wo wir sie gerade treffen, Oberst Badger. Wir versuchen, die Industrie des Gegners auf jede nur erdenkliche Art zu treffen, und unsere Formationen vergelten jeden feindlichen Angriff mit beträchtlicher Heftigkeit. Was bleibt, ist aber das Gefühl, daß wir dem Feind die Initiative überlassen. Manche sind der Ansicht, man sollte den Feind bis auf seinen eigenen Hinterhof verfolgen.«

»Die Flugplätze bombardieren?«

»Aus der Luft *beschießen*«, sagte Bohnen und machte

eine Pause, um an seiner Zigarre zu ziehen. »Die Fotos unserer Luftaufklärung haben ergeben, daß Bombenangriffe aus großer – und selbst aus mittlerer – Höhe den Flugplätzen der Hunnen kaum bleibenden Schaden zufügen. Der Kraut springt in seinen Unterstand, und wenn wir wieder weg sind, repariert er seine Hangars, schmeißt ein paar Karren Dreck in die Bombentrichter und ist nach einem oder zwei Tagen wieder voll im Geschäft. Ein langsam fliegendes Verfolgerflugzeug aber kann einen Platz unter Beschuß nehmen, wenn die Besatzungen ruhen und die Wartungsmannschaften den Kopf unter der Motorabdeckung haben. Bevor einer auch nur merkt, was los ist, schlagen schon Maschinengewehrsalven in abgestellte Maschinen und Schuppen. Brandmunition bringt Treibstofftanks zur Explosion. Wir töten Flugzeugbesatzungen, Mechaniker und Innendienstpersonal des Feindes. Und von dem Augenblick an packt jeden in Flugplatznähe das blanke Entsetzen, so daß sie schon in Deckung rennen, sobald bloß 'ne Messerschmitt zur Landung anfliegt. Ich brauche Ihnen das nicht bildlich darzustellen, Oberst – Sie wissen selbst, welchen Schaden ein paar Jäger der Krauts auf Ihrem Horst anrichten könnten, wenn sie mitten an 'nem normalen Arbeitstag über dem Horizont auftauchten.«

»Verdammt gefährlich«, sagte der Oberst still. »Als ich damals in den zwanziger Jahren von St. Louis aus Post geflogen hab', da hatten wir 'nen Expedienten, der war mit Frank Luke, dem Sperrballonspezialisten, geflogen. Die Deutschen hielten ihre Waffen auf diese Ballons gerichtet. Durch eine solche Ballonsperre zu fliegen war weiß Gott gefährlicher als 'n Patrouillenflug im Morgengrauen. Wie wollen Sie diese Beschießung bewerkstelligen?«

»Wir wollen überhaupt nichts bewerkstelligen«, sagte Bohnen. »Wenn unsere Jäger von ihrem Auftrag, den Bombern Geleitschutz zu geben, zurückkehren, dann werden sie freie Jagd bekommen und sich ihre Ziele selber aussuchen können.«

»Das tun sie ohnehin schon«, sagte Oberst Dan, »und

keiner meiner Jungs ist blöd genug, um auf 'nen Kraut-Flugplatz loszugehen.«

»Sie werden drauflosgehen«, sagte Bohnen, »wenn sie erst hören, daß Sie es auch als Luftsieg anerkennen, wenn eine deutsche Maschine auf dem Boden zerstört wird.«

»Wo ist da der Haken?«

»Die Sache hat keinen Haken«, sagte Bohnen. »Ob eine Maschine nun am Boden oder in der Luft zerstört wird, ist egal; es bedeutet in beiden Fällen einen offiziell bestätigten Abschuß.«

»Sie meinen, ein bislang noch völlig abschußloser Pilot könnte gerade jenseits des Kanals auf dem Feldflugplatz von Calais-Marck fünf auf dem Vorfeld abgestellte Maschinen zusammenschießen und 'ne halbe Stunde später nach Hause kommen – als frischgebackenes Fliegeras?«

»Genau das meine ich«, sagte Bohnen. Er sah Oberst Dan an und nickte bekräftigend.

Oberst Dan trat näher an ihn heran, aber obwohl er verärgert war, erhob er die Stimme nicht. »Dies sind tüchtige Jungs«, sagte er, »die besten. Sie fliegen und kämpfen und nehmen ihre Befehle entgegen und beklagen sich nicht. Sie scheren sich den Teufel um Hitler, die Nazis oder sonstige Politik; was sie tun, machen sie, weil ihnen gesagt wurde, es wäre für Amerika. Von dem Augenblick an, wo sie ins Flugzeug steigen, gehört ihr Arsch nur noch Onkel Sam, so sagen sie.«

»Niemand bekommt Angriffsbefehl.«

»Sie haben recht. Sie befehlen diesen Jungs nicht den Angriff auf feindliche Plätze. Was Sie machen, ist noch viel schlimmer – Sie mißbrauchen deren Kampfgeist und schicken sie los, um abgeschossen zu werden.«

»Ich muß Sie berichtigen«, sagte Bohnen. »*Sie* werden ihn mißbrauchen.«

»Das wird nicht laufen.«

»Es wird, Oberst Badger. Wenn Ihre Leute erst einmal von dieser neuen Methode, Abschüsse zu sammeln, erfahren haben, dann springen sie vor Freude hoch in die Luft. Und sie werden der deutschen Luftwaffe ein derartiges

Feuer unter dem Arsch machen, daß unsern Jungs im kommenden Sommer, wenn 'ne Viertelmillion andere Amerikaner an irgend 'nem französischen oder belgischen Strand landen, 'n bißchen weniger Blei um die Ohren fliegt.«

»Wann geht der offizielle Befehl raus?«

Bohnen beschrieb mit seiner Zigarre ein paar bedächtige Bewegungen, so daß der Rauch im Zickzack aufstieg. »So wird das nicht gehandhabt werden, Herr Oberst. Sobald sie Luftaufnahmen von am Boden zerstörten Flugzeugen sehen, werden Sie kurzerhand die entsprechenden Abschüsse bestätigen. Die übrigen Geschwaderkommandeure werden bald nachziehen.«

»Daher also weht der Wind. Sie sind bloß hergekommen, um mich zu begucken und sich dann ein Urteil zu bilden, ob ich jemand bin, den Sie, wenn die Sache in die Hose geht, mit Vergnügen den Wölfen zum Fraß vorwerfen können.«

Bohnen stritt das nicht ab. »Es wird nicht in die Hose gehen, Oberst.«

»Aber warum ausgerechnet mein Geschwader?« fragte Oberst Dan. »Warum halten Sie sich nicht an eines der erfahreneren – das 4., 56. oder 355. zum Beispiel – warum gerade dies Geschwader?«

Bohnen starrte ihn wortlos an.

»Wie sind Sie auf uns gekommen?« fragte Oberst Dan. »Das würde ich gerne einmal wissen, Herr General, ich wüßte es wirklich gern.«

»Ich habe meine Gründe«, sagte Bohnen, »persönliche Gründe.«

11.

Brigadegeneral Alexander J. Bohnen

»Sie sind ja General«, sagte Victoria Cooper, »davon haben Sie uns ja gar nichts erzählt.«

»So was kann sich leicht als Windei rausstellen, Victoria. Man soll das Fell des Bären nicht verteilen, bevor er erlegt ist. Das hab' ich im Bankgeschäft gelernt.«

»Sie meinen, Sie wollen erst einmal abwarten, bis Sie Ihr Gehalt kassiert haben?«

»Ja, so mein' ich das, Victoria.« Sie nahm ihm Mantel und Mütze ab.

»Was ist mit ihrem Fahrer?« fragte sie.

»Das geht schon klar«, erwiderte er. »Ich hab' ihm gesagt, er soll sich 'ne Stunde in Cambridge die Zeit vertreiben, ehe er nach Steeple Thaxted zurückfährt. Ich ruf' nachher die Fahrbereitschaft an, wenn ich Ihr Telefon mal benutzen darf.«

»Sie mußten zu Jamies Aerodrom – war das Zufall?«

Er lächelte. Das Wort ›Aerodrom‹ klang ein wenig nach Jules Verne. »Es gab da gewisse technische Entwicklungen, und ich konnte mir 'n beliebiges Jagdgeschwader aussuchen, da hab' ich mich natürlich für Steeple Thaxted entschieden. So konnte ich mich gleich zum Essen einladen.«

»Vater und Mutter waren entzückt, Alex.« Sie runzelte die Stirn. »Darf ich Sie eigentlich Alex nennen?«

Er lachte, beugte sich vor und küßte sie auf den Nacken. »Aber gewiß doch, Victoria.« Sie wandte ihm das Gesicht zu und ließ sich auf den Mund küssen.

»Meinen Glückwunsch, General«, sagte sie. »Haben Sie Jamie gesehen?«

»Die Staffeln wurden versprengt. Es landeten immer noch welche, als ich mich wieder auf den Weg machte.«

Sie preßte die Hand auf den Mund und erblaßte. »Ist Jamie heute geflogen? Hatten sie Feindberührung? Ist Jamie wohlauf?« Ihre Hand krampfte sich in seinen Ärmel. »Ist Jamie gesund?«

»Woher wissen Sie, daß das Geschwader auf Feindflug war?«

»Wir sind hier in Cambridgeshire. Wenn die Flugzeuge einzeln oder paarweise zurückkommen, dann weiß jeder, daß es Luftkämpfe gegeben hat.«

»Jamie ist wohlauf. Er wird wie vereinbart rechtzeitig zum Essen erscheinen.« Er lächelte und betete zu Gott, daß er die Wahrheit sagte.

»Haben Sie ihn selbst gesehen?« beharrte sie.

»Victoria, ich bin nicht sicher, ob es Jamie gefällt, wenn jedermann weiß, daß sein Vater beim Stab ist, und ich bin verdammt sicher, daß es ihm nicht recht ist, wenn ich meine Nase in seinen Spind stecke, während seine Kameraden in Habachtstellung um mich rumstehen.«

»Natürlich haben Sie recht, General. Entschuldigen Sie.«

»Nicht nötig«, sagte er; aber es entging ihm nicht, daß er nun nicht mehr ›Alex‹ war.

Victorias Vater war ein unordentlicher, rotgesichtiger Mann mit etwas zu langem weißem Haar und traurigen braunen Augen, die zu seinem freundlichen Lächeln nicht recht passen wollten. Er war der exzentrische englische Professor – und sah genauso aus, wie nach Ansicht vieler Landsleute General Bohnens solche Männer aussehen mußten. Aber auch eine gewisse Gewitztheit gehörte unverkennbar zu ihm. Man konnte sich vorstellen, daß er, mit Baumwollshorts und Safarijacke angetan, durch den Busch schritt und den Spazierstock schwenkend einen Eingeborenenaufstand unterdrückte. Sein Arbeitszimmer war ein gemütlicher, mit Büchern wohlausgestatteter Raum mit ein paar durchgesessenen, chintzbezogenen Lehnstühlen und einer Leselampe, die mit rosafarbenem Heftpflaster zusammengeflickt war.

»Sie also sind Jamies Vater«, sagte Bernard Cooper mit hoher, klingender Stimme. »Ist ein feiner Kerl, Oberst Bohnen. Sie können sehr stolz auf ihn sein.« Er suchte in den Taschen seiner alten Wollüberjacke nach einem seidenen Taschentuch, um seine Brille zu putzen.

»*General* Bohnen, Vater«, sagte Victoria, die gerade die Tür schloß, über seine Schulter hinweg.

»Was? General, ja natürlich.« Einen kleinen Augenblick lang zeigte er jene Betretenheit, die die Engländer sich für den Fall eines gesellschaftlichen Fauxpas reserviert halten. Dann aber, als sein Blick auf die einsamen Sterne fiel, die Bohnens Schultern zierten, und er vielleicht auch noch die Stellen entdeckte, wo die Rangabzeichen eines Obersten gerade entfernt worden waren, rief er aus: »*General* Bohnen! Mein lieber Freund, das ist ja fabelhaft. Wenn das kein Grund zum Feiern ist! Eine Flasche Champagner...«

Bohnen versuchte verzweifelt, ihn zu bremsen. Er wußte, was eine Flasche unersetzlichen französischen Champagner für einen englischen Haushalt bedeutete. »Nein, bitte, Dr. Cooper. Bloß ein Glas, was immer Sie auch trinken mögen...«

Es half aber nichts, er war schon durch die Tür und in den Garten hinaus, noch ehe ihn jemand aufhalten konnte. Als er wiederkam, wiegte er eine große Flasche ›Krug‹ auf den Armen. »Wir haben den Keller in einen Luftschutzraum verwandelt«, erläuterte er, und wischte die Flasche mit einem Tuch ab, »und den ganzen Wein ins Gartenhäuschen ausgelagert.«

»Ein bißchen riskant, nicht wahr?«

»Ja, mir bricht das Herz, wenn da eine Bombe drauffallen sollte. Aber dafür braucht der Weiße im Augenblick nicht gekühlt zu werden. Mein Gott, ist das heute abend kalt draußen.« Er entfernte den Korken und holte ein halbes Dutzend Gläser aus einem Eckschrank.

»Ich bin ein Hochstapler«, bekannte Bohnen, als er über seine Beförderung befragt wurde, und erklärte, wie er zu seinem Luftwaffenpatent gekommen war. Es war stets das beste, zunächst den Sachverhalt zu klären. In Wahrheit hatte Bohnen keine Lust, für einen Zeitoffizier der amerikanischen Armee gehalten zu werden, der sein Leben damit verbrachte, durch Gewehrläufe zu linsen oder in irgendeinem gottverlassenen Winkel Panamas oder der Britischen Inseln Bataillonsboxmeisterschaften zu organisieren.

Cooper hörte zu, während er zwei Gläser füllte und eines prüfend an den Mund führte, ehe er seinem Gast das andere bot. »Politik«, setzte Bohnen hinzu, als er sein Glas entgegennahm und dankend nickte.

»Inwiefern?«

»Die Hälfte meiner Arbeitszeit verbringe ich unter der Woche auf Ausschußsitzungen«, sagte Bohnen. »Alles Sachen, zu denen meinem General die Zeit fehlt. Wahrscheinlich ist das bei Ihrer Tätigkeit dasselbe – Höhergestellte müssen delegieren.« Cooper nickte. »Als Oberst – und dazu noch als frisch ernannter – war ich Untermann der Pyramide. Die Auffassungen meines Kommandeurs drangen niemals richtig zu mir durch.«

»Aber jetzt sind Sie ja General...«

»... und ich kann mit der Faust auf den Konferenztisch hauen, und jeder hat zuzuhören.«

Cooper lachte. »Wunderbar«, rief er, »wunderbar!« – als ob diese Erklärung ein amüsantes Märchen wäre, das sich Bohnen ausgedacht hatte, um zu verheimlichen, daß er in Wahrheit ein Kriegsheld war. »Wie mir Jamie erzählte, waren Sie vor dem Krieg in der Finanzwelt tätig.«

»Ich habe immer noch mein Büro in Washington. Während ich weg bin, sieht mein Juniorpartner dort nach dem Rechten. Wir sind Anlageberater. Wir haben uns auf Flugzeugfabrikation spezialisiert.«

»Hohe Kapitalisierung?« fragte Cooper.

»Ja. Bei Fabriken, die von heute auf morgen überholt und in bürgschaftstechnischem Sinne wertlos sind.«

»Ist Ihnen jemals ein Willie Larkin untergekommen? Er hat 'ne Gesellschaft auf die Beine gestellt, die irgendwelche revolutionierenden Automotoren herstellen wollte, und ging mit mehr als fünf Millionen Schulden pleite. Das war in Washington.«

»Sie meinen Lord Lorcain?«

»Ein fürchterlicher Strolch«, sagte Cooper. »Sein Groß-vater hat den Namen Lorcain angenommen – nachdem er festgestellt hatte, daß Larkin sich von Lorcain, einem alten irischen Namen, herleitete. Er dachte, Lorcain und Lord würden besser zusammenpassen – selbst dann, wenn der Lord sein Vermögen mit Abführmitteln gemacht hat, ver-stehen Sie?« Cooper grinste.

»Er hatte zwei kanadische Teilhaber«, sagte Bohnen, der sich die wenigen ihm bekannten Fakten ins Gedächtnis zurückzurufen suchte. »Über die Konstruktionspläne und Patente, die er uns zeigte, haben sich die Ingenieure, die wir konsultierten, halb totgelacht.«

»Wie ich schon sagte: ein vermögender Rohling, bei Tisch jedoch stets höchst amüsant. Hat in Balliol zunächst zwei akademische Grade erworben. Ich muß Sie beide irgend-wann mal zum Essen einladen. Er arbeitet jetzt im Ministe-rium. Ist 'n entfernter Cousin meiner Frau, aber sie legt nicht viel Wert darauf, daran erinnert zu werden.«

Gesellschaftliches Beisammensein mit Engländern war wie ein Abendspaziergang im Matto Grosso. Hatte Cooper abwarten wollen, was Bohnen über den Cousin seiner Frau äußerte, noch ehe er selbst die Katze aus dem Sack ließ? Was Bohnen sich aber nicht ausmalen konnte, war die Tatsache, wie sehr die Engländer es genossen, derlei hinter-hältige Fallen zuschnappen zu lassen. Hätte er seine Verach-tung für Lorcain ausgedrückt, würde sich Cooper dem ange-schlossen und obendrein noch ergänzend bemerkt haben, daß es sich um einen entfernten Verwandten handelte?

Trotzdem entdeckte Bohnen viele Gemeinsamkeiten mit Victorias Vater. Beide hatten in Deutschland studiert. Um das für Studenten der Ingenieurwissenschaften in Deutsch-land vorgeschriebene sechsmonatige Praktikum zu absolvie-ren, war Bohnen zum alten Professor Junkers in dessen Dessauer Hauptbetrieb gegangen. Zur gleichen Zeit stu-dierte Bernard Cooper im nahegelegenen Leipzig Psycholo-gie. Beide Männer beherrschten die Landessprache recht flüssig, interessierten sich für deutsche Geschichte und hatten viele gute Freunde in Deutschland gewonnen. Sie äußerten sich zurückhaltend; es war weder klug noch angebracht, viel Positives über Deutschland zu erzählen, auch über jenes der Vor-Hitler-Ära nicht. Cooper aber war ein amüsanter Geschichtenerzähler, und schon tauschten sie ihre Erinnerungen an Berliner Kneipen, an Schiabfahrten und Tagesausflüge per Zeppelin.

»Ist Adolf Hitler wahnsinnig?« fragte Bohnen schließlich. Er stellte dieselbe dumme Frage, die so vielen Leuten einfällt, sobald sie erfahren, daß sie es mit einem Psychologen zu tun haben. Bernard Cooper indes antwortete aufrichtig.

»Dafür gibt es keine Anzeichen, Bohnen. Der Kerl ist teuflisch schlau. Ich würde sagen, der könnte den besten Psychologen das eine oder andere über ihr Fach beibringen!«

Bohnen nippte an seinem Glas. »Ich komme mir ganz schlecht vor, wenn ich daran denke, wie schamlos ich mich bei Ihnen zum Essen eingeladen habe und jetzt auch noch Ihren köstlichen Champagner trinke, Dr. Cooper.«

»Geben Sie nichts drum, alter Junge. Ihr Jamie ist äußerst großzügig und hat uns außer Haus 'nen unvergeßlichen Abend beschert. Na, jedenfalls verlieren diese jahrgangslosen Champagner sehr schnell ihre Lagerfähigkeit. Hat nicht sehr geknallt, als ich die Flasche öffnete, nicht wahr? Ich hab' meine Lektion gelernt, Bohnen. Ich hatte mir zwei Kisten 23er Richebourg beiseite gelegt, hielt das für 'nen großen Burgunder, der bei entsprechender Pflege noch weiterreifen könnte. Am Weihnachtstag 1941 habe ich eine Flasche aufgemacht. Die Meldungen von den Kriegsschauplätzen waren unerträglich – Leningrad eingekesselt, Hongkong kurz vor dem Fall. Ihre Pazifikflotte schwer angeschlagen – und dieser verdammte Richebourg total überlagert und völlig fade. Ich hätte heulen können, Bohnen.«

Bohnen lachte. Er glaubte an einen Scherz, obwohl man Engländern in diesem Punkt nicht trauen kann. »Was könnten Psychologen von Hitler lernen?« fragte er. Cooper war einer der namhaftesten Psychologen; Bohnen rechnete daher mit beachtenswerten Ausführungen.

Cooper griff in die Luft, erhaschte Unsichtbares und strich es sich in die Haare: affektierte Gestik des Dozenten. »Hitler hat für Theaterschminke, prächtige Kostüme und die dazugehörige Wagner-Musik gesorgt, so daß die Deutschen dieses Possenstück zu Ende spielen können – all das ist dem Deutschland, das Sie und ich kennen, so wesensfremd; dahinter steckt jedoch eine verdammt gute Psychologie.«

»Sie berühren da einen bloßliegenden Nerv«, sagte Bohnen. »Ich fühle mich in dieser Uniform wie ein Hochstapler, trotzdem trage ich sie mit ebensolchem Genuß.«

Bernard Cooper nippte an seinem Champagner.

»Sie waren heute in Steeple Thaxted? War das Ihr erster Besuch dort?«

»Mein erster Besuch bei einem in England stationierten Jagdgeschwader überhaupt«, gestand Bohnen.

»Welchen Eindruck haben Sie bekommen?«

»Ich hatte heute eine schwerwiegende Entscheidung zu treffen, Dr. Cooper.«

»Sagen Sie ruhig Bernard.«

General Bohnen nickte. »Irgendeinem von einem Dutzend Jagdgeschwadern mußte ich eine gefährliche Aufgabe zuweisen...« Er hielt inne. Er war von der Feststellung überrascht, daß er dabei war, einem Fremden seine Zweifel anzuvertrauen; sein Verhalten war allerdings eher dem Ausmaß seiner Besorgnis als dem teilnahmsvollen Zuhören Bernard Coopers zuzuschreiben.

»Und da haben Sie sich für das Geschwader Ihres Sohnes entschieden«, sagte Cooper.

»Ich sah keine andere Möglichkeit«, erwiderte Bohnen. »Vermutlich eine altmodische Verhaltensweise, aber so ist das nun einmal. Vertrackt aber, daß ich mir nicht sicher bin, ob der Befehl vernünftig ist. Ich sah mich heute mit jemand in eine Erörterung verwickelt, der viele meiner eigenen Zweifel äußerte.«

»Die Männer, mit denen Sie zusammenarbeiten – Ihr

Kommandierender General und so weiter –, wissen die, daß Sie einen Sohn bei den Jagdfliegern haben?«

»Es ist besser, sie erfahren nichts davon.«

Cooper griff nach der Flasche und füllte noch einmal die Gläser. »Sind Sie da ganz sicher?«

»Ganz sicher«, sagte Bohnen und verschluckte sich keuchend am etwas zu hastig hinuntergestürzten Champagner.

»Wenn ich Sie in Friedenszeiten um finanzielle Beratung ersucht hätte, würden Sie mir dann eine etwaige besondere Beziehung zu einer konkurrierenden Partei verheimlicht haben?«

Cooper trat zurück, hielt die Flasche in die Höhe, hob eine Augenbraue und goß sich dann selbst nach.

Bohnen antwortete nicht. Es war kein fairer Vergleich, und Cooper mußte das gewußt haben. »Die Partei, zu der ich persönliche Beziehungen unterhalte, wird von mir nicht *begünstigt*, Bernard. Lieber überlasse ich meinen Sohn sich selbst, als von den mir zugänglichen besonderen Informationen zu seinem Vorteil Gebrauch zu machen.«

»Ich weiß, ich weiß«, sagte Cooper, »eine scheußliche Situation. Ich bin jedoch überzeugt, daß Sie es richtig gemacht haben.«

»Ja, ich denke schon«, sagte Bohnen. Cooper freilich nahm an, daß Bohnen heute morgen, als er sich selbst zum Essen einlud, zum Teil auch deswegen angerufen hatte, um sich einen etwaigen Sinneswandel bezüglich seines Besuchs in Steeple Thaxted besonders zu erschweren.

»In einer halben Stunde wird gegessen«, verkündete Victoria in der Tür. »Und Jamie hat angerufen, daß er gelandet und auf dem Weg zu uns ist.« Sie warf einen Blick auf Flasche und Gläser. »Ihr Unholde«, sagte sie, »wie wär's mit etwas Schampus für Mutter und mich?«

12.

Hauptmann James A. Farebrother

Die Deutschen kamen aus der Sonne, und Tuckers Formation lag unter Beschuß, noch ehe überhaupt jemand erkannte, was los war. Farebrother sah die Leuchtspurgeschosse neben seiner Flügelspitze vorbeistreichen und konnte an nichts anderes denken, als daß er heute abend von den Coopers zum Essen erwartet wurde, und es nun ganz danach aussah, als wäre mit seinem Erscheinen nicht zu rechnen.

Die Funkdisziplin war zum Teufel, und er erkannte Tuckers Stimme, die »Topkick Führer«, den Kapitän der 191. Staffel aus Tuckers Verband, rief. Die Stimme wurde jedoch von Flüchen und »Auseinander!«-Geschrei überlagert, als die Deutschen wie Tigerhaie in eine badende Schulklasse zwischen sie fuhren.

Es waren graugesprenkelte, fast weiße Focke-Wulf 190; die Piloten schienen ausgekochte Burschen zu sein, wenn es danach ging, wie sie durch den amerikanischen Verband hindurchstießen und anschließend, noch immer ungefähre Formation haltend, wieder Höhe gewannen. Es waren zwölf Maschinen – den Angaben des Nachrichtendienstes zufolge also eine komplette Staffel –, die bei ihrem ersten Anflug zwei Maschinen der obersten Staffel vom Himmel holten und Tuckers Rottenflieger, einem Jungen namens Baxter, auf seiner ›Whore Weary‹, offenbar die Motorkühlung zerschossen, denn er zog plötzlich einen dünnen weißen Schweif ausströmenden Kühlmittels hinter sich her.

»Dranbleiben«, schrie Tucker ohne Rücksicht auf Funkdisziplin. Es wurde nicht deutlich, ob er seinen Rottenflieger oder die ganze Formation meinte. Doch bevor sich jemand vergewissern konnte, legte Baxter seine Maschine auf den Rücken, schnallte sich los und ließ sich kopfüber aus der Kanzel fallen.

Tucker – erschüttert vom Verlust seines Rottenfliegers – schob den Gashebel nach vorn, und alle jagten hinter ihm her, als er seine Maschine steil in die Höhe zog, um zu verhindern, daß die Fw 190 noch einmal mit verheerender Wucht auf seinen Verband herabstießen. Die Deutschen formierten sich mittlerweile in der Hoffnung zur Linie, beim nächsten Anflug die amerikanische Formation aufbrechen und die einzelnen Maschinen in einen Luftkampf Mann gegen Mann verwickeln zu können.

Tucker ließ nicht nach und leitete mit seiner Formation eine Figur ein, die ein Immelmann-Turn* geworden wäre, wenn die Deutschen nicht vorher schon wieder über sie hergefallen wären. Wie von einem guten Rottenflieger zu erwarten, hielt sich Farebrother dicht an Earl Koenige, der ihm Gelegenheit gab, einen Deutschen ins Visier zu nehmen. Farebrother gab einen kurzen Feuerstoß ab, aber der Deutsche stieg ins Seitenruder und glitt ohne Schieflage zur Seite davon. Beschädigungen seiner Maschine waren nicht erkennbar. Earl klemmte sich hinter sein eigenes Opfer und durchlöcherte ihm ein wenig das Leitwerk. Dann waren sie aus der Kampflinie, und Earl ließ die Maschine über den Flügel abkippen, legte sie in einen Rechtsturn und stellte sich mit Farebrother wieder dem Kampf.

Im Funkgerät herrschte noch immer ein lautes, unentwirrbares Stimmendurcheinander. Unter ihnen schwebten drei Fallschirme – Farebrother hielt den gelben für einen deutschen, die beiden weißen für amerikanische, an dem einen würde wohl Baxter hängen. Earl entdeckte eine versprengte Me 110. Dieser zweimotorige Jägertyp war recht

---

* Der 1916 gefallene deutsche Jagdflieger Max Immelmann entwickelte die nach ihm benannte Figur: eine Kombination aus halbem Looping und halber Rolle, die eine schnelle Umkehrung der Flugrichtung ohne besonderen Fahrtverlust ermöglicht.

langsam, und Earl nahm die Maschine behutsam herum, um aus dreiviertel Überhöhung einen sauberen Vorhaltschuß anzubringen. Der Deutsche aber schien seine Nähe zu ahnen – vielleicht war er aber auch über Funk gewarnt worden –, denn er tauchte weg und entfernte sich schneller als Earl folgen konnte. Dabei flog er direkt durch Farebrothers Visierlinie. Es war eine mattschwarz gestrichene Maschine, vermutlich ein Nachtjäger, der in dieses große Tagegefecht über dem Reich geschickt worden war. Die Maschine hatte keinen Heckschützen an Bord, der hintere Teil des Messerschmitt-Cockpits war mit Ortungsgerät für die Nachtjagd vollgepfropft. Farebrother umklammerte mit fester Hand den Knüppel, gab die vorgeschriebenen drei Ringe Vorhalt und betätigte behutsam den Abzug. Nach dem ersten Druck der MG-Kamera spürte er, wie das Flugzeuggerippe unter dem Rückstoß der Bordmaschinenwaffen erzitterte. Mit gemischten Gefühlen beobachtete er, wie sich seine Geschosse durch das dünne Metallgerippe fraßen – wie eine Kreissäge durch ein Bündel Anmachholz.

Earl setzte sich sauber neben Farebrothers Tragfläche. Sie hatten jetzt ihre Rollen vertauscht. Farebrother legte den Knüppel nach Backbord und folgte, fortwährend feuernd, dem Deutschen. Der Pilot der Me konnte diesen Beschuß keinesfalls überlebt haben. Unter den Einschlägen der Geschosse glänzte es auf den Flächen der Me wie Silberdollars auf, dann verreckte der Backbordmotor, Qualm drang hervor, und die durchsichtige Haube zerplatzte. Die Maschine stellte ihre Nase steil in die Luft, loderte grell auf und verlor den Backbordmotor.

Farebrothers Welt verdüsterte sich plötzlich, als sich das Schmieröl des zertrümmerten Motors über sein Kanzeldach ergoß.

Im Kopfhörer konnte Farebrother deutlich eine Stimme ausmachen; »Weg da, Hauptmann, um Himmels willen, weg da!« Und als die ›Kibitzer‹ unter den wie Hammerschläge auf sie niederprasselnden Treffern erzitterte, ging ihm auf, daß er gemeint war und Earl Koenige ihn vor einem Deutschen in seinem Rücken warnte.

Blind trat er ins Seitenruder und machte sich davon. Er brachte ihn aus der Schußlinie des Deutschen. Als Farebrother aber wendete, wußte er, daß sein Verfolger noch immer hinter ihm hing, den Finger zweifellos am Abzug. Der Deutsche folgte Farebrother in den Turn und versuchte, ihn wieder ins Visier zu bekommen. Der Fahrtwind hatte inzwischen wenigstens so viel Öl von Farebrothers Kanzeldach vertrieben, daß er gelegentlich einen Blick in die Außenwelt tun konnte.

Wahrscheinlich wäre Farebrother in die Abschußstatistik der deutschen Luftwaffe eingegangen, wenn die obere Wolkendecke nicht so dicht gewesen wäre. Er tauchte darin unter, nachdem ein letzter Feuerstoß ein Flügelende der ›Kibitzer‹ perforierte. Die das Kanzeldach umlagernden Wolken verdunkelten erneut Farebrothers ölstreifige Welt.

Farebrother überprüfte seinen künstlichen Horizont und nahm den Steuerknüppel zurück, bis der Höhenmesser zur Ruhe kam. Er blieb ein Weilchen auf Geradeausflug. Seine Hände zitterten. Sein Herz pochte so schnell, daß er spüren konnte, wie das Blut in seinen Schläfenadern hämmerte.

»Herr Jesus, Hauptmann, wo steckst du? Hat's dich erwischt?« Earls Stimme kam aus dem Nichts.

»Earl – ich meine, Sparkplug Grün drei, bist du über den Wolken?«

»Sicher doch, Hauptmann. Komm rauf, die andern Jungs haben ihr Spielzeug eingepackt und sich auf den Heimweg gemacht.«

Farebrother brachte die ›Kibitzer‹ über die Wolken und stieß zu den drei im Vertrauen auf die in nächster Nähe befindliche dichte Wolkendecke träge kreisenden P 51. Earl hing neben Mickey Mouse, auf seiner anderen Seite flog Rube Weins ›Daniel‹.

»Tut mir leid, Earl«, sagte Farebrother außer Atem, »ich hätt' den eigentlich sehen müssen.«

»Gut gemacht, Hauptmann«, sagte Earl. »Für 'nen Neuling gar nicht schlecht. Hast du klare Sicht? Das Kanzeldach ist ganz ölverklebt.«

MM reagierte zurückhaltender; gemeinsam mit Farebrother überprüfte er den Heimatkurs. Mittlerweile wußte die ganze Staffel, daß Farebrother sich bei den Einsatzbesprechungen gewissenhaft Notizen machte und sich etwaige Landmarken als Orientierungshilfen für den Heimflug merkte. Farebrother blickte angestrengt durch das ölverschmierte Kanzeldach, um den eigenen Standort zu ermitteln. Im Gefolge einer Wetterfront mit einem auf den kalten Luftschichten ruhenden, langgezogenen Altostratusband hatten sich lockere Kumuluswolken aufgeschoben. Im Norden, über Hannover, war der Horizont noch von düsteren Regenwolken verhangen.

Aus dieser geringen Höhe – um die Bildung verräterischer Kondensstreifen zu verhindern – konnte Farebrother das hellgraue Doppelband einer Autobahn erkennen, die sich durch die dunkelgrünen Nadelwälder und das braune, winterlich nackte Ackerland schnitt. Die Autobahn war ihm noch aus der Vorkriegszeit bekannt; Farebrother erinnerte sich, mit seinem Vater einmal mit wahnwitziger Geschwindigkeit darauf entlanggerast zu sein, um den großen Landsitz von Freunden in der Nähe Güterslohs noch rechtzeitig vor dem Essen zu erreichen. Sein Vater hatte einen Hund überfahren, weigerte sich jedoch, anzuhalten und sich um das Tier zu kümmern. Selbst heute noch konnte er seinem Vater dieses Verhalten nicht nachsehen.

»Sparkplug Grün vier, bist du sicher, daß wir auf dem richtigen Weg sind?« Es war wieder MM.

»Ganz sicher, Sparkplug Grün Führer.« Wenn es um nichts ging, war immer Zeit für die korrekte Abwicklung des Funkverkehrs.

Nahe der deutsch-holländischen Grenze erkannten sie Tucker an der Spitze seiner Formation und schlossen sich ihm an. Während sie ihre Position einnahmen, konnte Farebrother weder Oberst Dan noch Major Phelan noch sonstige Flieger jener Rotten erkennen, die sich unmittelbar vor dem ersten Angriff der zweimotorigen Messerschmitts angenommen hatten. Er fragte sich, wie es denen wohl ergangen war, entschied sich jedoch, Major Tucker nicht über Funk nach deren Verbleib zu fragen.

»Na los, Sparkplug Grün, gebt Stoff.« Es war Tuckers Stimme. Nachdem sie ihren Platz innerhalb der Formation nun gefunden hatten, schob Farebrother den Gashebel nach vorn und paßte sich der allgemeinen Fluggeschwindigkeit an.

Die ›Kibitzer‹ war eine alte Knatterkiste, an die Farebrother aufgrund seiner Eigenschaft als Neuankömmling geraten war, heute jedoch war sie besonders ungebärdig. Sogar noch nach dem Luftkampf mit den Fw 190 hatte Farebrother sich einzureden versucht, die Maschine verhalte sich nicht schlimmer als gewöhnlich. Jetzt, da er die Drosselklappen für höchste Fahrt voll geöffnet hatte, wurde sie obstinat.

Seine ersten Befürchtungen galten der Kühlflüssigkeit, doch das Kühlerrouleau war geöffnet. Das war es also nicht. Farebrother mußte sich mit der Tatsache vertraut machen, daß sein Motor eine Menge deutsches Öl geschluckt hatte und daß Kerzen und Vorverdichter Schwierigkeiten machten. Er sah, wie die Nadel der Motortemperaturanzeige immer höher kletterte, und hörte, daß sich der anfängliche Schluckauf des Motors zu einem ausgewachsenen Kotzen entwickelte. Dann begann der Motor zu keuchen, und die Fernthermometernadel bewegte sich im roten Feld. Farebrother nahm Gas weg, und die Nadel kam zum Stehen. Er fiel jedoch aus der Formation, so daß Earl ebenfalls verlangsamte, näher an ihn heranging und ermutigend winkte. Danke, Earl.

Über Funk rief Tucker »Sparkplug Grün Führer, hören Sie mich? Hier Slingshot, hier Slingshot.«

MM antwortete nicht; statt dessen ließen er und Rube Wein sich zurückfallen und blieben bei Earl und Farebrother.

»Sparkplug Grün vier, aus deinem Auspuff kommt Ölqualm.« Das war Earls Stimme.

Farebrother versuchte, die Kraftstoffpumpe von Hand zu betätigen. Eine Weile sah alles ganz gut aus, selbst der Motor wurde ruhiger, es war aber nur ein augenblicklicher Notbehelf.

»Hier Slingshot. Dies ist ein Befehl. Sparkplug Grün Führer, zwei, drei und vier, Sie hängen zurück, schließen Sie dichter auf. Sie brauchen ja den ganzen Himmel für sich allein.«

Tucker hatte keine Zeit, auf seinen Schwarm achtzugeben. Statt die schwerbefestigten Städte zu umfliegen, hielt er direkten Heimatkurs. Als sie Hilversum überflogen, hörten sie das Summen des Flak-Feuerleitsystems in den Kopfhörern, und im nächsten Augenblick schon wurden sie von einer unangenehm gut liegenden Salve durchgeschüttelt. Weitere Flugabwehrgeschütze eröffneten das Feuer, und nachdem sich nun die gewählte Schußweite bestätigt hatte, sah man nicht nur die schwarzen Pulverqualmwölkchen der Acht-acht, sondern auch die braunen Rauchwolken über den Mündungen der Zehn-fünf. Sie flogen in achttausend Meter Höhe, und obwohl der eigene Nachrichtendienst hartnäckig behauptete, von der 8,8-cm-Flak wäre dort oben nichts mehr zu befürchten, zeigten sich selbst über ihnen noch ›kleine schwarze Männchen‹.

»Zum Donnerwetter nochmal, Sparkplug Gelb Führer, denken Sie gefälligst daran, daß ich heute das Geschwader führe. Bleiben Sie auf dieser Höhe, bis ich Ihnen was anderes sage«, schimpfte Tucker mit einem Rottenführer, der gerade versuchte, den Abstand zwischen sich und der Flak etwas zu vergrößern.

Falls Tucker überhaupt vorgehabt haben sollte, auf größere Höhe zu gehen, dann hatte ihn das eigenmächtig vorgreifende Verhalten von Sparkplug Gelb Führer davon abgebracht. Tucker steuerte ein paar Strich nordwärts, aber eine neue Salve bewies, daß die Funkmeßergebnisse in das Feuerleitgerät eingefüttert worden waren. Es war irgendwie unheimlich, wie das Flakfeuer ihnen entgegenschlug – es näherte sich mit jeder Salve immer mehr, als hätte man dort unten ihre Absichten erraten. Trotz seiner dichtanliegenden Sauerstoffmaske bemerkte Farebrother den Korditgeruch, und jetzt konnte er auch das orangerote Aufblitzen der krepierenden Granaten sehen – sichere Anzeichen, daß die Flak gefährlich präzise schoß.

»Jamie, mein Junge, du ziehst noch immer öligen Qualm hinter dir her.« Das war MMs Stimme.

Der Flugwind hatte den Ölfilm weitgehend von Farebrothers Kanzeldach geblasen. Farebrother winkte Earl zu, als dieser den Hals reckte und zu ihm herübersah. Das Flakfeuer wurde schwächer, weil sie mittlerweile das Weichbild der Stadt erreicht hatten. Ein paar Minuten blieb es friedlich, dann aber steigerten sich die Störgeräusche in den Kopfhörern; denn sie überflogen nun die sich an der Küste entlangziehende dichte Funkortung der Deutschen. Tuckers Stimme war in dem an- und abschwellenden Gejaule kaum noch wahrnehmbar. »Sparkplug Grün Führer«, sagte er, »hier Slingshot. Zum allerletzten Mal, und dies ist ein eindeutiger Befehl: Schließen Sie dicht auf!«

»Tucker«, sagte MM bedächtig, aber unmißverständlich, denn ihm war wohlbewußt, daß alle Piloten mithörten, »halten Sie Ihren feigen Arsch da raus, und lassen Sie mich in Ruhe. Ich hab' noch nie einen von meinen Jungs allein nach Hause humpeln lassen, und heute ist nicht der Tag, daran was zu ändern.«

Keine Antwort. Tucker hatte beschlossen, MMs Funkspruch zu überhören, und bald schon sorgte er sich wegen des massierten Abwehrfeuers, das ihm über Amsterdam entgegenschlug – die Region Amsterdam war auf allen taktischen Flugkarten rot schraffiert.

MM flog nicht über Amsterdam. Während Tucker mit dem Rest des Verbandes geradeaus weiterflog, wichen die vier Nachzügler den geschlossenen Ortschaften aus. Farebrother erblickte die holländische Küste mit gemischten Gefühlen. Zwischen ihnen und England lag noch jede Menge eiskaltes, wintergraues Wasser. Er hoffte nur, daß sein Propeller so lange mitmachte, daß er die ferne Küste wenigstens noch im Gleitflug erreichen könnte. Er redete der ›Kibitzer‹ gut zu und trieb sie mit zärtlichen Ermunterungen voran.

Sie landeten als allerletzte. Im Einweisungsraum befanden sich nur der Stabsarzt, Dr. Goldman, und Unteroffizier Walker, sein Sanitäter – ein ›alter Sack‹ von vierzig. Die beiden saßen in einer Ecke und unterhielten sich lachend.

Farebrother fragte sich, ob die beiden wohl den Einsatz-Whiskey getestet hatten.

»Ist Vince Madigan in der Nähe?« fragte MM den Stabsarzt, nachdem letzterer einen ordentlichen Schluck Whisky genommen hatte.

»Vince mußte in sein Büro«, sagte Dr. Goldman, ein kleiner, bebrillter New Yorker, dem es anscheinend nie gelang, sich eine Krawatte zu binden, ohne daß sich ein Wulst unter dem Hemdkragen rollte.

»Geht Vince mir etwa aus dem Wege, oder wie ist das?« MM rechnete nicht mit einer Antwort. Er schlug mit der Faust gegen den Automaten, bekam eine verklemmte Coca-Cola frei und hielt sich die eiskalte Flasche an die Stirn. »Er hat mir erzählt, daß mich 'n Reporter von den New Yorker ›Daily News‹ sprechen wollte.«

Dr. Goldman verzog das Gesicht und sagte: »Irgendwie hab' ich davon gehört.«

Der Einweisungsraum war rauchverhangen, überall lagen Cola-Flaschen und Pappbecher herum. Der Nachrichtenoffizier vernahm die vier Flieger gleichzeitig. Er kannte die nicht zurückgekehrten Piloten alle, und mit Baxter spielte er oft Bridge – er versuchte sich einzureden, daß sein Freund vielleicht doch noch über den Kanal gekrochen kommen würde, aber Farebrother wußte, daß Baxter ausfiel – er hatte ihn mit eigenen Augen aussteigen sehen. Der I c tat ihm leid; denn wegen seiner starken persönlichen Anteilnahme am Schicksal der Kameraden machten ihm diese Befragungen stets zu schaffen. Als sie anschließend in den Umkleideraum gingen, fanden sie dort bereits Tucker und den Geistlichen vor, die Baxters Habseligkeiten sichteten.

Die beiden blickten auf, als die vier Flieger Fallschirme und Flugausrüstungen hereinschleppten. Tucker war sorgfältig gekämmt und trug Krawatte und einen frischgebügelten Uniformrock. Der ›Weinkellner‹ wirkte jederzeit geschniegelt und gebügelt, als ginge es zur Parade; er hatte West Point gründlich genossen. Er warf einen schnellen Blick auf die Gesichter der vier und fuhr sich mit dem Finger über das schmale Bärtchen.

»Gott sei Dank sind Sie heil zurück«, sagte Tucker und wandte sich an den Geistlichen. »Farebrothers Maschine hat ein paar Treffer abbekommen, Pater. Ein Wunder, daß er es bis nach Hause geschafft hat.«

»Für Wunder bin *ich* zuständig«, mahnte der Priester mit mildem Spott. Er war ein rotgesichtiger Hauptmann von etwa fünfundvierzig und trug einen lohfarbenen Uniform-trenchcoat mit untergeknöpftem Wollfutter, der ihn dick und unförmig erscheinen ließ. Er erriet, wem das ›Wunder‹ widerfahren war, und blickte Farebrother aus traurigen grauen Augen prüfend an.

»Sagen Sie, Herr Hauptmann, haben Sie gebetet?«

»Ja, Pater.«

»Und Gott hat Sie gehört.«

»Sieht aber so aus, als hätt' Er Baxter nicht gehört«, sagte MM und ging zu dessen Sachen hinüber, mit denen sich Tucker und der Priester gerade beschäftigten.

»Baxter hat auch Glück gehabt«, sagte Tucker und starrte MM verärgert an. »Baxter ist auf diesem verdammt – Entschuldigung, Pater – gefährlichen Einsatz unverletzt ausgestiegen.«

MM betrachtete Baxters Familienfotos und nahm sich ein Päckchen Kaugummi. »Einsätze, die Sie führen, sind immer gefährlich«, sagte MM. »Wir alle haben Schwein gehabt, daß wir wieder hier sind.«

Tuckers ohnehin schon blasses Gesicht wurde vor Wut weiß. »Was wollen Sie damit sagen, Oberleutnant Morse?«

MM schmiß seinen Fallschirm auf die Bank, daß Metallverschlüsse und Gurtzeug herabfielen und laut klirrend über den Boden rutschten. »Ich meine, Sie führen das Geschwader immer bei ausgesucht beschissenen Einsätzen. Die Tatsache ist doch wohl bestens bekannt, daß Sie der unerschrockenste Flieger auf dem gesamten europäischen Kriegsschauplatz sind.« MM wandte sich an Rube Wein und Earl Koenige. »Stimmt's, Jungs?«

»Na komm, schieß los«, sagte Earl, jederzeit bereit, MM beizuspringen, selbst wenn es galt, den eigenen Staffelkapitän hereinzulegen. »Dasselbe hat mir heute morgen auch

Rube gesagt, als wir beide uns meine Preßblumensammlung angeguckt haben.« Er sah zu MM hinüber und freute sich über dessen Lächeln.

Der Kaplan klaubte Baxters Habseligkeiten zusammen und stopfte sie in eine braune Papiertüte. »Ich sollte mich wirklich beeilen«, sagte er und klemmte sich die Tüte unter den Arm.

Major Tucker warf seine Fliegerstiefel in seinen Spind, knallte die Tür zu und schloß ab. Im Hinausgehen drehte er sich noch einmal um und sah die vier an. »Oberst Dan ist bekannt, daß Sie sich heute einem operativen Befehl widersetzt haben, Morse. Der Stellvertretende wird mit Ihnen auch noch ein Wörtchen reden wollen. Und ich wünsche, daß keiner von Ihnen den Stützpunkt verläßt, ehe ich nicht meine ausdrückliche Genehmigung erteile.«

»Tucker«, sagte MM, »ich habe heute zwei Hunnen runtergeholt. Damit habe ich jedem anderen Piloten in diesem Geschwader zwei Abschüsse voraus. Vince Madigan hat's hingekriegt, daß 'n Reporter von der New Yorker ›Daily News‹ über mich 'ne Geschichte bringt. Was halten Sie davon, wenn ich dem erzähle, ich hätt' 'nen gelbbäuchigen Staffelkapitän?«

Diese Drohung schien Tucker zu belustigen. Er lächelte und sagte: »Davon würde ich abraten, Morse. Nicht mit dem Reporter von den ›Daily News‹.«

Durch Tuckers Reaktion aus der Fassung gebracht, rieb MM sich das Gesicht, konnte das Hänseln aber nicht lassen. »Da fällt mir ein, das wär für 'ne Verwendung im Stab vielleicht genau das Richtige. Im japanischen Stab, zum Beispiel. Schätze, da haben alle gelbe Bäuche. Da fallen Sie gar nicht weiter auf.«

Earl lachte nervös, als hoffte er, Tucker würde sein Vergnügen teilen. Rube Wein schüttelte den Kopf und sagte: »Mein Gott, MM, du hast vielleicht 'nen Sinn für Humor.«

»Renitenter Schweinehund«, sagte Tucker zu MM, »in West Point hätt' ich Sie durch den Wolf gedreht.«

»Tja«, sagte MM leutselig, »und ich hätt' Sie durch den

Wolf gedreht, wenn Sie bei mir fliegen gelernt hätten, nicht wahr, Major?« Tucker knallte die Tür hinter sich zu.

»Einmal packt der dich, MM«, warnte Earl. »Dieser Tucker ist 'n richtiger niederträchtiger Sauhund. Irgendwann findet der 'ne Möglichkeit, dich zu packen.«

»Das sagen sie von Hitler auch«, sagte MM, »aber der versucht's auch immer noch, oder?«

»Mir hat überhaupt nicht gefallen, wie Tucker gelacht hat, als du ihm das von den ›Daily News‹ erzählt hast«, sagte Rube. »Irgendwas führt der Mistkerl im Schilde.«

»Vergiß ihn«, sagte MM, »ich hab' ihn schon vergessen.«

Farebrother hielt MM zurück, als sie ihre Fliegerausrüstung in die Regale warfen. »Tausend Dank, MM, ich weiß das zu schätzen.«

»Was?« fragte MM und wandte sich ab, als erwarte er keine Antwort.

»Daß du da draußen bei mir geblieben ist. Vielleicht sollte ich hingehen und Major Tucker mal erklären, was eigentlich los war.«

»Vergiß es«, sagte MM. »Glaubst du, ich hätt' dich da im luftleeren Raum allein gelassen? Ist doch Scheiße – wo du der einzige Trottel bist, der mir noch Geld pumpt.«

Nachdem Farebrother sich geduscht und umgezogen hatte, rief er die Coopers an und sagte, er wäre schon unterwegs. Er hatte keine Mühe, für den Abend einen Jeep geliehen zu bekommen, denn alle andern Piloten wollten auf dem Horst bleiben. Etliche von ihnen hatten nach ihrer Rückkehr bei der Schlußbesprechung Abschüsse reklamiert und saßen nun in der Bar und warteten darauf, daß die Filme der MG-Kameras aus der Entwicklung kamen und eindeutige Beweise erbrachten.

Es herrschte eine gedrückte Stimmung. Die Flieger von der 195. Staffel waren besonders deprimiert – sie hatten bei jenem ersten Anflug der deutschen Jäger zwei Kameraden verloren. Einer war Boogie Bozzelli, der lebhafte Junge aus Tallahassee, Florida, der wie ein Profi das Klavier beherrschte und sonntags zu den Gottesdiensten spielte. Der andere war Kapitän der Softballmannschaft. Beide waren beliebt, und man konnte sich nicht einigen, ob sie heil herausgekommen waren, wie ihre Freunde behaupteten, oder ob sie die Kontrolle über ihre Maschine verloren hatten und abgestürzt waren, wie andere Augenzeugen dem Nachrichtenoffizier berichtet hatten. Wie auch immer, die beiden wurden schmerzlich vermißt, und nach ein paar Drinks an der Theke behaupteten einige steif und fest, daß Tucker die beiden in eine Falle geschickt hätte.

Farebrother traf noch rechtzeitig vor dem Essen ein. Das Haus der Coopers war ein relativ häßlicher roter Ziegelbau in einer schönen Cambridger Wohngegend, nicht weit von den Backs*entfernt. Zum Haus gehörten ein großer Garten und eine kiesbestreute Auffahrt, die ein paar Bäume säumten. Dort parkte Farebrother seinen Jeep und nahm den Verteilerfinger heraus – eine von der Dienstvorschrift als Diebstahlssicherung verlangte Maßnahme.

Als er gerade klingeln wollte, öffnete sich die Tür und Victoria fiel ihm leidenschaftlich um den Hals. »Du bist geflogen, Jamie«, sagte sie mit vor innerer Bewegung fast erstickter Stimme. »Gott sei Dank habe ich nichts davon gewußt. Ich wäre sonst vor lauter Unruhe bestimmt gestorben. War es schlimm?«

Er antwortete nicht gleich. »Es war nicht schlimm«, sagte er dann, »ich habe ein deutsches Flugzeug abgeschossen.«

»Jamie!« Sie trat zurück und starrte ihn an, als ob sich sein Aussehen verändert haben müßte. »Was hast du?«

»Ich habe ein deutsches Flugzeug abgeschossen«, sagte er.

»Wo?«

»Irgendwo zwischen Hannover und Bielefeld – es war bewölkt und trübe.«

»Wird der Abschuß bestätigt?«

---

* Ein sich hinter den Universitätsgebäuden und beiderseits des Flusses Cam entlangziehender, teilweise baumbestandener Grünstreifen, der diesem Teil der Innenstadt den Namen gegeben hat.

»Küss' mich«, sagte er und nahm sie erneut in die Arme. Er hatte ein solches Verhalten von ihr nicht erwartet; er hatte die kaltblütige Entschlossenheit der Engländer, den Krieg um jeden Preis zu gewinnen, noch nicht begriffen.

Sie küßten sich lange, und dann sagte sie, an seine Schulter geschmiegt: »Wird dein Luftsieg anerkannt?«

»Daran gibt es nichts zu rütteln«, sagte er, »Mein Film wird beweisen, daß die Maschine zu Bruch ging.«

»Das ist ja wunderbar.« Sie umarmte ihn wie ein Schulmädchen, das nach einem Tennismatch der Siegerin um den Hals fällt. »Vater hat eine Flasche Champagner aufgemacht, um die Beförderung deines Vaters zum General zu feiern. Jetzt haben wir doppelten Grund.«

»Morgen, Vicky«, sagte er, »oder übermorgen. Für heute aber wollen wir es für uns behalten.«

»Aber warum denn, Liebling? Ist das kein Grund zum Feiern? Möchtest du das nicht einmal deinen Kindern erzählen?« Eine solche Hartnäckigkeit hätte er bei jemand anderem wohl für abstoßend gehalten, Victoria aber konnte solchen Sachen mit kindlich-unschuldiger Neugier sagen.

»Ich habe heute einen Menschen getötet, Vicky. Ich sah ihn brennen. Mir ist nicht nach feiern zumute und ich bezweifle, daß dies jemals zu den Dingen gehören wird, von denen ich voller Stolz meinen Kindern berichten werde.«

»Ich liebe dich so sehr, Jamie. Du darfst mich nie verlassen!«

»Kommen unsere Väter miteinander zurecht?«

Sie lehnte ihren Kopf ein Weilchen an seine Schulter und blickte dann zu ihm auf. »Du hast gesagt, du bist Rottenflieger. Du hast gesagt, daß du auf deinen Rottenführer aufpassen und ihn sichern mußt. Du hast gesagt, das wäre ungefährlich. Wie bist du denn zu diesem Abschuß gekommen?«

»Rein zufällig«, sagte er leichthin.

»Behandele mich nicht wie ein Kind, Jamie.«

»Nichts weiter als Geometrie – dreidimensionale Geometrie. Manchmal fliegen die beiden Maschinen eine scharfe Schleife, um den Gegner ins Visier zu bekomen. In einem solchen Fall übernimmt der innenfliegende Rottenflieger die Führung, die beiden Piloten tauschen also ihre Rollen. Ist schwer zu erklären. Schätze, das ist wie beim Tanzen.«

Sie schob ihn auf Armeslänge von sich fort und sah ihm ins Gesicht. »Hoffentlich hat das mit Tanzen nicht allzuviel zu tun«, sagte sie boshaft. Sie hatte zwar schon versucht, seine Tanzkünste zu verbessern, mußte ihre Bemühungen aber wegen offensichtlicher Ungelehrigkeit wieder einstellen.

»Und kommen unsere Väter miteinander zurecht?« fragte er erneut.

»Jamie«, ihre Stimme klang jetzt ganz anders, »es ist ganz erstaunlich. Ich habe meinen Vater noch nie so entspannt gesehen wie bei deinem Vater. Sie erzählen sich sogar schon schmutzige Geschichten.«

»Du hast gelauscht?«

Sie errötete tief. »Ja. Ich habe an der Tür gehorcht.«

»Furchtbares Mädchen. Laß uns reingehen und deiner Mutter guten Tag sagen.«

Sie hielt seinen Arm fest, so daß er nicht in die Küche gehen konnte, wo er ihre Mutter am Herd hantieren hörte. »Jamie«, sagte Victoria, »du beschämst mich.« Er strich ihr über das Haar. »Nimm einmal an, in Hannover würde heute abend ein junger Deutscher eine Flasche Sekt aufmachen, um ...«

Er küßte sie auf den Scheitel. »Genau, Vicky«, sagte er.

Hauptmann James Farebrother blickte sich im Eßzimmer um. Seit er vor zwei Tagen zum Essen und Bridgespielen hiergewesen war, hatte sich nichts verändert. In der dunklen Mahagonivitrine stand dasselbe antike Silbergeschirr, das seit Generationen zur Familie gehörte. Das Zimmer wurde nach wie vor von einem Ölgemälde, Victorias Großvater darstellend, beherrscht, und dieselben Messer mit ihren beinernen Griffschalen waren noch ebenso stumpf, wie er sie in Erinnerung hatte. Die Coopers waren unverändert; das wellige Haar ihrer Mutter zeigte noch dasselbe Schläfengrau, und sie war noch immer jene recht hübsche Dame mittleren Alters, die angesichts der kriegsbedingt dürftigen Mahlzeit entschuldigend lächelte. Alles war wie früher, und doch hatte sich alles verändert; er hatte sich verändert. Er war in der engen Kanzel einer P 51 festgeschnallt gewesen, hatte die Maschine quer über Westeuropa geflogen und war zurückgekehrt – nach einem Tausendmeilenritt. Er hatte einen Mann getötet, war selbst dem Tode nahe gewesen und hatte sich mehr gefürchtet, als er sich je erträumt hätte. Natürlich war alles anders – den Jungen, der mit den Coopers neulich noch Bridge gespielt hatte, würde es nie mehr geben. Gut oder nicht gut, wie dem auch sei – er war jetzt ein anderer Mensch.

»Dies ist ein Krieg der jungen Leute, Bernard«, sagte sein Vater. »Das sind alle Kriege«, sagte Dr. Cooper. »Wir bringen unseren Kindern bei, daß das Leben eine Härteprüfung ist, und dann stellen wir verwundert fest, daß sie uns glauben.« Cooper war ein liebenswürdiger Kauz – jener Typ, den die Rollenvermittler Hollywoods exzentrische Professoren spielen lassen.

Zu der anmutigen Weise, wie Victorias Vater zu altern wußte, würde Jamies Vater nie fähig sein. Alexander Bohnen widersetzte sich dem heranrückenden Alter wie so vielem anderem in seinem Leben – so wie er sich den Implikationen von Ehe und Vaterschaft widersetzt hatte. Er war schlank, gutaussehend und energiegeladen und zu alledem noch liebenswürdig und charmant. Er lächelte Victoria zu und sagte: »Ihr Vater ist mir zu beschlagen, Victoria. Jamie, hab' ich dir beigebracht, daß das Leben eine Härteprüfung ist?«

»Du hast mir *bewiesen,* daß es das ist.« Jamie Farebrother war für höfliche Ausflüchte viel zu müde. Es war einfacher, die Wahrheit zu sagen. »Du hast immer nur gewonnen. Du hast den besten Schnitt gemacht, die größere Gewinnspanne oder hast die gerissensten Investitionen getätigt.«

»Hab' ich das?« sagte Bohnen aus echter Verlegenheit heraus. Sein Sohn hatte seine Gefühle verletzt. Einerseits gefiel es ihm zu glauben, daß Jamie die Wahrheit sagte, und doch entging ihm dessen vorwurfsvoller Tonfall nicht. »Für dich«, sagte Bohnen selbstverteidigend, »alles, was ich getan habe, war für dich und deine Mutter.«

»Klar«, sagte sein Sohn in der Absicht, Öl auf die Wunde zu gießen.

»Warum sprachen Sie vom Krieg der jungen Leute?« wollte Dr. Cooper wissen. Jamie bemerkte, daß Frau Cooper mit einem Stirnrunzeln andeutete, daß sie nicht über den Krieg zu sprechen wünschte; aber Bohnen entging es, und Cooper achtete nicht darauf.

»Jamies Oberst – er befehligt das Geschwader in Steeple Thaxted – ist sechsunddreißig. Ein junger Mann also – nach den Altersvorstellungen der Geschäftswelt. Aber er ist schon zu alt, um ein Jagdgeschwader zu kommandieren.«

»Oberst Dan ist ein prima Flieger«, sagte Jamie Farebrother.

»Zweifellos«, erwiderte sein Vater. »War ebenso wie Lindbergh zu Hause Postflieger. Ganz klar – ich hab' mir seine Personalakte angesehen –: an seinem fliegerischen Können gibt es nichts zu zweifeln. Aber nach den Maßstäben der Armee ist er für das Kommando über ein Kampfgeschwader zu alt.«

So, wie sein Vater Oberst Dan Badger beschrieb, hörte Jamie Farebrother einen gewissen Vergeltungsdrang heraus. Für Jamie gab es keinen Zweifel, daß Oberst Dans Versagen eher auf gesellschaftlichem als operativem Sektor zu suchen war. Alexander Bohnen dürfte den gummikauenden Flieger und dessen ungeschliffene Ausdrucksweise wohl kaum schätzen, obwohl dieser mehr Einsätze, als für einen Geschwaderkommandeur vorgeschrieben, geflogen hatte und jüngst noch einem den Gehorsam verweigernden Oberfeldwebel die Chance gegeben hatte, mit ihm in den Boxring zu steigen und die Sache aus der Welt zu schaffen. »Er ist natürlich nicht gerade von West Point«, sagte Jamie.

»Ich bin selber nicht gerade von West Point«, sagte sein Vater, »aber deswegen erkenne ich trotzdem den Wert der Ausbildung, die West-Point-Absolventen hinter sich haben.«

»'ne West-Point-Ausbildung ist bloß gut für Infanterieoffiziere, für Fernmelder und Artilleristen, na, und für Kavallerieoffiziere, die überschlagen können müssen, wieviel Heu ihre Panzer brauchen, aber bei der Luftwaffe ist das nun wieder ganz anders. Flieger müssen improvisieren und flink denken können. Ich habe monatelang versucht, Männern das Fliegen beizubringen. West Point bringt nicht viele geborene Flieger hervor.«

»Da gibt es reichlich Ausnahmen, Jamie«, sagte sein Vater und blickte am Tisch in die Runde. »Jamies Staffelkapitän – ein junger West-Point-Mann namens Tucker – ist das Paradebeispiel eines Berufssoldaten, der sich als Jagdflieger einen Namen gemacht hat. Hab' ich recht, Jamie?«

Jamie hatte schon beschlossen, sich mit seinem Vater auf kein Gespräch über seine Geschwaderkameraden einzulassen. Es überraschte, daß der General nicht bemerkte, auf welch glattes Parkett er seinen Sohn zu ziehen gedachte, aber seine gesamte geschäftliche Laufbahn hatte von in verräucherten Räumen geflüsterten Vertraulichkeiten profitiert. »Hat der 'nen Ruf als Jagdflieger?« fragte Jamie mit ruhiger Stimme.

Sein Vater legte die Gabel auf den Teller. »Bei Kriegsende hat Major Tucker 'nen Generalsstern auf der Schulter.« Für den Fall, daß jemand bezweifeln sollte, was Tucker bevorstand, deutete Bohnen auf die eigene Schulter. »Ein Offiziersanwärter schafft sich Freunde, und jetzt reißen sich 'n paar von Major Tuckers Jahrgangskameraden von West Point in Washington – und auch in High Wycombe – für ihn 'n Bein aus.« Als er Jamies wenig begeisterten Blick bemerkte, wandte er sich an Dr. Cooper: »Sehen Sie darin was Falsches, Bernard?«

Dr. Cooper war auf der Hut. »So ist die Welt nun einmal, Jamie«, sagte er entschuldigend. »Ich selbst bin auch für mir von alten Schulfreunden verschaffte Vorteile dankbar. Es hieße, von der menschlichen Natur zu viel verlangen – ich meine, wir verlangen, daß sie für ihre Freunde im Krieg ihr Leben lassen. Sollen wir sie dann dafür bestrafen, daß sie ihnen anschließend Vergünstigungen verschaffen?«

»Ich denke, nein, Dr. Cooper«, sagte Jamie Farebrother.

Sein Vater hatte stets die besseren Argumente. Ihm fiel ein, wie ihm sein Vater vor langer Zeit erklärt hatte, warum sie unmöglich umkehren konnten, um sich um den angefahrenen Hund zu kümmern. Die nächste Autobahnausfahrt wäre meilenweit entfernt, und außerdem wäre es verboten, auf offener Strecke anzuhalten. Vielleicht hatte sein Vater recht, vielleicht war Feindseligkeit in Jamie.

»Sie sind mit Jamies Mutter nicht mehr verheiratet, General Bohnen?« Jamie war nicht entgangen, daß Frau Cooper bereits während des Essens mit dieser Eröffnungsfrage gerungen hatte. Nun betupfte sie mit der Leinenserviette ihre Lippen, als bedauerte sie es schon, mit der Frage herausgeplatzt zu sein. Sie mied den Blick ihres Mannes, der ein versteinertes Gesicht machte.

Natürlich machte diese direkte Frage Jamies Vater nichts aus. Er lächelte und tat einen tiefen Atemzug, als genieße er die Gelegenheit, sich über Jamies Mutter äußern zu können. »Sie und Dr. Cooper würden Jamies Mutter gernhaben, so wie ich sie noch immer gernhabe. Sie ist sanft und freundlich, versteht etwas von Musik und Kunst und besitzt all jene unschätzbaren Gaben, die Jamie von ihr geerbt hat. Wir haben uns schon lange vor dem Krieg getrennt und scheiden lassen, aber ich schreibe ihr noch immer.«

Victoria blickte Jamie an, und er zwinkerte ihr zu. »Ich hoffe, dies ist nicht...« sagte Dr. Cooper.

Er führte nicht aus, was er Bohnen mitzuteilen gedachte, bekam aber trotzdem eine Antwort. »Überhaupt nicht. Sie ist eine wunderbare Frau und hat das Glück mit ihrem neuen Mann – Bill Farebrother – verdient.« Die offensichtlich widerwillige Erwähnung des Namens von Jamies Stiefvater klang in Jamies Ohren beinahe komisch, den anderen aber hatte er anscheinend eine tiefempfundene Aufrichtigkeit vermittelt. Der General ließ seinen Blick in die Runde schweifen und ihn ein Weilchen auf Jamie ruhen, der angesichts solcher Gefühlsäußerungen beifällig nickte.

Durch die Reaktion des Sohnes bestärkt, ließ er sich über den aufwendigen Lebensstil seiner ehemaligen Frau und das große Haus mit Blick auf den Pazifik aus, das die Farebrothers in der Nähe Santa Barbaras gegenwärtig bewohnten.

»Einfach wundervoll«, sagte Frau Cooper.

»Was ist wundervoll, Mutter?« fragte Victoria. Bewunderte ihre Mutter Jamies Vater oder die Perspektive, von ihm geschieden zu sein?

»Daß Sie alle so gute Freunde geblieben sind«, sagte Frau Cooper und betupfte leicht ihr Haar. »Ich wollte immer gern nach Kalifornien gehen«, fügte sie etwas unvermittelt hinzu.

Jamie fragte sich, ob Victoria ein ebenso komplexes Geschöpf wie ihre Mutter wäre. Dr. Cooper war recht direkt und offen, wenn man berücksichtigte, daß er nicht nur Engländer, sondern auch der Vater des Mädchens war, mit dem Jamie ein Verhältnis hatte. Seine Frau aber war weniger leicht zu durchschauen. In der Hauptsache Frau, konnte sie Nichtssagendes plappern und Fragen stellen, die keiner Antwort bedurften. Es war, als hätte sie sich bereits festgelegt, ob Jamie Farebrother eine passende Partie für ihre Tochter wäre; sie war jedoch nicht bereit, irgendeiner Menschenseele ihre Entscheidung zu offenbaren.

13.

Dr. Bernard Cooper

»Deine Kaninchenpastete war köstlich, meine Liebe«, sagte Bernard Cooper zu seiner Frau, nachdem sich die beiden Gäste verabschiedet hatten.

»Vielen Dank, Mutter«, setzte Victoria hinzu, »und du hast so viel Arbeit gehabt.«

»Und was ist mit mir?« fragte ihr Vater. »Habe ich nicht auch schwer gearbeitet?«

»Ja, du hast den Sekt aufgemacht und deinen Witz von dem betrunkenen Luftschutzwart erzählt!« Sie küßte ihren Vater unvermittelt und legte zu Coopers Überraschung einen Arm um seine Schulter. »Natürlich. Vielen Dank, alle beide.«

»Dein Vater haßt Kaninchen«, sagte Frau Cooper.

»Wahrhaftig kein Gericht, auf das ich Heißhunger bekäme, wenn dieser verflixte Krieg einmal zu Ende ist«, räumte Cooper ein. »Bohnen aber sprach von ›Hühnchenpastete‹, ich muß daher davon ausgehen, daß dir ein kulinarischer Triumph geglückt ist.«

»Nun, nach dem Krieg werden wir uns wieder Koch und Dienstmädchen halten, und niemand wird dann von dir verlangen, daß du meine Kaninchenpastete oder die anderen Sachen ißt, mit denen ich mich jetzt abquäle.«

»Nichts für ungut, meine Teuerste«, sagte Dr. Cooper und bezweifelte insgeheim, daß sie sich jemals wieder Hausangestellte würden leisten können. Er fragte sich, inwieweit sich seine Frau darüber im klaren war, bis ans Ende ihrer Tage selber kochen und das Haus putzen zu müssen.

»Ich mag gar nicht daran denken, wie dieser arme Mann

all die Jahre lang ohne Frau zurechtgekommen ist«, sagte Frau Cooper. »Wie ich schon immer gesagt habe, ist das den Kindern gegenüber ungerecht. Ich verstehe zwar nichts von Psychologie, bin aber sicher, daß es für ein Kind kein größeres Geschenk gibt als ein glückliches und harmonisches Familienleben. Welche tiefen, bleibenden Wunden muß Jamie das geschlagen haben!«

»Er wirkt ganz normal«, sagte Victoria.

»Dein Vater behauptet in seinen Vorlesungen immer, daß jegliche Kindheitsprobleme im späteren Leben zum Kollaps der Gefühlswelt führen. Habe ich recht, mein Lieber?«

Bernard Cooper war schon versucht, einfach zu nicken, aber kein Fachmann verträgt es, wenn seine Theorien derart verdreht und falsch wiedergegeben werden. »Während der Kindheit initiierte genetische oder umweltbedingt induzierte neurotische Konflikte werden oft verdrängt und für alle Zeiten vergessen und verursachen im Erwachsenenleben keinerlei Probleme mehr. Kommt es jedoch zu einer Kombination aus Kindheitsängsten *plus* Erwachsenenstreß, dann werden so schwere physische und psychische Symptome ausgelöst, daß eine Behandlung erforderlich wird.«

Während dieser Darlegung Coopers straffte sich das Gesicht seiner Frau; sie hatte schon so viel über Psychologie zu hören bekommen, daß es ihr für den Rest ihres Lebens reichte; sie hörte einfach nicht hin und wartete geduldig, daß er ein Ende fand; denn sie wußte genau, daß er, wenn sie jetzt hinausginge oder absichtlich das Thema wechselte, tagelang schlechte Laune haben würde.

»Der Krieg bringt so *extremen* Streß mit sich«, fügte Cooper mehr für sich selbst als an Frau und Tochter gewandt hinzu, »daß schon die geringsten Kindheitsängste eine klinische Neurose verursachen. Jamies physische Mattigkeit und die Art, wie er versuchte, bei seinem Vater Anklang zu finden, sind mir heute abend nicht verborgen geblieben. Beides sind oft Anzeichen einer Unsicherheit, die zu Problemen führen kann.«

Frau Cooper wartete höflich, bis sie sicher war, daß ihr Mann zu Ende gekommen war, und begann dann, die unbenutzt gebliebenen Bestecke fortzuräumen. »Warum machst du's dir nicht vor dem Feuer bequem, während wir abwaschen? Ich werde Milch aufsetzen, daß wir vor dem Schlafengehen noch ein Täßchen Kakao trinken können.«

Bernard Cooper folgte ihrem Rat und freute sich, daß seine Frau offenbar nicht erwartete, er würde das Geschirr abtrocknen. Die Frage seiner Frau hatte ihn dazu gebracht, sich über seine beiden Gäste Gedanken zu machen. General Bohnen war eine zu Zwangshandlungen neigende, wenn nicht gar bereits verbohrte Persönlichkeit, die geprägt war von der Geschäftswelt, in der ihm von seinesgleichen jenes Maß an Hochachtung entgegengebracht wurde, das Männer dieses Schlages brauchen. Jetzt aber war seine ›Pflicht und Schuldigkeit‹ zum Beweggrund geworden, andere zu überfordern und seinen eigenen begrenzten psychischen Ressourcen viel zuviel abzuverlangen. Verspürte er in seinem tiefsten Innern vielleicht den Wunsch, sein Liebstes – den eigenen Sohn – auf dem Altar des Krieges zu opfern? Und der Sohn – erfaßte er dies auf irgendeine schaurige Weise, so wie alle Söhne instinktiv die Geistesverfassung ihrer Väter teilen? Bohnen liebte seinen Sohn, wie alle Väter ihre Kinder lieben müssen, und der Sohn konnte darauf nicht mit ebenso intensiver Gegenliebe reagieren; denn dies ist die fundamentale und tragische Wahrheit der biologischen Bedingtheiten des Menschen: würden Kinder ihre Eltern mit derselben verzehrenden Leidenschaft lieben, dann würden sie ihr Elternhaus niemals verlassen, und das wäre das Ende der Menschheit.

Cooper starrte ins flackernde Feuer. Er wünschte, er könnte seine Frau über die Zwangsläufigkeit hinwegtrösten, daß ihrer beider Tochter einmal das Haus verlassen würde, konnte es aber nicht. Die Beziehungen zwischen Müttern und Töchtern lassen sich nicht ergründen – auch nicht von einem Psychologen von Rang. Männer wetteifern mit ihren Söhnen, Mütter aber verschlingen ihre Töchter – verschlingen sie; es gibt kein anderes Wort dafür.

Von seinem Sitzplatz aus konnte er seine Frau in der Küche mit Victoria reden hören. Sie spülten das Geschirr, räumten es ein oder befaßten sich mit anderen Hausarbeiten – die Langweiligkeit ihrer Tätigkeit schwang in ihren teilnahmslosen Stimmen mit. Und trotzdem hatte Cooper schon zu lange in diesem Frauenhaushalt gelebt, als daß ihm die bedeutungsschwere Unterströmung entgangen wäre, die sich hinter einem undramatischen Tonfall so oft verbirgt.

»Ich bete Jamie an, Liebes, das weißt du doch«, hörte er seine Frau sagen. »Ich war aber doch überrascht, als ich merkte, daß er sich parfümiert.«

»Das ist kein Parfüm, Mutter«, sagte Victoria langmütig, »das nennt sich After-Shave-Lotion. Die meisten Amerikaner benutzen das.«

»Und außerdem tut er sich Talkumpuder aufs Gesicht«, fuhr Frau Cooper fort, als ob sie Victorias Einwand nicht gehört hätte. »Ich kann mir nicht vorstellen, daß ein junger Engländer Kosmetika benutzt. Er würde das für recht effeminiert halten.«

»Laß dir versichern, daß Jamie keineswegs effeminiert ist, Mutter.«

»Und dann die große goldene Armbanduhr«, fügte Frau Cooper schnell hinzu, weil sie befürchtete, Victoria könnte ausführlicher auf die Beweise von Farebrothers Männlichkeit zu sprechen kommen. »Und das goldene Kettchen, das er am Handgelenk trägt. Mich wundert's, daß du in ihm kein Muttersöhnchen siehst.«

Er hörte, wie Victoria das Kartoffelschälmesser oder was auch immer auf das hölzerne Abtropfbrett warf. Vermittels derlei unverhofften Aktionen pflegen Frauen miteinander zu reden. Bei seinen Bürodamen hatte er so etwas auch schon erlebt.

»Ich mag Jamie furchtbar gern«, sagte Frau Cooper noch einmal, »das weißt du doch, Liebes. Wenn es anders wäre, hätte ich mir dann all die Mühe gemacht, für ihn zu kochen?«

Später, als das Ehepaar sich für die Nacht zurechtmachte, brachte Bernard Cooper Jamies offensichtlich tiefe Zuneigung zu Victoria zur Sprache.

»Victoria benimmt sich wie eine Sklavin«, sagte Margaret Cooper.

»Die beiden sind verliebt«, brachte er vor.

»Für ihn ist das Ganze bloß 'ne Anwandlung.« Sie betonte das letzte Wort, als handelte es sich dabei um etwas Obszönes. »Sobald der Krieg vorbei ist, geht er wieder nach Amerika und vergißt sie.«

»Wieso glaubst du das?« fragte er, in der Hoffnung auf eine vernünftigere Antwort, mit sanfter Stimme.

Sie brauste auf, als hätte sie sich die Antwort schon den ganzen Tag lang verkniffen, was schließlich ja auch den Tatsachen entsprach. »Und wenn er sie mitnimmt – ist das etwa besser? Wir werden sie nie wiedersehen. Bist du dir darüber im klaren? Deine kostbare Tochter sechstausend Meilen weit fort?«

Cooper seufzte. Arme Margaret, sie konnte sich nur die eine Alternative ausmalen: entweder ihre Tochter als verschmähtes Spielzeug eines saft- und kraftlosen Ausländers, oder sie würden sie für immer verlieren. Vielleicht war es nur gut, daß Margaret Cooper einen Ehemann hatte, an dem sie ihren Ärger auslassen konnte.

14.

Hauptmann Vincent H. Madigan

Im Zivilleben hatte Vince Madigan schon vielerlei verschiedene Tätigkeiten ausgeübt; ein an der New Yorker Universität abgeschlossenes Studium in englischer Literatur war ebensowenig Anrechtsschein auf den Pulitzerpreis wie etwa auf eine gutbezahlte Arbeit bei einer Zeitung. Nach dem College hatte Madigan Rasenmäher verkauft, Wäsche ausgefahren und bei einem vornehmen Golfclub Caddy gespielt, ehe er bei einer guten Zeitung eine ihm zusagende Anstellung gefunden hatte. Schließlich war er's zufrieden; seine Berichterstattung über die Eröffnung des Queens-Midtown-Tunnels – ›Bürgermeister ignorierte Zeremonie – Ehrengast zerschneidet Band‹ – brachte ihm eine Verfasserzeile unter seinen Artikelüberschriften ein. Insofern war es Pech, daß seine Entlassung so bald auf dem Fuß folgte. Anlaß war seine Affäre mit der Tochter des Chefs der Anzeigenabteilung. Dieser hatte einen der größten Anzeigenkunden im Rücken, und als der Herausgeber vor der Wahl stand, war Madigan kein ernsthafter Konkurrent. Das war 1940. Madigan war neunundzwanzig Jahre alt, und neben der Imbißbude, wo er regelmäßig sein Mittagbrot verzehrte, befand sich ein Anwerbebüro der Streitkräfte.

Seine schließliche Abkommandierung zum europäischen Kriegsschauplatz als Presseoffizier des 220. Jagdgeschwaders erfolgte rein zufällig. Als er in Fort Benning am Schwarzen Brett las, daß ›Offiziere mit Presseerfahrung oder Kenntnissen in Öffentlichkeitsarbeit zur Ausbildung oder Verwendung in der Luftwaffe‹ gesucht wurden, reichte er seine Bewerbung ein, ohne überhaupt zu wissen, welche

Aufgaben einem Presseoffizier oblagen. Die Freiwilligen wurden auf einen Lehrgang geschickt, in dessen Verlauf immer deutlicher wurde, daß auch die amerikanische Wehrmacht nicht so recht wußte, was Presseoffiziere zu tun hätten.

Bei seiner Ankunft in Steeple Thaxted fand er ein bereits funktionierendes Pressebüro vor. Ein technischer Unteroffizier hatte von allen Einheitsangehörigen Akten angelegt und die Flugzeugführer in ihren Kanzeln fotografiert. Regelmäßig wurden Verlautbarungen verfaßt. Den reibungslosen Ablauf der Dienstgeschäfte verdankte das Pressebüro einem dürren, überheblichen Gefreiten namens Fryer. Dieser Fred Fryer – er war auf der Universität von Maryland in Publizistik graduiert worden – war jung genug zu glauben, auf dem ganzen Fliegerhorst wäre er der einzige, der etwas von Öffentlichkeitsarbeit verstand. Obendrein war er dumm genug, dies auch beweisen zu wollen. Es gab jedoch vielerlei Tätigkeiten, die der Gefreite nicht übernehmen durfte. Hauptmann Madigan wußte, daß es bei einem operativen Verband wie dem in Steeple Thaxted stationierten Geschwader wichtig war, anwesend zu sein, wenn nach Rückkehr der Maschinen von einem Einsatz die abschließende Besprechung stattfand. Sein Feldwebel führte einen Fotografen zu den Abstellplätzen, um etwaige im Luftkampf beschädigte Maschinen abzulichten oder die ihre siegreich bestandenen Kämpfe nachspielenden Flieger aufzunehmen. Der Gefreite Fryer hielt sich unterdessen im Dienstzimmer in der Nähe des Telefons auf, ›falls Hitler plötzlich kapitulieren sollte‹.

Es war gängige Praxis, daß die Jagdflieger nach einem Feindflug einen Schuß Whiskey bekamen. Diese kleine Aufmerksamkeit von seiten Onkel Sams wurde vom Stabsarzt verabfolgt. Wenn Dr. Goldman aber bei den Schlußbesprechungen zu tun hatte, ließ er Vince Madigan ausschenken; wohl wissend, daß dieser so Gelegenheit bekam, von den Fliegern die eine oder andere Geschichte zu erfahren.

An jenem düsteren Januarnachmittag nach dem langen Rückflug von Braunschweig brauchten die Jungs diesen

Schuß Whiskey so nötig wie selten zuvor. Das Geschwader hatte drei Maschinen verloren, und Morses Rotte – zu der noch Wein, Farebrother und Koenige gehörten – war noch nicht zurück. Die hohlen Augen und langen, grauen Gesichter der Männer verrieten die Anstrengungen und Strapazen des Fluges. Bei der Schlußbesprechung gab es weder das sonst übliche laute Geschrei noch das gewohnte Gelächter. Die Stimmen schnappten über – ein Zeichen der Erschöpfung – und klangen hysterisch. Harry Costello hatte mitangesehen, wie sein Stubenkamerad, Boogie Bozzelli, in Stücke geschossen wurde. Die beiden waren in Florida gemeinsam aufgewachsen. Sie fanden Harry völlig aufgelöst und vom heulenden Elend gepackt auf der Latrine. Dr. Goldman gab ihm eine Beruhigungsspritze, und zwei seiner Freunde brachten Harry, ihn mehr tragend als stützend, in seine Unterkunft.

»Wie ist es denn heute gelaufen, Spurrier?« wollte Madigan von Major Tucker wissen.

»Es war schlimm, Vince«, sagte Tucker, nahm einen Whiskey und trank den Becher in einem Zug halb leer. »Die meisten der Viermots wurden zurückgerufen, und die übrigen bekamen mächtig Dresche. Ich weiß gar nicht, wie wir da wieder heil rausgekommen sind.«

»Ist Bobby Baxter schon hier?« fragte Madigan. »Ich hab' ein paar hübsche aus der Luft geschossene Aufnahmen von ihm.«

»Die schickst du ihm am besten nach Berlin, postlagernd«, sagte Tucker. »Baxter ist ausgestiegen, als wir noch über dem Ziel waren.«

»Armer Bobby«, sagte Madigan. Noch bevor Tucker seine Staffel übernommen hatte, war Baxter schon sein Rottenflieger gewesen.

»Das kommt von diesen Merlin-Motoren«, sagte Tucker. »Baxter verlor Kühlflüssigkeit. Da ihm das vorher noch nie passiert war, hat er's mit der Angst bekommen.«

Tucker zitterte. Er merkte, daß Madigan ihn beobachtete, und trank seinen Pappbecher leer. »Farebrother hatte größere Schwierigkeiten«, sagte Tucker, »aber der kutschierte weiter. Und seine ›Kibitzer‹ ist 'ne ganz beschissene Maschine.«

»Wo steckt Jamie?«

»Ich hab' die restlichen Maschinen der Rotte bei ihm gelassen«, sagte Tucker. »Er wird bald hier sein.« Er zerknüllte den leeren Pappbecher und sagte: »Baxter hat Schiß bekommen.« Er warf den Pappball mit gehöriger Heftigkeit in den Papierkorb, um anzudeuten, daß er darüber nicht weiter zu sprechen gedachte.

Obwohl Madigan Major Tucker mochte, konnte er sich jedoch das Sticheln nicht verkneifen. »Ich höre gerade«, sagte er, »daß Mickey Mouse heute noch 'nen Nazi erwischt hat. Einer behauptete sogar, es wären zwei gewesen.«

Tucker grunzte.

»Damit nähert sich das Geschwader insgesamt der Hundertermarke, Spurrier«, bemerkte Madigan.

Tucker antwortete nicht, Madigan drehte sich um und ließ seinen Blick durch den Raum schweifen. Eines Tages würde er hierüber schreiben – eine Artikelserie für eine Zeitung oder ein Magazin. Aber würde es ihm je gelingen, die dichte Atmosphäre dieser Szene zu vermitteln? Der Raum war groß. Wegen der Regenwolken draußen und der hereinbrechenden Dämmerung war es schummerig. Tief über den Kiefernholztischen hing ein halbes Dutzend Glühbirnen, die ein warmes gelbes Licht auf Papiere, Bleistifte und Karten warfen. Abgelegte Halstücher, Fliegerhandschuhe und -helme hatte man in der Hitze des Gefechts achtlos beiseitegeschoben, denn die Piloten waren dabei, jeden neuen Bericht über den gerade beendeten Einsatz zu diskutieren, demonstrieren und zu bestreiten.

Am anderen Ende des Raums standen die auf ihre Befragung wartenden Flieger in kleinen Gruppen herum; sie sprachen nicht, starrten bloß und dankten dem jeweiligen Adressaten ihres Betens, daß sie wieder heil zu Hause waren. Selbst diejenigen, die ihre Einvernahme längst hinter sich hatten, gingen nicht von der Stelle. Es war, als ob sie Trost darin fänden, mit ihren Freunden im selben Raum zu sein.

»Hundert«, sagte Tucker, »ist das die Zahl, die ihr Presse-hengste ihnen vorgebt?«

»Wir sind kurz davor«, sagte Madigan.

»*Wir?*« fragte Tucker. »Wie viele Hunnen hast du denn mit deiner Schreibmaschine schon runtergeholt, Vince?«

Madigan lächelte. »Mein Gott, sei froh, daß ich dich verstehen kann, Spurrier. Jeder andere würde sich jetzt beleidigt fühlen.«

·Tucker befingerte seinen dünnen Schnurrbart. Madigan fragte sich, ob er ihn sich wohl so schwarz färbte. »Tut mir leid, Vince«, sagte Tucker. »Aber Morse, dieser kleine Scheißer, hat mir in den letzten paar Wochen laufend Schwierigkeiten gemacht.«

»Du brauchst dir von dem Dreckskerl überhaupt nichts gefallen zu lassen«, sagte Madigan. »Du bist schließlich der Staffelkapitän. Bring ihn doch zur Raison!«

»Du hast gut reden«, sagte Tucker. Zum ersten Male tat er Madigan leid. Diese Flieger waren ein Haufen disziplinlo-ser Individualisten, die gar nicht daran dachten, über Tuk-kers altmodische West-Point-Manieren und -Methoden großzügig hinwegzusehen. Und Tucker selbst konnte nicht genügend aus sich herausgehen, um bei den verdammt losen Sprüchen, die sich die meisten Jagdflieger ganz von selbst angewöhnten, mitzuhalten.

Madigan lächelte sympathiebekundend.

Tucker sagte: »Du bist doch derjenige, der ihnen diese gewaltigen Flausen in den Kopf setzt.«

»Von wem sprichst du eigentlich?«

»Du weißt genau, von wem die Rede ist – von dem Kerl, über den du Berichte schreibst, als ob er der wiedergebo-rene Freiherr von Richthofen wäre.«

»Reg' dich nicht auf. Ich halt' mich bloß an meine Arbeit, berichte über den Ruf der Leute, es gibt keinen, der von mir bevorzugt wird.«

Spurrier Tucker warf ihm einen finsteren Blick zu. »Na, jedenfalls kommt Morses Foto in die Zeitung.«

»Redest du von seinem Sammelalbum? Nenn' mir doch mal einen von den Fliegern hier, dessen Foto noch nicht in 'ner überregionalen Zeitung erschienen wäre. Zum Teufel, ich weiß genau, daß *du* auch dazugehörst. Ich hab' die Ausschnitte nämlich in meinem Büro alle abgeheftet.«

»Und von Oberst Dan bekomme ich nicht die geringste Unterstützung. Letzte Nacht ging ich in den Lageraum, weil ich über den Einsatzbefehl reden wollte, und da hat er mich vor dem gesamten Geschwaderstab zur Schnecke gemacht. Er tut alles Mögliche, um mich für blöde hinzustellen, und da er der Kommandeur ist, muß ich halt den Buckel hinhalten.«

Madigan indessen wollte Tucker einen Themawechsel so leicht nicht machen. Es war nicht seine Art, jemanden in seinen Verlautbarungen über den grünen Klee zu loben, und er gedachte nicht, Tuckers entsprechende Nörgeleien durchgehen zu lassen. »Du hältst Morse für einen selbstgefälligen, überheblichen kleinen Stinker«, sagte Madigan. »Da geb' ich dir recht. Aber er kann auch unheimlich nett sein. Posiert vor seiner mit der großen Mickey Mouse bemalten Maschine und gestikuliert genauso rum, wie's die Fotografen von 'nem Jagdflieger erwarten, der demonstrieren soll, wie Messerschmitts abgeschossen werden. Lächelt unentwegt, während die Fotografen die richtige Einstellung suchen, und ist jedesmal froh, wenn die noch 'ne andere Aufnahme machen wollen – so wie die sich natürlich über jede weitere Aufnahme freuen. Und dabei erzählt er ihnen Geschichten aus seiner Zeit als Nachtwächter in 'nem Mädchen-College an der Ostküste.«

»Den Scheiß glaubt doch sowieso keiner«, sagte Tucker voller Erbitterung.

Madigan packte Major Tuckers Ärmel und versuchte ihn mit ein paar Tatsachen des Daseins vertraut zu machen. »Natürlich glaubt keiner diesen Mist, Spurrier, aber das gibt 'ne gute Geschichte her! Und Reporter leben nun mal davon: deshalb bringen solche Geschichten 'nem Piloten zusätzliche Spalten.«

»Du meinst also, ich sollte auch anfangen, Geschichten zu erzählen?«

»Mir ist scheißegal, was du tust, Spurrier, aber du

beklagst dich darüber, wie MM in der Presse dargestellt wird, und ich versuch' bloß, dir das zu verklickern. Du solltest lieber noch an was anderes denken: MM holt Krauts vom Himmel, und das ist der Grund, weswegen die Reporter so hinter ihm her sind. Wenn er sich heute noch zwei weitere Abschüsse geholt hat, dann ist er hier im Geschwader der Größte. Falls ihn jemand gern übertreffen möchte, dann werd' ich mit Vergnügen die entsprechenden Verlautbarungen rausgeben.«

Madigans Bemühungen, Tucker über die Hintergründe aufzuklären, zeigten aber keine größere Wirkung. »Stimmt das, daß du für ihn 'n Interview mit 'nem Reporter von den New Yorker ›Daily News‹ arrangiert hast?«

»Na sicher doch«, gestand Madigan, »mir wurde aber mitgeteilt, die Sache abzublasen. Die New Yorker haben ihrer Londoner Agentur telegrafiert, daß sie von Jagdfliegerporträts inzwischen die Nase voll haben. Der Reporter ist nach Liverpool rüber, wo 'ne Mutter Fünflinge gekriegt hat.«

Tucker, der in unverhohlener Besorgnis die Arme verschränkt hatte, beugte sich nun vor und lachte schrill. »Fünflinge!« schrie er. »Ich kann's gar nicht erwarten, diesem kleinen Saukerl zu erzählen, was sein Porträt von Seite zehn verdrängt hat. Fünflinge, ist ja toll.« Inzwischen war die Befragung beinahe beendet. Der Nachrichtenoffizier gab Tucker einen Wink. »Kann losgehen, Major Tucker«, rief er, und als Tucker zu ihm hinüberging, sagte er: »Na, Major, wie sind Sie denn heute nachmittag mit der Dame Fortuna zurechtgekommen?« Er strich mit der Handkante seinen Notizblock glatt und bewaffnete sich mit gespitztem Bleistift. Es war eine Standardfrage, die der Nachrichtenoffizier vor der Befragung an jeden Piloten richtete.

Tucker knallte seinen Helm auf den Tisch. »Haben Sie gehört, was die ›Daily News‹ statt 'nem Bericht über Morse bringen werden?« forschte er. Madigan wußte, daß sich die Nachricht innerhalb einer Stunde auf dem gesamten Horst ausbreiten würde, und fühlte sich ein bißchen schuldig, daß ihm dieser Gedanke boshaftes Vergnügen bereitete.

Es ist unmöglich, eine kleine Flasche Bourbon für alle Augen sichtbar in der Hand zu halten, ohne umgehend Kevin Phelans, des I a, Interesse zu wecken. Sein Gesicht war schmutzig, und seine Wangen zierten noch die roten Streifen, die die festanliegende Sauerstoffmaske hinterlassen hatte. »Das nennen Sie einen Schluck?« fragte Phelan, kippte sich das großzügig bemessene Whiskeyquantum in den Hals und hielt seinen Pappbecher noch einmal hin.

Phelan war schon beim Nachrichtenoffizier gewesen; als einer der höheren Offiziere des Geschwaders kam er stets als einer der ersten an die Reihe. »Wie war's denn so?« fragte Madigan.

Phelan griff nach der Whiskeyflasche, drehte sie und las das Etikett. »Tat richtig gut«, sagte Phelan. »Wurd' ja auch Zeit, daß wir mal Sour-Mash-Whiskey kriegen – das ist was für Männer.«

»Den Einsatz, meinte ich.«

»Oberst Dan hat 'ne Messerschmitt abgeschossen. Ich hoffe, Ihr Fotograf kriegt 'ne gute Aufnahme von ihm hin, wenn er jetzt aus der Maschine klettert. Wird Zeit, daß Sie mal Oberst Dans Foto in die Zeitungen bringen.«

»Mal sehn, was sich tun läßt«, versprach Madigan.

»Das reicht nicht, Vince«, sagte Phelan, »das ist ein Befehl.« Er griff nach dem Flaschenhals und verhalf sich zu einem weiteren Whiskey.

»Sie sollten's mit dem Saft lieber sachte angehen lassen, Herr Major«, warnte Madigan. »Während Ihrer Anwesenheit ist hier 'n Ein-Sterne-General eingetroffen. Oberst Dan ist gerade bei ihm – könnte doch sein, daß Sie gebraucht werden.«

»Lassen Sie's mit dem Saft sachte angehen«, äffte Phelan verächtlich. »Redet so ein Irenjunge namens Madigan?«

»Nun mal unter uns Iren«, scherzte Madigan, »manchmal frage ich mich, wie zum Teufel kommen wir dazu, für England Krieg zu führen?«

Phelan verleibte sich einen weiteren Whiskey ein und sagte: »Mein Vater hat das auch immer gesagt. Er hat zeit seines Lebens die Engländer bekämpft, und so hat's sein

Vater vor ihm auch gehalten. Er sagte, er möchte nicht den Tag erleben, daß einer seiner Söhne einmal für die Engländer zu Felde zieht. Aber ich hab' ihm gesagt, 'n guter Ire sollte nicht so verdammt wählerisch sein, wenn's ums Kämpfen geht.«

»Lassen Sie noch'n bißchen für die andern übrig, Kevin«, sagte Madigan. Phelan grinste und setzte sich in Bewegung.

Seine Beobachtungen der Jagdflieger aus nächster Nähe hatten Madigan einiges über die Spannkraft der jüngeren Soldaten verraten. Am frühen Abend dieses Tages, des Braunschweig-Einsatzes, sahen die meisten Flieger so frisch und entspannt aus, als wären sie neu eingetroffener Ersatz für die verstört dreinschauenden Männer, die er nur ein paar Stunden zuvor bei der Abschlußbesprechung erlebt hatte.

Das galt jedoch nur für die Jüngeren; die Männer über fünfundzwanzig erholten sich nicht so leicht. Selbst Farebrother – nachweislich seiner Karteikarte im Pressebüro nur knapp über dem Altersdurchschnitt – konnte die Nachwirkungen des Einsatzes nicht so leicht abschütteln wie die jüngeren Kameraden.

Nach einem Einsatz traf man sich in der Bar des Offiziersheims wieder. Die Verdunkelungsvorhänge waren geschlossen, und den Ventilatoren gelang es nicht, den schwachen Geruch zu vertreiben, den das Kerosin der US Army in der warmen Zimmerluft hinterließ. Kleine, farbige Glühbirnen über der Bar glitzerten wie ein Proszeniumsbogen und spiegelten sich in Flaschenregal und langer Mahagonitheke. Ansonsten wurde der große Raum nur von Wandlampen hinter dichten Schirmen erhellt. Es war zu dunkel, als daß man von den billigen vergoldeten Ornamenten mehr als nur ein güldenes Gleißen hätte erkennen können. Auch war es nicht hell genug, um die großen Flecken auf den schweren Tapeten auszumachen oder auf dem Fußboden die verschütteten Getränke oder achtlos fortgeworfenen Zigarettenstummel zu entdecken. Aber dieser warme, dunkle Raum – der ›Storchenklub‹ – mit seiner praktisch ununterbrochenen, angenehmen Musik war allnächtlicher Ersatz für die New Yorker Nachtlokale, von denen jedermann fortwährend sprach, obwohl nur wenige sie jemals besucht hattten.

Als Madigan eintrat, saß Farebrother hier. Er wartete darauf, daß das Telefon frei würde – nach einem schweren Einsatz riefen die Flieger gern ihre Mädchen an, um den Verlustmeldungen im Radio zuvorzukommen. Jamie hatte dunkle Ringe unter den Augen und spielte fortwährend an seiner großen goldenen Rolex herum, nach der alle anderen ganz verrückt waren. »Grüß dich, Vince«, sagte er, »hast du Kleingeld fürs Telefon?« Madigan fand die nötigen Münzen, und Farebrother ließ es sich nicht nehmen, ihm dafür ein Dreipenny-Stück zurückzugeben. So war er nun einmal. »Mach doch mal 'n fröhliches Gesicht, Vince«, sagte er.

Vincent Madigan war nicht der frohgelaunte Ire, für den er sich gern halten ließ. Seine Mutter entstammte einer schwedischen Familie namens Carlson, die in Wisconsin lebte. Es gehört zu den Gegebenheiten des Daseins, daß ein Mann mit schwedischem Vater und irischer Mutter zeit seines Lebens als Schwede bezeichnet wird; Madigan indes war lieber Ire, obwohl er von seiner Mutter ein Großteil ihres humorlosen Wesens geerbt hatte.

Seine Dankbarkeit dafür, daß Farebrother ihm weit abseits der Zelte eine warme Unterkunft verschafft hatte, war nun dahin. Inzwischen sah er es so, daß Farebrother jemanden brauchte, mit dem er das Zimmer teilen konnte, und daß Madigan ihm diesen Gefallen getan hatte. Und Madigans Opernplatten, die die Stubennachbarn gelegentlich keinen Schlaf finden ließen, waren in seinen eigenen Augen eine kulturelle Wohltat, der seine Offizierskameraden so dringend bedurften. Und wenn er sich nicht inzwischen mehr und mehr daran gewöhnt gehabt hätte, von der Welt nicht mit verdientem Respekt und angemessener Höflichkeit behandelt zu werden, dann hätte es ihn sehr betrübt, daß sich Jamie Farebrother und Mickey Mouse nie in gebührender Form dafür bedankt hatten, daß er sie mit ihren Freundinnen bekannt gemacht hatte.

»Wie ich höre, hast du dir deinen ersten Nazi geholt«, sagte Madigan.

»Erst mal abwarten, bis die Filme entwickelt sind«, sagte Farebrother.

Madigan winkte dem Barmann. »Zwei Bier«, sagte er. Das Bestellte kam prompt. Das Auskommen mit dem Personal des Offiziersheims besaß für Madigan größten Vorrang; ein paar Schachteln Zigaretten wirkten da Wunder. Infolgedessen brachte man sein Bier in seinem eigenen Zinnkrug, der die von Hand eingravierten Anfangsbuchstaben seines Namens inmitten einer geflügelten Helmzier trug. Er bemerkte, daß Farebrother den Krug anstarrte, und nahm irrtümlich an, daß dessen Staunen dem Neid entsprang. »MM macht zwei Abschüsse geltend«, sagte Madigan.

Farebrother erhob sein Glas. »Hab' ich auch gehört«, sagte er. »›Santé‹, Vince.«

Madigan hob seinen Krug in die Höhe und konterte in höchst geziertem Tonfall: »Sehr zum Wohle.«

Farebrother grinste. »›Touché‹«, sagte er, und beide tranken. Hinter ihnen brüllte MM in den Münzfernsprecher: »Ich treff dich im ›Blauen Eber‹. Gut, sag deinem Chef, du könntest morgen keine Überstunden machen, sag ihm, du müßtest die Kampfmoral eines Jagdfliegers anheben.«

Nach kurzem Zuhören dann: »Bitte, Vera, Schätzchen.« Aufgrund des Geniestreichs eines Architekten waren die einzigen Münzfernsprecher des Offiziersheims direkt an der Außenwand des Spielzimmers angebracht worden – ausgerechnet, denn dort ging es am lautesten zu. MM brauchte etwa eine Minute, um zu verschnaufen, dann brüllte er ins Telefon: »Ich rechne mit dir, Verababy.«

Madigan stellte sein Bier auf die Theke und wischte sich den Mund. Er sah zu, wie sich MM mit dem englischen Telefonnetz abquälte, und wandte sich schulterzuckend an Farebrother. »Schätze, MM merkt gar nicht, daß wir zuhören können«, sagte Madigan. Da Farebrother nichts erwiderte, setzte Madigan hinzu: »Ich hatte schon immer 'n gutes Gehör, und schon seit meiner Kinderzeit interessiere ich mich für Menschen. Manchmal bin ich so 'ne Art Psychologe, wirklich – bei meiner Arbeit muß man das auch sein.« Farebrother lächelte, als ob Madigan etwas Spaßiges erzählt hätte.

MM schrie: »Ich sammel dich beim ›Blauen Eber‹ auf, ich meine, ich werd' da auf dich warten. Na klar weiß ich, daß Damen nicht gern allein in 'ner Kneipe warten. Ich versprech's dir, ich bin da.«

»Vera ist gut zu vögeln«, sagte Madigan zu Farebrother, »ich will doch hoffen, daß MM zu würdigen weiß, was ich für ihn getan hab'.«

»Und ich hab' gedacht, MM hätt' dich aus 'ner gewaltigen Klemme geholt, Vince. So wie ich gehört habe, hat dir MM 'n großen Gefallen getan, indem er dir Vera abnahm, daß du wenigstens eine Hand frei hattest, als die kleine Brünette dir mit 'nem Brotmesser an die Eier wollte.«

»Ach, du meinst auf der Weihnachtsparty...« Madigan grinste verlegen. Er wußte nie genau, wann ihn Jamie Farebrother auf den Arm nahm. Hinter dem Lächeln Madigans aber verbarg sich Besorgnis. Lieber Gott, dachte er, ist das nun der Dank? Vielleicht solltest du Farebrother mal dran erinnern, wer ihn denn mit seiner Schlampe bekannt gemacht hat. Er schluckte seine Verbitterung hinunter; in solchen Augenblicken dachte er aber daran, daß seine Mutter ihm immer erzählt hatte, er wäre nicht arrogant genug.

»Ich sag dir doch, ich werd' da sein«, rief MM ins Telefon. Er griff nach seinem Glas, das er auf den Münzkasten des Telefons gestellt hatte. »Hör zu, Verababy, ich liebe dich. Sei also dort. Genau beim ›Blauen Eber‹. Tust du mir den Gefallen, Süße?« Die Antwort fiel offenbar bejahend aus, denn MM erging sich in einer Reihe von Beteuerungen.

»Hört sich an, als wär MM richtig scharf auf Vera«, sagte Madigan zu Farebrother. »Na ja, ist nicht weiter überraschend, sie ist schon 'n geiles Luder, stimmt's? Ich hab' einiges von ihr gelernt, kann ich dir sagen!«

»Na, wenn das so ist«, sagte Farebrother und sah auf die Uhr.

»Ich frag' mich, ob MM überhaupt weiß, daß sie verheiratet ist. Wenn ich mit ihr unterwegs war, hat sie ihren verfluchten Trauring nie getragen. Erst als wir das erstemal im Bett waren, kam sie damit raus, daß sie vergriffen ist.«
Farebrother schien Madigans Äußerung nicht gehört zu haben. Vielleicht war er selbst zum Lauschen zu beschissen gut erzogen.

»Hat MM wieder seine Mätzchen mit Tucker gemacht, Jamie?« fragte Madigan. »Mir fiel auf, daß eure Rotte erst lange nach Tucker nach Hause kam. Hat MM ihn wieder mal nicht ernst genommen?«

»Behauptet Tucker das?« fragte Farebrother.

Unvoreingenommenheit andeutend, streckte Madigan die Hand aus: »So hört man.«

»Und hat dein Informant dir denn auch erzählt, daß Tucker MM und dem Rest unserer Rotte befohlen hat, mich mit Maschinenschaden in einem Teil der Welt hängenzulassen, wo die Eingeborenen noch feindseliger als der Durchschnittslimey und nicht so glattzüngig sind?«

»Und MM hat den Gehorsam verweigert?«

»Die ganze Rotte ist bei mir geblieben«, sagte Farebrother.

Madigans Kopfschütteln bewies, daß er MMs Verhalten nicht begreifen konnte. »Wenn MM je lernen würde, sein großes Maul zu halten, dann könnte er es mühelos zu eurem Staffelkapitän bringen.«

»Wir drängen ihn nicht zur Mitgliedschaft in irgend 'nem vornehmen Sportklub, Vince. Trotz seiner großen Schnauze ist er der beste Pilot hier. Und wenn MM was zu meckern hat, dann macht er's von Mann zu Mann. Er geht nicht her und erzählt hinter Tuckers Rücken wilde Geschichten.«

»Hör mal, Jamie«, sagte Madigan, »ich will mich nicht für Spurrier Tucker gerademachen!«

»Das wäre mir fast entgangen, Vince.«

Madigan hob die Schultern und zog eine Grimasse. »Ich bin Presseoffizier«, sagte er, »ich muß mit Tucker leben.«

»So sehen wir das auch alle«, sagte Farebrother, »wir haben nicht vor, mit ihm zu sterben – das ist alles.«

»Wie läuft's mit Victoria?« fragte Madigan. »Bist du zum Schuß gekommen?«

»Wir kommen zurecht«, antwortete Farebrother ausweichend.

»Wie gut denn?« fragte Madigan mit suggestivem Grinsen.

»Sie mag Opern«, sagte Farebrother. Bevor Madigan eine Antwort einfiel, war der Münzfernsprecher frei. Jamie trank sein Bier aus und ging an den Apparat.

»Wenn dir nach 'nem bißchen Abwechslung ist, dann kann ich dir für Samstag mit Sicherheit eine besorgen«, rief Madigan hinter ihm her. »'ne lebhafte kleine Blonde, ganz liebes Kind, ganz tolle Puppe, kann ich dir nur sagen.« Farebrother blickte sich nicht um. Im Spielzimmer wurde dermaßen laut gesungen, daß er vielleicht wirklich nichts gehört hatte.

Madigan beobachtete Farebrother beim Telefonieren, konnte aber nichts verstehen. Farebrother legte auf und winkte Madigan einen Gutenachtgruß zu. Er sagte zwar nicht, was er noch vorhatte, aber Madigan konnte es sich unschwer denken; er wußte, daß sich Farebrother Dr. Goldmans Jeep ausgeliehen hatte. Madigan hielt sich gern auf dem laufenden; er betrachte das für einen Teil seiner Aufgabe.

Mit vorrückender Stunde nahm die Hektik im Storchenklub zu. Gegen neun drängte sich ein kleiner Dicker in Zivil an die Theke. Mit stark ausgeprägtem Bronx- oder Brooklynakzent fragte er nach Oberleutnant Morse. Madigan rechnete mit einem Scherz, aber der Ernst des Neuankömmlings wirkte überzeugend. Morse hielt inmitten eines halben Dutzends seiner Busenfreunde am anderen Ende der Bar Hof. Unter einem alten Propeller und grellen Postern von Flugzeugen und Filmstars stand dort ein Tisch. Morse betrachtete diesen als seinen Stammtisch, und wehe dem, der den Tisch nicht frei machte, wenn Morse sich dort niederzulassen gedachte. Als sein Name fiel, stand Morse auf und lehnte sich über das Thekenende.

»Sind Sie Oberleutnant Morse?« fragte der energische

kleine Mann und holte aus der Tasche seines neuen Regenmantels Bleistift und Notizblock hervor.

»Nein, ich«, sagte MM.

»Mickey Morse, der Mann, über den man soviel in der Zeitung liest?«

»Leibhaftig«, sagte MM mit nervösem Lächeln. Es gab jetzt kein Zurück mehr, Spaß hin, Spaß her. Die Unterhaltung verstummte, und selbst die lärmende Meute im Spielzimmer drängte in die Bar, um sich nichts entgehen zu lassen. Die Zivilisten hinter der Theke bedienten niemanden mehr, traten zurück und widmeten sich dem sich anbahnenden Wortwechsel mit jenem düsteren Ernst, mit dem die englischen Hilfskräfte auf dem Fliegerhorst das Treiben der ›Amis‹ jederzeit bedachten.

Der Mann im Regenmantel schleuderte seinen Hut in die Luft und brüllte: »Und wo ist die junge Frau, die gerade Fünflingen das Leben geschenkt hat, Sir? Ich möchte sie interviewen. Meinen Glückwunsch zu diesem Volltreffer!«

Die letzten Worte des Zivilisten – in Wahrheit ein Hauptfeldwebel von der ganz in der Nähe stationierten Stabs- und Versorgungsbatterie der Luftwaffen-Fla – gingen im Lärm der trunkenen Hochrufe unter. Zwei Flieger hoben ihn sich auf die Schultern, drückten ihm zur Belohnung eine Flasche Whiskey in die Hand und wanderten mit ihm im Offiziersheim herum. Muß man erwähnen, daß das eine Schulternpaar Spurrier Tucker gehörte, und der Nebenmann offensichtlich Major Tarrant, der Kommandierende der Militärpolizei, war? Manche behaupteten, er hätte sogar leicht gelächelt.

Madigan behielt Morse im Auge. MM errötete bis zu den Haarwurzeln, umklammerte die Thekenkante und probierte ein Lächeln. Er tat selbst Madigan ein wenig leid.

»Ruhe, bitte.« Es war Duke Scroll, der Stellvertretende und wahrhaftig einzige, der einen derartigen Tumult in Windeseile verebben lassen konnte. »Der Geschwaderkommandeur hat Ihnen etwas mitzuteilen.«

Oberst Dan sprang auf einen Stuhl, gedachte er doch seinen Mannen die jugendliche Elastizität ihres Komman-

242

deurs zu demonstrieren. Allerdings strauchelte er und kippte beinahe den Stuhl um, so daß man ihm auf die Beine helfen mußte – würdeloses Mißgeschick!

Alle Augen waren nun schweigend auf ihn gerichtet.

»Wir haben einen schweren Einsatz hinter uns«, sagte er und räusperte sich. Oberst Dan war erst sechsunddreißig, nur drei Jahre älter als Madigan, sah aber wie ein Fünfzigjähriger aus. »Und wir werden weiterhin schwere Einsätze fliegen, von denen manche noch härter sein werden als der heutige.« Er hielt inne und ließ seinen Blick wandern. »Ich habe mir aber gerade ein paar Filme angesehen und möchte Ihnen sagen, daß unser Geschwader heute – allerdings noch abhängig von der Bestätigung durch den Stab – sechs deutsche Maschinen abgeschossen und vier schwer beschädigt hat.«

»Wer?« rief jemand inmitten des Gebrülls und Hurrageschreis.

»Hauptmann Farebrother hat eine Me 110 so sauber abgeschossen, daß sie schon beim ersten Feuerstoß auseinanderflog. Major Phelan hat ebenfalls eine zweimotorige Messerschmitt runtergeholt. Leutnant Dittrich erwischte eine Fw 190. Meine besonderen Glückwünsche, Dittrich, zu Ihrem ersten Luftsieg.« Er hob die Hand und legte zum Zeichen der Gratulation Daumen und Zeigefinger aneinander. »Gilt auch für Sie, Farebrother. Wo steckt Hauptmann Farebrother?«

»Im Bett, Herr Oberst, glaub' ich jedenfalls«, rief Madigan, dem schwante, daß Oberst Dan alles andere als erfreut sein würde, wenn er wüßte, daß Farebrother sich unerlaubt vom Horst entfernt hatte.

»Zweifellos liest er seine Übungsanleitungen«, sagte Oberst Dan. Gelächter kam auf. Farebrother galt als Pilot, der alle Dienstvorschriften auswendig lernte.

»Sie sprachen von sechs«, rief MM.

»Nur keine Sorge, Herr Oberleutnant«, sagte Oberst Dan. »Ich werd' Sie schon nicht zu kurz kommen lassen. Sie haben es heute zu zwei Abschüssen gebracht.« Oberst Dan blickte in die Runde. »Und damit hat Oberleutnant Morse die meisten Abschüsse des gesamten Geschwaders.« Lautes Hurrageschrei. Dieselben Piloten, die eben noch mit Vergnügen zugesehen hatten, wie man MM bloßzustellen versuchte, waren nun ebenso bereit, ihn mit Glückwünschen zu überschütten. Ein Verhalten, das Madigan an Teenager auf Schulpartys erinnerte.

»Sechs!« brüllte Major Kevin Phelan. »Sie sprachen von sechs, Herr Oberst. Wer hat die Nummer sechs?« Da er bei dieser Frage lächelte, dachte sich Madigan, Phelan müßte die Antwort bereits kennen.

»Sie wollen wohl einen ausgegeben kriegen, Major Phelan«, sagte Oberst Dan. Die Flieger glucksten vor Lachen. Wie Schuljungen gefielen ihnen die Späße am besten, in denen jeder von ihnen seine genau zugewiesene Rolle zu spielen hatte. Seine Rolle als stadtbekannter Säufer voll auskostend, ließ Phelan seine durstige Zunge sehen und leckte sich die Lippen.

»Nun denn, den letzten Sauhund habe ich erwischt«, sagte Oberst Dan schnell, »für den Rest des Abends geht alles auf meine Rechnung.« Es erhob sich ein Höllenlärm – Glückwünsche, Kriegsgeschrei und schrille Pfiffe. Der kleine ›Zivilist‹ hatte sich entfernt, und alle – außer MM – hatten seinen Schabernack bereits vergessen.

Madigan sah sich um. Auf dem Fußboden verschüttete Getränke, die Luft blau vom Tabaksqualm, von überall her hörte man obszöne Gesänge. Die Wunden, die der heutige Tag geschlagen hatte, verheilten bereits – zumindest bildete sich schon Narbengewebe. Zu jener Zeit war Madigan einer der am längsten in Steeple Thaxted stationierten Amerikaner. Er hatte Umrüstungen des Flugzeugparks miterlebt und Geschwaderkommandeure kommen und gehen gesehen. Vielleicht verstand er nicht genug von Flugzeugen, um sich darüber ein Urteil erlauben zu können, was aber Oberst Dan anging, so zog er dessen Vorgänger vor. In Madigans Augen war Oberst Dan ein eigennütziger, verbohrter und voreingenommener Mann, der frank und frei zugab, außer an seinen Flugzeugen und Piloten an nichts Interesse zu haben.

Die Probleme der Wartungseinheiten berührten ihn ebensowenig wie ihn die erbärmlichen Verhältnisse des Bodenpersonals kümmerten. Es war völlig sinnlos, Oberst Dan zu bitten, bei einer Feier des Aeroklubs der Unteroffiziere die Preisverteilung zu übernehmen oder von ihm zu erwarten, am frühen Morgen für ein Pressefoto in der Feldbäckerei zu posieren, um den Soldaten zu demonstrieren, daß er auch ihre Arbeit zu würdigen wußte. Oberst Dan war stets viel zu sehr mit dem Verhätscheln seiner gottverdammten Piloten beschäftigt, die ohnehin Extrasold und längeren Urlaub bekamen und weniger Dienststunden abzuleisten hatten als die übrige Besatzung des Fliegerhorstes.

Dies bedeutete, daß der Stellvertretende überlastet war, und Duke Scroll gehörte zu den Männern, die glauben, alles müßte nach Vorschrift gehen. Nun, Madigan hätte ihm erzählen können, daß man ein Pressebüro nicht nach der Heeresdienstvorschrift leiten kann – und in Steeple Thaxted schon gar nicht.

15.

Hauptmann James A. Farebrother

Die kalte Wetterfront, die sich auf den Braunschweig-Einsatz so verheerend ausgewirkt hatte, war über England hinweggezogen; im Gefolge derartiger Wettersysteme brachte der nächste Morgen blauen Himmel und den üblichen Westwind. Farebrother stand früh auf und fuhr auf der Suche nach seiner ›Kibitzer‹ mit dem Rad zum technischen Bereich hinüber.

Die Maschine stand in Halle zwei und bot einen traurigen Anblick. Der Rumpf und der halbe Backbordflügel waren von deutschem Motorenöl, das auf dem glänzenden Lack stellenweise regelrecht verbacken war, geschwärzt. Die Steuerbordtragfläche ruhte auf einem schweren Dreibein, so daß sich zwei Mechaniker kniend an den Scheibenbremsen zu schaffen machen konnten. Einer der beiden warf einen Schlüssel so laut in die Werkzeugkiste, daß MMs Hund erwachte, sich erhob, die Augen aufriß, lustlos kläffte und sich wieder hinlegte.

Farebrother wanderte herum und befingerte die scharfen Metallkanten des Flügelstummels. Das Flügelende war von den Blechschmieden abgenommen und in die Reparaturwerkstatt gebracht worden. Die Motorhaube war entfernt worden, die Eingeweide des Motors lagen bloß. Neben der Flugzeugnase stand eine kanzelartige Arbeitsbühne, von der aus sich drei Männer über die Innereien des Merlin-Motors beugten.

»Wie schaut's aus?« rief Farebrother zu den dreien hinauf.

Als die am Motor arbeitenden Männer herunterblickten,

erkannte Farebrother Tex Gill und Mickey Mouse. Der dritte Mann – die auf seine Lederjacke gemalten Winkel wiesen ihn als Hauptfeldwebel aus – war der Werkstattleiter.

»Du hast Glück gehabt, daß du die alte Schrottkiste heil nach Hause gekriegt hast«, sagte MM. Er trug einen der üblichen olivgrünen Zwillich-Monteuranzüge und eine wollgefütterte Lederjacke, deren Rückenteil eine aufgemalte Mickey Mouse einnahm. »Scheint, als wären drei Blindgänger durchgeschlagen.«

Der Werkstattchef zog sich den großen Schirm der Arbeitsmütze in die Augen, als machte ihn verlegen, was es über Farebrothers Maschine noch zu sagen gab. »Wir werden dem Major vorschlagen, Ihre Maschine auf die Ausmusterungsliste zu setzen, Herr Hauptmann. Die Blechschmiede kriegen die Querruder und Landeklappen nie wieder hin, und vielleicht sieht der Major ein, daß sich neue nicht mehr lohnen.« Er verzog das Gesicht. »Aber Sie wissen ja, wie knapp wir im Augenblick mit Maschinen sind. Deswegen vermute ich, daß der Major die Maschine wohl wieder in Schuß gebracht haben will.«

»Kriegen Sie das denn hin?«

»Na sicher doch. Wir könnten 'nen neuen Motor einbauen, davon haben wir nämlich genug, und die Löcher flicken.« Er sah Farebrother und MM nacheinander an und hoffte, die beiden würden ihn zu einer neuen Maschine überreden wollen. »Vielleicht habe ich genügend Leute, die sie von Grund auf überholen.« Der Werkstattleiter machte eine kurze Pause und setzte wenig überzeugt hinzu: »Sie wäre dann wieder wie neu, Herr Hauptmann.«

»Geben Sie sie zur Ausmusterung frei«, sagte MM und stieg von der Arbeitsbühne. Während er sich ein paar Putzlappen griff und die Hände abwischte, sagte er leise zu Farebrother: »Der Werkstattchef wartet nur drauf, daß du ihm die obligatorischen sechs Flaschen Whiskey anbietest. Dann setzt er sie sofort auf die Liste.«

Farebrother wußte selbst, worauf der Werkstattmeister aus war, dachte aber auch daran, was er seiner ›Kibitzer‹

alles versprochen hatte, wenn sie ihn nur heil nach Hause brächte. »Mir bringt sie Glück«, sagte er.

»Laß uns doch auf 'nen Kaffee zu den Buden bei den Abstellplätzen rübergehen«, sagte MM.

»Tun Sie Ihr Bestes, Meister«, sagte Farebrother, schwang sich aufs Fahrrad und wandte sich von seiner hilflosen ›Kibitzer‹ ab.

»Um elf werden die Filme gezeigt«, sagte MM nach einem Blick auf seine Armbanduhr. Farebrother nahm an, daß MM schon so früh auf den Beinen war, damit er die Laborleute bedrängen konnte, ihm die Filme seiner MG-Kamera schon vor der angesetzten Zeit gesondert vorzuführen. MM hatte seine weiche Offiziersmütze am Fahrrad hängen lassen – sie war ramponiert und schmierig, nun drückte er sie sich auf den Kopf und schob sie so weit nach hinten, daß er so unmilitärisch wie nur möglich aussah. »Du hast deine Sache gestern gut gemacht«, sagte er. Dies war eine gewaltige Ehrung; denn MM hielt sich mit Lob stets sehr zurück. Um Farebrother die Antwort abzuschneiden, wandte er sich ab und pfiff einmal kurz und gellend. Winston kam sofort angerannt.

MM schwang ein Bein über das Fahrrad und trat an; er wußte, daß Farebrother und Winston folgen würden. Er fuhr schnell, trat mit jener ärgerlichen Energie in die Pedale, die hinter fast seinem gesamten Tun und Treiben zu erkennen war. Er fuhr hinter den großen, mit Teerdachpappe gedeckten Stahlschuppen herum, deren Türen im Wind klagend klapperten und knarrten.

Ansonsten herrschte Stille. Die geparkten Maschinen hoben sich wie Monumente vom Hintergrund ab. Aus den dickbäuchigen Schornsteinen der Wellblechhütten, in denen die Mannschaften hausten, stieg Rauch und trieb in dünnen, gelblichen Schwaden über das Flugfeld. Farebrother trat kräftiger zu, um auf MM aufzuschließen.

»Bleib in dem bißchen Sonne! Ob das wohl mal wärmer wird?« sagte MM, als sie auf die Ringstraße einbogen und vom kalten Westwind voll erfaßt wurden.

Farebrother hätte eigentlich merken müssen, daß es bloß

eine rhetorische Frage war, antwortete aber trotzdem. »Es wird kalt bleiben. Nach dem Durchzug einer Kaltfront bleiben die Temperaturen beständig.«

»Hast du schon mal dran gedacht, bei 'nem Quiz im Radio mitzumachen? Bei jeder Sendung gibt's 850 Silberdollar zu gewinnen. Selbst für 'ne falsche Antwort kriegst du noch 'n Karton Milky Way.«

»Süßigkeiten sind nicht gut für die Zähne«, sagte Jamie. »Wie läuft's denn mit dir und Vera?«

»Hin und wieder ist sie übellaunig, aber das sind alle Frauen, glaub' ich.«

»Warum gehen wir nicht demnächst mal zu viert abends ins Kino?«

»Das wär toll. Ich glaub', ich bin deiner Vicky nicht mehr böse.«

Sie schwiegen. Es war, vom naßkalten Wind einmal abgesehen, ein wunderschöner Tag. Unter wolkenlosem Himmel ausgebreitet lag das grüne, ländliche Cambridgeshire. In den Bäumen am Rande des Schießplatzes sangen die Vögel. Und dann die Kaninchen – trotz ihrer winterfellbedingten Plumpheit hoppelten sie furchtlos vor den Fahrrädern her über die Ringstraße. Winston machte ein paar halbherzige Versuche, hinter ihnen herzujagen, da er aber regelmäßig mit Marketenderschokolade versorgt wurde, bildete er für die jagdbare Tierwelt am Platze keine Gefahr.

Mickey Morse war kein athletischer Typ, und seine Radfahrerei ließ auf wenig Übung schließen. Nach seinen ersten Energieausbrüchen wurde er langsamer, so daß es Jamie nicht schwerfiel, auf gleicher Höhe zu bleiben.

»Vince war sauer auf mich, weil ich nicht mit ihm in London war. Er sagt, deswegen wär' er in 'ne Klemme geraten.«

»Scheiß drauf«, sagte Farebrother. »Vince hat mit seinen Weibern laufend Schwierigkeiten. Das gehört bei ihm nun mal dazu.«

MM betrachtete den Freund mit neuerwachtem Interesse und fragte sich, ob dieser für Farebrother so untypische Zornausbruch darauf hindeutete, daß Vince inzwischen selbst dem unerschütterlichen Farebrother auf die Nerven ging. »Hat er dir erzählt, ich hätt' das College nicht geschafft?«

»Wieso sollte ich mit Vince über deine Collegezeit reden?«

»Als ich den Fragebogen ausgefüllt hab', den Vince jedem in die Hand drückt, da hab' ich gelogen. Ich hab' geschrieben, ich hätt' das College mit Erfolg absolviert. Wenn er da mal schriftlich nachfaßt . . .«

»Vergiß es, MM. Vince hat ganz andere Sorgen. Ohne uns würde er immer noch in 'nem Zelt hausen. Andere Offiziere müssen das nämlich auch immer noch.«

»Du meinst, ohne *dich*. Du hast ihn eingeladen, ich nicht. Wie dem auch sei, Vince jedenfalls vergißt sehr schnell, daß ihm jemand mal 'nen Gefallen getan hat – der merkt sich bloß, wenn jemand in seiner Schuld ist. Inzwischen ist Vince aller Wahrscheinlichkeit nach überzeugt, er hätte *dir* damit 'nen Gefallen getan, daß er zu dir gezogen ist.«

»Vince ist schon in Ordnung«, sagte Farebrother, »Schwächen hat jeder, denk' ich.«

»Hast du gehört, was er mir gestern abend besorgt hat? Hat mich vor allen Leuten in der Bar als Blödmann hingestellt. Bin heute morgen gar nicht erst zum Frühstück gegangen, weil ich wußte, daß mich da sowieso bloß blöde Witzeleien erwarten.«

»Ich hab' davon gehört. Aber, zum Teufel, MM, du wirst doch wohl 'nen Spaß vertragen können.«

»Vince hat das ›Daily News‹-Interview mit Absicht vereitelt.«

»Vince? Niemals. Vince würde sich Arm und Bein ausreißen, um 'nen Reporter von 'ner angesehenen Zeitung für'n Interview an Land zu ziehen – dann könnte er sich nämlich selbst für'n Teufelskerl halten. So würde nämlich die Presseabteilung bei der Gruppe – oder gar London – auf ihn aufmerksam werden. Nee, Vince ist nicht der Mann, der so was absichtlich hintertreibt.«

MM blickte Jamie an und lächelte erleichtert. »Vermutlich hast du recht, Jamie.«

»Aber wenn du schon Zeitungsfritzen kennenlernen möchtest, warum hältst du dich dann nicht an Vera?«

»Sie ist ja keine Reporterin, sondern bloß Stenotypistin oder so was Ähnliches.«

»Aber ihr Büro ist doch die Anlaufstelle der Reporter. Als ich Victoria mal abgeholt hab', traf ich da so 'nen alten Knaben – der will 'ne Geschichte über den Luftkrieg schreiben.«

»Als Engländer?«

»Australier. Zäher alter Bursche, weißhaarig, buschiger Schnurrbart, Koteletten, aber durchaus kein Weihnachtsmann. Wie mir Victoria sagte, hat der 'n angesehenen Namen. Ich glaub', dem kämst du wie gerufen.«

»Könntest du an den rankommen?«

»Selbstverständlich.«

Als sie an den Schießständen vorbeifuhren, sah Jamie in der Ferne ein Auto über das Flugfeld fahren. Die Schießplätze waren etwas höher gelegen als der technische Bereich, deswegen konnte er die von Männern umringte C 47 erkennen. Sein Vater hatte vermutlich die Nacht auf dem Fliegerhorst verbracht, weil er hoffte, den Sohn heute morgen beim Frühstück im Offiziersheim noch einmal zu treffen. Jamie wußte, wie sehr sein Vater ihm nahe zu sein wünschte, konnte auf diese Vaterliebe aber nicht wie von seinem Vater erhofft reagieren. Und trotzdem überfiel ihn, als er seinen Vater abreisen sah, ein übles Schuldgefühl. Ebenso schnell, wie diese Szene auftauchte, war sie hinter den grünen Bodenwellen des Geländes wieder verschwunden. Das Schuldgefühl aber blieb.

Mickey Mouse wollte seine Geschicklichkeit im Freihändigfahren unter Beweis stellen und nahm die Hände vom Lenker, wackelte jedoch unsicher hin und her und mußte die Schaustellung daher abbrechen. Aus der Ferne hörte man die warmlaufenden Motoren der C 47, dann standen sie still, und es herrschte wieder Ruhe.

Sie kamen jetzt zu den Abstellplätzen der ›Mickey Mouse II‹ und ›Happy Daze‹. Den leeren Stammplatz der ›Kibitzer‹ markierten etliche Öllachen. Der Boden der ringförmigen Splitterschutzboxen war asphaltiert; sie waren erst nach den betonierten Boxen auf der Südseite des Platzes angelegt worden. Der Asphalt indessen war unter dem Frost gerissen und aufgebrochen, so daß stellenweise loses Geröll zum Vorschein kam. Wenn die Maschinen auf die Ringstraße wollten, mußten sie um diese Schlaglöcher vorsichtig herumbugsiert werden.

Neben der ›Happy Daze‹ lehnten zwei Fahrräder an einer der behelfsmäßigen Hütten, die sich die Bodenmannschaften aus großen Holzverschlägen und Wellblechtafeln zusammengebastelt hatten. Es waren keine schweren, altmodischen Diensträder der amerikanischen Streitkräfte, sondern leichte Modelle mit tief herabgezogenen Lenkern – zwei BSA-Rennräder, die Rube und Earl in Cambridge gekauft hatten. Die beiden hatten sich zu begeisterten Radfahrern entwickelt.

MM stieß die Schuppentür auf. Innen war es hell und warm, denn eine Reihe Glühbirnen unter der Decke und ein selbstgebastelter Heizofen sorgten für die nötigen Temperaturen. An den Wänden hingen Pin-up-Fotos aus ›Yank‹ und ›Esquire‹, so dicht und zahlreich nebeneinander, daß sie wie eine Tapete wirkten – mit einem durchlaufenden Muster von Arschbacken, Brüsten und lächelnd gebleckten Zahnreihen.

Rube und Earl saßen auf kaputten Stühlen und unterhielten sich mit einem Sanitätsunteroffizier mittleren Alters.

»Ich hab' gedacht, ihr würdet auf der Ringstraße 'ne Wettfahrt machen.«

»Wir sind bloß auf 'nen Schluck Kaffee reingekommen«, sagte Rube, obwohl nichts darauf hinwies, daß die verbeulte Filtermaschine in Gang war. »Ich könnte auch 'nen Schluck vertragen«, sagte MM und griff nach einer der Tassen, aus denen die Männer tranken. »Das ist doch kein Kaffee! Sauft ihr etwa?«

»Na, dann bis später, Korporal«, sagte Rube. Der ältliche Sanitäter verstand den Wink, nickte MM zu und ging.

MM wühlte hinter dem kaputten Flugzeugsitz herum, auf dem der Unteroffizier gesessen hatte. Er langte tief hinunter, förderte eine Flasche zutage und schüttelte sie heftig, so daß der glasklare Inhalt zu funkeln begann. »Irgendwelche Armleuchter brennen hier draußen Mondschein-Whiskey.« Rube und Earl schwiegen. Auf der Suche nach heißem Kaffee faßte Jamie an die Filtermaschine, stellte aber fest, daß sie kalt war.

MM entkorkte die Flasche, goß sich einen Tropfen auf die flache Hand und leckte daran. »Ha! Ich hab's ja gewußt!«

»Wirst du's Major Tarrant melden?« fragte Earl und rutschte unbehaglich hin und her.

»Aus Rosinen, würd' ich sagen«, meinte MM und kostete den selbstgebrauten Alkohol. »Und der alte Sani ist vom Krankenrevier. Gehört ihr beide auch zu der Bande?«

»Tu doch nicht so, als wärst du bei den Pfadfindern, MM«, sagte Rube und lächelte verächtlich.

»Geht's um dieses Zeug hier, wenn ihr eure Radtouren macht?«

»War doch bloß Jux und Tollerei«, sagte Earl.

»Bloß Jux! Und gerade das macht mich so sauer. Ich kann durchaus verstehen, daß die Mannschaftsdienstgrade ganz wild auf Schnaps sind, aber ihr kriegt doch eure Whiskeyrationen.«

Rube hielt die Arme fest verschränkt und machte ein finsteres Gesicht. »Nun hör' schon auf, MM«, sagte er ruhig. »Noch bin ich hier der Rottenführer. Noch höre ich auf, wenn mir danach ist, Bubi!« MM fand ein Rohrstück, das zu dem zerlegten Destillierapparat gehörte. »Halt die Schnauze, du Arsch! Weißt du, wie Schwarzbrennen auf Militärgelände bestraft wird? Mit dem Tode! Das ist ein Kapitalverbrechen nach Paragraph dreihundertfünfundneunzig des Militärstrafgesetzbuches!«

Obwohl sich Earl und Rube ganz sicher waren, daß MM sich dies alles spontan aus den Fingern saugte, bildete sich doch ein solcher Bodensatz von Furcht, daß beide ganz blaß wurden. MM nutzte seinen Vorteil. »Fragt doch Jamie«, sagte er, »wir beide haben uns neulich abend noch darüber unterhalten.« Jamies Ruf als wandelndes Lexikon der Rechtskunde und der Wissenschaft allgemein war so groß, daß die beiden Leutnante an MMs Unsinn zu glauben begannen. Die beiden standen steif und atemlos da, als hätten sie einen Eimer eiskaltes Wasser über den Kopf bekommen.

MM genoß noch ein Weilchen den Anblick der beiden, dann sagte er: »Und wenn ihr das nächstemal die Gesetze übertretet, dann aber nicht im Einvernehmen mit unteren Dienstgraden. Manche von diesen Kerlen legen 'nem Offizier 'n Arm um die Schulter, sobald sie Gelegenheit dazu bekommen.«

»Und du meinst, Offiziere tun das nicht?« fragte Rube, der die Auseinandersetzung anscheinend in die Länge ziehen wollte.

»Du weißt genau, was ich meine«, sagte MM.

Farebrother brach das eingetretene Schweigen und wandte sich entschuldigend an Earl. »Hör' mal, Earl, ich hab' versprochen, dir bei dem Brief an deinen Schwager zu helfen. Was meinst du, wollen wir uns jetzt, noch vor der Filmvorführung, damit mal befassen?«

Earl strahlte und freute sich, daß er sich MMs Zorn so einfach entziehen konnte. »Gerne, Hauptmann, gehen wir. Ich hab' mir schon das Scheckdatum rausgesucht und von den Briefen Kopien gezogen.«

MM ließ sich durch diesen Vorwand nicht täuschen und Earl nur widerwillig gehen; Earl selbst aber war dankbar. Farebrother und Koenige radelten fort und ließen Rube und MM mit ihrem Wortwechsel allein. Als sie an den Schießständen vorbeifuhren, brachten Soldaten der Waffenmeisterei Tuckers ›Jouster‹, die ein grellfarbiger Ritter in voller Rüstung zierte, gerade in Schußposition, da ihre Bordwaffen neu justiert werden mußten. Scharen von Dorfkindern, die sich durch ein Loch im Zaun auf den Flugplatz geschlichen hatten, sahen zu. Es gab nur eins, was die einheimischen Kinder noch mehr interessierte als das Einschießen der Bordwaffen: eine Notlandung.

»Wie bist du denn zur Fliegerei gekommen, Earl?« fragte Farebrother mehr beiläufig als aus echter Neugier. Am anderen Ende des Flugfeldes rollte die C 47 seines Vaters zum Start. Die Hauptstartbahn war gesperrt, weil ein Arbeitskommando des Pionierbataillons dabei war, die Risse in der Piste mit Beton auszugießen. Vor dem Abheben mußte die C 47 daher hinter den beiden Radfahrern durch.

»Mein Vater kaufte für je hundert Piepen zwei alte Curtiss ›Jennys‹ aus Heeresbeständen. Die eine hat er, als er sich das Fliegen selbst beibrachte, zu Bruch gemacht. Die haben wir dann ausgeschlachtet und die andere in Schuß gebracht.«

»Dein Vater scheint ein ganzer Kerl zu sein.«

»Meine Eltern sind Deutsche«, erläuterte Earl. »Meine Großeltern leben immer noch in Deutschland, auch etliche Tanten, Onkel und Vettern. Manchmal fühle ich mich auf 'nem Flug über Deutschland richtig unwohl; insbesondere dann, wenn ich sehe, wie die dicken Brummer ihre Bomben ausklinken. Ich stell' mir vor, ach du großer Gott – na ja, du verstehst schon.«

»Ganz gewiß, Earl.«

»Mein Vater ist 'n feiner Kerl«, sagte Earl, »ich vermiß ihn sehr. Meine Mutter auch«, fügte er loyal hinzu. Nach einer Pause sagte er: »Ich hab' niemandem erzählt, daß ich Verwandte in Deutschland hab'; vielleicht hätte man sonst gedacht, mir wäre bei einem Einsatz nicht zu trauen.«

»Nein, Earl, auf den Gedanken würde keiner kommen«, sagte Farebrother, obwohl er Rube Weins Vorwürfe noch in frischer Erinnerung hatte.

»Mickey Mouse nicht«, sagte Earl, »der hält zu seinen Leuten. Das ist das Großartige an ihm.«

»Das kannst du ruhig laut sagen. Ihr alle habt zu mir gehalten, als die ›Kibitzer‹ über der Nordsee in den letzten Zügen lag.«

»MM hat Angst vor seinem Vater«, sagte Earl, »deshalb teilt er auch mit niemandem seine Stube. Er hat Alpträume. Läßt die ganze Nacht das Licht brennen.«

»Ist mir auch schon aufgefallen.«

»Wenn sein Alter spätnachts nach Hause kam, dann hat er die Jungs immer aus dem Bett geholt und verprügelt.«

»Im Suff, meinst du?«

»Er hat sie richtig gräßlich verdroschen. Na klar, er brauchte jeden Tag seine Flasche. Als MMs Mutter dann gestorben ist, bekam's der Alte mit dem lieben Gott. Aber so richtig – er predigt und all so was. Hast du auf dem Regal in MMs Stube all die Briefe gesehn? Alle in derselben Handschrift. Stammen von seinem Vater. MM macht sie gar nicht auf.«

»Aber er schmeißt sie auch nicht weg, wie?« Sie hielten an und sahen zu, wie die C 47 auf der Ringstraße auf sie zugerollt kam.

»Ich glaub', du hast recht«, sagte Earl. »Daran hab' ich noch gar nicht gedacht.« Die große Transportmaschine rollte zum Ende der Piste, wendete und wartete auf Starterlaubnis. »Ich hab' bloß vor Feuer richtig Angst«, gab Earl zu. »Oft hab' ich nachts ganz schwere Träume von Feuer und so gehabt, da hab' ich mir von 'nem zivilen Arzt 'n paar Schlaftabletten geben lassen – ich wollte keinen Militärarzt, die schreiben nämlich alles sofort in deine Personalakte –, seitdem hat sich das ein bißchen gegeben.«

Plötzlich brüllten die Motoren auf, und die C 47 rollte die Startbahn hinunter, wobei sie mit zunehmender Geschwindigkeit auf dem unebenen Untergrund heftig zu schwanken begann. Wie ein Invalide, der sich eine steile Treppe hinauftastet, so stieg die Maschine vorsichtig in den blauen Himmel. Die beiden Flieger hatten die Arme auf die Lenkstange gestützt und sahen zu, wie der Riesenvogel Höhe gewann. Schließlich klingelte Earl und trat wieder in die Pedale. Er hielt aber wieder an und drehte sich um. Farebrother beobachtete noch immer die Maschine; er war ganz grün im Gesicht.

»Fehlt dir was, Hauptmann? Du siehst schlecht aus.«

Farebrother deutete mit einem Kopfschütteln Wohlbefinden an, hielt sich plötzlich aber das Taschentuch vor den Mund. Earl wollte ihm die Hand auf die Schulter legen, aber Farebrother ließ sein Fahrrad fallen, beugte sich vor und erbrach sich ins Gras am Straßenrand.

Earl lehnte sich auf sein Rad und sah dem Freund wortlos

zu. Die Maschine kam noch einmal zurück, setzte zum Tiefflug an und zog in etwa zweihundertfünfzig Meter Höhe eine ruhige Schleife über dem Platz. Farebrother erbrach sich erneut, würgte seinen Magen leer, wischte sich den Mund und spürte den säuerlichen Geschmack der gestrigen Mahlzeit auf der Zunge. Als er sich, so gut es ging, gesäubert hatte, sagte er erklärend: »Ich hab' gestern abend bei Freunden gegessen – Kaninchen. Bin noch nie scharf drauf gewesen.«

Earl sagte nichts, sondern stieg mit übertriebener Bedächtigkeit wieder aufs Rad, um dem Freund nicht in die Augen sehen zu müssen.

»Vielleicht hätt' ich doch lieber frühstücken sollen«, fügte Farebrother in der Hoffnung hinzu, Earl würde ihm bei seinem frommen Selbstbetrug zur Hand gehen.

Aber Earl Koenige war ein Junge vom Lande. »Das war das gestrige Gefecht«, sagte er. »Du bleibst innerlich verkrampft. Du lachst, machst 'nen Spaß und trinkst dir einen, der Krampf aber bleibt und bleibt. Plötzlich dann, ohne jeden erkennbaren Grund, passiert was, das den Krampf löst. Dein Hinterkopf sagt dem Körper: Jetzt langt's, du brauchst dich nicht länger zu verkrampfen, und dann kotzt du, heulst oder brüllst einen an.« Earl zuckte die Schultern. »Oder sie fliegen dich mit 'ner Sanitätsmaschine nach Hause.« Das war eine große Rede; Earl mußte sie sich sorgfältig zurechtgelegt haben.

»Ach, und Rube brüllt?«

»Du meinst, neulich? Na sicher. Er dreht durch und nennt mich 'nen Nazi und derlei mehr. Mir macht das nichts aus. Daran bin ich seit meiner Schulzeit gewöhnt. Rube macht es allerhand zu schaffen, möglicherweise in Gefangenschaft zu geraten. Jeder hat da seine blöden Befürchtungen. Ich hab' ihm das zwar gesagt, aber er sorgt sich trotzdem.«

»Hat er dir das erzählt?«

»Ich bin der einzige, mit dem er darüber spricht«, sagte Earl. »Wir holen die Räder raus und drehen ein paar Runden auf der Ringstraße, und dann geht Rube aus sich raus. Deshalb bin ich mit ihm überhaupt bloß in den Schuppen zu

257

den Schwarzbrennern – das lenkt ihn von seinen anderen Sorgen ab, verstehst du?«

»Gewiß doch, Earl, sicher.« Von den Schießplätzen hinter ihnen klang plötzlich Maschinengewehrfeuer herüber. Vögel flogen auf, lärmten aufgeschreckt und schlugen mit den Flügeln.

16.

Oberstleutnant Druce »Duke« Scroll

»Holen Sie mal Ihr kleines, altes Notizbuch raus, Duke«,
sagte Oberst Dan über die Schulter hinweg zu Scroll, während die beiden der langsam steigenden C 47 zusahen, »und
schreiben Sie in großen Buchstaben und mit roter Tinte
›General Alex‹ – er möchte nämlich gern Alex genannt
werden, hat er mir mal gesagt – ›Bohnen‹. Schreiben Sie
B-o-h-n-e-n.«

»Jawohl, Herr Oberst«, sagte der stellvertretende Kommandeur. »Ich hab' mir die vom General erwähnten Einzelheiten bereits notiert.«

»Und wenn der noch mal herkommt, wenn ich gerade
auf Feindflug bin, dann schnappen Sie sich 'nen Eimer
weiße Farbe und malen in riesigen Blockbuchstaben ›Bohnen‹ auf die Hauptlandebahn. Haben Sie verstanden,
Duke?«

»Das war ja deutlich genug, Herr Oberst.« Wenn der
Stellvertretende seinen Zorn zurückhalten mußte, redete
er seinen Geschwaderkommandeur ganz förmlich in der
dritten Person und mit dem Dienstgrad an. »Und was
gedenken Herr Oberst zu tun, wenn dieser Fall eintreten
sollte?«

»Was ich tun werde?« brüllte Oberst Dan skeptisch und
schob sein kurzes, ungebärdiges Haar nach hinten. »Ich
bleibe oben, Duke. Ich flieg' auf der Stelle nach Deutschland zurück – das ist alles.«

»Ich bin sicher, da gibt es auch Generale vom Typ
Bohnen.«

»Darauf können Sie Ihren Arsch verwetten.« Die beiden

betrachteten die C 47, die den Platz nun auf Gegenkurs überflog. »Was macht das alte Aas denn jetzt?« grummelte Oberst Dan.

»Vielleicht will er uns 'n bißchen Sprengstoff auf den Kopf werfen«, gab der Stellvertretende zu bedenken.

»Sehr spaßig«, sagte Oberst Dan, der Witzemachen für ein Kommandeurs-Privileg hielt. »Sie hat er doch nicht zur Sau gemacht. Ich hab's stellvertretend fürs ganze Geschwader abbekommen. Diese Leute im Stab leben ja in 'ner ganz anderen Welt, Duke.«

»Wahrhaftig, Herr Oberst.« Der Stellvertretende beschäftigte sich mit ein paar Papieren, während der Oberst in seinem Büro wie ein frischgefangener Löwe im Käfig herumlief. Er war ein unordentliches, aggressives Großmaul, aber seit Duke Scroll mit ihm zusammenarbeitete, hatte er zunehmend Gefallen an ihm gefunden. Er flog zuviel und vernachlässigte die Büroarbeit – Duke sah, daß der braune Aktenordner, den er Oberst Dan auf den Schreibtisch gelegt hatte, noch immer ungeöffnet war –, aber seine Fürsorge gegen die Piloten war grenzenlos. Sie mußte gelegentlich zwangsläufig mit seiner Pflicht, sie ins Gefecht zu schicken, kollidieren. Eine soldatische Verfehlung, die ihm in menschlicher Hinsicht jedoch zur größeren Ehre gereichte. Duke Scroll hatte jedoch die Kriegsakademie absolviert; er wußte, daß die hohen Tiere dies, falls die Sache einmal ruchbar würde, mit Sicherheit anders sehen würden.

Die Unterredung mit dem General hatte Oberst Dan verärgert. Da dieser nun fort war, entschloß sich Oberst Dan zu einem Revanchekampf – nur mußte der Stellvertretende dieses Mal die Stelle des Generals einnehmen. Deshalb fuchtelte er in der Luft herum und sagte: »Wenn Sie mich nach dem Unterschied zwischen 'ner P 47 und 'ner P 51 fragen, dann kann ich Ihnen glaubhaft versichern, daß die Thunderbolt zwar doppelt so viele Maschinenwaffen, aber weit weniger Hemmungen hat, während bei der Mustang Kühlflüssigkeit ausläuft und die Heizung versagt. Und ich sage Ihnen, die Thunderbolt ist 'ne tolle Kiste – die kann wesentlich mehr Feindeinwirkung vertragen als jede andere

Maschine, die ich kenne, und bringt Sie trotzdem noch rechtzeitig zum Abendessen nach Hause. Wenn Sie mit der im Luftkampf in Schwierigkeiten geraten, dann zieht sie jedem davon, der auf Sie Jagd zu machen versucht. Gehen Sie mit ihr in Bodennähe runter, schluckt sie mühelos alles, was ihr von unten her entgegenschlägt.«

»Ich kann mir nicht vorstellen, daß diese Ansichten beim General ein offenes Ohr gefunden haben. Sie sind hierher geschickt worden, um das Geschwader auf P 51 umzurüsten.«

»Er hat mich um meine ehrliche Meinung gebeten.«

»Aber bitte, Herr Oberst glauben doch nicht, daß das wörtlich gemeint war.«

»Ich weiß nicht, wie er das gemeint hat, Duke, ich hab' ihm jedenfalls meine ehrliche Meinung gesagt. Die Thunderbolt ist eine bequeme Maschine mit unzerbrechlichem Fahrgestell. Meine Piloten müssen immer noch lernen, wie diese temperamentvollen kleinen Mustangs mit leichter Hand aufgesetzt werden.« Er unterbrach seine Wanderung, griff über den Schreibtisch hinweg nach einem Päckchen Stumpen und schüttelte sich ein Zigarillo heraus. »Aber der wahre Unterschied zwischen einer P 47 und einer P 51 liegt ganz woanders«, sagte Oberst Dan sarkastisch. »General Bohnen hat mir den *wirklichen* Unterschied genannt; passen Sie jetzt mal genau auf. Für die P 47 muß Onkel Sam 115 434 Dollar hinblättern, während 'ne P 51 pro Stück bloß 58 546 Dollar kostet. Legt man auf den Preis einer Thunderbolt noch knapp zweitausend Dollar drauf, bekommt man zwei Mustangs dafür.«

»Aber da sind doch noch die anderen Kostenfaktoren – Wartung, Ersatzteillager und...«

»Glauben Sie nur nicht, daß die im Stab das nicht bedacht hätten, Duke. Ich hab' Bohnen gesagt, daß die Merlins schon nach weniger als zweihundert Betriebsstunden hinüber sind. Und darauf hat er mir geantwortet, der Luftkrieg würde immer heftiger, und insofern würde es ohnehin nicht viele Maschinen geben, die im operativen Einsatz auf diese Stundenzahl kommen.«

»Das hat er gesagt?« Eine solche Äußerung klang roh und abgestumpft. Duke Scroll nahm die Brille ab, hielt sie gegen das Licht und suchte auf den Gläsern ein Stäubchen zu entdecken.

»Er hat gesagt, die Thunderbolt kostet zuviel, schluckt zuviel und schleppt zuviel Gewicht mit sich rum. Ich hab' gesagt: Herr General, meine Frau ist nun mal so, aber ich liebe sie trotzdem.«

»Wieso ist denn ihr Gewicht von Belang?« Der Stellvertretende setzte die Brille wieder auf und starrte seinen Kommandeur an. Weniger als zweihundert Stunden! Wenn das die Lebenserwartung ihrer Maschinen war – wie viele Piloten würden denn ihre Dienstverpflichtung überleben?

»Für die vom Stab ist das Gewicht schon wichtig. Der alte Saukerl versucht uns hier rauszudrängen, Duke. Er sagt, und angeblich steht das auch in der Betriebsanleitung des Herstellerwerks«, fügte Oberst Dan sarkastisch hinzu, »daß das Gewicht einer P 51 bloß siebzig Prozent des Gewichts einer Thunderbolt ausmacht. Er sagt, unsere Mustangs brauchten keine betonierten Pisten wie hier in Steeple Thaxted. Sie könnten Bomber hierher verlegen. Die Planer im Stab sagen, wir kämen auf 'nem Grasplatz zurecht, und zum Teufel mit dem Schlamm. Besseres Wetter ist in Sicht, und zwar ganz offiziell.«

Bei dem Gedanken, das ganze Geschwader auf einen anderen, vielleicht sogar noch primitiveren Feldflugplatz zu verlegen, zuckte der Stellvertretende zusammen. »Und was haben Sie geantwortet?«

»Ich wollte ihm die hundserbärmlichen Unterkünfte meiner Offiziere zeigen. Hab' ihm gesagt, er brauchte erst mal 'n paar Schutzimpfungen und müßte sich mit DDT einstäuben, ehe ihn der Arzt in die Nähe des Drecks ließe, in dem die Mannschaften leben müssen.«

»Wollen die wirklich das Geschwader verlegen?«

»Ich hab' ihm gesagt, wenn das Geschwader verlegt wird, muß er sich 'nen neuen Kommandeur suchen.« Er lachte und zündete sein Zigarillo an, mit dem er so lange in der Luft herumgefuchtelt hatte. »Er wird uns nicht verlegen, Duke. Ich hab' dafür gesorgt, daß er die Sache fallenlassen mußte.«

»Könnten Sie etwas deutlicher werden, Sir?«

»Ha! Ich hab' ihm erzählt, daß die britischen Vertragsfirmen beim Bau der Ringstraße in betrügerischer Absicht gepfuscht und das Straßenbett nicht vernünftig ausgebaut haben. Ich hab' ihm gesagt, daß die Decke der Stellplätze schon unter dem Gewicht unserer lausigen kleinen Mustangs große Risse bekommt, und ihm erzählt, daß Steine und Kiesel in der Betondecke der Rollfelder unsern Maschinen die Reifen zerfetzen, obwohl wir vor dem Abbinden schon fester als vorgeschrieben gewalzt haben. Setzen Sie mal 'n paar dicke Brummer auf diese Scheißpiste, hab' ich gesagt, und Sie werden ihr blaues Wunder erleben. Vergessen Sie das alles, Herr General, hab' ich gesagt, und gehen Sie wieder dahin, wo Schreibtische geflogen werden und die Flak aus Papier ist.«

Der Stellvertretende sah ihn zweifelnd an. Nun, Oberst Dan übertrieb gewöhnlich, diesmal aber mußte er hartnäckigen Widerstand geleistet haben, denn keiner hatte Zahlen und Fakten verlangt, die der General aber für die endgültige Entscheidung, das Geschwader zu verlegen, gebraucht hätte. »Ich weiß aus Erfahrung, daß Generale wie Bohnen – also Zivilisten in Uniform – nichts lieber haben als ein bißchen Brimborium, das hebt ihr Selbstwertgefühl. Sie hätten mich zu seiner Verabschiedung 'ne Ehrenformation stellen lassen sollen. 'n Dutzend Mann unter Gewehr in weißem Koppelzeug.« Oberst Dan blies ihm den Rauch ins Gesicht.

»Sie meinen, 'n Erschießungskommando? Wir könnten ein paar Freunde im Stab ganz gut gebrauchen«, sagte Duke.

Oberst Dan zuckte die Achseln. »Ich war nicht auf West Point wie Sie und Tucker und die übrigen. Die Leute, mit denen ich meine Jugend verbracht habe, waren samt und sonders Flieger. Heute leiten sie bankrotte Fluglinien oder arbeiten am Fließband und stellen Flugzeugteile her. Für 'ne Verwendung im Stabsdienst sind die nicht gut genug.« Nervös kratzte er seinen Arm. Er war nach einer üblen Bruchlandung vor mehr als zehn Jahren schlecht gerichtet worden und tat manchmal weh. »Diese Wichser im Stab sind schon längst keine Soldaten mehr, und Flieger waren sie noch *nie*. Das sind alles bloß Bankiers, Börsenmakler und Mathematiker, Duke, die mit dem Rechenschieber gegen die Deutschen kämpfen.«

»In diesem Krieg ist das nun mal so, Herr Oberst.«

Oberst Dan lächelte; er wollte es nicht wahrhaben. Er nahm seine Lederjacke von der Stuhllehne und sah, während er sich diese anzog, aus dem Fenster. »Sehen Sie mal die beiden, die da im eisigen Wind auf dem Vorfeld radfahren. Manche von diesen Bengels scheinen die Kälte nicht so wie wir zu spüren.«

»Wir werden alt, Herr Oberst.« Duke sah aus dem Fenster. »Hauptmann Farebrother und der kleine Koenige«, sagte er. Er hatte sich angewöhnt, die Namen der Männer zu nennen, wenn Oberst Dan offensichtlich nicht darauf kam.

»Ich wünschte, ich könnte mir die Namen so gut wie Sie merken«, sagte der Oberst.

Oberst Dan beobachtete weiterhin die beiden zum technischen Bereich hinüberradelnden Offiziere; sie waren wahrscheinlich auf dem Wege zur für halb zwölf angesetzten Filmvorführung. »Was halten Sie von Farebrother?«

»Sie sagten, er hat gestern 'nen Deutschen abgeschossen.«

»Wie oft schon hat das Hauptquartier angerufen und sich nach dem Jungen erkundigt?! Wird der protegiert oder hat er bloß 'n paar besorgte Kumpels?«

Der Stellvertretende wußte es nicht und versuchte es auch nicht zu erraten. Während er sein Spiegelbild im gerahmten Foto von Frau und Kindern auf seinem Schreibtisch betrachtete, setzte Oberst Dan seine schäbige Mütze auf und zog den Krawattenknoten straff. Für die angesetzte Filmvorführung war es noch zu früh. Duke wußte, daß der Oberst seinem Schreibtisch entrinnen wollte.

»Ich geh' mal zur Vorführung rüber, Duke. Ich muß den Jungs erzählen, daß sie ab sofort Abschüsse angerechnet bekommen, wenn sie Feindflugplätze beschießen. Gefällt mir gar nicht, Duke.« Er zog den Reißverschluß zu. »Machen Sie nächstes Wochenende mal frei. Sagen Sie allen Schreibstuben der Staffeln, sie sollen so viele Urlaubsscheine wie nur möglich ausstellen. Das Wetter wird noch diesen Monat besser. Bis zur Invasion kommt noch 'n langer, schwerer Sommer auf uns zu, Duke.«

»Bevor Sie gehen, Sir...« Duke erhob sich und griff nach dem braunen Aktenordner, den er auf Oberst Dans Schreibtisch gelegt hatte. Der Stellvertretende wußte, daß Oberst Dan keinen Blick hineinzuwerfen gedachte. »Ich hab' für Sie schon mal die nötigen Briefe geschrieben, Sir. Sie brauchen nur noch zu unterschreiben.«

Oberst Dan wußte natürlich, worum es ging. Duke Scroll legte drei maschinengeschriebene Briefe auf seinen Schreibtisch. Sie waren an die Eltern der drei seit dem Angriff in Braunschweig ›vermißten‹ Flieger adressiert. Ohne zu lesen, kritzelte er seine Unterschrift auf die Briefe.

17.

Victoria Cooper

Nur sehr verliebte junge Leute können die Zugfahrt nach
Wales so fröhlich genossen haben. Sie saßen auf dem Gang
auf einem großen Koffer und klagten nicht über das – von
Verdunkelungsvorschriften verlangte – trüb-blaue Licht.
Sie hielten sich eng aneinandergekuschelt und merkten
weder die fehlende Heizung noch die in die Abteile
gezwängten Soldaten oder deren Gewehre und Ausrü-
stungsstücke, die zuhauf um sie herumlagen.

Jamie Farebrother und Victoria Cooper verließen an
ihrem Zielort als einzige den Zug. Es war dunkel und
begann zu regnen. Der Bahnhof – eigentlich nur ein für die
Bergbauern der Nachbarschaft zwecks Milchbeförderung
angelegter Haltepunkt – unterstand einer alten Vettel, die
zwar kaum einen Blick auf ihre Fahrkarten warf, auf ihre
Fragen nach einer Telefonzelle dafür aber mit um so arg-
wöhnischerem Blick reagierte. Sie betrachtete Jamies
Trenchcoat und den großen Lederkoffer in seiner Hand. Er
gehörte Victorias Vater und enthielt ihre zwei Garnituren
Kleidung und Wäsche, derbe Wanderschuhe, drei Bücher,
ein neugekauftes Spitzennachthemd, teure Vorkriegsseife,
Seidenpantoffeln von ihrer Mutter und eine Wanderkarte
mit großem Maßstab.

Über der Schulter trug Victoria Jamies Kampftasche.
Darin steckten zwischen Hemden und Unterwäsche Kon-
serven mit in Honig geräuchertem Schinken, eine Stange
Zigaretten und eine Flasche Bourbon.

»Wir sind keine Deutschen«, sagte Victoria unwirsch.

»Heutzutage kann man nie wissen«, sagte die Frau und

stellte den Kragen hoch. Sie ließ sie dann aber doch ans Telefon, um »Evans, Autovermietung, Bestattungen, Hochzeiten« anzurufen.

Bis der Wagen kam, stellten sie sich im Lagerschuppen unter. Es war ein großer Daimler, auf dessen Fußmatten und mit Knöpfen besetzten Ledersitzen noch Konfetti von einer längst vergessenen Hochzeit herumlag.

Der Fahrer, ein kleiner Mann mit feschem Spitzhut und feierlich schwarzem Übermantel, sprach einen Akzent, den Jamie nicht verstehen konnte. Er öffnete ihnen den Schlag und salutierte, während die beiden auf den Rücksitz kletterten. Die Wirkung aber ging größtenteils dadurch, daß er nieste und bei der Suche nach einem Taschentuch einen speckigen Rollkragenpullover sehen ließ, verloren.

Auf der Lower-Hill-Farm wurde ihnen kein besonders warmer Empfang zuteil. Frau Williams, eine kleine, kräftige Frau, die ihren schwarzen Wollschal so fest unter dem Kinn zusammenhielt, daß ihre Knöchel weiß hervortraten, zeigte ihnen das Zimmer. Die Treppe war so schmal und steil, daß Jamie, der die Tapete nicht beschädigen wollte, fast das Gleichgewicht verloren hätte. »In meinem Hause wird nicht getrunken«, sagte Frau Williams.

Selbst im schwachen, flackernden Licht der messingnen Petroleumlampe erkannten sie, daß das Zimmer nur winzig war. Den meisten Platz nahm ein gewaltiges, verschnörkeltes Messingbett ein. Es wirkte lächerlich hoch – vollgepfropft mit Unterlagen, Matratzen, Decken und Daunenkissen, so daß es fast an die reichverzierte Deckenlampe heranreichte. Die Bettdecke war eine komplizierte Häkelarbeit, und die darübergeschlagenen Leinenlaken waren noch nicht glattgestrichen; es hatte den Anschein, als hätte die Frau erst angefangen, die Bettwäsche zu wechseln, als das Geräusch des sich über die steile, steinige Zufahrt nähernden Wagens vernehmbar wurde.

»Ich bringe Ihnen erst einmal eine Kanne Wasser«, versprach die Frau. »Heißes Wasser«, fügte sie hinzu.

Jamie Farebrother betrachtete den alten Waschtisch: ein gewaltiger gemusterter Krug thronte in einer Waschschüssel; daneben eine Seifenschale aus Porzellan, ein zusammengefaltetes Gesichtshandtuch und ein winziges Seifenscheibchen – Seife war rationiert. Unter dem Bett erspähte er ein Nachtgeschirr, das dieselben blauen Blumen wie den Wasserkrug zierten. Es war wie im Museum; noch nie zuvor hatte er bemerkt, wie primitiv es in England zugehen konnte. Panik stieg in ihm auf, als er daran dachte, den Topf vielleicht des Nachts in Victorias Gegenwart benutzen zu müssen. Er sah sie an, mußte dabei aber wohl ein solches Gesicht geschnitten haben, daß sie eiligst zur Seite schaute, um nicht in Gelächter ausbrechen zu müssen.

»Vielen Dank, Frau Williams«, hörte er Victoria sagen, »wir müssen uns beide frischmachen. Wir haben eine lange Reise hinter uns.« Sie spielte mit dem Ring an ihrem Finger. Die Frau bemerkte es, sah Jamie an und runzelte die Stirn.

»Frühstück gibt's um acht«, sagte die Frau. Inzwischen hatte sich Jamie etwas an ihren singenden Akzent gewöhnt. »In der Küche. Die Treppe runter und dann rechts durch den Flur.«

Sie warteten, daß sich das Geräusch der Schritte auf der Treppe verlor. »Es geht auf Mitternacht«, sagte Victoria, als rechtfertige das, nun Mantel und Jacke abzulegen.

Jamie schwieg. Er zog die Mütze vom Kopf und entledigte sich seines Trenchcoats, öffnete seine Kampftasche und nahm einen Schluck aus der Bourbonflasche. Dann hielt er sie Victoria hin, die sie mit einem Kopfschütteln zurückwies.

»Hier ist Ihr heißes Wasser«, sagte die Frau plötzlich vor der Tür.

»Vielen Dank, Frau Williams, und gute Nacht«, sagte Victoria und knuffte Jamie.

»Ja, gewiß – gute Nacht, Frau Williams«, sagte er pflichtschuldigst.

Da bahnt sich ein totales Fiasko an, dachte Victoria. Böse Ahnungen überfielen sie. Was um Himmels willen hatte sie hier um Mitternacht in Wales auf dem platten Land zu suchen – zusammen mit einem Mann, der unverkennbar Ausländer war, einen geliehenen Trauring trug und Angst hatte, die Toilette zu benutzen?

Sie begann den Lederkoffer auszupacken und legte Jamies Hemden und Unterwäsche neben ihre eigenen Sachen in die Kommode. Es regnete jetzt heftiger; die Tropfen schlugen gegen die verriegelten Fensterläden, und in der Dachrinne gurgelte das Wasser, ehe es sich klatschend auf die Erde ergoß. Von irgendwoher aus dem Untergeschoß des großen Bauernhauses war zu hören, wie jemand mit einem Strauchbesen energisch über den Steinfußboden fuhr. Victoria nahm an, daß es da unten ins Haus regnete, behielt das aber für sich.

Jamie trat an den leeren Kamin und betrachtete ein Weilchen das sorgsam gefältelte, staubige Stückchen rosa Papier, das das Gitter zierte. Er faßte an die Wand, um festzustellen, ob der Rauchfang vielleicht von einem unten brennenden Feuer gewärmt wurde. Die Wand war kalt, und es knisterte, als sich unter der Berührung Putz unter der Tapete löste.

»Jamie, Liebling, frierst du?«

»Liebes, so naß und kalt war mir zeitlebens nicht.« Er zitterte vor Kälte. »Ich hab' ganz vergessen, was es heißt, es warm und bequem zu haben.«

Victoria antwortete nicht. Sie hörte aus seiner Stimme eine tüchtige Portion Heimweh heraus und wußte nichts darauf zu sagen.

»Wir haben Samstagnacht«, sagte Jamie Farebrother, »in Kalifornien ist jetzt noch Nachmittag. Um diese Zeit ist die Fähre nach Catilina vollgestopft mit Collegeleuten und ihren Mädchen. Wenn du über die Reling blickst, kannst du fünfzehn Meter tief in den Pazifik sehen, kannst den Fischen zuschauen und den Meeresgrund erkennen. Heute aber tanzen sie da zur Musik einer der berühmten Kapellen. Vielleicht scheint der Mond, und die Jungs im Avalon gehen aus dem Ballsaal und stellen sich mit ihren Mädchen auf den Balkon. Warm ist es, und der Mond und Tausende von Sternen spiegeln sich im dunklen Wasser der Bucht.«

»Das klingt himmlisch«, sagte Victoria.

»Da kommt dieser Teil Englands mit Sicherheit nicht mit, Schatz.«

»Wir sind jenseits der Grenze – dies hier ist Wales.«

»Hör' mal den Regen.«

Er setzte sich auf den Stuhl, sah sich im Zimmer um. »Ich kenne noch ein Zimmer wie dieses«, fügte er plötzlich aus sich heraus hinzu. »Zwei Räume, keine Heizung, und dermaßen klobiges Mobiliar, daß du dich in die Diele stellen mußtest, wenn du den Garderobenschrank aufmachen wolltest. In einer solchen Wohnung hat meine arme, alte Kinderfrau ihre letzten Tage verbracht. Ich liebte sie. Sie hat mir mehr bedeutet als meine Mutter.« Victoria sagte nichts darauf, er sprach mehr zu sich selbst als an sie gewandt. »An sie haben meine Schwester und ich uns immer gehalten, wenn wir Probleme oder ein aufgeschlagenes Knie hatten – wenn wir für irgend 'nen neuen Spaß ein begeistertes Publikum brauchten oder in den Arm genommen werden wollten. ›Nanny‹ war immer für uns da und brachte alles wieder in die Reihe. Als sie mich zur Schule schickten, hab' ich sie furchtbar vermißt, ganz gewiß.«

»Sie wird dich aber auch vermißt haben.«

»Ich vermute, ihr hat's das Herz gebrochen. Ich weiß noch, wie sie geweint hat. Ich habe nie gesehen, daß sie vorher mal geweint hätte – ich hatte noch nie gesehen, daß ein Erwachsener weint. Ich wußte nicht, daß Erwachsene *auch* weinen. Ich sagte: ›Was fehlt dir denn, Nan?‹, und sie sagte, sie mußte weinen, weil sie sich so freute, mich in meinen neuen Schulsachen zu sehen.«

Nach einer langen Pause sagte Victoria. »Und was hast du gesagt?«

»Ich hab' gesagt, deswegen brauchte man doch nicht zu weinen. Ich hab' ihr von dem Schwimmbad mit dem hohen Sprungbrett und von dem Mikroskop im Physiksaal erzählt, das ich mir angesehen hatte, als ich mit meinem Vater die Schule besichtigt hab'.«

»Du darfst dir keine Vorwürfe machen, Jamie, du warst doch noch ein Kind.«

»Das Weihnachten drauf – meine Eltern wußten nichts

davon – bin ich von dem Strandhaus, das mein Vater am Long Island Sound gemietet hatte, mit dem Bus nach Hartford, Connecticut, rübergefahren. Ich hab' sie gefunden – sie wohnte in einem baufälligen Haus, das nach Waschlauge und Katzenpisse roch. Ich war ein verwöhntes Kind und wollte mich nicht aufs Sofa setzen, weil da Katzenhaare drauf lagen. Sie hatte eine große Falbkatze, die knuddelte sie und sagte: ›Dies ist jetzt mein kleiner Junge, seit ich dich nicht mehr habe, Jamie.‹ Ich hab' versprochen, sie wieder zu besuchen, hab' es dann aber doch nicht getan. Dann sagte mir mein Vater, sie wäre gestorben und hätte mir ihr schäbiges Buch hinterlassen, in das sie mit ihrer hübschen Handschrift Gedichte abgeschrieben und Zitate aus den Büchern geschrieben hatte, die wir im Kinderzimmer zusammen gelesen hatten. Und dazu noch ihr Spezialrezept für Kümmelkuchen.«

Der Wind heulte. Er stand auf und nahm noch einen kleinen Schluck aus der Whiskeyflasche. Victoria sah ihm wortlos zu.

»Das Buch habe ich nie bekommen. Mein Vater hat's verbrannt – wegen der Krankheitskeime, sagte er. Mein Vater haßt Krankheitskeime.« Er fuhr mit der Zunge über die Lippen und genoß den Whiskeygeschmack. »Herr Jesus, der Wind wird uns noch das Dach über dem Kopf wegreißen.«

»Tut mir leid, Jamie, ich hätte mit dir nicht hierherfahren sollen.«

»Hast du 'ne Ahnung, wo ich mit der Suche nach 'nem Badezimmer beginnen soll?« Er holte eine der komischen rechteckigen Armeetaschenlampen aus seiner Kampftasche und knipste sie probeweise an.

»In diesen alten Häusern gibt es keine Badezimmer. Wahrscheinlich stellen sich die Leute einmal in der Woche einen Blechzuber vors Küchenfeuer und machen sich auf dem Herd Heißwasser.«

»Du weißt schon, was ich meine«, sagte er gereizt.

Hastig zog sie ihren Mantel an, nahm ihm die Taschenlampe aus der Hand und stieg treppab, um Frau Williams zu suchen. Sie hatte auf diese Unternehmung größte Hoffnungen und Erwartungen gesetzt, und im Vertrauen auf ein bevorstehendes wonniges Wochenende hatte sie die Kraft gefunden, sich darüber hinwegzusetzen, daß für ihre Eltern Qual und Sorge damit einhergingen. Ihr Vertrauen indessen ebbte inzwischen ab, denn sie mußte feststellen, daß Jamie Farebrother hier nichts Wonnevolles entdecken konnte. Für ihn waren solche unschicklichen Wochenenden wohl reine Routine, und dieses vielleicht nur wegen der beschwerlichen Anreise und der unzulänglichen Unterbringung halber bemerkenswert. Würde er hierüber irgendwann einmal an der Theke im Offiziersheim seine Witze reißen?

Sie fragte sich dies noch, als sie den Garten nach einem Abort absuchte. Sie krabbelte hinter windzerzauste Büsche und hörte ganz in der Nähe einen Eulenschrei. Der Lichtkegel der Taschenlampe durchdrang den schräg niederprasselnden Regen und fiel auf ein altersschwaches Häuschen. Als sie ins Zimmer zurückkam, war sie bis auf die Haut durchnäßt und völlig zerzaust.

»Hast du's gefunden?« fragte er.

Männer waren so furchtbar eigensüchtig. Er fand kein Wort der Zuneigung oder des Mitgefühls. »Draußen im Dschungel. Von der Küche aus immer den Pfad entlang. Linker Hand – zwanzig Schritt oder mehr. Die Funzel wirst du schon mitnehmen müssen.« Er nahm ihr die Taschenlampe ab und küßte mechanisch ihren Nacken. »Paß auf die Schlangen auf«, fügte sie mit einem Anflug bissigen Humors hinzu. Er nahm ihren Scherz grunzend zur Kenntnis und stieg die Treppe hinab.

Als er zurückkam, lag sie bereits im Bett. Sie hörte, wie er sich in der großen Schüssel wusch, und stellte mit schnellem Blick fest, daß er bis zum Gürtel nackt war. Sein Körper zeigte noch immer die unter der Sonne Kaliforniens angenommene Bräune.

Die Laken waren eiskalt, und er atmete schwer, als er neben sie ins Bett glitt. Sie nahmen sich leidenschaftslos in die Arme. Kälte, Müdigkeit und Enttäuschung sind der körperlichen Liebe nicht förderlich.

Zur Frühstückszeit bekamen sie einen Eindruck von der Landschaft. Hinter dem Bauernhaus erhob sich jäh ein steiler, mit großen Geröllbrocken übersäter Berghang. Zwischen dem intensiven Grün der Grasnarbe trat immer wieder der aschgraue, nackte Fels zutage; der Gipfel selbst verbarg sich unter einer Dunstglocke.

Frau Williams war nirgends zu sehen; das Frühstück war mit Sorgfalt auf dem blanken Tisch aufgetragen worden. Es gab einen kleinen frischgebackenen Laib Brot, zwei Eier neben einer kleinen Kasserolle, ein Stück selbstgemachte Butter und einen halben Topf schwarze Johannisbeermarmelade.

»Das reinste Festessen«, sagte Victoria.

»Aber ja«, sagte Jamie, dem inzwischen die Kärglichkeit der englischen Zuteilung geläufig war.

Victoria goß kochendes Wasser auf die Eier, stellte die Kasserolle aufs Feuer und machte Tee. »Sie ist sehr vertrauensvoll«, sagte sie. »In der Teebüchse ist fast eine ganze Monatsration.«

»Wahrscheinlich ist sie der Kopf der Schwarzmarkthändler dieser Gegend«, sagte Jamie, »vielleicht ist ihre Scheune voll von Sekt und Kaviar.«

»Schweig, du Esel«, sagte Victoria und versuchte mit einem Blick in die Runde festzustellen, ob die alte Frau vielleicht in Hörweite war. Sie lachte aber dabei.

»Tut mir leid«, sagte Jamie. »Wenn ich heute nacht 'ne miserable Laune hatte, so tut's mir leid.«

Sie warf ihm einen Kuß zu, als hätte sie nicht verstanden. »Wie möchtest du die Eier haben, Kumpel?«

Er sah sie streng an. ›Kumpel‹ gehörte nicht zu Victorias gängigen Koseworten. »Ist mir egal!« Er wollte sie in die Arme nehmen, sie aber entzog sich ihm geschickt.

»Kusch dich, Junge, kusch!«

»Du wirst bestimmt bekümmert sein«, sagte er.

»War halt 'n Schuß in 'n Ofen.«

»Schuß in 'n Ofen!« Jamie verzog entsetzt das Gesicht und sagte: »Du mußt mit irgendwelchen verteufelten Yankees zu tun gehabt haben.«

»Bloß mit einem«, sagte Victoria, trat hinter ihn und streichelte sein kurzgeschnittenes Haar. Er drehte sich um und nahm sie fest in die Arme.

»Ich liebe dich, Vicky«, sagte er.

»Ich liebe dich«, flüsterte sie. »Ich liebe dich, ich liebe dich.«

Er küßte sie, und während sie noch engumschlungen dastanden, zerriß der Lärm von Flugzeugmotoren die über der Landschaft liegende Stille. Drei zweimotorige Mosquitos flogen ins Tal hinein, strichen knapp über das Bauernhaus hinweg und erzeugten einen Lärm, daß das Porzellangeschirr auf der Anrichte scheppernd zu tanzen begann.

»Mein Gott, fliegen die tief«, sagte Victoria.

»Ungefähr achtzig Kilometer weiter nördlich befindet sich ein Bombenabwurfgelände«, sagte Jamie. »Vielleicht üben sie zu einem ganz bestimmten Zweck Präzisionsabwürfe.«

»Nicht einmal hier kann man dem Krieg entrinnen.«

»Der wird in Bälde vorbei sein.«

»Das reden wir uns seit 1939 jeden Tag aufs neue ein. Inzwischen haben wir 1944, und so leicht glaubt das jetzt keiner mehr.«

»Wie geht's den Eiern?« Er wollte das Thema wechseln.

Sie blickte auf die Uhr. »Die sind jetzt soweit.« Sie schöpfte sie aus dem kochenden Wasser und setzte sie in die Eierbecher. Ein paar Minuten lang aßen sie schweigend. Dann sagte Victoria: »Vera redet pausenlos von deinem Freund Mickey Mouse. Die beiden sind furchtbar oft zusammen.«

»Liebe auf den ersten Blick«, sagte Jamie leichthin. Er sah Victoria ein Weilchen an, ehe er sich entschloß, ihr noch etwas anzuvertrauen: »MM redet vom Heiraten.«

»Doch nicht etwa Vera«, rief Victoria aus.

Er sah sie an und versuchte die protestierende Nachdrücklichkeit ihres Ausrufs zu verstehen. »Aber sicher doch – von wem ist denn sonst die Rede, wenn nicht von Vera und MM!«

»Vera ist verheiratet.«

»Sagt Vince.«

»Sie ist mit einem ganz wunderbaren Mann verheiratet. Er heißt Reg Hardcastle und ist Butler beim Herzog. So ziemlich jeder in Cambridge kennt Reg. Er hat in Burma gekämpft und die ganze Brust voller Orden.«

»Nun reg' dich doch nicht auf, Liebes.« Beschwörend hob er die Hände. »Ich hab' nicht gewußt, daß sie verheiratet ist. Und ich setz' einen ganzen Monatssold gegen 'nen Knopf von 'ner alten Unterhose, daß sie MM kein Wort davon erzählt hat.«

»Vera ist vergnügungssüchtig. Sie ist überzeugt davon, daß der Krieg weitergeht, bis sie fünfzig ist.« Victoria wollte mit einem Lachen andeuten, wie lächerlich ihrer Meinung nach diese Vorstellung war, es klang nicht überzeugend.

»Vera sucht ihr Vergnügen mit vollster Entschlossenheit.«

»Mit MM?«

»Mit Vince, mit MM und jedem anderen, der's auf die leichte Schulter nimmt.«

»Also, MM nimmt das wirklich nicht auf die leichte Schulter. Er macht alle möglichen Pläne – den hat's bös' erwischt.«

»Du solltest mit ihm mal ein Wort über die Sache reden, Jamie. Vera wird sich niemals von Reg Hardcastle scheiden lassen. Das hat sie in meiner Gegenwart nicht bloß einmal, sondern mehrfach gesagt.«

»Ist sie katholisch?«

»Ich weiß nicht, welcher Konfession sie angehört, aber sie gehört zu den Frauen, die ein für allemal heiraten. Es macht überhaupt nichts aus, was Reg tut oder sagt oder mit wem sie sich einläßt – sie bleibt Mrs. Reg Hardcastle, bis daß der Tod sie scheidet. Manche Frauen sind eben so.«

Jamie Farebrother nahm die lange Grillgabel aus gebogenem Draht und röstete Brotscheiben über dem offenen Feuer. Dabei dachte er darüber nach, wie diese Neuigkeiten auf seinen Freund wohl wirken würden.

»Tut mir leid, Jamie – ich meine, wegen Vera und MM. Vielleicht hätte ich dir das nicht erzählen sollen.«

Er schüttelte den Kopf. »Es wird ihn bestimmt hart treffen«, sagte er. »Und wenn jemand betroffen ist, dann fliegt er schlecht.«

»Er kommt mir nicht so vor, als nähme er Vera sehr ernst.«

»Die meisten Jungs sind noch nie irgendwo gewesen oder haben jemals was auf eigene Faust getan. Sie erzählen gerne jedem, was für Teufelskerle sie sind, aber sie sind bloß Schuljungs aus irgend 'ner Kleinstadt, wo zwei betrunkene Autofahrer schon 'ne Verbrechenswelle darstellen.«

»Ist MM aus solch einem Nest?«

»Er ist in Arizona, meilenweit von der nächsten Stadt entfernt, auf 'ner Tankstelle großgeworden. Er macht 'n Haufen Lärm, aber damit überspielt er bloß seine Schüchternheit.«

»Vera behandelt ihn wie ein kleines Kind.«

»MMs Mutter ist schon vor langer Zeit gestorben – er hat niemals 'n vernünftiges Familienleben kennengelernt. Ich vermute, genau das sucht er bei Vera zu finden.«

»Armer Mickey Mouse – arme Vera. Das kann doch nichts Dauerhaftes sein, oder doch?«

»Wer weiß?«

»Jetzt, wo ich ihn besser kennengelernt habe, mag ich ihn.«

»All sein großspuriges Gehabe soll bloß seine Schüchternheit verbergen. Hast du das einmal durchschaut, dann weißt du, wie MM in Wirklichkeit ist.«

»Und wie ist MM in Wirklichkeit?«

»Eiserne Nerven, sagt furchtlos, was er denkt, und hält absolut loyal zu seinen Kameraden.«

»Das sind höchst männliche Tugenden, Jamie.«

»Er macht Vera kein Kind und läßt sie anschließend sitzen, wenn dich das beunruhigen sollte.«

»Das hab' ich ihm auch nicht unterstellt.«

Nach dem Frühstück spülten sie das Geschirr und unternahmen einen Spaziergang.

Es war kalt. Wenn man davon ausging, wie stark die verkrüppelten Bäume zur Erde niedergebogen waren, dann war der durch das Tal fegende steife Wind nicht heftiger als sonst auch. Er zerrte an ihren Mänteln und wirbelte Victorias langes schwarzes Haar in Unordnung. Der Sturm heulte in den Bäumen und brachte die Telegrafendrähte zum Singen. In ihrem grünen Tweedkostüm mit Perlen und den flachen Schuhen sah Victoria sehr englisch aus. Das Haar wehte ihr ins Gesicht, als sie wie Kinder den Hügel, der das kleine Bauernhaus überragte, hinaufstürmten. Jamie gewann das Rennen zum Gipfel mit dem eigenartig geformten ›Grünen Stein‹, der nach den Erzählungen Einheimischer das letzte Überbleibsel einer großen mittelalterlichen Abtei sein sollte, nur mit knappem Vorsprung. Er lehnte sich dagegen und hänselte sie. Ihre Umarmung aber war keine Hänselei. »Laß mich los, du Esel«, sagte sie. »Im Umkreis von hundert Kilometer kann uns hier jeder sehen.« Sie lachte aber und gab sich keine große Mühe, sich seinen Armen zu entziehen. Unter sich erkannten sie die Bahnstation, die Farm und die schmale Landstraße, die zur großen Straße nach Shrewsbury führte.

Als sie die steile Hügelflanke schnellen Schrittes hinabstiegen, erblickten sie ein langes Transportfahrzeug, das sich vorsichtig durch einen engen Hohlweg zwängte. Das Fahrzeug – mit ›Queen Mary‹ beschriftet – hatte Rumpf und Tragflächen einer schwerbeschädigten Mosquito auf seinem langen Auflieger. Die Flugzeugnase war eingedrückt, das Kanzeldach aus Perspex zertrümmert. Die eine Tragfläche war so weit geborsten, daß man die Innereien erkennen konnte – ein Gewirr farbiger Kabelstränge, zerrissener Hydraulikrohre und Kraftstoffleitungen.

»Eine Mosquito«, sagte Farebrother und nahm Victoria bei der Hand. Sie traten näher heran und sahen zu, wie zwei Soldaten der Königlich-Britischen Luftwaffe das Fahrzeug zollweise durch den Felseinschnitt bugsierten. »Die gehört nicht zu den Maschinen, die wir heute morgen gesehen haben. Das ist eine von 'ner Ausbildungseinheit der R.A.F. und hat schon ein paar Wochen oder so draußen gelegen.« Farebrother hatte dies schnell hergesagt, er versuchte von dem Flugzeug und seinem Schicksal inneren Abstand zu gewinnen, jedoch vergebens. Der Schatten der geborstenen Maschine blieb auf ihnen liegen.

Die Dorfkneipe hatte geschlossen; im Fenster prangte der Hinweis ›Kein Bier‹. Da sie nirgendwo etwas zu essen bekommen konnten, machten sie sich hungrig auf den Rückweg zu ihrer Farm.

»Kriegst du Feuer, wenn du nach Hause kommst?« fragte Jamie plötzlich.

»Feuer?«

»Na ja, ich meine, sind deine alten Herrschaften wütend?«

»Ich weiß es nicht«, sagte sie naiv, »ich habe so etwas noch nie gemacht.«

»Nein, natürlich nicht.«

Sie lachte über seine Verlegenheit. »Ich bin kein Kind mehr, Jamie.«

»Ich auch nicht, aber ich wäre froh, wenn das jemand mal meinem Vater klarmachte.«

»Soll ich es mal versuchen?«

»Wie würdest du das anfangen?«

»Ich würde ihm ein paar interessante Einzelheiten über deine Qualitäten im Bett erzählen.«

»Na, hör mal . . .«

»Du wirst ja rot, Jamie. Du bist ja wirklich richtig rot.« Sind Männer nicht eigenartig, dachte sie; selbst der ausgepichteste Lustmolch ließ sich durch solche beiläufigen Anspielungen auf sein Geschlechtsleben in Verlegenheit bringen. Das hatte sie im Büro festgestellt. »Mein Vater wird verletzt spielen, und meine Mutter schmollt; aber schließlich werden sie sich an den Gedanken gewöhnen, daß ich ein Eigenleben habe.«

»Ich könnte den Gedanken nicht ertragen, Anlaß eines Streits geworden zu sein, ihr seid eine so glückliche Familie.«

»Kommt dir das so vor? Das freut mich. Aber wir sind keine glückliche Familie. Vor ganz langer Zeit war das mal so, aber jetzt sind wir bloß noch drei Personen, die sich die Wohnung teilen.«

Er empfand dies ebenso schmerzlich, wie es in ihrer Stimme zum Ausdruck kam. »Wenn du darüber nicht sprechen möchtest...«

»Er war der beste Vater, den ich mir nur wünschen konnte. Er erzählte mir Geschichten und bastelte mir Spielzeug – ein richtiges Puppenhaus, komplett mit Ankleidezimmer für die Dame des Hauses und einem mit Büchern vollgestopften Arbeitszimmer für den Mann – und meine Mutter war jederzeit für mich da, wenn ich mich selbst loben oder weinen wollte.«

»Und was ist passiert?«

»Was passiert ist? Mein Vater arbeitet jetzt soviel er nur kann, und meine Mutter sitzt herum und hört sich ›Hometown‹ im Radio an.«

»›Hometown‹? Was ist das für 'ne Sendung?«

Sie sah ihn an und wünschte, er hätte sie das nicht gefragt. »Eine Nazi-Propagandasendung im Radio. ›Hometown‹ ist die Erkennungsmelodie.«

Jamie Farebrother sagte nichts. Schweigend wanderten sie ein paar Minuten weiter.

»Mein Bruder war viel, viel jünger als ich...«

»Ich wußte gar nicht, daß du einen Bruder hast...«

»Für einen Jungen ist eine ältere Schwester schwer zu ertragen. Jungen, die große Schwestern haben, fühlen sich eingeschüchtert, sie haben das Gefühl, irgend etwas unter Beweis stellen zu müssen.«

»Und du warst sehr aufgeweckt und gescheit.«

»Ich bekam in der Schule gute Zensuren, machte mich auch auf der Universität ganz gut – ja, das machte für ihn alles nur noch schlimmer.«

»Und was macht er jetzt?«

»Nick wollte uns alle beeindrucken. Als er noch ein halbes Kind war, ist er zur Handelsmarine gegangen. Er wurde im September irgendwo vor der afrikanischen Küste torpediert. Er fuhr auf einem Öltanker. Keiner überlebte. Ein Marineoffizier – er gehört demselben Klub an wie mein Vater – sah das Schiff in Flammen aufgehen. Mein Vater hat mir nie etwas davon erzählt, ich habe ihn am Telefon belauscht. Daraufhin habe ich mir aus dem Zeitungsarchiv weitere Einzelheiten geholt.« Atemlos hielt sie inne.

»Und deine Mutter hört jetzt einen deutschen Sender.«

»Da werden die Namen der in Kriegsgefangenschaft geratenen Soldaten verlesen, Jamie. Mein Gott, ist das fürchterlich. Diese deutschen Rundfunkleute müssen Sadisten sein – sie wissen, daß Mütter und Freundinnen der Namensverlesung ständig zuhören: zuhören und hoffen. Zuerst habe ich mit ihr gemeinsam zugehört, aber ich konnte es nicht mehr ertragen, das Gesicht meiner Mutter sehen zu müssen.«

»Das tut mir sehr leid, Liebling. Von alledem wußte ich gar nichts.«

»Wir sprechen nie über ihn. Es ist, als ob es Nick nie gegeben hätte. Eines Tages ging Vater in das Zimmer meines Bruders hinauf und räumte die Sachen, die er dagelassen hatte – sein altes Spielzeug und seine Sportsachen –, aus. Dann hat er das Zimmer abgeschlossen und den Schlüssel versteckt, so daß meine Mutter nicht mehr hineinkann und sich ihre Gedanken macht.«

»Beschissener Krieg.« Jamie war sich wohl bewußt, wie unangemessen seine Worte klangen.

»Und seitdem ist meine Mutter gegen mich. Manchmal merke ich, wie sie mich ansieht, und ich weiß, sie wünscht dann, daß Nick am Leben geblieben und ich dafür ...«

»Nein, nein, nein. Das ist doch albern, Liebling.« Er legte den Arm um ihre Schultern.

»Nick war ihr Lieblingskind, aber ich liebte ihn auch. Wir liebten ihn alle – er war ein süßer Junge.«

»Ich weiß.«

»Nick war doch noch ein Kind, Jamie.«

»Ich weiß, Liebes, ich weiß.« Er hielt sie beim Gehen im Arm; sie versuchte, nicht zu weinen.

Um das Thema zu wechseln und ihren Kummer zu vertreiben, begann er ein lebhaftes Gespräch über Frank Sinatra. Dieser ehemalige Sänger der Tommy-Dorsey-Band war mittlerweile auf dem besten Wege, in England ebenso berühmt wie in Amerika zu werden.

»Meine Schwester wohnt in New Jersey«, sagte Jamie.

»Sie schrieb mir, sie hätte ihn im Paramount-Theater in New York erlebt. Sie sagt, das Publikum dreht durch – alles junge Mädchen, schreibt sie –, die Vorstellung soll der reinste Volksaufstand gewesen sein.«

»In der Zeitung steht, er hätte letztes Jahr eine Million Dollar verdient.«

»Du solltest doch am besten wissen, daß man lieber nicht alles glauben sollte, was in den Zeitungen steht«, meinte Jamie.

Sie lächelte. »Einerlei, ich mag Bing Crosby am liebsten.« Sie wanderten Hand in Hand auf der Straße das Tal entlang, bis sie den steinigen Feldweg mit dem Hinweisschild ›Lower Hill Farm (Williams)‹ erreichten. Er öffnete das Tor und ließ sie auf die Wiese. Auf dem Gras ging es sich angenehmer. Sie stolperte über eine Unebenheit, und Jamie faßte sie um die Taille. Sie hatte sich zwar nicht weh getan, konnte aber der Versuchung, zu humpeln, damit er seinen Arm dort ließ, nicht widerstehen.

»Es ist ein eigenartiges Gefühl, jemanden neu kennenzulernen, den man so gut zu kennen glaubte.«

Sie wußte, daß sein Vater gemeint war. »Ich freue mich, Jamie.«

»Meine Mutter hat über ihn nie die Unwahrheit gesagt, das meine ich nicht, aber ich habe ihn stets mit ihren Augen gesehen.«

Als Antwort griff Victoria nach seiner Hand.

»Ich habe ihn gehaßt«, sagte Jamie, »richtiggehend gehaßt.«

»Und jetzt?«

»Ich glaub', irgendwie tut er mir leid.«

»Aber dein Vater ist doch wunderbar, Jamie. Er ist so unterhaltsam. Ich habe noch nie jemanden getroffen, der so viele Geschichten kennt. Und er betet dich an, Jamie. Ich könnte ihm alles durchgehen lassen, bloß weil er dich so lieb hat.«

»Er war enttäuscht, als ich mein Jurastudium abgebrochen habe, ich hatte da nie irgendwelchen Sinn drin gesehen.«

»Aber du wirst doch gemerkt haben, daß dein Vater darauf, daß du Jagdflieger bist, viel stolzer ist, als er es über deine Erfolge auf der juristischen Fakultät je hätte sein können.«

»Meinst du?«

»Oh, Jamie!« Männer begreifen Unausgesprochenes nur sehr langsam, dafür aber verlassen sie sich viel zu sehr auf bloße Worte.

»Ich erinnere mich, daß ich einmal eine große Zauberkiste von einem Nachbarn zu Weihnachten bekam. Ich hab' den ganzen Tag geübt und all die Kunststückchen den Kindern auf meiner Party gezeigt. Dann kippte mein Vater die Kiste aus und zeigte allen, wie die Sache funktioniert. Ich war fuchsteufelswild. Das habe ich ihm nie vergessen.«

Victoria mußte über die Heftigkeit seiner Gefühle lachen, und Jamie schloß sich an; in seinem Gedächtnis aber nagte es noch immer. »Er muß das Sagen haben«, sagte Jamie. »Er mußte die Hebel in Bewegung setzen können.«

»Ärgere dich nicht über ihn, Jamie.«

Er küßte sie im Gehen aufs Haar. »Zuerst werde ich wütend auf ihn, und dann komme ich mir verteufelt schuldig vor, daß ich wütend auf ihn werde. Beides ist nicht gut.«

»Warum tut er dir leid?«

»Er ist 'n Einzelgänger, und die sind niemals glücklich. Was hat er denn? Seine alten Bekannten, seinen Klub, seine Aktien und Obligationen, den Stern auf der Schulter. Er will nichts und bekommt nichts.«

»Er will dich, Jamie«, sagte sie ohne jeden Anflug von Eifersucht.

»Aber ich will ihn nicht. Ich hab' keine Lust, bei allem, was ich tu, mein Leben lang auf seine Billigung zu warten.«

Ihre weibliche Intuition mußte nicht allzusehr bemüht werden, um zu erkennen, wann Männer die tiefempfundene Wahrheit sprachen, und wann sie der Realität nicht entsprechende Wunschvorstellungen von sich selbst erkennen ließen. Jamie Farebrother hatte das tiefe Bedürfnis, seinem Vater zu gefallen. Sie nahm dies zur Kenntnis und fragte sich, ob ihr Verhältnis zu Jamie dadurch getrübt werden könnte, widersprach ihm jedoch nicht. Statt dessen sagte sie: »Ich liebe dich, Jamie.«

Die Spitzengardine bewegte sich, und Victoria wußte, daß Frau Williams mitangesehen hatte, wie sie sich, als sie über die Wiese auf das Haus zuschritten, um den Hals gefallen waren. Frau Williams gehörte wohl nicht zu den Frauen, die derlei spontane Liebesbeweise billigten, das machte aber nichts. Warum sollte es Victoria kümmern? Sie war jung und liebte einen Mann, der ihre Liebe erwiderte. »Wenn ich nun ein Kind bekäme, wäre das sehr, sehr schlimm?«

Er blieb stehen, schwang sie herum und sah ihr in die Augen. »So leicht wirst du mich nicht los«, sagte er. »Bist du . . . ?« Sie schüttelte den Kopf. Es war noch zu früh, um es mit Bestimmtheit sagen zu können.

18.

Leutnant Stefan ›Fix‹ Madjicka

Offiziersheim
280. Bomberstaffel (H)
Cowdrey Green
Norfolk, England

Lieber Hauptmann Farebrother,
ich hätte Ihnen schon eher schreiben und mich für den
netten Abend und das herrliche Essen bedanken sollen. Es
war sehr nett von Ihnen, daß Sie mich zu dieser familiären
Runde hinzugezogen haben. Es war mir ein großes Vergnügen, Vicky und ihre Eltern kennengelernt zu haben.

Im Schreiben solcher Briefe bin ich vermutlich recht
ungeübt, aber angesichts der Dinge, über die wir an jenem
bewußten Abend sprachen, muß ich Ihnen mitteilen, daß
Hauptmann Stigg tot ist. Ich denke, vielleicht ist es besser,
wenn Sie es von mir statt von dritter Seite erfahren.

Wir hatten uns geirrt, als wir annahmen, wir hätten vor
dem Urlaub keinen Einsatz mehr zu fliegen. Unsere
Maschine wurde zwar noch überholt, da das Geschwader
aber nur zu einem Routineeinsatz gegen die V-Waffen-
Stellungen am Pas de Calais abkommandiert war, wurden
alle nicht kompletten Besatzungen der flugfähigen Maschinen aufgefüllt, damit das Geschwader auf volle Stärke kam.

Wir waren also eine zusammengewürfelte Mannschaft.
Wir hatten Bordschützen von Ersatztruppenteilen bekommen; einen nach längerem Lazarettaufenthalt wieder kv.
geschriebenen Navigator; einen Funker, der zwei Einsätze
hinter seiner alten Crew zurücklag, mit der er jetzt gleichzie-
hen wollte; und einen Bordingenieur, der sich mit seinem

vorigen Piloten nicht vertragen hatte. Lediglich der Bombenschütze und ein Bordkanonier gehörten zur Stammbesatzung der Maschine; die übrigen hatten ihre Verpflichtungszeit hinter sich und waren nach Hause entlassen worden. Die Maschine hieß ›The Little Yellow Bird‹, und ich fragte den Kanonier, ob seine Crew nicht wisse, daß das Lied ›Goodbye, Little Yellow Bird‹ heißt, worauf er mir antwortete: »Doch, doch, der Rest der Crew hat sich von ihr ja schon verabschiedet.« Vielleicht hätte ich besser den Mund gehalten.

Wie dem auch sei, niemand von uns machte sich große Sorgen, wie sich die Mannschaft wohl machen würde. Selbst die Jungs von der Ersatztruppe wußten, daß ein Routineflug das reinste »Vergnügen« war. Sie waren froh, daß es ein harmloser Einsatz werden würde.

Da wir die Maschine noch nie geflogen hatten, fuhren wir sehr frühzeitig zu ihr hinüber, um den Vogel erst einmal zu inspizieren. Wir setzten uns ins Cockpit, und Charlie machte die Checks, die ich nach der Liste aufrief. Und ich sagte zu ihm: »Charlie, du wirst die Maschine fliegen – richtig fliegen.«

Er sah mich an, lächelte wie gewöhnlich und sagte: »Was soll das denn nun wieder heißen, Fix?«

Einen Augenblick lang bekam ich's mit der Angst und wollte kneifen. Vielleicht solltest du jetzt auch ein bißchen lachen und das Ganze als Spaß hinstellen, dachte ich, aber ich zwang mich zu sagen: »Du bist Kommandant der Maschine. Besser, du schnallst dich an und bleibst den Einsatz über auf deinem Platz, Charlie. Es tut nicht not, daß du nach hinten gehst, um bei den Bordschützen nach dem Rechten zu sehen, und so.«

Charlie sagte nichts. Er kontrollierte weiterhin Instrumente und Schalter, aber ich sah, daß er sich die trockenen Lippen befeuchtete, und wußte, das hat gesessen.

»Als du neulich abend noch mal die Treppe rauf bist, hast du da mit Jamie über mich geredet?«

»Nein, Sir«, sagte ich und glaubte, lügen zu müssen – ich wußte nicht, was ich sonst hätte tun sollen.

Es schien ihn nicht zu ärgern, er war ebenso ruhig wie sonst auch vor einem Einsatz. Wenn man ihn die Maschine durchchecken sah, wäre man nie darauf gekommen, daß Charlie Stigg überhaupt wußte, was Angst war. Keine weißen Knöchel, kein Zucken im Gesicht – nichts dergleichen. »Du hast Jamie doch was erzählt«, sagte er, als wäre ihm der Gedanke eben erst gekommen. »Hättest du's bloß nicht getan, Fix, alter Freund.«

»Ist doch heute bloß 'ne ganz alltägliche Sache, Charlie. Mach das Beste draus, ist doch bloß halb so schlimm. Mach wie ich einfach die Augen zu, wenn die Brocken auf dich zufliegen.«

Charlie versuchte zu lächeln. »Mit zunen Augen kann ich keine Formation halten«, sagte er. »Ich hab's ja schon versucht.« Er war ganz blaß im Gesicht.

»Heute kümmerst du dich ganz allein um die Fliegerei«, sagte ich zu ihm. »Sobald wir die Küste überflogen haben, rühr' ich keinen Finger mehr. Wenn irgendwas gecheckt werden muß, dann besorge ich das.«

»Das hast du dir ja fein ausgedacht, Fix«, sagte er, und er schien wirklich in richtig guter Verfassung zu sein. Zuerst dachte ich, er hätte vor, mit seinem Problem fertigzuwerden, wobei ich ihm vielleicht 'ne Hilfe sein könnte. Später hab' ich dann gemerkt, daß es ihn beunruhigte, daß ich mit Ihnen gesprochen hatte.

Wir hatten noch immer reichlich Zeit, und da wir 'ne neue Crew waren, dachte ich, wir sollten uns gegenseitig 'n bißchen kennenlernen und kurz klarstellen, wie erkannte feindliche Jäger vorschriftsmäßig angesprochen werden und wie man den Bordsprechverkehr auf ein Minimum beschränkt. Nachdem es deswegen einige Verwirrung gegeben hatte, sagte Charlie der Besatzung, daß dies ein Routineflug wäre und wir uns bloß beim Anflug zum Abwurf auf die Küstenstellungen ein paar Minuten lang über Feindesland aufhalten müßten. Er ließ sich dies vom Bombenschützen bestätigen, und die Jungs waren guter Dinge.

Ich sah auf die Uhr und sagte der Besatzung, wir hätten noch zwölf Minuten, bis wir die Motoren anwerfen mußten.

Die Jungs bleiben gewöhnlich gern ein paar Minuten für sich allein, ehe sie zum Einsatz an Bord klettern. Ich sah, daß sie ein paar Schritte abseits gingen, um allein zu sein. Manche sagen vielleicht ein Gebet her, und soviel ich weiß, lenzen andere wohl ihre Feldflasche. Etliche erleichtern sich auch noch mal, andere stecken sich 'nen Glücksbringer an die Mütze oder kontrollieren ein letztes Mal ihren Fallschirm. Wir alle müssen uns mit dem Gedanken vertraut machen, daß wir wer weiß wie lange stur geradeaus zu fliegen haben, während die Deutschen mit den verschiedensten Sorten todbringender harter Gegenstände nach uns schmeißen. Sie können mir glauben, Hauptmann, daß man sich daran nicht so leicht gewöhnt.

Ich hab' mir deshalb überhaupt nichts dabei gedacht, daß Charlie nirgends zu sehen war. Nach dem Motorenanlassen haben wir nach Plan noch zehn Minuten Zeit, ehe wir an den Start rollen müssen. Hinter dem Abstellplatz standen ein paar verkümmerte kleine Bäume, wohin sich die Männer der Besatzung schon einmal zurückzogen, um unbehelligt urinieren zu können. Keiner scheint den Schuß gehört zu haben. Der Navigator fand ihn dort, die Pistole noch in der Hand. Er war halb in den Graben gefallen. Allem Anschein nach hat er sich den Lauf in den Mund gesteckt. Es wurde aber als ›tödlicher Unfall‹ gemeldet, und dabei soll es bleiben. Wie Sie neulich abend ja gehört haben, ist Porky der beste Geschwaderkommandeur, den man sich nur wünschen kann. Er kam sofort mit dem Jeep angerast und hat uns auf der Stelle bezüglich Umgang mit Handfeuerwaffen die Leviten gelesen. »Mit diesen Colt-Selbstladepistolen wird viel zuviel Leichtsinn getrieben«, sagte er. »Den nächsten, den ich dabei erwische, daß er damit 'n Kaninchen umzulegen versucht, bringe ich vors Kriegsgericht.« Mein lieber Mann, beinahe hätte er *selbst mich* dazu gebracht, an einen Unfall zu glauben!

Und dann nahm Porky Charlies Fallschirm und kletterte auf den linken Sitz, um selbst den Einsatz zu fliegen – ohne Funkausrüstung am Mann, ohne Körperschutz; einfach so in seinem Ausgehanzug. Ist das ein Kerl!

Ironie des Schicksals – es war wirklich nur ein Routineeinsatz. Bloß ein bißchen Flak meilenweit querab und irgendwo irgendwelche Jäger. Ich habe versucht, Sie rechtzeitig zu Charlies Beerdigung telefonisch zu erreichen, aber Sie waren auf Urlaub, und niemand wußte, wo Sie stecken – auch Victorias Eltern nicht. Ich hoffe nur, daß ich da keinen Fehler gemacht habe. Trotz allem, Charlie wurde mit allen militärischen Ehren begraben, und Porky selbst sprach das Gebet:

> *Aber die Seelen der Gerechten sind in der Hand Gottes,*
> *und kein Leid wird sie treffen.*
> *In den Augen der Toren sind sie gestorben:*
> *und ihr Dahinscheiden gilt als Jammer,*
> *und sie haben uns verlassen, um zu Staub zu werden:*
> *sie aber haben den ewigen Frieden.*

Ein paar Sachen aus Charlies persönlichem Besitz habe ich für Sie aufgehoben. Ich weiß, daß es ganz in seinem Sinne ist, wenn Sie sie bekommen. Er hat immer nur von Ihnen und der schönen Zeit gesprochen, die Sie gemeinsam verbracht haben. Er hatte keine Zeit, hier wirklich enge Freunde zu gewinnen. Sie werden das Paket in ein paar Tagen bekommen. Ich wollte nicht, daß Sie es öffnen, ohne vorher den Sachverhalt zu kennen. Ich habe es für das beste gehalten, Sie schnellstmöglich in Kenntnis zu setzen, weil Sie vielleicht vorhatten, mit Ihrem Vater einmal wegen Charlie zu reden usw.

Es tut mir sehr leid. Ich glaube, wenn ich Charlie wirklich näher kennengelernt hätte, dann hätte ich ihn sehr gemocht. Ich denke, es war eine schwere Entscheidung, und in gewisser Weise respektiere ich sie.

Mit freundlichen Grüßen
Stefan Madjicka (Leutnant)

Und wer zum Teufel war Leutnant Madjicka, um über Charlie den Stab zu brechen? Wenn er ihn wirklich näher kennengelernt hätte – Farebrothers Elend verwandelte sich in Abneigung gegen diesen kaltschnäuzigen Kopiloten, der

Charlie erniedrigt hatte und sich beinahe so anhörte, als wäre er stolz darauf, wie er Charlie in den Tod getrieben hatte. Farebrother las den Brief noch einmal. In seinem Kopf drehte sich alles um den Gedanken, daß es ganz anders gekommen wäre, wenn er neben Charlie auf dem Pilotensitz gesessen hätte.

»Fühlst du dich nicht wohl?« fragte Rube. »Du siehst ganz gräßlich aus.«

»Schlechte Nachrichten«, sagte Farebrother. Er faltete den Brief zusammen und steckte ihn in die Tasche.

»Du bist ganz blaß geworden. Setz dich hin, ich hol' dir 'nen Scotch oder was Ähnliches.«

»'n Junge, mit dem ich aufgewachsen bin«, sagte Farebrother. »Bombenflieger.«

»Gefallen?«

Farebrother nickte. Er setzte sich bereitwillig auf den kleinen harten Stuhl, der in der Diele des Offiziersheims unter dem Regal mit den Brieffächern stand. Plötzlich bemerkte er, daß er mit dem Stuhl hin- und herwippte, als hätte ihm der Schmerz körperlich einen Stoß versetzt, der ihn buchstäblich aus dem Gleichgewicht brachte.

Rube Wein brachte Whiskey. Jamie spürte den scharfen Geschmack in der Kehle. »Das ging aber schnell.«

»Ich hab' mich selbst bedient. Ich dachte, dies wär ein Notfall.«

»Vielen Dank, Rube.«

»Laß das Trauern seine Leute zu Hause übernehmen. Da werden noch viele ins Gras beißen, bis wir aus der Sache raus sind.«

»Du denkst an den großen gläsernen Berg am Himmel?«

Rube war überrascht, daß seine Redensart Farebrother geläufig war, und lächelte kalt. »Der große, unsichtbare gläserne Berg wartet auf uns, Kumpel. Das kannst du mir ruhig glauben.«

»Das tu' ich«, sagte Farebrother, »ich glaub' es auch.«

19.

Henry Scrimshaw

Henry Scrimshaw war groß und breitschultrig, trug einen mächtigen weißen Schnurrbart und üppige Bartkoteletten. Er hatte stechende Augen und eine voluminöse glänzende Glatze; in den gewaltigen sommersprossigen Händen hielt er einen Spazierstock mit Silberknauf. Er war altmodisch gekleidet – gewichste Schnürstiefel, die seiner übergroßen Füße wegen handgearbeitet waren, Tweed-Wettermantel mit Raglanärmel und dazu die passende Tweedmütze. Seine Stimme war rauh vom vielen starken Tabak aus seiner Meerschaumpfeife. Trotzdem war diese Pfeife mehr Spielzeug als Rauchutensil; denn er spielte fortwährend damit herum, drückte den Tabak fest, zündete die Pfeife wieder an, fuchtelte mit ihr herum, zog an ihr und schnaubte, schnüffelte und schniefte, als gäbe er auf einem Musikinstrument eine virtuose Darbietung seiner Kunst.

»Sie hätten nach Steeple Thaxted rauskommen sollen«, sagte Oberleutnant Morse zu ihm. »Dieses Lokal hier ist Mist.« Mit gebieterischem Armschwung befragte Morse seine Armbanduhr.

»Ja, wirklich Mist«, räumte Scrimshaw vergnügt ein. Früher einmal war dieser Teil von Cambridge – der Fluß war nicht allzu weit entfernt – eine attraktive Gegend gewesen. Dem Vernehmen nach sollte auch Eduard VII. im Ballsaal dieses Hotels unter den Kristallüstern, die nun zerlegt und wohlverpackt im Luftschutzkeller lagern, getanzt haben. Mit dem Krieg waren aber die Fabrikarbeiter gekommen, die nun die türmchenbewehrten, alten, gediegenen Bürgerhäuser in den Straßen der Nachbarschaft bevölkerten. Sie verdienten genug, um sich zu mehreren die ansehnliche Zimmermiete leisten zu können, und jeden Abend war das Hotel gerammelt voll von Männern mit schwieligen Händen in unansehnlichen Overalls; das wäßrige Kriegsbier floß in Strömen; die Männer stritten, sangen und prügelten sich zuweilen auf dem leeren Parkplatz.

Der Schankraum sah schäbig aus – rissiges Linoleum auf dem Fußboden und von Zigarettenglut verkohlte Tische. Morse rutschte auf der unbequemen Bank unbehaglich hin und her. Manche seiner Landsleute hätten in dem Lokal ein pittoreskes Beispiel für »merry old England« gefunden, Morse indessen gab nichts auf die Tatsache, daß an dieser Stelle schon eine Schankstube existiert hatte, als Shakespeare noch gar nicht geboren war. Scrimshaw gelangte zu der Ansicht, daß Morse sich nur um sich selbst kümmerte; er äußerte jenes auffällige Benehmen, das so viele Menschen vom flachen Land an den Tag legen, um ihre Angst vor der Großstadt zu kaschieren.

Es war an einem Freitag zur Mittagszeit, und der kleine, abgesonderte Winkel der Bar war dunkel und bis auf die beiden Herren leer. Im Hotel war es ruhig, nur aus dem großen Schankraum drangen gelegentlich die Anfeuerungsrufe der Arbeiter herüber, die ihre Kollegen beim Wurfpfeilspiel ermunterten. Manchmal konnte man zwischen den polierten Gläsern im Thekenregal hindurch einen Blick auf die Anwesenden werfen – auch Arbeiterinnen mit rosigen, gesunden Gesichtern waren unter den Gästen. Sie trugen leuchtende Kopftücher und hielten Zigaretten im grellbemalten Mund.

Morse war kalt, er hatte seinen schweren Militärmantel nicht aufgeknöpft. Immer wieder faßte er an die kalten Rippen der Zentralheizung, als hoffte er, sie würden jeden Augenblick warm werden. »Weswegen sind Sie denn nicht zu uns auf den Fliegerhorst gekommen?« bohrte er hartnäckig. »Der Oberst hat uns Dienstbefreiung gegeben. Alle sind nach London auf Urlaub gefahren.«

»Erzählen Sie doch nicht Ihrer Großmutter, wie man Eier auslutscht, mein Lieber. Ich war schon 'n Zeitungsmann, als

Sie noch gar nicht auf der Welt waren. Ich hab' für meine Lokalzeitung schon über Heiraten, Beerdigungen, Hochwasser und Schadenfeuer geschrieben, da war ich noch keine fünfzehn.« Scrimshaw nippte an seinem Whiskey und goß einen Schluck Bier hinterher. »Und das eine oder andere hab' ich seitdem gelernt.«

Morse bot Zigaretten an, Scrimshaw aber lehnte dankend ab. Er mochte den süßen amerikanischen Tabak nicht, danach mußte er immer husten. Er nahm seine Pfeife in die Hand und betrachtete sie, als gälte es eine Antiquität zu taxieren. »Ich habe gelernt, die Leute nicht auf ihrem eigenen Grund und Boden aufzusuchen, jedenfalls nicht beim erstenmal. Nicht wenn ich mir klarzuwerden versuche, ob sie gutes Material für 'ne Geschichte abgeben oder nicht.« Er blickte von seiner Pfeife auf und starrte Morse an.

»Ist das so?« fragte Morse, steckte sich mit der Schachtel eine Zigarette in den Mund und riß mit beiläufig-hartgesottener Affektiertheit, die er aus Gangsterfilmen kannte, ein Zündholz an.

»Da ist zuviel um einen rum, viel zuviel Hintergrund«, erläuterte Scrimshaw. Aus dem Schankraum drangen das ständige Aufklatschen der Wurfpfeile und gelegentliche schrille Hurraschreie herüber. Scrimshaw wartete auf eine Erwiderung, Morse aber rauchte bloß und schwieg. Er hatte seine Geschichte dargelegt und wartete auf Scrimshaws Reaktion. Der alte Mann zögerte. Er brachte den Amerikanern keine große Liebe entgegen: ›Overfed, overpaid, oversexed und over here‹*war stehende Redensart, wenn Engländer über Amerikaner sprachen. Die Vereinigten Staaten waren aber ein ungesättigter Markt, und eine weitere gute Geschichte unter Berücksichtigung des nordamerikanischen Blickwinkels konnte ihm vielleicht zu einem Vertrag mit einer der wirklich großen Presseagenturen verhelfen.

Die Tür schlug, und herein trat ein Bierkutscher, der sich

---

* Überfüttert, überbezahlt, übergeil und zu allem Überfluß noch hier bei uns.

mit einem Faß Ale abquälte. Draußen auf der Straße scharrte sein Gespann nervös auf der frostkalten Straße, während die Pferde ungeheure weiße Dampfwolken aus den Nüstern stießen. Morse zitterte in der durch die offene Tür hereindringenden Zugluft und schlug sich – wie eine alte Dame im Strandbad – die Schöße seines Mantels unter die Beine. »Herr Jesus, ist das ein Mist hier«, sagte er noch einmal, aber Scrimshaw pflichtete ihm nicht bei. Er zog eine große Flasche aus der Hüfttasche und goß sich ein Quantum Scotch ins leere Glas. »Was haben Sie denn an Bildmaterial anzubieten?«

»Der Presseoffizier auf unserem Stützpunkt ist einer meiner Freunde«, sagte Morse, der jeden anderen bislang als einen seiner ›besten Freunde‹ bezeichnet hatte. Scrimshaw fragte sich, was der Presseoffizier wohl angestellt haben könnte, um auf Morses Beliebtheitsskala nach unten gerutscht zu sein. »Wir können sämtliche Fotos haben, die Sie brauchen.« Scrimshaw schob ihm die Flasche hinüber, und er goß sich einen kleinen Whisky ein. Dann wiegte er das Glas in seinen Händen und hielt es hoch, um daran zu riechen. Es war ein guter Tropfen; besser als der Fusel, den die Gäste in den Wirtshäusern eingeschenkt bekamen. Er war auch besser als der Whiskey, den es im Offiziersheim zu kaufen gab.

»Haben Sie Fotos aus Ihrer Kindheit? Vielleicht eines, auf dem Sie etwa mit 'nem Spielzeugflugzeug oder so zu sehen sind?«

»Durchaus möglich«, sagte MM und zuckte die Achseln. »Ich werd' meiner Tante schreiben und sie danach fragen.«

»Wie Sie sagten, lebt Ihr Vater noch«, erinnerte Scrimshaw. Morse blickte von seinem Glas auf und tat überrascht. »Ich verdiene mir hiermit meinen Lebensunterhalt, altes Haus«, sagte Scrimshaw. »Wenn Sie mir 'n Haufen Lügen auftischen wollen, dann brauchen Sie aber 'n besseres Gedächtnis.«

Morse wurde rot. »Mein Vater hat keine Fotos«, sagte er. »Aber Sie können Ihrem Magazin erzählen, daß ich welche besorgen werde.«

»Ich bin weder bei einer Zeitung noch bei einem Magazin angestellt, ich arbeite freiberuflich: ich schreibe Geschichten und verkaufe sie dem, der sie haben will.«

»Nun, ich möchte meine Zeit nicht wegen 'ner Sache verplempern, die doch nicht veröffentlicht wird.«

Scrimshaw lachte. »Darüber zerbrechen Sie sich nur nicht Ihren hübschen kleinen Kopf, Jungchen. Meine Zeit ist kostbarer als Ihre.« Um seine Behauptung zu unterstreichen, blickte er auf die Uhr und seufzte im Vollgefühl der eigenen Wichtigkeit, wie er es seinen Verlegern abgeschaut hatte. »Und statt unserm halbstündigen Gerede hätte ich anderweitig schon Geld verdienen können.«

Scrimshaw beobachtete den jungen Offizier bedächtig und rechnete halb mit Anflügen schlechter Laune, konnte an Morse aber keine Anzeichen von unterdrücktem Ärger erkennen. Morse hatte nichts Nachteiliges über die Deutschen geäußert, er war weder jüdischer noch polnischer Abstammung und wurde von Triebkräften gesteuert, die weniger einleuchtend, dafür aber noch grundlegender waren als selbst der Haß: er wollte, schlicht und einfach, den Erfolg. Denselben Sachverhalt hatte Scrimshaw schon in den Augen von Filmschauspielern und Großreedern, auf den Gesichtern von Bischöfen und Bombenwerfern erkannt. Er war mithin auf der Hut.

Morse mußte Scrimshaws dunkle Ahnungen erfaßt haben. »Sie haben's versprochen«, sagte er. »Farebrother hat gesagt, Sie hätten versprochen...«

»... mich mit Ihnen zu treffen und mir anzuhören, was Sie zu erzählen haben«, fiel Scrimshaw ein.

»Von mir wissen Sie jetzt alles, Opa, aber woher will ich wissen, ob Sie auch der geeignete Mann sind, das alles zu Papier zu bringen?«

Scrimshaw grinste sardonisch. »Ich bin ein professioneller Schreiber«, sagte er. »Vor dem Krieg habe ich für eine Nachrichtenagentur in Wien gearbeitet, und davor war ich in Berlin. Ich bin gut – verteufelt gut. Meine Arbeiten werden überall veröffentlicht – in Südafrika, Neuseeland, Australien: überall.«

»Und was ist mit den Vereinigten Staaten?«

»Ich habe ein paar Ausschnitte mitgebracht.«

Beim Entfalten der vergilbten Zeitungsausschnitte wurde Morse etwas lebendiger; waren die fragilen, aneinanderklebenden Papierstückchen doch Beweise vergangener Erfolge Scrimshaws.

»Ist ja toll!« sagte er mit so ernst gemeinter Bewunderung, daß sich selbst der alte Zyniker Scrimshaw geschmeichelt fühlte. »Da steht ja sogar Ihr Name drunter«, rief Morse aus und fuhr mit dem Finger über die Verfasserzeile, als wollte er eine Unregelmäßigkeit aufspüren. »Sie sind ja berühmt.«

»Nein«, sagte Scrimshaw, »berühmt bin ich nicht. Ich bin nicht hinter dem Pulitzerpreis her, noch drängt es mich, einen ernsthaften Roman zu schreiben. Aber in jeder Journalistenkneipe zwischen Chungking am Jangtsekiang und Addis Abeba, zwischen Guadalajara und Warschau kennt man Henry Scrimshaw. Und wenn in dieser Aufzählung keine Städte aus Ihrem Teil der Welt genannt werden, mein Bester, dann sollten Sie dem Himmel danken; denn ich habe den größten Teil meines Lebens damit verbracht, zuzusehen, wie sich Männer in Stücke schießen.« Er biß in sein Käsesandwich. Von Käse konnte kaum die Rede sein, und das aus grauem ›staatlichem Weizenmehl‹ gebackene Brot war dünn mit Margarine bestrichen, die mittlerweile aus Palmöl hergestellt wurde. Morse nahm die eigene Sandwichhälfte, untersuchte sie sorgfältig und legte sie wieder auf den Teller zurück, ohne auch nur probiert zu haben.

»Wenn Sie in eine dieser Kneipen kommen«, fuhr Scrimshaw fort, »dann werden Ihnen die Reporter dort erzählen, daß Scrimshaw Profi ist. Sie werden Ihnen sagen, daß aller Wahrscheinlichkeit nach kein Redakteur eine Geschichte fallenlassen wird, wenn Scrimshaw vom Wert der Meldung überzeugt ist. Das kommt daher, alter Freund Mickey Mouse, daß diese meine große Nase die Geschichten herausriechen kann, die sich gut verkaufen. Es sind durchaus nicht immer nur große Geschichten – langsam werde ich zu alt, um noch zur Seite springen zu können, wenn die Kugeln flitzen, und außerdem habe ich noch nie behauptet, zu denen zu gehören, die mit exklusiven Erstmeldungen hausieren gehen – aber die Sachen, die ich schreibe, sind von ›menschlichem Interesse‹, und genau das wollen Zeitungen und Magazine heutzutage haben. Insofern brauchen Sie also nicht zu befürchten, mit mir Ihre Zeit zu vergeuden.«

»Und ist meine Geschichte von ›menschlichem Interesse‹?«

Scrimshaw sah ihn an. Es würde ihn eine Menge Arbeit kosten. »Warum wollen Sie in die Zeitung kommen, mein Sohn? Mal ganz im Vertrauen – warum?«

»Nach dem Krieg könnte ich vielleicht 'ne kleine Kneipe aufmachen oder 'n Restaurant. Vielleicht stellt mich auch ein Flugzeughersteller als Geschäftsführer ein – es gibt da die verschiedensten Möglichkeiten.«

Scrimshaw hatte inzwischen beide Sandwiches vertilgt. Das ist der Unterschied zwischen uns beiden, dachte er: dieser Junge wäre gern Opportunist, und ich bin einer.

»Was halten Sie von dem, was ich Ihnen erzählt hab', Herr Scrimshaw?« fragte Morse.

»Ich denke, eines Tages werden Sie abgeschossen werden, mein Sohn. Ja, davon bin ich überzeugt. Wenn ich Ihnen raten darf, dann vergessen Sie all das Zeug, von wegen deutsche Flugplätze anzugreifen, bloß um ein paar weitere Deutsche abzuschießen. Diese Saukerle von der deutschen Luftwaffe führen seit 1937 Krieg. Ich habe sie in Spanien erlebt. Ich schwör's Ihnen! Die bleiben nicht auf dem Arsch sitzen und warten, daß Sie vorbeikommen und ihnen die Maschinen zu Schrott schießen.«

Morse grinste, stürzte seinen Whiskey hinunter und sagte: »Vielleicht können Sie ja tolle Kriegsgeschichten schreiben, Opa, aber was Sie vom Luftkampf wissen, daß paßt auf 'nen Stecknadelkopf und läßt noch genügend Platz für 'n Vaterunser. Bleiben Sie beim Schreiben, ich besorg' das Kämpfen – einverstanden?«

»Ich brauche viel Hilfe. Ich muß längere Zeit mit Ihnen zusammenarbeiten – sehr lange Zeit. Ich arbeite langsam. Und dann muß ich Ihnen beibringen, wie Sie andere Reporter zu behandeln haben, um den Markt für den Dreiteiler, den ich schreiben werde, zu präparieren. Verstehen Sie?«

»Na klar. Abgemacht.«

»Und vergessen Sie's nicht – ich habe die Exklusivrechte, daß heißt, Sie werden anderen Reportern nur noch das erzählen, was ich Ihnen ausdrücklich gestatte. Und ich gestatte Ihnen gar nichts.«

Bei diesen Worten Scrimshaws trat ein hochgewachsener älterer Mann in den Schankraum. Seine Kleidung und Manieren waren von ausgesuchter Eleganz. Sein Gesicht war unnatürlich weiß, und als er Scrimshaw erkannte und ihm zulächelte, entblößte er lange gelbe Zähne.

»Das ist Peter Colfax. Er ist Butler beim Herzog – er hat Reg Hardcastle abgelöst«, flüsterte Scrimshaw. Und als Morse nicht antwortete, setzte er hinzu: »Er ist der Nachfolger von Veras Mann – Ihrer Vera.«

»Veras Mann?« fragte MM. »Ist Vera denn verheiratet?«

»Tun Sie doch nicht so, als ob Sie das nicht wüßten«, sagte Scrimshaw. »Sie sind doch in ihrer Wohnung gewesen. Sie wollen mir doch nicht erzählen, sie hätte, wenn sie ganz allein lebte, ihre Wohnung so möbliert, oder glauben Sie etwa doch?«

MM gab keine Antwort. Scrimshaw hatten den Nagel auf den Kopf getroffen. Veras Wohnung war allem Anschein nach für ein Ehepaar eingerichtet. Bei seinem ersten Besuch dort hatten ihn deswegen schon böse Ahnungen beschlichen.

»Die ganze Nachbarschaft kennt Reg«, sagte Scrimshaw. »Er war Butler beim Herzog und Feldwebel bei der Territorialverteidigung – er kennt Hinz und Kunz.« MM fror es; er haßte den Gedanken, daß Vera und ein anderer Mann...

Der alte Peter Colfax kam zu den beiden an den Tisch und wartete, während Scrimshaw ihn mit Morse bekannt machte.

»Wie läuft denn der Haushalt so in diesen Zeiten, Peter?« fragte Scrimshaw.

»Wir haben die Fleischrationen mit Wildbret gestreckt. Der Koch hat sich tausend verschiedene Zubereitungsarten

ausgedacht, aber es schmeckt noch immer nicht nach Rind.«
Er sah Morse an. »Sie sind Flieger, nicht wahr?«

»Er ist ein Jagdfliegeras«, sagte Scrimshaw zu Colfax.
»Einer der Besten. Ich bin dabei, eine große Geschichte
über ihn zu schreiben.«

»Es macht mich stolz, Sie kennengelernt zu haben«, sagte
Colfax mit aufrichtiger, aber distanzierter Ehrerbietung zu
Morse. Dieser Respekt scheint die normalen Hausangestell-
ten ganz natürlich zu überkommen. »Es ist ein Krieg der
jungen Leute«, sagte Colfax.

»Zumindest sagen wir Alten das«, meinte Scrimshaw und
lachte. Colfax hatte sich seine alten Ordensbänder auf den
blauen Wollmantel genäht. Trotz seines Alters bedrückte es
ihn, keine Uniform zu tragen.

»Ich habe neulich einen Brief von Reg bekommen«, sagte
Colfax. Scrimshaw beobachtete Morse aus dem Augenwinkel heraus; der junge Mann aber verhielt sich weiterhin
unbeteiligt.

»Ist er noch in Burma?«

»Schade, daß ich den Brief nicht bei mir habe«, sagte
Colfax, nachdem er alle Taschen abgeklopft hatte. »Ja, Reg
war bei dem Gefecht von Arakan dabei. Unsere Männer
haben die Japse im Nahkampf Schritt für Schritt zurückge-
drängt.« Colfax blickte Morse an. »Einem Amerikaner
brauche ich wohl nicht mitzuteilen, daß es nicht Johnny Japs
Art ist, sich sang- und klanglos zurückzuziehen.«

Morse reagierte nicht. Scrimshaw sagte: »Wie ich hörte,
soll Reg wegen Tapferkeit vor dem Feind zum Offizier
befördert worden sein.«

»Er wurde vorgeschlagen«, sagte Colfax, »es wurde aber
nichts draus. Vermutlich war er enttäuscht, obwohl man das
aus seinen Briefen nicht herauslesen kann.«

Scrimshaw versuchte dem alten Mann einen Whiskey
aufzunötigen, er wollte jedoch nicht bleiben. Er habe bloß
hereingeschaut, um die Monatsrechnung des Herzogs zu
begleichen. Es wäre unmöglich, sagte Colfax, dem Herzog
mit einer Alkoholfahne beim Binden der Krawatte behilflich zu sein. Bei dem Gedanken mußte er lachen.

Colfax rüstete sich mit geübter Sorgfalt für den Heimweg, knöpfte seinen feinen zweireihigen Mantel zu und suchte die Ärmel einzeln nach Staub, Haaren oder Asche ab. »Ja, Reg Hardcastle, einer der ganz Großen«, sagte er, als habe er soeben darüber nachgedacht. Mit einem schweinsledernen Handschuh in der Linken nickte er Scrimshaw zu und streckte Morse die bloße Rechte entgegen. »Ich bin stolz, Ihnen die Hand schütteln zu dürfen, Herr Oberleutnant«, sagte er. »Wenn diese verdammte Geschichte einmal vorbei ist, werden es junge Leute wie Sie und Reg Hardcastle sein, die der Zukunft ihr Gesicht geben. Viel Glück, mein Junge.«

»Vielen Dank, Sir«, sagte Morse, schüttelte ihm ernst die Hand und blieb stehen, bis Colfax auf der Straße war.

»Ist das ein verrückter Kerl«, sagte er.

»Würden Sie glauben, daß der schon fünfundsiebzig ist?« Morse hob die Augenbrauen. »Peter war Putzer – also Bursche – beim Vater des Herzogs. Sie haben an der Schlacht um Paardeberg und der anschließenden Belagerung teilgenommen. Ich rede von Südafrika, damals, im Jahre 1900.«

»Und wie alt ist Veras Mann?«

Scrimshaw kicherte. »Verglichen mit dem alten Peter Colfax ist Reg noch ein Kind, aber er ist nicht unverdient Butler geworden; denn er versteht etwas von Weinen. Der Herzog ist beim Wein besonders heikel, und der alte Peter konnte 'ne verkorkte Flasche Roten nicht von 'nem faden Guinness unterscheiden. Weiß der Himmel, wie er mit dem Bedienen zurechtkommt. Aber wir haben schließlich Krieg...«

»Ja, das hab' ich auch schon gehört«, sagte Morse. Er drückte seine Zigarette aus und trank sein Glas leer, um anzudeuten, daß er zu gehen gedachte. »Ich hab' Vera versprochen, sie anzurufen«, sagte MM. Er stand auf und begann sein Kleingeld nach Pennies zu durchsuchen.

»Sind Sie verärgert, mein Junge?« fragte Scrimshaw und hielt MM ein paar Münzen hin.

»Nehmen Sie mich nicht auf den Arm, Alterchen«, sagte MM und nahm die Pennies, die er für das Telefon brauchte. »Was meinen Sie?«

»Na, Sie haben doch dafür gesorgt, daß der alte Kerl hier reinkam, damit ihr beiden mit dem Getue um Veras Mann über mich herfallen konntet.«

Er wollte sich abwenden, aber Scrimshaw griff nach ihm und bekam seinen Arm zu fassen. »Wart mal 'ne Minute, Freundchen«, sagte er. »Damit wir uns nicht mißverstehen: Ich bin nicht der alte, verschlafene Trottel, als den Sie mich vielleicht kennengelernt haben.« Scrimshaw packte MMs Arm fester. »Peter ist rein zufällig hier hereingekommen.«

Morse riß seinen Arm los, blieb aber. »Sie wollten mich als Schuft hinstellen. Es war eine abgekartete Sache.«

»Und ich sage, verdammt noch mal, das stimmt nicht; nehmen Sie das zurück!« Scrimshaw warf sein Notizbuch auf den Tisch. Es fiel in eine Bierlache. »Oder Sie können sich Ihre Lebensgeschichte in den Arsch stecken!«

Morse holte ein Stück Kaugummi aus der Tasche, schob es sich in den Mund und kaute ein wenig darauf herum. Dann sagte er: »Geht in Ordnung, Hank. Wenn Sie's sagen.« Scrimshaw nickte, brachte sein Notizbuch in Sicherheit und wischte mit einem schmuddeligen Taschentuch das Bier ab. »Wahrscheinlich hätte ich dieselben abgedroschenen Phrasen von mir gegeben, wenn Hardcastle einer von meinen Kumpels gewesen wäre«, sagte Morse.

»Sie sollten lieber zur Kenntnis nehmen, daß Vera Sie in Schwierigkeiten bringen kann«, sagte Scrimshaw.

»Inwiefern?«

»Sie werden merken, daß man Vera nicht so leicht los wird. Ich kenne sie – die klammert sich fest.«

Scrimshaws List verfing nicht. »Ich will sie gar nicht loswerden«, erklärte MM. »Vera ist 'ne tolle Frau.« Er warf seine Münzen in die Luft, fing sie wieder auf und ging telefonieren.

Scrimshaw sah ihm nach. Gerissener kleiner Schweinehund. Verbarg sich hinter seinem vernachlässigten Äußeren etwa Verstand, oder war seine Skepsis bloß primitive Schlauheit? Wie auch immer, Morse hatte recht. Scrimshaw hatte mit Peter Colfax vereinbart, daß dieser ›zufällig‹ vorbeikommen und etwas über Reg Hardcastle erzählen sollte.

Die beiden hatten den Plan für recht ausgeklügelt gehalten. Eigentlich jedoch war Scrimshaw – und das galt auch für Colfax – ursprünglich nicht abgeneigt gewesen, diesen drekkigen kleinen Hurenbock zu erwürgen. Du lieber Gott! In Cambridge wimmelte es nur so von Frauen, die kein festes Verhältnis hatten. An manchen Abenden mußte man sich durch die in der Trumpington Street vor dem Rotkreuzklub wartenden Mädchen mühsam seinen Weg bahnen, und außerhalb des Offiziersheims am Market Square warteten noch mehr. In den Kneipen scharten sich genügend unbekümmerte Frauen, und dasselbe galt für alle anderen Örtlichkeiten, die von den amerikanischen Soldaten regelmäßig frequentiert wurden. Warum also mußte dieser Scheißkerl ausgerechnet mit Reg Hardcastles Frau ins Bett gehen? Der Teufel hole den Krieg!

20.

Vera Hardcastle

Es war in der darauffolgenden Woche. Vera Hardcastle kam etwa eine dreiviertel Stunde später als gewöhnlich nach Hause. Sie hatte eine Überstunde machen müssen. Inzwischen wurde es langsam dunkel, und es nieselte. Sie wußte, daß MM da war – er hatte sein Motorrad von innen gegen die Mauer des winzigen Vorgartens ihres kleinen Häuschens in der Michael Street gelehnt. Über Sattel und Motor seiner Maschine hatte er als Nässeschutz ein Stück Persenning gebunden; uncharakteristischerweise war MM wegen des Motors besonders heikel. MM hatte die Tür geöffnet – der Schlüssel hing im Hausbriefkasten – und ein Feuer gemacht. Das gehörte inzwischen zum normalen Tagesablauf.

»Tut mir leid, Liebling«, sagte sie und küßte ihn, »aber drei Busse waren vollbesetzt und sind durchgefahren. Ich dachte schon, ich würde überhaupt nicht mehr nach Hause kommen.«

»Du bist ja ganz kalt, Süße. Regnet's immer noch?« Wie ein Junge, der aus einem bösen Traum erwacht, klammerte er sich ganz fest an sie.

Vera nahm ihn in die Arme und fuhr mit den Fingern durch sein herrlich welliges Haar. »Hübsches Kerlchen«, flüsterte sie an seinem Ohr. Das Gaslicht zischte, und Luft in den Rohren verursachte ein gelegentliches Puffen. Nach der Helle der elektrischen Bürobeleuchtung wirkte dieses Gaslicht recht romantisch. Er hielt sie endlos lange in seinen Armen, ehe er sie losließ. Sie konnte sich nicht so recht daran gewöhnen, daß er hier auf sie wartete – es kam ihr wie eine Szene aus einem Hollywoodfilm vor.

Sie streifte ihr Kopftuch ab und wagte gar nicht in den Spiegel zu sehen, weil sie ohnehin wußte, daß ihr Haar völlig zerzaust war. Und die Schminke – sie hatte sie so sorgfältig aufgetragen, ehe sie das Büro verließ – war ein einziges Geschmiere. Sie sagte: »Ich werde dir etwas Kaffee machen. Es ist auch noch ein bißchen Büchsenschinken da. Ich kann ja ein paar Pfannkuchen backen. Du bist bestimmt hungrig.«

· »Setz dich doch erst einmal und wärm' dich ein bißchen auf. Ich habe auf dem Stützpunkt angerufen – ich stehe nicht auf dem Dienstplan. Ich muß erst zum Morgenappell wieder da sein.«

»Morgenappell?« wiederholte sie und machte sich Sorgen, daß er am Morgen vielleicht Lärm machen und von den Nachbarn gehört werden könnte. Der Nachbar war Lokomotivführer und bereits morgens um fünf auf den Beinen, um das Frühstück herzurichten.

»Morgenappell, das heißt für Offiziere: unmittelbar nach dem Frühstück – falls irgendwas los sein sollte oder vielleicht 'ne Stunde Fliegererkennungsdienst angesetzt ist oder so was Ähnliches.«

Er sah sie zustimmungheischend an, und so sagte sie nur: »Das ist ja wunderbar, Liebling«, küßte ihn noch einmal – auf die Nasenspitze – und stellte sich vor das Feuer, um die Hände zu wärmen. Er hatte reichlich Kohlen aufgeschüttet; Amerikaner schienen grundsätzlich nicht zur Kenntnis zu nehmen, daß alles rationiert war.

»Das Foto da auf dem Bücherschrank – ist das dein Vater?« fragte MM.

Vera betrachtete den Mann in der sackartigen Khakiuniform. Er war in Frankreich gefallen, als Vera noch ein kleines Kind war. »Vater ist im Krieg geblieben«, sagte sie, »und Mutter ist bald darauf gestorben.« Das Glas im Bilderrahmen war mit einer Rußschicht bedeckt. Vera fühlte sich deswegen ein wenig schuldig – und auch, weil sie nie sein Grab besucht hatte. Sie wischte mit der Hand den Ruß fort. »Diese Kohlenfeuer machen einen fürchterlichen Dreck«, murmelte sie. Der Schmutz lag überall in der Luft. Nach etwa einer Stunde waren ihre Kleider völlig besudelt. Die Leute behaupteten, die Rüstungsfabriken wären schuld daran – sie versuchten, den Krieg für alles und jedes verantwortlich zu machen. »Meine Tante hat mich ein Jahr lang aufgenommen, aber dann mußte sie mich ins Waisenhaus geben. Sie hat mich in den Ferien manchmal zu sich nach Hause geholt. Sie hat immer gesagt, sie würde mich endgültig zu sich nehmen, aber getan hat sie's doch nicht.«

»Arme Vera«, sagte MM. »Mußtest in 'nem lausigen Waisenhaus aufwachsen. Das hört sich schlimm an.«

»Glückliche Vera«, sagte sie. »Die meisten Kinder bekamen keinen Besuch. Sie hatten nicht einmal *Illusionen*.«

MM beugte sich vor, nahm den Kessel vom Herd und drückte ihn so auf die glühenden Kohlen, daß er halb auf der obersten Stange des Kamingitters ruhte und nicht umfallen konnte. Einen solchen Kessel hatte auch ihre Tante. Vera fielen die Abende ein, an denen sie dem Kessel zugeschaut und auf sein Pfeifen gewartet hatte; denn sie wußte, daß dann die Wärmflaschen mit dem kochenden Wasser gefüllt wurden und es für sie zu Bett zu gehen hieß. Wie viele Nächte hatte sie unter den groben Decken des Waisenhauses schlafen müssen – nur die Mädchen in der obersten Klasse bekamen Bettücher – und davon geträumt, was sie tun würde, wenn sie erst wieder bei Tante Edna wäre! Wie sehr war sie bereit, sich für sie abzumühen; wieviel Liebe war sie zu geben bereit.

»Mit sechzehn verließ ich das Waisenhaus und ging beim Herzog in Stellung«, sagte Vera. »Er hatte zwanzig Bedienstete, Gärtner oder Fahrer gar nicht mitgerechnet.«

»Junge, Junge«, sagte MM und sorgte mit der Schuhspitze dafür, daß der Kessel nicht umfiel. Sie hielt inne, da ihr nicht klar war, ob er noch mehr hören wollte. MM sagte: »Herrliche sechzehn und noch völlig ungeküßt.«

Sie wußte, daß das weder sarkastisch noch garstig gemeint war. MM behandelte Vera niemals mit Sarkasmus oder Garstigkeiten. »Im Haushalt des Herzogs war die Chance, abgeküßt zu werden, nicht allzu groß«, gab sie ihm Bescheid.

»Keine liebeshungrigen Hausgäste?«

»Die waren alle vom Weltlichen ab«, sagte sie. »Die machten höchstens noch Jagd auf Füchse.«

»Und was ist mit deinem Mann – mit Reg?« fragte MM. Es war das erstemal, daß er Reg namentlich erwähnte. Sie bemerkte, daß er sich wegen ihrer gemeinsamen Zukunft Gedanken gemacht haben mußte, und wußte inzwischen, daß es MMs voller Ernst war. In gewisser Weise machte ihr das Angst.

Sie lachte, als sie ihn darüber aufklärte. »Das habe ich ganz allein bewerkstelligt«, gab sie zu. »Reg schien sich auch ohne Frauen ganz wohl zu fühlen.« Sie erinnerte sich, wie sie dem neuernannten Butler in den Weinkeller gefolgt war. Es war finster, und Staub stieg ihr in die Nase. Sie hatte sich fest an ihn gedrückt und so getan, als versuchte sie, sich die Flaschen im Regal anzusehen. Da er nicht zurücktrat, bewegte sie sich weiter auf ihn zu. Da hatte er sie plötzlich grob gepackt und fest auf den Mund geküßt. Aber der Staub von den Weinflaschen, mit denen er hantiert hatte, mußte ihm wohl in die Nase gedrungen sein, denn plötzlich mußte er niesen. Sie kicherte, und dann hatte auch er lachen müssen. »Er war ein richtig feiner Pinkel. Deshalb konnte ich es gar nicht glauben, als er mich fragte, ob ich ihn heiraten wollte.«

»Warum hast du denn kein Foto von ihm?« fragte MM. Der Kessel begann zu summen.

»Ich habe ein Foto«, sagte sie, »aber ich muß den Rahmen reparieren lassen.« Sie stand auf. »Sagtest du nicht, du wolltest Schinkenpfannkuchen haben?«

»Wie lange ist das eigentlich schon her, daß ich mit dem australischen Zeitungsmenschen gesprochen hab'? Wie lange braucht der denn, um einen einzigen lausigen Artikel zu schreiben?«

»Dieser Harry Scrimshaw ist ein komischer alter Knakker. Der läßt sich bei allem Zeit. Hat er dir von all den Kriegen erzählt, die er mitgemacht hat?« Vera kicherte.

»Ist das alles nur Quatsch?« fragte MM beunruhigt.

»Nein, nein, das stimmt schon. Ich habe im Büro einen

der Redakteure gefragt. Er hat gesagt, der alte Harry war mal 'ne ganz große Nummer – bis er von der Flasche nicht mehr loskam.«

»Der kippt sich die Sachen ganz schön flink rein, das hab' ich auch schon gemerkt. Zum Teufel, Vera, seit unserm ersten Gespräch hab' ich noch drei weitere Krauts abgeschossen.«

»Du bist in dieser Angelegenheit einfach zu lässig. Du solltest ihn mal zur Rede stellen. Hat der überhaupt gemerkt, daß du inzwischen einer der erfolgreichsten Jagdflieger bist?«

»Das weiß er.«

»Aber zieh' die Vereinbarung nicht zurück, Liebling. Er kann ein gehässiger alter Teufel sein, wenn man ihm den Stuhl vor die Tür setzt.«

»Ich gebe ihm noch eine Woche. Ich hab' Stunde um Stunde mit ihm geredet – ich könnte damit nicht wieder von vorn anfangen. Und ich muß zugeben, er hat sich wirklich viel und lange damit befaßt.«

»Der verbringt einen großen Teil seiner Zeit damit, an der Theke im Offiziersheim rumzuhängen und sich einen Schnaps nach dem anderen zu schnorren«, sagte sie. Sie erinnerte sich gern daran, daß MM Offizier war.

MM lächelte. »Jamie kann mit ihm umgehen, das kannst du mir glauben. Letzte Woche hat Scrimshaw an der Theke Wirbel wegen ›Yankees‹ und so gemacht, und da hat Jamie ihn auseinandergenommen.«

»Du meinst, er hat ihn geschlagen?«

»Jamie hat zeit seines Lebens noch keinen geschlagen. Er hat Scrimshaw bloß 'n paar Fragen gestellt, und da hat der ganz schön dämlich aus der Wäsche geguckt. Das ist schon einer, dieser Jamie Farebrother!«

»Du tust mit ihm in letzter Zeit ja richtig dick. Mich macht das ganz krank, wenn ich höre, wie prächtig der ist.«

»Jamie ist in Ordnung.« Er sagte das ganz mechanisch, obwohl er sich darüber noch klarzuwerden versuchte. »Er ist immer ganz fürchterlich unterkühlt. Wenn wir von 'nem Einsatz zurückkommen, dann steigt er aus seiner Maschine wie 'n Eisenbahnmagnat aus seinem privaten Pullman-Wagen. Und Tex Gill, sein Chefmechaniker, der hat das auch noch gern. Tex ist zwar intelligent, aber er bewundert es, wie Jamie auf den Leuten herumtrampelt.«

»Das kann ich mir von Jamie gar nicht vorstellen. Er hat doch so angenehme Umgangsformen.«

»Vielleicht ist das ja unbeabsichtigt, aber es fällt nicht schwer, in seiner Nähe Minderwertigkeitskomplexe zu bekommen.« Das Feuer brannte mittlerweile etwas höher, und so entledigte sich MM seines Mantels und warf ihn auf das Sofa. »Ich muß allerdings zugeben, daß ich ein bißchen grob zu ihm war, als er gerade angekommen war.«

»Davon hast du mir ja noch gar nichts erzählt.«

»Durch die Ankunft eines neuen Hauptmanns haben sich meine Beförderungsaussichten verringert. Der Stellenplan weist jeder Staffel so und so viele Inhaber eines ganz bestimmten Dienstgrades zu. Hauptmann Farebrothers Ankunft kam Tucker bestens gelegen, weil er nunmehr sicher sein kann, daß ich niemals Hauptmann werde, aber das ist nicht Jamies Schuld. Er macht sich aus Dienstgraden überhaupt nichts – es scheint absolut nichts zu geben, woraus er sich was macht. Soweit ich weiß, jedenfalls.«

»Abgesehen von Victoria.«

MM antwortete nicht gleich, sondern sah Vera erst ein Weilchen an. »Außer Victoria, das denke ich auch«, meinte er dann. Er lächelte, als sei ihm gerade etwas eingefallen. »Du hättest neulich dabeigewesen sein sollen, als wir uns die Filme der MG-Kameras angesehen haben. Er hat noch ein deutsches Flugzeug abgeschossen. Saubere Arbeit, Vera. Er eröffnete bei vorgeschriebener Schußweite das Feuer und berücksichtigte derart genau den Vorhaltewinkel, daß die Einschläge exakt in der Kanzel lagen – so, wie es die Schießvorschrift verlangt. Der eine kurze Feuerstoß hat den Nazi sofort fertiggemacht. Genug ist genug, hab' ich recht? Er nimmt den Finger vom Abzug und spart sich die Munition für den nächsten auf. Verstehst du? So weit, so gut. Am nächsten Morgen sitzen wir mit den andern Kameraden im Vorführraum, und auf der Leinwand wird Jamies Abschuß eindeutig bestätigt. Ich dreh' mich zu ihm rum und sage: ›Saubere Arbeit, mein Junge, dem Sauhund hast du's aber nachhaltig gegeben‹, und Jamie guckt mich an, als hätt' ich seiner Mutter aufs Auge gerotzt.« MM seufzte und lockerte seine Krawatte.

»Victoria hat mir erzählt, daß Jamie nicht über seine Abschüsse spricht. Wie sie sagt, sitzt in den Maschinen auch jemandes Sohn, Mann oder Bruder. Glaubst du, sie hat das von Jamie?«

»Quatsch! Jedem macht es Spaß, ein Feindflugzeug abzuschießen – und die Deutschen machen sich 'nen Spaß draus, unsere Maschinen runterzuholen. Ich vermute, Jamie möchte bloß seine hämische Freude vor uns gemeinem Volk verbergen.«

»Und eben hast du noch gesagt, du magst ihn«, sagte sie vorwurfsvoll. »Hör' mal, willst du nun etwas essen? Ich muß dann aber grillen, denn braten kann ich dir nichts. Unsere Fettration ist zu Ende.«

»Mach den Büchsenschinken mit Spaghetti aus der Dose, ja? Natürlich mag ich Jamie. Er ist 'n aufrechter Kerl, und zu Vince hat er gesagt, eigentlich müßte ich die Staffel befehligen, weil ich der beste Mann bin. Wir sitzen hier nicht im Mitgliederausschuß irgendeines verdammten ländlichen Sportklubs, hat er zu ihm gesagt. Ich hab' das zufällig mitbekommen. Und dann hat mir Dixie Doppelman von der 191. Staffel erzählt, ihm hätte Jamie genau dasselbe gesagt. Da brauchst du gar nicht zu lachen – das stimmt.«

»Also, diese Namen – Dixie, Earl, Brandy, Red – so werden bei uns in England die Hunde gerufen.«

»Das ist eine antiamerikanische Bemerkung, die wahrscheinlich unsere Moral senken und dem Feinde Trost geben soll«, sagte er grinsend.

»Und von der Sorte Namen gibt's noch viel mehr«, sagte sie und verschwand, da er nach einem Kissen griff und damit nach ihr werfen wollte, schleunigst in die Küche.

»Schalte doch mal das Radio ein«, rief sie aus der Küche, »wir könnten doch ein bißchen Musik hören.«

Er stellte das Radio an. Während er wartete, daß die

Röhren warm wurden, goß er für beide einen Drink ein. Er konnte den amerikanischen Soldatensender nicht finden, aber auch BBC brachte Tanzmusik. Dann ging er in die Küche und sah ihr zu, wie sie das Essen herrichtete.

»Hast du das alles organisiert, MM? Ich möchte nicht, daß du deswegen ins Gefängnis wanderst.«

»Du kannst ruhigen Gewissens essen, Vera. Das sind ›Gastfreundschaftspackungen‹. Wir haben offizielle Anweisung, uns von britischen Zivilisten nicht zu sehr verköstigen zu lassen.«

»In die Gefahr werdet ihr so schnell nicht kommen«, sagte sie. »Die beiden Scheiben Schinken, die ich dir jetzt zum Abendbrot mache, dürften ungefähr hundert Gramm wiegen. Das ist dann auch schon die ganze Zuteilung für Zivilpersonen.«

»Aber das ist ja bloß eine einzige Mahlzeit pro Tag!«

»Schafskopf«, sagte sie und fuhr ihm durchs Haar. »Hundert Gramm Speck oder Schinken gibt es pro Woche!«

»Ach du lieber Himmel, Vera, ich wußte ja gar nicht, daß es so schlimm aussieht.«

Es machte ihr ein gewisses perverses Vergnügen, ihre Notlage zu schildern. »Jede Woche gibt es fünfzig Gramm Kochfett, fünfzig Gramm Tee und achtzig Gramm Käse – Käse mag ich besonders. Und mein Kaufmann behauptet, mit Beginn der nächsten Zuteilungsperiode wird die Käseration noch gekürzt.«

Er legte seinen Arm um ihre Schulter. »Das reicht nicht zum Leben. Ich hätte dir noch mehr mitbringen sollen.«

»Davon werde ich doch bloß fett und ganz unförmig«, sagte sie.

»Fürs Wochenende besorg' ich mir 'nen Jeep und stopf' ihn mit Marketenderwaren voll.«

Sie drehte sich zu ihm herum und küßte ihn. »Sei ein braver Junge und setz dich wieder nach nebenan, hier in der Küche ist es zu kalt.« Eigentlich war es kaum mehr als eine Spülküche, ein enger, kleiner Raum mit geborstener Tür und einem schlecht dichtenden Fenster, das auf einen dunklen Hof mit Aborthäuschen hinauswies.

»Lieber frier ich hier mit dir, Süße.«

Sie wischte ihm ihren Lippenstift vom Mund. Dazu nahm sie ein Taschentuch und ließ es ihn mit seinem Speichel befeuchten, wie sie Mütter das Gesicht ihrer kleinen Kinder säubern gesehen hatte. Es wäre eine günstige Gelegenheit gewesen, ihn daran zu erinnern, daß sie fast zehn Jahre älter war als er.

Sie hätte ihm sagen können, daß er sich lieber eine Siebzehnjährige suchen sollte, die zu ihm aufblicken und in ihm das sehen konnte, wofür er gerne gehalten werden wollte. Aber sie sagte nichts dergleichen, vielleicht gebot ihre Selbstgefälligkeit ihr Einhalt. Er mußte den großen Altersunterschied wohl auch bemerkt haben, sprach jedoch nie darüber. Sie sagte sich, sie sähe jünger aus, als sie in Wirklichkeit war, und das war nur zu wahr; MM aber war ihr verfallen, weil sie *älter* war, weil sie ihn bemutterte, und weil er ihr all seine Ängste und Gefühle des Zukurzgekommenseins, von denen niemand sonst etwas erfahren durfte, anvertrauen konnte. Er hatte ihr gar von seiner Furcht vor seinem Vater erzählt.

Sie glättete seinen Hemdkragen. »Du schießt Unmengen von Deutschen ab, MM.«

»Liebst du mich, Vera?« fragte er leichthin und lächelte, als sollte die Frage nur ein Ulk sein.

»Ab und an«, sagte sie. »Muß ich das immer wieder sagen?« Sie konzentrierte sich vollständig auf den Schinken und die Spaghetti.

»Ich möchte, daß du's mir zu jeder vollen Stunde sagst. Haben wir unseren Jahrestag, dann sogar jede halbe Stunde.«

»Und du meinst, es wird Jahrestage geben?«

»Wir müssen es richtig anfangen, Vera. Du mußt deinem Mann schreiben und ihm von uns erzählen. Ich möchte dich nach Amerika mitnehmen.«

Sie sah ihn ein Weilchen wortlos an. Als MM erfahren hatte, daß sie verheiratet war, hatte es eine heftige Szene gegeben. Er hatte sie eine Hure genannt, mit Tellern um sich geworfen und ihren Arm verdreht. Derartige physische

Gewalt ängstigte sie zwar, schmeichelte ihr aber auch, weil die Wildheit seiner Leidenschaft darin zum Ausdruck kam. Sie lächelte. »Wie man so hört, kann man in dunklen Nächten in Parker's Piece nicht durchs Gras laufen, ohne gleich über 'n paar Sandsäcke zu stolpern.« Unvermittelt schob sie das Essen auf die Teller. »Und im Fallen hörst du dann den einen Sandsack sagen: ›Nach dem Krieg nimmst du mich doch mit nach Amerika, nicht wahr?‹«

Sie nahm ihren Teller vom Tisch und ging ihm in die Diele voraus.

MM stand unbeweglich. »Diese Witze kenn ich auch, Vera«, sagte er. Als er nach seinem Teller griff, entdeckte er ein gerolltes Foto, das hinter das hölzerne Geschirrbord gefallen war. Er strich es glatt und erkannte darauf Vince Madigan. Dieser posierte in Fliegermontur neben einem Mustang-Jäger. Quer über den Himmel gekritzelt stand »Zum ewigen Andenken«. Unverschämter Kerl, dieser Vince. MM schob das Foto wieder an seinen alten Platz und nahm seinen Teller.

»Nimm dein Essen und komm ans Feuer.« Sie hatte ihn das Foto betrachten sehen und rechnete halb mit einem erneuten Tobsuchtsanfall. Sie war ihm jedoch gewachsen – wie MM hatte feststellen müssen, konnte Vera im Brüllen und Fluchen mit den Besten mithalten. Sie hatten regelmäßig ihre Auseinandersetzungen, aber Vera machte sich nicht allzuviel daraus; solange nichts dabei in Scherben ging, wußte sie ein richtig lautstarkes Wortgefecht durchaus sehr zu schätzen.

Nachdem er sich zu ihr gesetzt hatte, sagte MM: »Nach dem Essen werde ich deinen Staubsauger in Ordnung bringen. Ich hab' neue Gummidichtungen im Elektrohandel bekommen können.«

Und so verbrachten sie alle Abende. Sie saßen in der engen Diele und hörten rührselige Rundfunkkomödien, während MM einen Stuhl reparierte, eine Tür strich oder ein neues Regal aufhängte. Unterdessen strickte Vera mißratene Pullover, da sie ohne Brille das Strickmuster nicht erkennen konnte. In MMs Gegenwart setzte sie die Brille grundsätzlich nicht auf. Und nach der ersten Woche etwa hatte sich auch ihr Geschlechtsleben etwas beruhigt, weil Vera meinte, sie müßte sehr aufpassen. Schließlich liebten sie sich nur noch ›zur Feier des Tages‹ – gefeiert wurde allem Anschein nach aber nur noch, wenn MM eine weitere deutsche Maschine abgeschossen hatte.

21.

Major Spurrier Tucker jr.

Langsam drang der Frühling nach Nordeuropa. Die Landmasse des Kontinents hatte sich genügend erwärmt, daß sich kuppelförmige Kumuluswolken bilden konnten – mit solchen Wolken pflegen Kunstmaler einen makellosen Sommertag anzudeuten. Der Himmel über dem Pulk Mustangs war von jenem leuchtenden Blau, das man auf einem Gemälde für eine geschmacklose Übertreibung gehalten hätte.

Durch die Wolken hindurch konnte Major Tucker die für Deutschland so charakteristischen rechteckigen Felder und Wälder erkennen. Es war zur Mittagsstunde, die Sonne stand hoch am Himmel und spiegelte sich als winziges Lichtpünktchen im polierten Plexiglasdach der Kanzel. Tucker rutschte auf seinem Sitz hin und her. Trotz des Kissens hatten sich seine Muskeln nach dreistündigem ununterbrochenem Flug verkrampft, er fühlte sich müde und unzufrieden. Über seine Schulter hinweg konnte er erkennen, daß sein Rottenflieger fortwährend den Gashebel bearbeitete, um Position halten zu können. Üblicherweise folgen neu hinzugekommene Piloten bei den ersten paar Einsätzen als Rottenflieger des Staffelkapitäns – das war anerkanntermaßen der sicherste Platz innerhalb des Verbandes –, aber Tucker haßte es, sich um Neulinge kümmern zu müssen.

Er schob die Schutzbrille in die Stirn und rieb sich die Wangen. Er spürte, wie ihm der vom Brillengummirand zurückgehaltene Schweiß das Gesicht hinablief. Er prüfte seine Bordinstrumente und fand alles in Ordnung. Der

Auftrag des Geschwaders – unmittelbare Rückzugssicherung nach einem Bombenangriff auf Magdeburg – war ereignislos verlaufen. Nun flogen die Staffeln einzeln zum Stützpunkt zurück und hatten freie Jagd. Tucker sah, daß die beiden anderen Staffeln nordwärts schwenkten und Höhe verloren. Sie zogen sich jäh auseinander und sprenkelten schon bald als winzige Pünktchen die unter ihnen hängenden Wolken. Er wand sich in seinem Geschirr und stellte fest, daß die Maschinen seines Verbandes Formation hielten.

Hier oben fühlte sich Tucker niemals völlig frei, jedenfalls nicht so, wie es von vielen Fliegern behauptet wurde. Niemand war hier oben sein eigener Herr, nicht einmal an einem wundervollen Frühlingstag wie diesem. Das lag nicht nur an den komplexen, turbulenten und unvorhersehbaren Wettersystemen, sondern mehr noch an der Maschine, die er flog. Der Ausfall eines anscheinend unbedeutenden Stückchens Metall reichte schon aus, um das laute Gebrüll des Triebwerks zum Verstummen zu bringen – und danach gab dann die Schwerkraft den Ton an. Tucker beäugte erneut seine Instrumente. Für ihn blieb es ein Wunder, daß man mit einem Apparat, der schwerer war als Luft, fliegen konnte. So gesehen war er in bezug auf Flugzeuge ein altmodischer Romantiker und unterschied sich mithin erheblich von den begeisterteren Fliegern; letztere schienen die Tatsache des Fliegens als gegeben hinzunehmen.

Tucker fand es absurd, in einem Flugzeug zu sitzen. Tucker war Soldat. Vier Generationen Tuckers hatten West Point absolviert. Sein Urgroßvater – Spurrier – war mit Sherman in Savannah einmarschiert. Tuckers Vater wäre 1918 beinahe noch General geworden, aber der Krieg endete zu plötzlich, und so nahm er schließlich als Oberst seinen Abschied. Jetzt hatte Tucker die Chance. Insofern waren alle Ratschläge seines Vaters vernünftig gewesen. Die Luftwaffe war in noch nie dagewesenem Ausmaß vergrößert worden, und dieser Umstand hatte ihm zu einem Dienstgrad verholfen, den er bei der Infanterie oder bei den Panzern nie bekommen hätte. Und die Luftwaffe sollte eine selbständige Teilstreitkraft werden und im Pentagon einen eigenen Führungsstab bekommen. Dafür würde man sich ausschließlich Männer mit Pilotenabzeichen und soviel Luftkampferfahrung holen, daß deren Befehle Nachdruck und ihre Ansichten Gewicht bekamen. Aus diesem Grunde mußte er mit einem Blechvogel durch die höheren Luftschichten sausen, und an einem Tag wie diesem genoß er es sogar beinahe.

Der schwierigste Teil seiner Aufgabe war es, versuchen zu müssen, den Fliegern ihre Verantwortung einsehbar zu machen. Diese Jagdflieger waren nicht mit Soldaten von der Kriegsakademie zu vergleichen, sie waren nicht einmal so diszipliniert wie die ›Neunzig-Tage-Wunder‹, denen man neuerdings den Befehl über einen Zug Infanterie oder gar über die gesamte Kompanie gab. Selbst gebildete Leute wie Farebrother waren außerstande, sich den Verhaltensmustern der Armee anzupassen. Heute morgen noch, unmittelbar vor dem Einsatz, hatte Farebrother seine wenig hilfreiche Einstellung unter Beweis gestellt.

»Hören Sie mal, Major, Earl würde diesmal gerne aussetzen.«

»Um Himmels willen, Hauptmann, sehen Sie denn nicht, daß ich alle Hände voll zu tun habe?«

»Geht das in Ordnung, wenn ich bei den Reserveleuten einen Ersatzmann für ihn finden kann?«

»Warten Sie mal 'ne Minute, Hauptmann. Noch befehlige ich die Staffel. Ich möchte nicht, daß meine Untergebenen den Einsatzbefehl so lange umschreiben, bis er zu ihren gesellschaftlichen Vorhaben paßt.«

»Earl hat hinreichende persönliche Gründe, um heute einmal auszusetzen. Es ist das erstemal, daß er darum bittet, Major.«

»Nein, er hat noch nie darum gebeten.« Tucker hatte wissend gelächelt und mit dem Bleistift auf den Schreibtisch geklopft. »Anscheinend gehen Sie davon aus, einmal müßte jeder Gelegenheit bekommen, seine Pflicht zu versäumen.«

»Das habe ich nicht gesagt.«

»Und könnte mir Leutnant Koenige seine ›persönlichen

Gründe‹ vielleicht einmal anvertrauen? Wenn ja, warum schleicht er dann da im Flur rum, während Sie hier seinen Fall vortragen?« Tucker lächelte. Es war ein glücklicher Umstand gewesen, daß er Koenige durch die halboffene Tür erspäht hatte.

»Er hat mich drum gebeten.«

Tucker nickte. »Und da Sie sein Rottenflieger sind, haben Sie's getan.«

»Ich hab's getan, weil wir Kameraden sind.«

»Ich vermute, Koenige glaubt, seine Chancen stehen besser, wenn er 'nen Hauptmann zu mir reinschickt. Nur schade, daß er keinen Major oder Obersten auftreiben konnte.«

»Leutnant Koenige hat Verwandte in Magdeburg. Er möchte nicht dabeisein, wenn deren Heimatort bombardiert wird.«

»Holen Sie Koenige rein – ich weiß, daß er draußen steht. Koenige! Kommen Sie rein!«

Die Tür ging auf, Koenige betrat Tuckers Büro und blickte auf seine Fliegerstiefel hinab.

»Also, was ist an der Sache dran, daß Sie sich vor dem Einsatz drücken wollen?«

»Es ist schon so, wie Hauptmann Farebrother sagte, Sir. Ich möchte Magdeburg nicht bombardieren. Meine Eltern sind da geboren, und meine Großeltern auch.«

»Sie sollen überhaupt nichts bombardieren, Koenige. Sie fliegen eine Jagdmaschine und keine B 17.«

»Das weiß ich, Major Tucker«, sagte Earl Koenige.

»Sie werden bei dem Einsatz dabeisein, Leutnant. Machen Sie sich wegen des Ziels keine Gedanken. Konzentrieren Sie sich auf Ihre Aufgabe. Sehen Sie denn nicht ein, daß so etwas einreißen könnte? Vom nächsten Mal an suchen sich vielleicht meine Piloten dann die Ziele aus, die sie anfliegen wollen. Und was ist mit den unteren Dienstgraden? Das wäre ja ein schönes Beispiel für unsere Entschlossenheit, den Krieg zu gewinnen!«

»Sie verstehen das nicht, Herr Major.«

»Ich verstehe Sie besser, als Sie denken, Leutnant. Ich

weiß nur nicht, wer Ihnen diese verrückten Flausen in den Kopf gesetzt hat.« Tucker ließ seinen Blick ein Weilchen auf Farebrother ruhen. »Aber vergessen Sie das Ganze. Wie ich schon sagte, konzentrieren Sie sich nur auf Ihre Aufgabe.« Tucker strich ein paar Eselsohren glatt. »Vielleicht sind Ihre Angehörigen ja verzogen. Vielleicht sind sie auch gar nicht mehr am Leben. Hölle und Teufel, wir haben Magdeburg schließlich in den letzten Wochen in Grund und Boden bombardiert.«

»Sie sind ein niederträchtiges Schwein, Tucker«, sagte Farebrother.

Tucker blickte auf, verwundert und verletzt zugleich. Auf Farebrothers Gesicht stand kalte Verachtung, in Koeniges Augen das blanke Entsetzen. Wenn es ihnen in den Kram paßte, dann konnten diese Kerle ja so gefühlvoll sein. »Nun, tut mir leid, Leutnant. Ich hab's nicht so gemeint. Sehen Sie denn nicht, daß ich Ihnen helfen will?« Und zu Farebrother sagte er kläglich: »Ich versuche doch nur, ihm zu helfen.«

»Ich werde fliegen«, sagte Koenige.

»Gut«, erwiderte Tucker. »Sobald Sie in Ihrer Maschine sitzen, hören Ihre Grübeleien über all diesen Unsinn von selbst auf.«

»Ich glaube, Leutnant Koenige sollte den Stabsarzt zu Rate ziehen«, sagte Farebrother.

»Hören Sie auf, Hauptmann! Sie wissen ganz genau, daß sich der Dienstvorschrift entsprechend kein Pilot mehr nach der Einsatzbesprechung krank melden kann.«

»Tucker, das war die Zielbekanntgabe...« begann Farebrother, gab es mit erbittertem Schnauben jedoch auf.

»Ich möchte nicht zum Arzt und ihm sagen, daß ich für heute flugunfähig bin«, sagte Koenige. »Ich möchte nicht, daß das in meine Papiere kommt.«

»Das klingt sehr vernünftig«, sagte Tucker beifällig. »Halten Sie sich die Pillendreher auf Armeslänge vom Leibe, wenn Sie sich nicht gerade mit 'nem Dachschaden oder was Ähnlichem nach Hause verdrücken wollen.«

»Ich will fliegen«, sagte Koenige.

Tucker fing Farebrothers mißbilligenden Blick auf. Wie

hätte Farebrother wohl an seiner Stelle als Staffelkapitän gehandelt? Koenige war bereits eingewiesen; mit einem Ersatzmann an seiner Stelle würde die Staffel um eine Maschine zu kurz kommen. Und wenn der Geschwaderkommandeur anfangen würde, Fragen zu stellen, würde es dann um Farebrothers Kopf und Kragen gehen? Doch wohl nicht. Major Spurrier Tucker würde den Kopf hinhalten müssen, und ein entsprechender Fleck auf der Weste in Gestalt einer Eintragung in den Personalpapieren konnte einem Berufsoffizier die Aussichten auf einen hohen Dienstgrad verbauen.

Tucker drückte die Flugzeugnase nach unten und sah die Nadel des Höhenmessers fallen, als seine Tragflächen zunächst durch die obersten Kumulusschwaden schnitten, ehe die Maschine sich in die Wolken stürzte.

»Sparkplug Gelb zwei an Führer. Flugplatz... zehn Uhr.« Das war Rube Weins Stimme.

»Gelb zwei, verstanden, Ende.«

Nachdem Tucker die Staffel in einen sachten Backbordturn geführt hatte, zogen sich die Rotten beim Tiefergehen auseinander. Er konnte den deutschen Flugplatz mittlerweile erkennen. Es war ein großes Feld mit drei langen Pisten. Einige Transportmaschinen standen ausgerichtet auf dem Vorfeld. Tucker schob den Knüppel nach vorn, so daß er steil in die Tiefe schoß. Der Boden kam auf ihn zugerast, Gebäude und Straßen überschlugen sich, als er die Maschine in eine Rolle zog, die er in einem weiten Bogen, der ihn quer über den Platz führte, auslaufen ließ. Während er seine Flugrichtung korrigierte, um von Norden her über den Platz zu stoßen, blickte er in den Spiegel. Inzwischen hatten die übrigen Maschinen seiner Rotte aufgeschlossen und hielten sich auf gleicher Höhe querab.

Er überflog das Vorfeld so tief, daß er sämtliche fünf Transportmaschinen unter Feuer nehmen konnte. Es waren dreimotorige Ju 52 in grau-grünem Tarnanstrich. Als die erste Maschine durch sein Visier ging, gab er einen langen Feuerstoß ab und sah die Geschosse beim Aufschlag auf das Metallgerippe blitzend krepieren. Er hielt den Abzug fest und ließ das Feuer über die aufgereihten Flugzeuge streichen, dann legte er die Maschine schief und flog eine enge Kehre, die es ihm ermöglichte, eine zweimotorige Heinkel, die vor ihrem Schuppen gerade betankt wurde, unter Feuer zu nehmen. Wie große weiße Blüten entfalteten sich die Treffer auf den Tragflächen der Heinkel und wanderten zu ihrem Tankfahrzeug hinüber. Zunächst eine gewaltige Stichflamme, dann ein ungeheures Getöse. Die Druckwelle des explodierenden Tankwagens warf Tuckers Maschine hoch und kippte sie auf die Seite. Tucker zerrte am Steuerknüppel und legte die Maschine wieder gerade. Er fing sich so tief, daß seine Tragflächen fast die Baumkronen streiften. Er merkte, wie ihm der kalte Schweiß ausbrach. Einen Augenblick lang hatte er befürchtet, die Maschine würde am Boden zerschellen.

Er blickte über die Schulter. Die Rotte Gelb flog in Bodennähe von Osten her an. Als alle Maschinen der Rotte zu feuern begannen, loderte die eine Ju grell auf.

»Sparkplug Führer an Grün Führer. Gehen Sie auf dreitausend Meter, und geben Sie uns Deckung.«

»Roger, wird gemacht.« Sie würden zwar fluchen, den Befehl aber ausführen.

Tucker sah, daß sein Rottenflieger zurückgefallen war. »Aufschließen, Rot zwei. Sparkplug Rot zwei, hören Sie mich? Aufschließen.«

»Roger, verstanden, Ende.«

Tucker zog die Maschine in einem etwas weiteren Bogen herum, um dem neuen Piloten Gelegenheit zum Aufschließen zu geben. Auch ohne einen Neuling an seiner Seite dabei noch betreuen zu müssen, war das Beschießen der deutschen Flugplätze schon gefährlich genug. Jetzt begann die Flak zu schießen. Große farbige Lichtbögen wanderten über ihn hinweg, als die Kanoniere ihre Geschütze wild herumschwangen, um die von Süden her anfliegende Rotte Blau unter Feuer zu nehmen.

Manche behaupten, wahrer Mut sei es, seine aufsteigende Furcht niederzukämpfen. Nach dieser Definition war Tucker nicht mutig. Er fürchtete sich nicht davor, abgeschossen zu werden, weil er es sich einfach nicht vorstellen konnte. Tuckers Ängste waren auf gesellschaftlichem Sektor zu suchen. Ihm wurde kalt bei dem Gedanken, von seinen Vorgesetzten herabgestuft, von seinesgleichen verachtet oder von Untergebenen nicht respektiert zu werden. Wegen seiner Angst, verschmäht zu werden, hatte er Beziehungen zu Frauen nicht entwickeln können. Im Angesicht des Feindes jedoch besaß Tucker den kühlen Kopf und die klinisch saubere Vernunft des Berufssoldaten. Heute wurden diese beiden kontrastierenden Seiten seines Charakters auf die Probe gestellt.

Sollte er noch einen Anflug machen oder auf große Höhe gehen und nach Hause fliegen? – das war die große Frage. Einerseits hatte seine Staffel noch keine Verluste, war bereit für den zweiten Anflug, verfügte über genügend Munition und war psychologisch darauf eingestellt. Dagegen sprach die deutsche Flak, deren Feuer sich von Sekunde zu Sekunde verstärkte. Die Kanoniere bekamen Entfernung und Vorhalt in den Griff und wußten genau, aus welcher Richtung sie kommen würden.

Er blickte auf den Flugplatz hinunter. Es gab noch genügend unbeschädigte Ziele. Wenn er jetzt nach Hause flöge, hätte er sich hinterher zweifellos MMs spöttisches Gerede anzuhören, würde er aber einen zweiten Anflug riskieren, dann hätte Tuckers eigene Rotte Rot die besten Aussichten, heil aus der Sache herauszukommen. Aber würde es auch Blau schaffen, die als letzte anfliegen und deswegen dem schwersten und präzisesten Beschuß ausgesetzt sein würde? Einen Augenblick lang spielte er mit dem Gedanken, die letzte Welle nach oben zu schicken, wo Grün Sicherung flog, aber MM flog die Führungsmaschine Blau, und der würde sich beschweren, vorsätzlich an weiteren Abschüssen gehindert worden zu sein. Er hatte sich schon öfter beschwert, »behindert« zu werden.

»Hier Sparkplug Führer. Einmal noch, und dann ab nach Hause!«

Diesmal flog Tucker in etwas größerer Höhe an, um seinem Rottenflieger Gelegenheit zu einem schnellen Feuerstoß zu geben. Auf einer der Pisten versuchte ein Jäger zu starten; irgendein furchtloser kleiner deutscher Saukerl wollte in die Luft und ihnen seine Kugeln antragen. Tucker nahm das Seitenruder herum und ließ den Zielstachel nach unten wandern, um den Deutschen auf die Startbahn zu nageln. Er konnte Treffer erkennen, als der deutsche Jäger durch seinen Feuerstoß hindurchmußte. Da zog er die Flugzeugnase nach oben und machte sich davon.

Er suchte den Horizont ab. Wenn sie jetzt angegriffen wurden, würde es schwere Verluste geben, aber er verließ sich darauf, von seiner hoch oben kreisenden Sicherung rechtzeitig gewarnt zu werden. Beeilt euch, macht voran! Es schien Stunden zu dauern, bis die kreisenden Maschinen der Reihe nach im Zielanflug über den Platz hinwegfegten. Die Flak kam inzwischen zur vollsten Entfaltung ihrer Möglichkeiten. Der Himmel hinter ihm war ein einziges buntes Lichtermeer, durch das jedes Flugzeug hindurchmußte. Blaßgrauer Rauch von den Geschützen und den beiden brennenden Maschinen, deren eine mittlerweile auf dem Boden in sich zusammengestürzt war, trieb über den Flugplatz. Ein flammendroter Feuerstreif zog plötzlich quer über die Szene – eine Mustang war getroffen worden. Da er wegen seiner niedrigen Flughöhe nicht entkommen konnte, versuchte der Pilot seine Maschine zu landen, berührte mit einem Flügelende aber ein abgestelltes Flugzeug, so daß seine Maschine sich um die eigene Achse drehte und krachend explodierte. Tucker flog noch einmal zurück, um besser sehen zu können, da traf es eine zweite Mustang. Während der Pilot über dem Knüppel zusammenbrach, nahm die Maschine ihre Nase tiefer und bohrte sich in die brennenden Transportflugzeuge, daß der Treibstoff hell auflodernd nach allen Seiten spritzte. Die in Linie anfliegende Formation war auseinandergerissen worden. Zwei nachhinkende Mustangs drehten ab, um dem massierten Abwehrfeuer zu entgehen, aber die Flak folgte ihnen. Die letzten vier Maschinen trugen ihren Angriff vor, und da sie den Vorteil hatten, daß die Flakartilleristen jetzt abgelenkt waren, kamen sie heil durch die turmhohen schwarzen

Rauchwolken hindurch, die inzwischen über dem mit Flugzeugwracks übersäten Vorfeld hingen.

»Sparkplug Führer an Grün Führer. Hinter mir Formation einnehmen.« Tucker entführte sie in die Wolken. Steigen, steigen, steigen, bloß weg hier. Es knackte zweimal im Kopfhörer, als Grün Führer den Erhalt des Befehls bestätigte.

»Hier Sparkplug Führer. Wer fehlt? Der Reihe nach. Blau Führer?« Dies gehörte zu den Dingen, die er haßte. Er wandte seine Gedanken absichtlich anderen Dingen zu, wie er es immer tat, wenn er sich in einer ihm verhaßten Situation befand. Er dachte an seine Zeit in West Point – marschieren, marschieren, marschieren. Der durch das Tal fauchende eisige Wind, die grauen Uniformen, die in den trägen Wassern des Hudson treibenden grauen Eisbrocken, die grauen gotischen Gebäude, die Gesichter blau vor Kälte: »Pflicht, Ehre, Vaterland«.

»Der Reihe nach; Blau Führer, wen haben wir verloren?«

22.

Hauptmann Vincent H. Madigan

»Auf diesem Fliegerhorst versteht jeder x-beliebige Offizier von Öffentlichkeitsarbeit mehr als ich«, sagte Vince Madigan. »Nicht nur der für den Feuerlöschzug verantwortliche Hauptmann gibt mir Ratschläge, sondern ich bekomme auch noch Hinweise und Fingerzeige vom Stabsarzt und muß mir ständig die endlosen Beschwerden der Flieger anhören. Neulich hat mich sogar der katholische Feldgeistliche wissen lassen, wie man ›das moralische Paradoxon, daß Christen Krieg führen‹ – so drückte er sich aus –, am besten handhaben sollte. Es ist zum Kotzen.«

So pflegte Hauptmann Madigan mit Oberstleutnanten aus dem vorgesetzten Pressebüro am Grosvenor Square gewöhnlich nicht zu reden; doch sein augenblicklicher Gesprächspartner bildete offenbar eine Ausnahme – er war munter, freundlich und gelassen. Vor dem Krieg war er an der Westküste leitender Angestellter einer Künstleragentur gewesen: ein ausgekochter Bursche und ganz anders als die West-Point-Kommißköppe, die sich regelmäßig am Telefon meldeten und von Madigan verlangten, seinen Schreibtisch aufzuarbeiten oder ihm – was noch schlimmer war – zu einem Artikel gratulierten, den der unerträgliche Gefreite Fryer geschrieben hatte. Madigans Besuch, Lester Shelley mit Namen, war Oberstleutnant geworden, weil er ein erfahrener Agent und Publizist war. Nach dem Kriege würde er seine Karriere bruchlos fortsetzen. »Nehmen Sie's nicht so schwer, Vince«, sagte Shelley. »Derartigen Unsinn werden Sie noch öfter zu hören bekommen. Sie sollten sich mit 'nem breiten Lächeln aufs herzlichste bedanken.«

Oberstleutnant Lester Shelley lächelte, und zwar so, wie er es Madigan gerade eben empfohlen hatte. Seine Zähne waren so weiß, gleichmäßig und vollkommen, wie sie nur die Zahntechniker in Beverly Hills zuwege bringen. Trotz Höhensonne – die er in der Absicht, seine kalifornische Sonnenbräune zu konservieren, von jenseits des Atlantiks mitgebracht hatte – wirkte seine Haut olivfarben, ähnelte aber dennoch eher einem Filmstar als dem ›Kleinstadtanwalt‹, der er seinen eigenen Worten nach einmal gewesen war.

»Kommen Sie mir doch nicht mit diesem ›Noch-viel-öfter-hören-Werden‹«, sagte Madigan und lachte, um seinen Worten die Schärfe zu nehmen. Madigans Lachen war – gleich seiner Stimme – tief, männlich und gekünstelt.

Shelley blickte über die Schulter und vergewisserte sich, daß es keine Ohrenzeugen gab. »Wir gehören demselben Verein an, Vince«, sagte er, »und Presseoffiziere Ihres Schlages mag ich. Und wenn ich jemand mag, mach' ich kein Hehl draus.« Er lächelte erneut. Madigan blieb nicht verborgen, daß sich Shelley die Gesichtsmuskulatur hatte liften lassen, um jünger zu wirken. »Ich muß Sie aber auf meiner Seite wissen. Kann ich mit Ihnen rechnen?« Er sah Madigan aus hellen braunen Augen scharf an, und als Madigan nickte, klopfte er ihm auf den Arm. »Toll, Vince! Sie und ich werden eine phantastische Truppe abgeben.«

»Und was müssen wir tun?« fragte Madigan, der wußte, daß Shelley nur zu einem kurzen Besuch nach Steeple Thaxted gekommen war.

»Sie nehmen mich doch nicht etwa auf den Arm, Vince, oder? Sie sind doch bestens auf dem laufenden. Wenn ich mich nicht sehr irre, dann wissen Sie doch seit langem, welche publizistischen Möglichkeiten uns in Gestalt von Oberleutnant Mickey Morse zu Gebote stehen – dieser ganze Mickey-Mouse-Schwindel! Ich übergebe Ihnen die Unterlagen, und Sie basteln 'ne Geschichte zusammen – aus nichts weiter als 'n paar Büroklammern und 'nem Telefonbuch, wie wir in Hollywood sagen.«

»Ich hab' getan, was ich konnte«, sagte Madigan bescheiden und war auf dem besten Wege, sich näher auszulassen, als Shelley mit einem manikürten Finger abwehrend durch die Luft fuhr. Madigan beschränkte sich also auf einen weiteren Schluck Whiskey und wartete ab.

»Wenn man die Sache richtig anpackt«, fuhr Shelley fort, »dann sollte Oberleutnant MM – oder wie immer wir ihn auch nennen sollten – eine richtig große Geschichte hergeben. Und mein General ist wie ich der Ansicht, daß es Zeit wird, die Jagdwaffe in die Schlagzeilen zu bringen. Das Publikum ist es langsam leid zu hören, daß die Jungs vom Bomberkommando unerschütterlich weitermachen, obwohl die deutsche Luftwaffe die Scheiße aus ihnen rausprügelt. Ich hab' die dumpfe Ahnung, Vince, das hochverehrte Publikum wartet mittlerweile auf 'n paar andere Kriegsgeschichten. Die Leute wollen was Ermunterndes, Kraftvolles, Optimistisches hören. 1944 wird das Jahr, in dem wir den Achsenmächten das Genick umdrehen, und so sollte unser Thema sein.«

»Voll einverstanden, Sir.«

»Um Himmels willen, sagen Sie Lester zu mir.« Er blickte auf die Uhr und ließ den Barmann wissen, daß die Uhr über seiner Theke zwei Minuten vorging. Ohne auf Antwort zu warten, fügte er hinzu: »Ich hab' da 'nen ganzen Bus voll Reporter, die in 'ner halben Stunde hier eintreffen. Spitzenleute von großen Zeitungen und Agenturen. Die werden allen möglichen Schund berichten wollen, aber wir müssen dafür sorgen, daß sie irgendwas von diesem Morse erfahren; nur er gibt genügend Stoff für 'ne große Sache. Das werden alle bald raus haben.« Er blickte noch einmal auf die Uhr, beroch seinen Martini, als ob der zwischenzeitlich verdorben wäre, und sagte: »Morse fliegt doch heute, oder?«

Die Frage bedurfte keiner Antwort; denn beide waren bereits im Einweisungsraum gewesen, wo Madigan Shelley die quer über Deutschland hinweg nach Magdeburg gespannten farbigen Bänder gezeigt und ihm Morses Namensschild unter die Nase gehalten hatte. »Ich glaube behaupten zu dürfen, in diesem Sinne schon ein paar Hebel in Bewegung gesetzt zu haben, Lester«, sagte Madigan.

»Das ist ja toll, Vince«, sagte Shelley und zog an seiner Zigarre.

»Ein australischer Schreiberling namens Henry Scrimshaw bringt für uns 'ne gewaltige Story über MM raus. Im Verlauf der letzten paar Wochen haben die beiden die Geschichte zusammengestrickt. Scrimshaw ist fast jeden Tag hier. Ich hab' die Fotografen auf Trab gebracht, so daß wir zusätzlich zu dem Fotomaterial von MM noch reichlich ergänzende Aufnahmen der Bodenmannschaft beisteuern können – also von den Waffenwarten, Bordmechanikern und Fallschirmpackern, die ja auch auf ihre Art eine wichtige Rolle spielen.«

»Das ist ja toll, Vince«, wiederholte sich Shelley, obwohl seine Stimme nicht mehr so überzeugt klang wie zu Anfang. »Können Sie mir 'n bißchen mehr über – wie hieß er doch gleich? – Scrimshaw erzählen?«

»Ich weiß nicht viel über ihn zu sagen«, gab Madigan zu, »nur, daß er etliche große Storys an amerikanische Zeitungen und Magazine verkauft hat.«

»Australier also.« Shelley kratzte sich mit dem Daumennagel das Kinn und nahm einen weiteren Zug aus seiner Zigarre. »Haben Sie 'ne Vertragsdurchschrift zur Hand?«

»Vertrag?«

»Scrimshaw und MM – was haben die denn schriftlich vereinbart?«

»Ich wußte ja gar nicht, daß die Dienstvorschriften das überhaupt zulassen«, sagte Madigan. »Darüber müßte man mich mal aufklären.«

»Das können Sie auf der Stelle haben, Vince«, sagte Shelley und starrte Madigan kalt an. »Wenn ein Mann Soldat wird, verliert er noch längst nicht seine bürgerlichen Grundrechte. Es freut mich, Ihnen mitteilen zu können, daß ich seit meinem Eintritt in die Armee reichlich Verträge abgeschlossen habe. Es gibt eine ganze Reihe Hollywoodstars, die für die Dauer des Krieges auf dem trockenen sitzen würden, wenn ich in ihrem Namen keine Arbeitsverträge abschließen dürfte.«

»Ich bin mir ziemlich sicher, daß MM keinen Vertrag

unterschrieben hat«, sagte Madigan und nippte an seinem Whiskey. Dieser ›freundliche‹ Scheißkerl brachte ihn in Schweiß. Madigan wischte seine feuchten Hände an der Hose ab. Shelley lächelte, als ob Madigans Schweißausbruch nur gespielt wäre. »Deshalb glaube ich, daß wir uns um den Punkt keine Sorgen zu machen brauchen, Lester.«

Oberstleutnant Shelley seufzte und kramte in seinem Aktenköfferchen; dann blickte er auf und zeigte jenes warme, freundliche Lächeln, mit dem er sich bei Madigan eingeführt hatte. »Wenn Sie statt wer weiß was sonst zufällig Jura studiert hätten, wüßten Sie, daß Scrimshaw dadurch, daß nichts fixiert wurde, mehr vertragliche Rechte erworben hat, als wenn ein ordentlicher Kontrakt aufgesetzt worden wäre.«

Madigan trank noch etwas Whiskey. »Wie das?«

»Oberleutnant Morse hat sich mit ihm zusammengesetzt und das Material in Hinblick auf Veröffentlichung durchgesprochen. Mithin existiert implizite ein Vertrag. Das Gesetz gesteht Oberleutnant Morse dieselben Rechte zu, in deren Genuß auch die vorherigen Vertragspartner Scrimshaws kamen. Mit anderen Worten: wir stehen mit leeren Händen da.«

»Das leuchtet mir jetzt ein.«

»Nun, ich gedenke das nicht so einfach hinzunehmen.« Er kratzte sich das Kinn. »Ich fürchte, wir müssen diesen Kerl aus Australien irgendwie loswerden.«

»Wir sollten vielleicht mal mit Scrimshaw reden. Ich glaube, er wäre zur Zusammenarbeit bereit.«

»Das Risiko können wir nicht eingehen, Vince.« Er ließ noch einmal seine Zähne blitzen. »Wir müssen die Geschichte von jemand schreiben lassen, den wir kennen, auf den wir uns verlassen können. Wir müssen das Manuskript vor der Veröffentlichung lesen können, um noch Fehler ausmerzen und wichtigen Stoff, der vielleicht weggelassen worden ist, hinzufügen zu können.«

»Auf diese Bedingungen läßt sich aber kein Reporter von Rang ein.«

»Ich weiß nicht, mit wie vielen hochrangigen Reportern

Sie schon mal aus nächster Nähe zu tun hatten, Vince«, sagte Shelley eisig. »Aber ich sehe da keine großen Probleme auf uns zukommen. Scrimshaw und all die anderen Zeitungsfritzen müssen auf die Konditionen der Armee eingehen, oder wir widerrufen ihre Akkreditierung, so daß sie nie wieder auf militärisches Gelände dürfen.« Er zog heftig an seiner Zigarre. »Es wird keine Schwierigkeiten geben, Vince.«

»Wahrscheinlich haben Sie recht.«

Shelley bemerkte Madigans Mangel an Begeisterung und sagte daher: »Es geht hier nicht um Zensur, sondern darum, daß wir den Krieg gewinnen. Darüber müssen wir uns im klaren sein, Vince, und der Junge selbst kommt dabei wesentlich vorteilhafter weg. Wir werden einen ordentlichen Vertrag aufsetzen. Ich sehe keinen Grund, weswegen Oberleutnant Morse für einen Exklusivvertrag nicht wenigstens zweitausend Dollar kriegen sollte.«

»Da stimme ich voll mit Ihnen überein, Sir.«

»Lester«, sagte Shelley.

»In letzter Zeit haben viele Reporter den Fliegerhorst besichtigt.«

Shelley verzog die Lippen. »London wimmelt von Presseleuten. Manchmal lassen sie mich morgens kaum in mein Büro. Und das sind nicht bloß Amerikaner, nein – Brasilianer, Russen, Schweizer, Portugiesen, Spanier, Türken. Und wenn Sie genau hinschauen, entdecken Sie unter ihnen auch Hottentotten und Eskimos.« Mit einem Lächeln gab er Madigan zu verstehen, daß er nicht die Absicht hatte, *zu genau* hinzusehen, obwohl es Teil seines Jobs war, zu allen nett zu sein. »Die Reporter warten auf die verdammte Invasion, Vince.«

»Wann ist das denn soweit?«

»Das steht noch nicht fest«, sagte Shelley, als wollte er durchblicken lassen, daß er es als einer der ersten erfahren würde, wenn es einmal soweit sei, »aber Leute, die es wissen müssen, sprechen von Mai. Die Engländer haben den zivilen Fährschiffsverkehr zwischen England und Irland schon eingestellt, ihre südlichen Küstengewässer zum Sperrgebiet erklärt und sind dabei, niemanden mehr hineinzulassen.«

Ein erneuter Blick auf die Uhr sagte ihm, daß noch genügend Zeit war, seine Ausführungen fortzusetzen. »Sie fragen, warum es gerade im Mai sein soll. Nun, ich habe letzte Woche einen ganz engen Freund besucht – er sitzt im Alliierten Oberkommando und gehört zu Eisenhowers Planungsstab. Er sagte mir, daß man für die Invasion trübes Mondlicht, mindestens neunhundert Meter Wolkenhöhe sowie Windgeschwindigkeiten benötigt, die über dem Kanal höchstens zwanzig Meilen pro Stunde betragen dürfen und an der Küste noch weniger. Aus den meteorologischen Aufzeichnungen eines ganzen Jahrhunderts geht hervor, daß die genannten Bedingungen im Juni nur an zweieinhalb Tagen gegeben sind. Und nach Juni verschlechtert sich das Wetter immer mehr, bald danach beginnen im Kanal die wilden Herbststürme.«

»Können sich die Deutschen das nicht auch zusammenreimen?«

»Aber sicher doch, aber im Alliierten Hauptquartier hofft man, daß sie's nicht tun. Die Berichterstatter der Alliierten sind ersucht worden, sich über den Angriffstermin keinen Spekulationen hinzugeben, aber es sieht ganz nach Mai aus, Vince. Sie können Oberleutnant Morse also mitteilen, daß ihm nicht mehr allzuviel Zeit bleibt.«

»Wegen der Invasion?«

»Im Augenblick sitzen die Zeitungsfritzen noch so rum, das Gehirn im Leerlauf, und suchen ihre Geschichten auf dem Grund der Whiskeyflasche. Aber wenn die Invasion erst beginnt, hält sich jeder Reporter, der halbwegs was taugt, nur noch an die Landungstruppen auf dem Festland. Die Schlagzeilen gehören dann der Infanterie, und Sie und ich können der langerträumten Muße pflegen. Und wenn Ihr Oberleutnant Morse den gehegten Erwartungen entspricht, dann finden Sie sich vielleicht auf 'ner Rundreise durch die Staaten wieder, schlagen sich den Bauch voll und drehen den Leuten Kriegsanleihen an. Das wäre natürlich auch mit 'ner Beförderung verbunden.«

»Klingt gut in meinen Ohren«, meinte Madigan. Tatsächlich klang es nach typischem Hollywoodgeschwätz, aber vielleicht konnte dieser kleine Bursche die Sache deichseln. »Wo fangen wir an?«

»Sie werden sich überlegen, wie Sie Scrimshaw vom Stützpunkt fernhalten können, während ich mir Gedanken mache, wie wir Oberleutnant Morse auf dem Fliegerhorst festnageln.«

»Für wie lange?«

»Nur so lange, bis er einen rückdatierten Vertrag mit einem geeigneteren Journalisten unterschrieben hat. Wir müssen uns um den Jungen kümmern, Vince. Er riskiert seinen Hals für uns.«

»Es wird nicht so einfach werden, ihn auf dem Horst festzuhalten«, sagte Madigan. Vera Hardcastles Existenz brachte er gar nicht zur Sprache; es hätte die Angelegenheit nur noch mehr kompliziert.

Am späten Nachmittag kehrten die ersten Maschinen zurück. Das südliche England lag unter einem grauverhangenen Himmel, und das Tageslicht schwand bereits, so daß die Fotografen ihre Kameras mit Blitzlichtgeräten hatten bestücken müssen. Der Bus, mit dem sie aus London eingetroffen waren, parkte hinter den Schießständen unweit der Abstellplätze, die gewöhnlich von der ›Mickey Mouse II‹ und den restlichen drei Maschinen der Rotte belegt waren. Da es sehr kalt war, blieben die meisten Berichterstatter im Bus sitzen. Der Fahrer hatte den Motor nicht abgestellt, damit die Heizung wenigstens etwas Wärme abgab. Im Westen war der Himmel schwefelgelb, und die aufgetürmten Wolken wurden vom Licht der untergehenden Sonne rosa getüpfelt.

Hauptmann Madigan stand vor dem Bus und erläuterte seinen Zuhörern nach besten Kräften die Einzelheiten des heutigen Einsatzes. Das Geschwader war für einen Angriff auf Magdeburg zur Rückzugssicherung der Bomber herangezogen worden. Er erwähnte jedoch nicht, daß die Piloten am Morgen bei der Einsatzbesprechung ein leises Murren hatten vernehmen lassen, als sie auf der Karte mit der ihnen zugedachten Flugroute vertraut gemacht wurden. Statt dessen behauptete er, daß der Februar 1944 bereits Legende sei, und stellte die ›Große Woche‹ als eine der größten Schlachten der Geschichte dar. Trotz fortwährend fürchterlichen Wetters habe die Achte Bomberflotte in jenem Monat 2548 Einzeleinsätze absolviert. Im Februar hätten die Bomberbesatzungen die Verluste zu tragen gehabt, während die Jäger nur vergleichsweise geringe Verluste hätten hinnehmen müssen. Inzwischen sei man in eine andere Phase des Krieges getreten – zumindest hatte der Hollywood-Oberstleutnant recht behalten –, und den März hindurch hätten sich die Jagdgeschwader mit der deutschen Luftwaffe schwer herumschlagen müssen. Die Ziele der Bombenangriffe verlagerten sich immer tiefer ins Reichsinnere, und die Jagdpiloten mußten sich ihre Fliegerzulage schwerer als je zuvor verdienen.

Nur wenige Minuten nach dem Ende dieser ermunternd gemeinten Darlegungen ließen sich die ersten heimkehrenden Maschinen in langgezogener, lockerer Formation ausmachen. Oberst Dan, der in seiner ›Pilgrim‹ die 195. Staffel befehligt hatte, landete als erster. Fünfzehn oder zwanzig Minuten nach ihm kam Tucker, der mit der 199. Staffel in etwa hundertzwanzig Meter Höhe den Platz noch einmal überflog, ehe er zur Landung ansetzen ließ. Es war unverkennbar, daß die Maschinen ein Gefecht bestanden hatten – man sah es nicht nur an den zerfetzten Abdeckungen der Pfortöffnungen oder anhand der sich von dort aus über die Flügelprofile hinziehenden dunklen Schmierspuren, sondern es äußerte sich auch darin, daß sich die Piloten kunst- und achtlos dem Platz näherten, zum Landeanflug einslippten und die Maschinen so stark nach einer Seite durchhängend aufsetzten, daß sie die Landebahn entlanghüpften. Die Bodenmannschaften zuckten angesichts dessen, was ›ihren‹ Hydrauliksystemen zugemutet wurde, zusammen. Madigan zog ein Gesicht. Diese Burschen waren schwer mitgenommen!

Er blickte sich um und vergewisserte sich, welchen Eindruck die Berichterstatter bekommen hatten. Sie schienen recht guter Dinge zu sein. Ihre kleinen Sorgen wegen Telefon, Toiletten und heißem Kaffee waren vergessen. Alle hatten inzwischen den Bus verlassen, reckten die Hälse und lächelten sich vor Begeisterung gegenseitig blöde zu. Es war ein merkwürdiger Haufen: rundliche, rotgesichtige Männer in schlechtsitzenden Militärtrenchcoats, deren Taschen mit Notizbüchern, Handschuhen, Reisetabletten, Schokolade und den unvermeidlichen Taschenflaschen vollgestopft waren. Jeder von ihnen war mit Gasmaske, Feldstecher, Kamera und Tornister behängt. Manche hatten sich sogar einen Bleistift unter die Soldatenmütze geschoben.

Unmittelbar nach der ›Mickey Mouse II‹ landeten ›Daniel‹ und ›Kibitzer‹. Während sie über die Ringstraße rollten, wurden die Reporter wegen der Aussicht, in Bälde das ihnen so warm angepriesene junge Fliegeras kennenzulernen, immer aufgeregter. Die drei Maschinen hielten sich beim Ausrollen nicht an die vorgeschriebenen Abstände, so daß es einen Augenblick lang so aussah, als wollte Farebrother das Heck seines Vordermanns rammen. Madigan fluchte – derlei mußte ausgerechnet in Anwesenheit der Presse passieren; das konnte bei seinem Pech ja gar nicht anders sein. Aber dann war die Gefahr vorbei, und er lächelte Oberstleutnant Shelley erleichtert zu. Shelley hatte den Vorfall gar nicht bemerkt; Henry Scrimshaw aber, der plötzlich aufgetaucht war und sich der Gruppe unbefugt angeschlossen hatte, grinste Madigan an und nickte. Diesem alten australischen Adlerauge entging aber auch gar nichts! Madigan hatte dem Gedanken, Scrimshaw aus der Oberleutnant-Morse-Story herauszubluffen, nichts abgewinnen können. Scrimshaw war ein hartnäckiger Oldtimer, ein Typ, mit dem es Madigan schon öfter zu tun gehabt hatte: Derlei Leute widersetzten sich unweigerlich jeglicher Autorität und ließen sich nicht so ohne weiteres einschüchtern.

Madigan hatte MMs Hund mitgebracht, und sobald die ›Mickey Mouse II‹ zum Stillstand gekommen war, hievte er Winston ins Cockpit hinauf. Solche Mätzchen waren der Presse höchst willkommen. Die Kameraverschlüsse ratterten wie Maschinengewehrfeuer. MM machte natürlich mit;

er setzte Winston sogar noch seinen Fliegerhelm auf. Nachdem MM das alles überstanden hatte, zauberte Madigan Farbtopf und Pinsel hervor, so daß der Obermonteur ein weiteres Hakenkreuz auf die Flugzeugnase malen konnte, derweil Morse lächelnd danebenstand. Die Kameras klickten.

Mittlerweile hatte auch Jamie Farebrother seine Maschine abgestellt. Madigan ging zu ihm hinüber und wollte ihn begrüßen, aber Jamie schien ihn offenbar weder zu hören noch sein Winken zu bemerken. Er saß in der Maschine und stützte sich mit ausgestreckten Armen auf die Metallstreben der Windschutzscheibe. Sein Gesicht war angespannt und leichenblaß; er wirkte hohlwangig und hatte dunkle Ringe unter den Augen. »Wie ist die Sache gelaufen, Jamie?« rief Madigan. Farebrother rührte sich jedoch nicht und starrte weiter vor sich hin.

»Treten Sie zurück, Hauptmann«, sagte eine Stimme hinter ihm. Tex Gill, Jamies Obermonteur, schubste Madigan mit dem Ellenbogen zur Seite. »Der Hauptmann hat Schwierigkeiten, sich aus seinem Sitz zu befreien. Sehen Sie nicht, daß er Hilfe braucht?« sagte Gill über die Schulter hinweg, als er auf die Tragfläche der ›Kibitzer‹ kletterte. Dann begann er Farebrothers Schultergeschirr aufzuklinken.

Erst jetzt bemerkte Madigan, wieviel ein solcher Einsatz einem Mann abverlangte. Jamie Farebrother hatte annähernd fünf Stunden in seinem engen Cockpit gehockt. Jetzt war er fertig – psychisch und physisch: Man mußte ihm wie einem Achtzigjährigen hinunterhelfen.

»Jamie, ist was?« rief Madigan und suchte Oberstleutnant Shelleys Blick, war jedoch verwirrt, als dieser die Stirn runzelte. Madigan hatte sich noch nie zuvor um so viele wirklich wichtige Presseleute kümmern müssen, und da Shelley obendrein jede seiner Bewegungen beobachtete, wurde er sehr gereizt. »Ist was, Jamie?« wiederholte er.

Feldwebel Gill schüttelte den Kopf, aber Madigan stellte seine törichten Bemühungen, Jamie ein Gespräch aufzudrängen, nicht ein. Er blickte zur ›Mickey Mouse II‹ hinüber, die nach wie vor im Mittelpunkt des allgemeinen Wirbels stand, und erkannte, daß auch MM jede Farbe verloren hatte. Der jedoch besaß genügend Zirkusblut und war entschlossen, seine Schau für die Presse zu Ende zu spielen. Niemand bemerkte, welchen üblen Tag das Geschwader hinter sich hatte; keiner der Reporter nahm sich Zeit, Rube Wein oder Jamie eines Blickes zu würdigen. Vielleicht war das nur gut so.

»Wo ist Earl, Jamie?« fragte Madigan. Er sah, daß die ›Kibitzer‹ geschossen hatte – die Maschine stank nach Pulver, warmem Öl und ausgelaufener Kühlflüssigkeit. Madigan hatte diesen Geruch hassen gelernt, und ebensosehr haßte er die Geräusche des auskühlenden Motors – das Knacken und Klingeln des sich entspannenden Metalls. Egal, womit er sich nach dem Krieg den Lebensunterhalt verdienen würde – von der Luftfahrt würde er sich fernhalten.

Feldwebel Gill zog Jamie das Fallschirmgeschirr vom Rücken, und Madigan gab ihm mit einer Hand Halt, als er auf den Boden hinabsprang.

»Wo ist Earl?« fragte Madigan nochmals. »Wo ist Earl Koenige?« Ihm kam es vor, als sei Jamie vom stundenlangen Motorenlärm taub geworden.

Jamie zog seinen Fliegerhelm herunter und schüttelte den Kopf, als müßte er Klarheit in seine Gedanken bringen. »Earl hat sich die Farm gekauft«, sagte Jamie, als sei er wütend auf Madigan.

»Wie? Abgeschossen? Earl? Ist er ausgestiegen? Scheiße! Wie ist denn das passiert, Jamie?«

Jamie Farebrother legte Madigan die Hand auf die Brust und stieß ihn heftig von sich. »Er brannte, Vince. Was willst du eigentlich von mir – 'nen Augenzeugenbericht für 'ne Presseverlautbarung?«

Der Stoß brachte Madigan beinahe aus dem Gleichgewicht, er mußte an der Flügelkante Halt suchen. Nach einem Flug in so großer Höhe war das Metall der Außenhaut eiskalt. Madigan rieb sich die Hand. »Es tut mir leid, Jamie; es tut mir wirklich leid. Ich weiß, ihr beide wart gute Freunde.«

Seine Worte schienen alles nur noch schlimmer zu machen.

Er sah sich unruhig um, weil er befürchtete, daß Oberstleutnant Shelley ihren Wortwechsel mitangehört haben könnte, aber seine Befürchtungen waren grundlos; der redete gerade auf die Reporter der großen Presseagenturen ein. Jamie wandte sich ab und ging zu dem wartenden Jeep hinüber. Rube Wein war bereits eingestiegen. Die beiden Männer sahen sich kaum an, starrten vor sich hin, ohne etwas zu hören oder zu begreifen. Der Beifahrersitz blieb leer.

Madigan reihte sich wieder in den Kreis der MM-Bewunderer ein. »Möchten Sie mal sehen, was ein Jagdflieger muß, wenn er von einem langen Einsatz zurückkommt?« rief MM den Männern zu. Und auf das zustimmende Geschrei hin sagte er: »Macht die Kameras klar, Jungs, und reserviert mir die Titelseite!« Dann knöpfte er seine Hose auf und urinierte auf den Boden.

Madigan sah sich forschend um, versuchte die Reaktion der Berichterstatter festzustellen. Lachen, Pfiffe und ermunternde Ausrufe. MM hatte sein Publikum richtig eingeschätzt. Madigan sah zu Oberstleutnant Shelley hinüber; der kniff ihm ein Auge.

Nach einem Blick auf die Uhr sagte Madigan im Befehlston: »Oberleutnant Morse muß jetzt zur Abschlußbesprechung. Er wird den Herren jedoch anschließend noch einmal zur Verfügung stehen.«

»Dürfen wir bei der Besprechung dabeisein?« fragte ein Reporter. Die anderen warteten schweigend auf Bescheid.

»Ich fürchte, soviel Glück dürften Sie nicht haben«, gab Madigan zurück. »Gewisse Einzelheiten des heutigen Einsatzes unterliegen der Geheimhaltung.« Plötzlich erhellte ein aufflammendes Zündholz die Düsternis des schwindenden Tages. »Hier wird nicht geraucht«, rief Madigan. »Ich werde Sie jetzt in einen wunderbaren, alten englischen Pub führen.« Woraufhin er den der Wahrheit hohnsprechenden Nachsatz anfügte. »Es handelt sich um eines der Lieblingslokale unserer Piloten, und Sie werden ein bißchen Lokalkolorit kennenlernen. Ein Imbiß und etwas zu trinken wartet dort bereits auf Sie.« Man ging zum Bus.

Oberstleutnant Shelley rückte an Madigan heran und

flüsterte: »Was muß denn im Zusammenhang mit dem Einsatz geheimgehalten werden?«

»Daß das Geschwader durch den Wolf gedreht wurde«, gab Madigan ebenso leise zur Antwort. »Nimmt man die Leute mit zur Abschlußbesprechung rüber, läuft das bloß darauf hinaus, daß sich irgendein Flieger bei denen an der Schulter ausweint oder ihnen in den Hut kotzt.«

»Woher wissen Sie, daß sie durch den Wolf gedreht wurden?« fragte Shelley.

»Während Sie sich MMs Clownerien angesehen haben, hab' ich die zurückkommenden Maschinen gezählt. Sehr viele sind vermißt, Lester.«

»Vermißt heißt nicht gefallen.«

»Sehr richtig, Sir, aber ich fürchte, daß ihre Reporter diesen feinen Unterschied nicht voll erfassen.«

Shelley klopfte Madigan zustimmend auf die Schulter. Als die beiden den Bus erreichten, waren die Reporter bereits eingestiegen und warteten auf die Abfahrt. Seltsamerweise war niemand verlorengegangen: das mußte die Erwähnung des wartenden Essens und Trinkens bewirkt haben. Nachdem Madigan eingestiegen war und die Tür zugeschoben hatte, setzte sich der Bus in Bewegung. Die zunehmende Dunkelheit verlieh der Landschaft ein geheimnisvoll ansprechendes Aussehen. Madigan war es kurzfristig gelungen, im King's Head Hotel in Lower Collingwood für die Pressetruppe servieren zu lassen. In Lang Thaxted waren amerikanische Luftwaffensoldaten in etliche heftige Streitigkeiten verwickelt worden, und solange die Dorfbewohner sich nicht beruhigten, die Amerikaner mit freundlicheren Augen ansahen, war es ratsam, die Presse von dort fernzuhalten. Lower Collingwood ist eigentlich sowieso die hübschere Ortschaft, überlegte Madigan; wirkt genau so, wie sich frisch aus den Staaten eingetroffene Zeitungsleute England vorstellen. Um zu garantieren, daß Essen und Trinken auch den Erwartungen des Vierten Standes entsprachen, hatte Madigan seinen Feldwebel mit Lebensmittelkonserven und einer Kiste schottischen Whiskys vorausgeschickt.

Als der Bus Hobday's Farm passierte – der Hof lag praktisch in Fluchtlinie der Landebahn –, kam eine P 51 niedrig über die Platzeinzäunung hinweg. Im schwachen Licht der Abenddämmerung schwebte die Maschine mit ausgefahrenen Landeklappen und asthmatisch keuchendem Motor wie der farblose Schatten eines Raubvogels heran. Dann zischte sie mit donnerndem Motorenlärm über ihre Köpfe hinweg und verschwand hinter den Eschen, die die Farm säumten. Einen Augenblick lang herrschte Schweigen, dann begannen alle Businsassen heftig durcheinanderzureden. »Könnte das ein Nachzügler sein?« fragte eine Stimme aus der Dunkelheit.

»Jawohl, Sir«, sagte Madigan. Er ging im Gang zwischen den Sitzreihen auf und ab, da er nicht wie ein heruntergekommener Reiseführer vorn neben dem Fahrer sitzen wollte. »Und wenn man vom Motorengeräusch ausgeht, hat er kaum noch Sprit.«

Madigan drückte sich an den sitzenden Reportern und ihren Ausrüstungen vorbei. Henry Scrimshaw, der sich der Gruppe unaufgefordert angeschlossen hatte, saß ganz allein auf der Heckbank und rauchte seine stinkende Pfeife. Als Madigan näher kam, raffte Scrimshaw die Schöße seines alten Tweedmantels zusammen und rückte etwas zur Seite, um ihm Platz zu machen.

»Mein Gott, ist England nicht schön?« meinte Madigan.

Man durchfuhr gerade die Ortschaft Thaxted Green. Die reetgedeckten Fachwerkhäuser am Rande des hübschen kleinen Rasenplatzes in der Dorfmitte raubten selbst diesen abgebrühten Schreiberlingen den Atem. Aus den Schornsteinen stiegen ein paar graue Rauchkringel und trieben zu den kahlen Ulmen hinüber, die vor dem wäßrig-rosa Abendhimmel erkennbar wurden. Als der Fahrer etwas zu schnell über eine holperige Buckelbrücke fuhr, ächzte der Bus in den Federn. Irgendein Schwachkopf versuchte einen Schnappschuß, stieß sich jedoch kräftig die Nase und beklagte sich lautstark über die überhöhte Geschwindigkeit. Andere, die es heftiger nach flüssiger Labung verlangte, protestierten dagegen. Madigan blickte aus dem Fenster und tat so, als nähme er die Mißhelligkeiten nicht zur Kenntnis. Weidenbäume säumten dicht bei dicht den von dem Regen angeschwollenen Bach. Im Wasser unter der Brücke tummelten sich Enten und schoben kleine, sich kräuselnde Bugwellen vor sich her. War es möglich, englische Literatur studiert zu haben, ohne von diesem Anblick nicht zumindest entzückt zu sein?, fragte sich Madigan.

»Haben Sie je daran gedacht, nach Australien zurückzugehen?« fragte er Scrimshaw.

Dieser nahm die Pfeife aus dem Mund und sagte: »Soll das etwa so was wie 'ne Suggestivfrage sein?«

Madigan lachte. »Keineswegs, Herr Scrimshaw. Ich bin hocherfreut, daß Sie sich uns heute angeschlossen haben. Ich hätte Ihnen gern eine Einladung zukommen lassen, aber dieser Besuch wurde ganz kurzfristig von meiner vorgesetzten Londoner Dienststelle angesetzt.«

»Zu solchen Spritztouren auf Staatskosten braucht man mich nicht einzuladen, besten Dank«, sagte Scrimshaw. »Ich habe selbst ein Auto und bekomme eine zusätzliche Spritzuteilung. Wenn ich vorhabe, mir was anzusehen, dann gelingt mir das auch.«

Madigan hielt den Augenblick für gekommen, um Scrimshaw mit den nötigen Fakten vertraut zu machen. »Die Sicherheitsvorkehrungen werden, wegen der Vorbereitungen auf die Invasion, von Mal zu Mal strenger«, sagte er. »Sie werden merken, daß es von Stund an immer schwieriger wird, durchs Tor zu kommen, ohne der Wache den Passierschein vorzuweisen. Sie sollten lieber dafür sorgen, daß Sie ihn ständig bei sich tragen.«

»Was denn für 'nen Passierschein?«

»Ja, haben Sie denn vom Geschwaderstab keinen Passierschein ausgestellt bekommen?« Scrimshaw starrte ihn bloß an. »Oder einen Brief von der Achten Luftflotte?«

»Sie wissen doch verteufelt gut, daß ich keinen habe.« Er nahm seine alte Pfeife aus dem Mund und stocherte darin. Er schien deutlich machen zu wollen, daß ihn die Unterhaltung nicht länger interessierte.

»Herr Scrimshaw, ich habe Sie zwei- oder dreimal auf

dem Fliegerhorst gesehen. Bei unseren Unterhaltungen über Oberleutnant Morse haben Sie zu keiner Zeit um offizielle Unterstützung gebeten. Ich habe daher angenommen, Sie hätten alles mit meiner Dienststelle am Grosvenor Square abgeklärt. Sollte das allerdings nicht der Fall sein, dann holen Sie das zweckmäßigerweise auf der Stelle nach.« Hauptmann Madigan nahm die Brille ab und putzte die Gläser. »Es gibt einen Befehl, daß Zivilisten zum Betreten militärischen Geländes einen Passierschein brauchen und ständig von einem Offizier begleitet werden müssen.« Madigan sah Scrimshaw erst wieder an, nachdem er die Gläser gereinigt und die Brille wieder aufgesetzt hatte.

»Und deswegen drücken Sie ein Auge zu, wenn Reporter durchs Tor spazieren«, sagte Scrimshaw und zeigte lächelnd seine langen gelben Zähne, »weil Sie zusätzliche Dienststunden machen müßten, wenn Sie sie auf dem Platz herumführen würden?«

»Herr Scrimshaw, am Tor hängt ein großes Hinweisschild mit der Aufschrift ›Alle Besucher müssen sich im Wachlokal melden‹ – und ›alle Besucher‹ schließt auch Reporter ein.«

Scrimshaw lehnte sich zu Madigan hinüber, so daß dieser den Tabak, seinen Atem und den feuchten, noch nicht ein einziges Mal gereinigten Wettermantel riechen konnte. »Herr Hauptmann, drohen Sie mir, mich vom Platz zu jagen?«

»Aber nein, keineswegs, Herr Scrimshaw. Meine Aufgabe ist es, der Presse auf jede nur erdenkliche Weise behilflich zu sein. Dafür werde ich von der Armee bezahlt. Wenn Sie Ihren Verleger darum bitten, mit einer offiziellen schriftlichen Anfrage in meinem Büro einzukommen, werde ich die Sache schnellstens weiterleiten.«

»Ich habe Ihnen doch gesagt, daß ich keinen Verleger habe – ich arbeite freiberuflich. Das haben wir doch alles längst besprochen.« Er klopfte die Pfeife am Schuhabsatz aus und sprach ganz langsam.

Madigan bemerkte die Anzeichen aufsteigenden Zorns und versuchte ihn zu besänftigen. »Vermutlich habe ich Sie falsch verstanden, das ist aber nicht weiter schlimm. Bei einem freien Journalisten verzögert sich die Sache allerdings nur ein bißchen – die Armee wird Sie einer Sicherheitsüberprüfung unterziehen wollen –, ein Grund mehr, weswegen wir Ihre Anfrage um so schneller weiterleiten sollten.«

»Jetzt hören Sie mir mal zu, Sie schwachsinniger Syphilitiker«, sagte Scrimshaw und ließ seinem australischen Tonfall, den er sonst zu meiden suchte, freien Lauf. »Wenn Sie mir hier mit faulen Ausflüchten kommen, dann werde ich Ihren Luftwaffengeneralen in Washington einen Bericht zugehen lassen, daß man dort nach Ihrem Blut schreien wird.«

Madigan kicherte höflich und gab sich den Anschein, als hielte er alles für einen Scherz. »Was würden Sie tun, Herr Scrimshaw?«

»Ich würde eine Geschichte schreiben, eine lange, detaillierte Geschichte über ein hervorragendes amerikanisches Jagdfliegeras, das die Frau eines in Übersee kämpfenden englischen Soldaten vögelt. Das würde eine tolle Geschichte werden, Herr Hauptmann.«

»So was kommt vor«, sagte Madigan, »ist zwar unerfreulich, kommt aber immer wieder vor, das wissen Sie selbst auch.« Er fühlte sich langsam unwohl in seiner Haut, versuchte es aber zu verbergen. Der Bus war voller Reporter.

Scrimshaw lächelte so kalt wie nur möglich. »Hauptmann, wenn Sie nicht merken, daß Sie auf 'nem Pulverfaß sitzen, dann sind Sie 'n noch größerer Idiot als ich ohnhin schon dachte.«

Madigan stand wortlos auf. Er mußte festen Halt suchen, denn der Bus fuhr gerade von der festen Straße herunter. »Also, meine Herren«, verkündete Madigan lautstark, »somit hätten wir das King's Head im wunderschönen kleinen englischen Lower Collington erreicht.« Er wußte, wie man Aufmerksamkeit auf sich lenkt, und räusperte sich daher. »Meine Herren, machen wir einen kleinen Ausflug in die Geschichte. Im sechzehnten Jahrhundert, unmittelbar nach dem Streit König Heinrichs VIII. mit Rom, änderten nach dem Papst benannte englische Gasthäuser ihre Namen und Wirtshausschilder. Die meisten Kneipiers waren schlau genug, ein Bildnis Heinrichs anzubringen...« Madigan machte eine Pause und wartete auf das unvermeidliche Gekicher. »Deswegen führen noch heute die meisten ›King's Head‹-Pubs das Bildnis Heinrichs VIII. im Schilde. Dieses Lokal hier wurde im sechzehnten Jahrhundert erbaut, und Oliver Cromwelll soll hier einmal genächtigt haben.« Er sah die Reporter an und lächelte über deren blankäugige, vertrauensselige Gesichter. Egal, wie hartgesotten sich diese ›Top-Journalisten‹ auch geben mochten, im Grunde ihres Herzens waren sie doch halt nur Touristen. Sie waren nicht auf Erst- und Alleinmeldungen aus, sondern wollten bloß Geschichten hören – abgesehen von Scrimshaw: der war ein Störenfried und Unruhestifter.

Madigan beschloß, Scrimshaw für etwa eine Stunde sich selbst zu überlassen. Ein paar nachgeschenkte Scotch würden ihn wahrscheinlich milder stimmen. Madigan war zuversichtlich, daß ein nettes Geplauder am Kamin und eine Flasche in Reichweite Scrimshaw beruhigen und ihn davon überzeugen würden, auf einen offiziellen Passagierschein warten zu müssen. Der Mann mußte letzten Endes wissen, daß nach einem dreckschleudernden Bericht über Morse und Vera alle Reporter von sämtlichen amerikanischen – und wahrscheinlich auch englischen – Stützpunkten verwiesen würden. Er verfluchte Vera – warum, zum Teufel, mußte sie sich auch gleich mit *zwei* ordensgeilen Kerlen einlassen? Derlei machte Madigan das Leben verdammt schwer.

Als Hauptmann Madigan dafür gesorgt hatte, daß allen Amerikanern eine Erfrischung gereicht wurde, daß sämtliche Fragen – angefangen bei der Genießbarkeit englischen Leitungswassers bis hin, wie viele Pence wohl auf den Shilling kämen – beantwortet waren, ward Scrimshaw nirgends mehr gesehen. Madigan machte sich nicht auf die Suche; um so besser, sagte er sich.

23.

Dr. Bernard Cooper

Ein zufälliger Beobachter hätte die beiden für ein Klubmitglied samt ältlichem Caddy gehalten, die gezwungenermaßen eine Partie miteinander spielen mußten. Der größere Mann besaß das ruhige, selbstsichere Auftreten, zu dem bisweilen der Wohlstand verhilft, während der rotgesichtige Herr an seiner Seite mit vom Wind zerzausten weißen Haaren fürbaß schritt und seine Aufmerksamkeit in gleichen Teilen dem Golfspiel, der Landschaft und der Unterhaltung widmete.

»Jungen Leuten macht Abwechslung Spaß«, sagte Bernard Cooper; seine Stimme war noch immer voller Stolz über den letzten gelungenen Schlag und ließ das Vergnügen erkennen, an einem so herrlichen Morgen im Freien zu sein. »Reisen, andere Leute kennenlernen, exotische Speisen probieren, eine fremde Sprache erlernen – jungen Leuten bekommt das«, sagte er zu General Bohnen. Sie spielten Golf auf Coopers Klubgelände, wo die kriegsbedingten Veränderungen allenthalben unübersehbar waren. Die Greens waren in vernachlässigtem Zustand, das Personal ältlich oder gebrechlich, und die meisten der nicht im Krieg stehenden Mitglieder zeigten sich in irgendeiner Uniform. Noch schlimmer war, daß man heutzutage die unmöglichsten Leute hier ein Spiel machen ließ – laute, aufdringliche Kerle, die mit Geld um sich warfen und jedem an der Theke einen Drink spendierten – Verhaltensweisen, die der Klubvorstand vor dem Kriege keinesfalls geduldet hätte. Die Hälfte dieser Leute schien nicht einmal einem Klub anzugehören. »Wenn ich jünger wäre, hätte ich mich wahrscheinlich köstlich amüsiert, bei dem Gedanken, daß Christ's College Angestellten aus dem Ernährungsministerium zur Verfügung steht, während das King's College es einem Transportgeschwader der R.A.F. gestattet, ›Backs‹ als Abstellplatz für Lkws zu benutzen. Inzwischen bin ich alt genug geworden, um diese Vorgänge störend zu finden. Männer meines Alters verlangt es zu festen Zeiten nach ihrer altvertrauten Nahrung. Ich will, wenn ich Mozart hören kann, nichts von Briten wissen, und selbst die Reise nach London wurde mir inzwischen lästig.«

»Wollen Sie jetzt das gewisse britische Understatement demonstrieren?« fragte Bohnen grinsend. »Ihr Engländer legt eine derartige Flexibilität an den Tag, daß wir Amerikaner Stielaugen bekommen. Manchmal rede ich mir ein, dies alles passierte in Washington.« Sie befanden sich auf der Spielfläche, und Bohnen wählte in aller Ruhe das passende Holz. Bohnen hatte sich aus Amerika hervorragende Schläger mitgebracht; auch dies ein typisches Beispiel seiner Weitsicht. »Ich frage mich, ob wir Amerikaner es ertragen hätten, von einem überbezahlten fremden Heer gewissermaßen der eigenen Identität beraubt zu werden.« Bohnen trug – bis auf die Schuhe – Militärkleidung. Im amerikanischen Heer waren die Kombinationsmöglichkeiten der Offiziersuniformen jedoch so zahlreich, daß Bohnens Gewandung dem Spiel eher gerecht wurde als Coopers Zivil. Bohnen trug rötlichbeige Hosen, eine leichte, imprägnierte Feldjacke mit Reißverschluß und eine enganliegende Kappe mit gewaltigem Schirm.

»Ihre Leute sind auch sehr anpassungsfähig, wenn man bedenkt, wie sie sich hier häuslich einrichten. Ich habe in der Woche zwei- oder dreimal beruflich in London zu tun und selbst gesehen, wie aus Mayfair ›Klein-Amerika‹ geworden ist. Aber Sie dürften das ja selbst am besten wissen.«

Bohnen fragte sich, wie weit Cooper seine bissigen Bemerkungen über die Amerikaner in London wohl treiben würde. Er antwortete erst, nachdem er seinen Ball geschlagen hatte – er besaß die verblüffende Fähigkeit, alles andere aus seinen Gedanken verbannen zu können. Er sah, daß der

Ball jenseits einer großen Pfütze landete und erkannte, daß er seinen nächsten Schlag mit äußerster Sorgfalt ausführen mußte. Aber schließlich tat er alles mit Bedacht. Dann lächelte er Cooper zu und sagte: »Ich fürchte, wir haben sogar die 787. Militärpolizeikompanie in den Junior Constitutional Club gesteckt.« Offenbar eine treffende Bemerkung.

»Ich habe sie gestern morgen gesehen«, sagte Cooper, schwang flugs einmal probeweise den Schläger und traf den Ball so kräftig, daß er weit in die Bahnmitte flog. Zum ersten Male regte sich die Hoffnung, den unbezwingbaren Bohnen schlagen zu können. Er widmete der Flugbahn des Balles kaum einen Blick und setzte die Unterhaltung wie beiläufig fort. »Sie meinen anscheinend Ihre ›MPs‹. Die marschierten im Green Park herum, daß ein Schäfer seine Herde beiseitetreiben mußte, um ihnen Platz zu machen. Schafe! Im Green Park! Ich bitte Sie!«

»Sie und ich«, sagte Bohnen, »haben Glück gehabt. Wir konnten reisen und uns Europa ansehen, als es noch etwas zu sehen gab. Ich frage mich, wie viele Steine noch aufeinanderstehen werden, wenn die jungen Leute einmal wieder frei reisen können.« Er zog die Hülle vom Kopf des Löffelholzes bzw. des Holzes Nr. 3, wie der Schläger, soweit Cooper wußte, heutzutage genannt wurde. Cooper bemerkte, daß Bohnen mit einem Weitschlag über die große Regenpfütze hinwegzukommen gedachte. Bohnen begann den Schläger zu schwingen. Er hielt ihn auf ganz außergewöhnliche Weise; Cooper hätte den Griff gern gelernt, hatte aber das Gefühl, daß Bohnen seinem Konkurrenten nicht ohne weiteres zu einem besseren Spiel verhelfen würde. Der General spielte, um zu gewinnen – das hatte er in vielen Worten klargestellt. Das sei die amerikanische Methode, hatte er erklärt, als sie nach ihrem letzten Spiel auf dieses Thema zu sprechen kamen. Cooper hatte zu bedenken gegeben, daß es doch wohl einen höheren Sinn mache, um des Spieles willen zu spielen. Nichts da, von wegen höherer Sinn, war er von Bohnen belehrt worden, derlei sei dekadent. Cooper hatte gefragt, ob es dekadent sei, aus reiner

Freude am Spiel zu spielen. Bohnen hatte erwidert, daß es dekadent sei, die eigene Niederlage bereits vor deren Eintreten geistig vorwegzunehmen. Genau das wäre 1940 den Franzosen passiert.

»Machen Sie voran«, sagte Bohnen nun ungeduldig. Er schob den sonderbaren, indes höchst praktischen zweirädrigen Karren, den er zwecks Beförderung seiner Schläger mitgebracht hatte. »Sie sprachen von Veränderungen«, hakte er nach, und Cooper beneidete ihn um seine Fähigkeit, den Gesprächsfaden fest in der Hand zu behalten. Man hatte das Gefühl, daß Bohnen jede Unterhaltung, die er führte, seinem Gedächtnis einprägen konnte – und es auch tat.

»Ich bin aber nicht mehr jung«, sagte Cooper, »und ich muß Ihnen gestehen, Bohnen, daß mir gar nicht gefällt, was zur Zeit passiert.«

Bohnen lächelte, denn man hatte inzwischen seinen Ball erreicht, so daß er dessen Lage untersuchen konnte. Er nahm das Löffelholz, der Ball bekam jedoch Effet, so daß der Schlag nicht dem Gewohnten entsprach. »Sie sind ein Außenseiter, Bernard«, sagte er, wobei er den Namen französisch aussprach, den Ton also auf die zweite Silbe legte. Es klang eigenartig. »Gestern abend habe ich im Kasino in Stanhope Gate einen jungen Offizier getroffen. Ihm fiel ein, daß er 1938 in Cambridge ein paar Ihrer Vorlesungen gehört hatte. Er sagte mir, daß Sie Freud studiert hätten und Adler kennen würden.«

»Ich bin Freud selbst ein paarmal in Berlin und Wien begegnet. In dem Café, das er gewöhnlich besuchte, habe ich mich dem Kreis um Adler angeschlossen.«

»Er hat mir auch erzählt, daß Sie für die Leute von der psychologischen Kriegsführung ein verdammt wichtiges Werk erarbeitet hätten.«

»Ich helfe, wo ich kann«, erwiderte Cooper. »Die meisten der angesehensten Psychiater werden im Klinikdienst benötigt. Der Krieg bürdet dem Land im Hinblick auf geistige Gesundheit fürchterliche Probleme auf. Die Bomberbesatzungen der RAF waren in jüngster Zeit Gegenstand etlicher Untersuchungen...«

»Aber Sie behandeln keine Patienten?«

»Das ist nicht mein Fach. Nein, ich schreibe und halte meine Vorlesungen. Ich wollte zu keiner Zeit Psychoanalytiker werden oder mir irgendwelche Beichten anhören müssen. Schließlich habe ich mir, indem ich verschiedene Ausschüsse und auch die Streitkräfte in Propagandafragen berate, eine bequeme kleine Nische eingerichtet.«

»Mein Kamerad sagte, Sie wären Sachverständiger für Verschwörung und Geheimbündelei.«

»Dann hat er übertrieben. Natürlich bin ich aufgrund dessen, daß ich in meinen jungen Jahren in Deutschland gelebt habe und recht flüssig Deutsch spreche, für die Abwehr interessant. Ich habe mich sogar eine Zeitlang mit deutschen Kriegsgefangenen unterhalten und mich hinsichtlich der deutschen Verhaltensweisen und Vorstellungen auf den neuesten Stand gebracht.«

Bohnen blickte ihn eigenartig an. »Soll ich Sie mit ein paar von unseren PSK-Leuten zusammenbringen?«

»Gott bewahre mich, nein«, sagte Cooper. Ihm behagte der Gedanke nicht, daß Bohnen annehmen könnte, er wäre auf weitere Honorare aus.

Sie schritten schweigend voran. Als sie Coopers Ball erreicht hatten, bückte sich Bohnen und hob den Ball auf, so daß Cooper keine Gelegenheit mehr hatte, seinen Spezialschläger hervorzuziehen. »Sie haben's geschafft«, sagte er.

»Sehr nett von Ihnen, Bohnen«, sagte Cooper. »Ich bin aber nicht sicher, ob meine bisherigen Leistungen im Einlochen Ihr Vertrauen rechtfertigen.«

»Ich kann nur nicht länger warten.«

»Warten worauf?«

»Bernard«, sagte Bohnen – es warf ein interessantes Schlaglicht auf den jeweiligen persönlichen Hintergrund, daß Bohnen durch Benutzung des Vornamens seiner Freundschaft Ausdruck gab, während Cooper die Sitte des akademisch gebildeten Engländers beibehielt und seine Freunde beim Nachnamen rief –, »seit Sie aus dem Wagen gestiegen sind, reden Sie über Gott und die Welt und nehmen Anlauf, mir was zu erzählen.« Er warf den Ball in die Luft, und Cooper fing ihn auf. »Sie haben mir so ziemlich alles von Ihrer Schulzeit bis hin zu den Fleischrationen für Zivilisten erzählt, aber ich habe noch immer nicht die leiseste Vorstellung, was Sie eigentlich zur Sprache bringen wollen.«

»Nun, ich bin nicht sicher...«

»Führen Sie sich doch nicht so englisch auf, Bernard. Geht's um Ihre Tochter?«

»Victoria spielt mit dem Gedanken, zu ihrer Tante zu ziehen. Es ist aber noch nicht verbindlich.«

»Die Idee stammt doch von Ihrer Frau, nicht wahr?«

»Keineswegs.«

»Nun kommen Sie schon, Bernard, wir sind doch Männer von Welt. Ihre Frau ist mit meinem Sohn nicht einverstanden, liegt da nicht das Problem?«

»Nein«, sagte Cooper. »Zumindest – Jamie ist ihr schon recht, aber sie hat das Gefühl, die beiden sollten mit ihrer Verlobung noch warten.«

»Das ist schon besser, viel besser«, sagte Bohnen beifällig. Worte, die man einem Betrunkenen sagt, der sich gerade erbrochen hat. »Wir könnten uns gegenseitig helfen, Bernard, es hat keinen Sinn, drum herumzureden. Wenn Victoria will, daß Jamie in den Wind schießen soll, dann ist das nicht unsere Sache.«

Cooper war nahe daran zu sagen, daß Victoria keineswegs das Verlangen hatte, Jamie ›in den Wind schießen‹ zu lassen – sofern er mit seiner Vermutung recht hatte, daß diese Formulierung Ablehnung und Zurückweisung zum Ausdruck bringen sollte –, aber er wollte auch nicht zu erkennen geben, daß die Idee von seiner Frau ausging. »Die Schwester meiner Frau – sie wohnt in Schottland – ist in letzter Zeit nicht allzugut zuwege. Victoria hat ihre Tante recht gern und möchte sie betreuen helfen.«

»So so, in Schottland.« Bohnen schob seinen Ball elegant ins Loch. Cooper hatte das Gefühl, als sollte dieser Seitenhieb des Generals eine Art selbstauferlegte Strafe sein. »Damit dürfte die Romanze dann ja endgültig vorbeisein. Da hat sich Ihre Frau ja was Feines ausgedacht, Bernard.«

Bohnen lächelte, als berührte es ihn überhaupt nicht, daß man seinen Sohn und Victoria ganz bedacht voneinander fernzuhalten suchte.

»Das stimmt nicht«, sagte Cooper, dem das Lügen noch nie richtig gelungen war.

»Wie hat sie's angestellt – hat sie ihre Schwester veranlaßt zu schreiben, daß sie sich krank und einsam fühlt?« Bohnen nahm ein Schlageisen zur Hand und imitierte einen Geiger, der mit halbgeschlossenen Augen ein Adagio spielt. »Wir sind ihnen nicht gewachsen, Bernard. Wir sind bloß Menschen, sie aber – Frauen!«

»Alle Eltern sind versucht, die eigenen Kinder zu vernichten, Bohnen. Das gehört zu den Grundtatsachen des Daseins.«

»Wollen Sie mir das ein bißchen verdeutlichen?«

»Die menschliche Nachkommenschaft muß fünfzehn Jahre lang oder noch länger gefüttert und behütet werden, ehe es soweit ist, daß sie das Nest verlassen kann.«

»Vielleicht ist das nur eine Folge unserer hochentwickelten Zivilisation.«

»Sie meinen also, in der Steinzeit hätte ein Fünfzehnjähriger einen marodierenden Löwen zur Strecke bringen oder zwecks Fleischbeschaffung einen Büffel töten können?«

»Ein Punkt für Sie!«

»Kein anderes Tier umsorgt seine Jungen über eine so lange Zeit. Fünfzehn Jahre sind mehr als die Hälfte des Erwachsenenlebens eines Steinzeitmenschen. Selbst heute, angesichts der gestiegenen Lebenserwartung, haben die Eltern einen ungeheuren Einfluß auf die geistige Entwicklung ihrer Kinder.«

»Ich könnte Ihnen ein paar Beispiele nennen, wo das nicht der Fall ist«, sagte Bohnen vergnügt.

»Sie meinen reiche Eltern, deren Kinder überzeugte Kommunisten wurden?«

»Und Kinder, die es nicht lassen können, alle die Fehler zu machen, vor denen ihre Eltern sie immer warnten.«

»In solchen Fällen ist der elterliche Einfluß markanter als in Fällen, in denen das Kind den Rat der Eltern annimmt.«

»Keine Aktion ohne Reaktion.« Bohnen betrachtete Cooper mit einem gerüttelt Maß zynischer Belustigung. Cooper hatte ihm offenbar eine der typischen ›wissenschaftlichen Antworten‹ gegeben – was auch passierte; die Theorie behielt ihre Gültigkeit.

»Wie ich sehe, konnte ich Sie nicht überzeugen, das macht aber nichts. Der springende Punkt meiner Argumentation ist die Wirkung, die das Kind auf seine Eltern ausübt. Nachdem Eltern ihre Kinder fünfzehn Jahre oder länger versorgt haben, können sie sich nur schwer von ihrer Rolle trennen; daher die Versuchung, ein Kind mutwillig zu lädieren, um es auf diese Weise in seiner Abhängigkeit zu halten.«

»Und in welcher Form findet diese Verstümmelung statt?« fragte Bohnen.

»Mütter erzählen ihren Töchtern, sie würden niemals einen Mann an sich binden können; und wenn dies doch der Fall ist, dann wird die Mutter diesen Mann höchstwahrscheinlich in Stücke hacken.«

»Oder sagen, die Tochter sollte doch noch ein Weilchen warten«, meinte Bohnen, der jetzt langsam begriff, was Cooper ihm zu verdeutlichen suchte. »Vielleicht sollten Sie mir mal erklären, wie Väter ihre Söhne verstümmeln.«

»Indem sie ihnen erzählen, sie wären dumm, faul oder sonst unzulänglich.«

»Oder hätten lieber Jus studieren sollen, statt Jagdmaschinen zu fliegen.«

Cooper zuckte die Achseln. »Wir sind halt alle so.«

Er dachte daran, daß er seinem Sohn gegenüber behauptet hatte, er wäre weder alt noch kräftig genug, um Soldat zu werden, und um seine Unabhängigkeit zu demonstrieren, hatte dieser sich älter gemacht und war zur Handelsmarine gegangen.

Sie spielten ihre Partie zu Ende, sprachen aber nur so viel, wie der Spielablauf verlangte. Es war ein wundervoller Morgen, das richtige Wetter, um an die frische Luft zu gehen. Der Boden war noch frosthart, und die gelegentlich zutage tretende nackte Erde war vom Wind blankgefegt worden. Von einem kleinen Hügel aus, auf dem man kostbaren Grassamen ausgestreut hatte, um die tiefen Sandlöcher zu begrünen, konnten sie einer wilden Parforcejagd zuschauen. Die Meute hielt sich eng beieinander, schwenkte plötzlich aber zum Fluß hinüber. Die Reiter forcierten das Tempo, da sie befürchteten, das Wasser könnte den Hunden die Witterung nehmen. Es war ein erregender Anblick, die Männer – die meisten im roten Jagdrock – auf dem Rücken ihrer Pferde dahinjagen zu sehen. Selbst ein paar auf einem Rübenacker arbeitende italienische Kriegsgefangene jubelten den Reitern zu.

»Wir haben Frühling«, sagte Bohnen in Würdigung des Tages. »Ich wünschte, Adolf Hitler könnte diese Jagd sehen, dann würde er merken, daß ihr Engländer nicht zu bezwingen seid.«

»Es duftet nach Frühling«, pflichtete Cooper ihm bei. An einem solchen Tag kamen ihm unaufhörlich Lesebuchgedichte in den Sinn, Lobpreisungen der in schlummernder Erde und Pflanzenknospen erwachenden Naturkräfte. Und doch kam mit der heranrückenden Zeit der Feldbestellung die zwangsläufige Erinnerung daran, daß ein fürchterlicher Aderlaß bevorstand, der, noch ehe Europas Felder abgeerntet werden würden, eine tränenreiche Ernte bringen würde. Die Infanteriebataillone zogen gen Süden und sammelten sich in der Nähe der Seehäfen, um sich dort zur Invasion des Festlandes einzuschiffen. Die Fliegertätigkeit hatte stark zugenommen, so daß das Golfspiel von ständigem Flugzeuggebrumm begleitet wurde.

»B 17 – Fliegende Festungen«, sagte Bohnen, als sie aufblickten und einem Schwarm von etwa zwanzig ostwärts fliegenden Maschinen nachschauten. Bohnen sah auf die Uhr. »Das ist ein Bomberpulk, der seinen Geschwadersammelplatz ansteuert. An einem Sammelpunkt über der Küste formieren sich die Geschwader dann zu Divisionen, bis sich schließlich der gesamte Kampfverband nach Deutschland auf den Weg macht.«

Nachdem die Maschinen längst außer Sicht waren, blieben die beiden noch immer stehen und erfreuten sich am

Anblick der Landschaft. Das moorige Gelände wich hier einem Kreiderücken, so daß sich mit jedem Schritt ein anderer Anblick bot. »Ich finde die Aussicht hier besonders erfreulich«, sagte Cooper.

»Dafür lohnt es sich zu kämpfen«, gab Bohnen zurück.

Vor dem Horizont erhoben sich die hohen Ziegelschornsteine von Thaxted Hall. Vom fünfzehnten Loch aus hatte man eine herrliche Aussicht auf das zur Zeit König Jakobs erbaute Herrenhaus und die knapp ein Jahrhundert später im holländischen Stil errichteten Nebengebäude. Die von etwa hundert uralten Ulmen bestandene lange Zufahrt war sonnenbeschienen, und im von Menschenhand angelegten See mit seiner kleinen, lächerlich wirkenden Zierbrücke spiegelte sich der klare blaue Himmel. Cooper entging nicht, wie Bohnen alles in sich aufnahm. »Das ist Thaxted Hall«, erläuterte Cooper, »der Herzog wohnt noch dort.«

»Ein eindrucksvoller Besitz.«

»Um die Jahrhundertwende war er noch viel größer. Der heutige Flugplatz von Steeple Thaxted, dieser Golfplatz und das ganze Gelände bis zur London Road gehörten damals noch dazu. Wegen der Erbschaftssteuer mußte die Familie sehr viel Land verkaufen.«

»Und wie muß das im Innern erst aussehen«, meinte Bohnen.

»Großartig. Der Vater des Herzogs hat lieber Land verkauft als sich von seinen Gemälden und Möbeln zu trennen. Er hat Holbeins, um die sich jedes Museum reißen würde. Interessieren Sie sich für Antiquitäten, Bohnen?«

»Ich habe eine kleine Sammlung; chinesische Jade und japanische Schwerter..., einen niederländischen Intarsienschreibtisch, den ich mir nicht entgehenlassen konnte.« Er gab dies nur zögernd zu, als hätte man nach seinen persönlichen Eigenheiten gefragt. Trotz seines offenkundigen Wohlstands sprach Bohnen nie von seinen Besitztümern; dies gehörte zu den Dingen, die Cooper an ihm schätzte. »Sie sind also mal drin gewesen, Bernard?«

»Der Herzog und ich kennen uns von Peterhouse her – wir sind gute Freunde. Er interessiert sich lebhaft für Psychologie. Er liest viel und holt mich des öfteren zum Dinner, meistens wird dann eine Art Vorlesung daraus, aber mir macht es nichts aus, um des Essens wegen singen zu müssen. Noch vor ein paar Tagen haben wir miteinander gegessen. Er richtet eine Festlichkeit aus, um einen seiner Leute, der auf Urlaub kommt, zu Hause willkommen zu heißen. Jeder, der auf seinem Grundbesitz lebt, wird eingeladen. Es kommt eine Sackpfeifertruppe, und dann wird im großen Salon getanzt.«

Bohnen ging über das Spielfeld, um das nächste Hindernis in Augenschein zu nehmen: »Wenn ich mich recht entsinne, hat das seine Tücken.«

»Der Butler des Herzogs kommt aus Burma zurück – hochdekoriert.«

»Um so besser für ihn«, sagte Bohnen, den es nur interessierte, wie er den Ball am besten auf die Reise schicken konnte. Er packte den Schläger mit verschränkten Händen – es war der bewußte vorteilhafte Griff – und schwang ihn ein paarmal probeweise durch die Luft.

»Ich fürchte, die Probleme kommen erst, wenn der Held zu Hause ist.«

»Wieso?« fragte Bohnen, der zwar noch immer den Schläger schwang, sich aber nicht mehr auf den Ball konzentrierte. Er sah zur Erde; Cooper aber wußte, daß er zuhörte.

»Wahrscheinlich trifft der arme Kerl seine Frau mit einem anderen im Bett an. Ist natürlich ein amerikanischer Offizier.«

Bohnen ließ seinen Schläger zur Ruhe kommen und blickte auf. »Muß er das denn mitbekommen? Manchmal ist es besser, die Wahrheit nicht zu wissen. Auf beiden Seiten des Atlantiks gibt es genügend Leute, die sich damit abfinden müssen, Bernard.«

»Ich fürchte, die Sache ist schon zu weit gediehen. Ein Zeitungsfritze hat sich der Geschichte bemächtigt und scheint entschlossen zu sein, sie zu veröffentlichen.« Cooper erwähnte weder Henry Scrimshaws Namen, noch gab er zu erkennen, daß er mit ihm gelegentlich eine Partie Billard spielte. Und natürlich äußerte er sich auch nicht über

Scrimshaws Wut darüber, wie ihn die ›verdammten Yankies‹ erst zu seiner Geschichte ermuntert hatten und dann plötzlich jede Absprache vergaßen und ihn vom Flugplatz jagen wollten.

Bohnen starrte Cooper an. Sein Gesicht zuckte nervös, während er zu begreifen suchte, weswegen er sich für derlei Klatschgeschichten interessieren sollte. »Hat das irgendwas mit Jamie zu tun?« Und dann: »Das ist es, worüber Sie überhaupt mit mir sprechen wollten, nicht wahr? Nicht darüber, daß Ihre Tochter fort will, nein, jetzt sind wir beim Thema...«

»Der junge Offizier ist einer von Jamies engsten Freunden. Er heißt Morse, Oberleutnant Morse.«

»Das Fliegeras? Der Bursche, der so aussieht, als würde er es auf dem europäischen Kriegsschauplatz zu den meisten Abschüssen bringen?«

»Der Ehemann ist Hauptfeldwebel und kommt aus Burma zurück. Einer von der ›vergessenen Armee‹, wie sich diese Burschen selbst bezeichnen.«

»Das hör' ich gar nicht gern«, sagte Bohnen wie ein Mann, der vor Gericht der Gegenpartei etwas konzedieren muß. Er klopfte mit dem Schläger gegen die Schuhspitze.

»Unsere PKS-Leute bringen für die deutschen Soldaten bestimmte Propagandasendungen. Wir wissen, daß nichts demoralisierender wirkt als das Thema, daß Frauen, Bräute, Schwestern und Töchter zu Hause in Deutschland von Fremdarbeitern verführt werden.«

Bohnen sah Cooper an und rieb sich das Kinn. »Dann müssen wir die Publizierung verhindern.«

»Schwierig«, sagte Cooper, »das sind zwei Geschichten, zwei gute Storys: zum einen der heimkehrende Engländer, zum anderen der erfolgreiche Flieger. Jeder gute Journalist, der auch nur eine der beiden Geschichten einigermaßen gründlich abhandelt, fällt über die Sache mit der Untreue, und wie Jamie mir erzählte, läuten draußen in Steeple Thaxted ein Dutzend Reporter rum, sobald die Maschinen von einem Feindflug zurückkehren. Die Journalisten fragen schon schreiend, wie viele Deutsche er denn diesmal abgeschossen hätte, noch ehe der Junge aus seiner Maschine heraus ist.«

»Zu Hause in den Staaten wird von den Zeitungen die Frage hochgespielt, wer als erster Amerikaner mehr Deutsche abschießt als unser bester Mann während des Ersten Weltkriegs.«

»Ja, Jamie erzählte davon.«

»Unsere Presseexperten versuchen das Interesse an diesem Thema nach besten Kräften wachzuhalten. Die Luftwaffe ist auf solche Publizität angewiesen. Uns gefällt es, wenn der Durchschnittsamerikaner erwartungsvoll seine Morgenzeitung aufschlägt, um zu erfahren, wer Schützenkönig geworden ist.«

»Wenn ich als Experte dazu etwas sagen darf, dann werden dieselben Leute nicht sonderlich erfreut sein, zu vernehmen, daß ihre unschuldigen Kleinen in der Fremde von verheirateten Frauen verführt werden.«

Bohnen lächelte bedauernd. »Vermutlich wird die Geschichte von unseren Zeitungen in diese Richtung hin verdreht werden.«

»Also, ehrlich gesagt, Bohnen, die Väter und Mütter kümmern mich nicht. Aber wenn die Geschichte die Beachtung findet, die sie in publizistischem Sinne verdient hat, dann wird es bei Beginn der Invasion keinen englischen oder amerikanischen Soldaten mehr geben, der sie noch nicht kennt. Es handelt sich um ein gemütsbewegendes Problem – über solche Geschichten unterhalten sich alle Soldaten gern. Jedermann wird Partei ergreifen, und die Trennungslinie wird nicht zwischen Einzelpersonen verlaufen, sondern gewissermaßen zwischen den beteiligten Nationalitäten gezogen werden. Ihre und unsere Soldaten werden in jedem Pub sofort eine Schlägerei anfangen, und der deutschen Propaganda wird es dann, wenn sie es am dringendsten braucht, ein gefundenes Fressen liefern. Die Deutschen haben schließlich Propaganda *erfunden* – sie werden schon wissen, wie man diese Geschichte bis auf den letzten Tropfen ausquetscht.«

»Und das ist Ihre reifliche Überzeugung? Ist das der Rat,

den Sie Ihren Leuten geben würden oder bereits gegeben haben?«

Cooper nickte. »An der Nahtstelle zwischen zwei verbündeten Armeen ist die Front besonders schwach. Wenn amerikanische und englische Soldaten Seite an Seite einen Brückenkopf halten und jeglicher Waffe ausgesetzt sind, die der Feind nur auf sie richten kann, dann ist nichts unabdingbarer als äußerster gegenseitiger Respekt.«

»Und welche Rolle fällt mir zu, Bernard? Warum unterhalten wir beide uns darüber? Könnte die Sache nicht durchsickern?«

»Der Zeitungsschreiber hat mit dem Herzog gesprochen. Dieser hatte mit seinen Oberhauskollegen eine Unterredung. Auf unserer Seite hat man das Gefühl, die Angelegenheit ließe sich ›außergerichtlich‹ beilegen. Keine schriftlichen Beschwerden oder Treffen, die der Presse ruchbar werden könnten. Der Herzog hat mich in die Sache hineinverwickelt, Bohnen. Solche Aufgaben stellt man sich nicht freiwillig.«

Bohnen nickte mitfühlend, trotzdem schwang in seiner Stimme noch leichte Verwunderung mit. »Ich werde also Oberleutnant Morse nach Honolulu abkommandieren, sofortigen Marschbefehl geben. Ich könnte ihn morgen abend aus England raus haben.«

»Ich muß zur Vorsicht raten, General Bohnen. Der Oberleutnant könnte lautstark dagegen protestieren. Wenn die Presse den Eindruck bekommt, dahinter stünde eine Strafmaßnahme, dann könnte die Geschichte möglicherweise noch stärker aufgebauscht werden.«

Verbittert warf Bohnen seinen Schläger auf den Golfkarren, sodann fragte er ruhig, unnatürlich ruhig: »Und was schlagen Sie vor?«

»Denken Sie daran, daß Morse auch noch ein Kriegsheld ist. Sie dürfen der Presse keine Gelegenheit geben zu behaupten, er würde von der höheren Führung vorsätzlich daran gehindert, weitere Deutsche abzuschießen.«

»Verdammich! Warum muß ausgerechnet dieser kleine Spinner ein Fliegeras sein?!« Bohnen hob seinen Golfball auf. »Entschuldigen Sie mich jetzt, Bernard. Sie hätten sowieso gewonnen, und ich muß rechtzeitig in London sein. Ich werde über die Sache nachdenken und möglicherweise unsere Presseleute zu Rate ziehen. Sind Sie zu Hause, falls ich heute abend anrufen sollte?«

»Natürlich, ich bin Ihnen gern auf jede Weise behilflich.«

Bohnen zupfte am Mützenschirm. Es sollte wohl eine grüßende Geste sein. »Na, und vielen Dank für den Knallfrosch in der Zigarre, alter Freund.«

Cooper lächelte. Es handelte sich ganz eindeutig um einen Scherz. Er vermutete, daß Bohnen auf die Affäre Hardcastle/Morse anspielte.

»Nebenbei, Bernard, macht Victoria keine Schwierigkeiten, daß sie nach Schottland verfrachtet werden soll? Das würde Ihrer Tochter nämlich gar nicht ähnlich sehen. Mir kam sie höchst energisch vor.«

»Um der Wahrheit die Ehre zu geben, Bohnen, mich überrascht das auch.«

24.

Oberstleutnant Druce ›Duke‹ Scroll

»Haben Sie auf das Datum geachtet, Sir?« fragte Kinzelberg, Oberstleutnant Scrolls Schreibstubenunteroffizier.

»Wie könnte mir das entgangen sein«, sagte Duke Scroll.
Es war die zweite Wiederkehr des Tages, an dem das
220. Geschwader aufgestellt worden war. Dies war in Form
eines Befehls geschehen, dessen mit Maschine geschriebene
Ausführungen den Hauptmann Scroll und den Gefreiten
Kinzelberg zu den einzigen beiden Angehörigen des neu
aufgestellten Verbandes gemacht hatten. Sie teilten sich auf
Hamilton Field, Kalifornien, in einem Schuppen in der
Nähe der Abstellplätze ein heruntergekommenes Büro und
gingen in einer Lawine von militärischen Schriftstücken
unter, während sie sich darauf einrichteten, ›Kader‹ von
anderen Geschwadern in Empfang zu nehmen. Beide wußten genau, was auf sie zukam: Unbrauchbare, Unzufrie-
dene, Störenfriede, Trunkenbolde und Invalide. Und weiß
Gott, genau das war der Fall, als ihnen die Schreibstubenhengste anderer Einheiten all jene Leute zuschoben, die sie
loszuwerden gedachten. Kinzelberg nannte diese Leute
›Kleenex‹ – weil sie nur ein einziges Mal zu gebrauchen
waren. Er malte ein K auf die Umschläge ihrer Personalak-
ten und schob die Männer unter jedem nur möglichen
Vorwand an andere Verbände weiter. »Sie und ich, Feldwebel Kinzelberg, wir sind die Dienstältesten des Geschwaders. Wie gefällt Ihnen das?«

»Es gefällt mir in England, Sir. Wenn die Sonne ein
bißchen scheint, dann gefällt mir sogar das Wetter.«

Es war ein sonniger Tag. Der Frost war vorbei, das Gras

zeigte neue Triebe, und die Bäume waren voller Knospen.

»Ich denke gerade an diese Kleenex-Leute«, sagte Scroll. »Was meinen Sie, ob diese Drückeberger noch immer von einem Standort zum anderen geschoben werden?«

»So wird's wohl sein«, sagte Kinzelberg betrübt. »Ich glaube, nur die wenigsten von ihnen haben's lange genug im Kampfanzug ausgehalten, um nach Übersee geschickt zu werden. Deshalb werden diese Kleenex-Leute, wenn der Krieg aus ist, auch als erste den Rock ausziehen.«

»Sie können einen gelegentlich ganz schön deprimieren, Feldwebel.«

»Jawohl, Sir, ich weiß.«

»Und ich bin so deprimiert, wie man es verdient, wenn man in der Armee dieses Kerls auch nur einen Tag weitermacht. Hätten Sie gedacht, daß der Anruf eben von General Bohnen kam? Und können Sie sich vorstellen, daß er morgen schon wieder herkommen will? Und wußten Sie schon, daß er mit Oberst Dan ein besonderes Wörtchen reden will? Ich meine, können Sie sich vorstellen, daß all dies passiert, bloß weil ich eben den Hörer abgenommen habe?«

Kinzelberg gab keine Antwort. Vor dem Krieg hatte er in Trenton, New Jersey, bei einem Buchmacher gearbeitet. Wie es hieß, verdankte er sein narbiges Gesicht und einen verdrehten kleinen Finger einem Polizisten, weil er sich geweigert hatte, einem Revierhauptmann die Beweise zu liefern, die dieser brauchte, um Kinzelbergs Arbeitgeber festzunageln. Kurz und gut, Kinzelberg konnte schweigen. »Ich hab' das Telefon nicht klingeln gehört, Sir.«

»Sie wissen doch, wer General Bohnen ist, nicht wahr, Feldwebel? Das ist der Mann, den das Hauptquartier von Zeit zu Zeit hier vorbeischickt, um Oberst Badger das Leben schwerzumachen.«

Kinzelberg gestattete sich das denkbar kleinste Lächeln. »Soll ich den Feldwebel im Offiziersheim anrufen und dafür sorgen, daß er die VIP-Räume herrichten läßt?«

»Lassen Sie uns beten, daß der General vor Einbruch der Dunkelheit noch anderweitig dringende Geschäfte hat, Feldwebel. Allerdings, ja, doch, sorgen Sie dafür, daß

Zimmer drei hergerichtet wird – das liegt neben dem Aufenthaltsraum –, lassen Sie ein paar Bücher, Magazine, Obst, Blumen und eine oder zwei x-beliebige Flaschen aus der Marketenderei reinstellen.«

Kinzelberg wollte zu seiner Schreibstube, um das eigene Telefon zu benutzen. »Ach so, Feldwebel«, sagte Scroll, »wir brauchen noch ein Zimmer im BOQ* für Oberstleutnant Shelley. Das ist dieser umtriebige Presseoffizier aus London. Und der General hat darum gebeten, ihm ein Büro zur Verfügung zu stellen. Stellen Sie ein paar von diesen Korbsesseln in Major Phelans Dienstzimmer. Von da aus hat man gute Sicht auf das Flugfeld, vielleicht erinnert ihn das daran, daß wir Krieg haben.« Scroll runzelte die Stirn, weil ihm noch etwas einfiel. »Und machen Sie in Phelans Büro mal klar Schiff. Ich möchte nicht, daß der General auf der Suche nach 'nem Schmierblock 'ne Schublade aufzieht und da drin bloß...« Scroll unterbrach sich, als ihm einfiel, daß es der Disziplin abträglich wäre, wenn er seinen Argwohn äußerte, was sich im Schreibtisch eines Stabsoffiziers alles anfinden würde.

»Verstehe, Sir«, sagte Kinzelberg. »Und soll ich Oberst Dan suchen und ihm den Besuch des Generals avisieren?«

»Es sind schon für viel ungefährlichere Aufträge Orden vergeben worden.«

»Ich werd' mich also bloß um die Herrichtung der beiden Räume kümmern.« Kinzelberg sicherte sich gegen etwaige Irrtümer grundsätzlich ab. Ihm einen Befehl zu erteilen, konnte bisweilen eine schwere Prüfung bedeuten, etwa so, als ginge man mit einem Anwalt einen Mietvertrag durch. »Und Oberst Dan soll ich nichts ausrichten?«

»Oberst Dan ist auf dem Wege hierher«, sagte Scroll. »Er hat mit der ›Pilgrim‹ 'n Probeflug gemacht, und ich sah ihn schon vor 'ner Ewigkeit wieder landen.«

Die Tür flog auf und Oberst Dan trat ein. Dabei schlug die Tür so kräftig gegen den Bücherschrank, daß das Faser-

---

* Unterkunft der ledigen Offiziere

gipsblatt wackelte. Scroll ließ sich dadurch nicht aus der Ruhe bringen; denn anders pflegte Oberst Dan das Büro des Stellvertretenden nie zu betreten. Heute indes schien er noch erregter als gewöhnlich zu sein.

»Ich muß Ihnen was erzählen, Herr Oberst«, sagte Scroll, der sich entschlossen hatte, Bohnens bevorstehende Ankunft auf der Stelle zu verkünden. Der Geschwaderkommandeur ließ ihn jedoch nicht zu Wort kommen.

»Und ich muß Ihnen was erzählen, Duke. Spitzen Sie die Ohren und hören Sie zu, denn ich bin in Braß.«

»Jawohl, Herr Oberst, das sieht man.«

»Ich hab' mit meiner Maschine 'nen Probeflug gemacht – dieser verdammte Motor macht noch immer Schwierigkeiten – und wollte mich nach der Landung ein bißchen frischmachen. Sie werden's nicht glauben, Duke...« Vor Wut zitternd lehnte sich Oberst Dan an den Schreibtisch seines Stellvertreters. »Einer meiner Offiziere hindert mich daran, auf den Lokus zu gehen. Einer meiner Offiziere – hier in unserem verdammten Offiziersheim.«

»Wer war das, Herr Oberst?«

»Der Kerl kam offenbar gerade aus dem Bett. Stand da auf dem Flur – unrasiert, ungekämmt, Handtuch über der Schulter und Waschzeug in der Hand. ›Sie können da nicht rein, Herr Oberst‹, sagte dieser Schweinepriester zu mir.«

»Wie heißt der Offizier?« wollte Scroll noch einmal wissen.

»Er stand da vor der Lokustür und ließ mich nicht rein.«

»Verstehe, Sir. Wie heißt der Offizier?«

»Sie verstehen das, wie?« brüllte der Oberst. »Dann sollten Sie mir das mal auf der Stelle erklären!«

»Ich behaupte nicht, zu verstehen, was diesen Offizier dazu veranlaßt hat«, sagte Scroll. »Ich wollte einfach nur sagen, daß ich Ihrer Darstellung folgen kann.«

»Dabei brauchen Sie mich nicht anzubrüllen, Duke«, sagte Oberst Dan.

Duke Scroll hatte gar nicht gemerkt, daß er geschrien hatte, obwohl es die Hitze der Diskussion erforderlich machte, die Stimme zu erheben, um sich überhaupt verständlich machen zu können. »Hat er sein Verhalten irgendwie begründet?« fragte Scroll, obwohl er bereits erriet, was passiert war.

Oberst Dan zog Stumpen und Streichholzschachtel hervor, seine Hand zitterte aber so stark, daß er etliche Zündhölzer zerbrach, ohne jedoch sein Zigarillo in Gang zu bringen. Scroll lehnte sich schließlich zu ihm hinüber und hielt ihm die Flamme des eigenen Feuerzeugs hin. »Danke, Duke«, sagte der Oberst. Er inhalierte und blies den Rauch aus. Das schien ihn ein wenig zu beruhigen. Scrolls Bleistift schwebte über einem Notizblock. Er spielte damit herum und hoffte, Oberst Dan den Namen entlocken zu können. Anschließend würde es einiges zu schreiben geben – er hatte herausgefunden, daß die Niederschrift eines Protokolls im Zustand höchster Erregung eine Reduzierung des Blutandrangs bewirken konnte. Der Oberst aber sah über Scrolls Geste hinweg. »Dieser Offizier sagt: ›Im Augenblick sind gerade Mädchen im Waschraum‹ und lächelte mich bekümmert an. Und ich konnte diese englischen Nutten da drinnen kichern und lachen hören – hörte sich an, als wär da 'n ganzes Dutzend drin.« Der Oberst schüttelte ungläubig den Kopf. »Sagt zu mir, ich dürfte nicht rein!«

»Wer denn nun, Herr Oberst?«

»Ich werd's Ihnen sagen: der Presseoffizier des Geschwaders, dieses Arschloch von Hauptmann, der mit 'ner umgehängten Kamera rumläuft; der Kerl, den ich Weihnachten mit Pilotenspange und Orden rumlaufen sah.«

»Hauptmann Madigan«, sagte Scroll und schrieb den Namen auf seinen Notizblock.

»›Welche verdammten Mädchen?‹ frage ich diesen Sauhund, und er sagt: ›Die Mädchen, die am Samstag zum Tanzen hergekommen sind.‹ Also, was soll ich Ihnen sagen, Duke, mich hat's umgehauen. ›Samstag? Samstag? Heute ist Dienstag, Sie Hurenbock‹, sage ich zu ihm. ›Sie sorgen dafür, daß diese Weiber auf der Stelle von meinem Fliegerhorst verschwinden und begeben sich anschließend auf Ihr Quartier. Betrachten Sie sich als unter Stubenarrest.«

Duke Scroll schrieb kommentarlos mit.

»Ich möchte diesen Offizier nicht mehr auf dem Flugplatz sehen, und zwar ab sofort.«

Der Stellvertretende sah Oberst Dan an und wartete, daß sich dieser etwas beruhigte. »Vielleicht sollten Sie mich mal zu ihm rübergehen und mit ihm reden lassen, Herr Oberst.«

»Wenn ich sage, ›runter vom Fliegerhorst‹, dann meine ich das und nichts anderes!«

»Oberst Badger«, sagte Scroll, »darf ich vorschlagen, daß wir uns etwas leiser unterhalten? Mein Schreibstubenunteroffizier ist zwar die Diskretion selbst, aber man kann uns wahrscheinlich in den Flugzeughallen hören.« Er wies auf die Ziegelmauer, die zwischen den Büros des Geschwaderstabs und der großen stählernen Halle lag, in der die Maschinen repariert wurden.

Oberst Dan setzte sich seufzend. »Nun sagen Sie bloß nicht, *auch* Sie hätten 'ne Frau auf der Stube gehabt, Duke.«

»Nein, Herr Oberst, aber ich habe den Verdacht, daß sich ein Dutzend Offiziere oder mehr samstags nach dem Tanz regelmäßig Frauen auf die Stube holen. Meistens sind's die subalternen Offiziere, insbesondere die Piloten; aber ich glaube, Major Phelans Freundin verläßt den Stützpunkt für gewöhnlich erst am späten Montagvormittag, und einer der Truppenärzte hat ebenfalls regelmäßig seine Bettgefährtin – diese beiden Offiziere haben natürlich ihre Stube für sich allein.«

»Kevin Phelan? Dieser verrückte irische Sauhund?« Oberst Dan lächelte. Scroll wußte, daß es richtig gewesen war, Phelans Namen zu nennen, denn der konnte in Oberst Dans Augen nichts Unrechtes tun. »Und ich hab' von alledem nichts gemerkt?«

»Aber Hauptmann Madigan weiß, was läuft; darauf können Sie sich verlassen. Presseoffiziere wissen immer alles, gehört sozusagen zu seinem Job, zu wissen, was läuft.«

Nach Art eines über einer Rechenaufgabe brütenden Kindes zog Oberst Dan die Brauen zusammen. »Tut sich da viel in dieser Richtung, Duke? Ich mein', ich weiß, daß gelegentlich mal 'n Mädchen über Nacht geblieben ist, aber...«

»Flugplätze sind schwer zu überwachen, Oberst. Wenn man die Mädchen nicht durchs Tor läßt, klettern sie bei der Ringstraße über den Zaun, springen beim Treibstofflager über den Graben oder finden hinter Hobdays Farm Durchschlupf. Bei Ihrem Vorgänger hat sich mal die Polizei beschwert, nachdem ein Vater dort gemeldet hatte, daß seine Tochter über Nacht nicht nach Hause gekommen war. Von der Gruppe wurde eine ganze Kompanie Feldgendarmerie geschickt; die stellten den ganzen Horst auf den Kopf und fanden an jenem bewußten Samstagnachmittag einhundertneunundvierzig weibliche Zivilpersonen vor.«

Der Oberst blickte seinen Stellvertreter an, schürzte die Lippen, als wollte er pfeifen, brachte aber keinen Ton heraus. »Wollen Sie damit sagen, daß ich die Sache auf sich beruhen lassen sollte?«

»In Narrowbridge und vermutlich fast überall andernorts steht angeschlagen, daß weibliche Zivilpersonen bis montags in der Frühe den Fliegerhorst verlassen haben müssen. Aber jetzt, wo es hier von Reportern nur so wimmelt, wagen wir natürlich nicht, derlei schwarz auf weiß auszuhängen. Warum lassen Sie mich nicht 'ne entsprechende mündliche Mitteilung machen?«

»Duke, manchmal machen Sie mich glauben, Sie wären derjenige, der mit 'nem Luftzirkus durch die Welt gezogen ist, und ich wär' bloß 'n Angeber von West Point.«

Duke Scroll lächelte dankbar, denn er wußte, eben das gehört zu haben, was sich Oberst Dan unter einem Kompliment vorstellte. »Und übrigens, Herr Oberst, General Bohnen hat angerufen«, sagte Scroll. »Kommt morgen zu uns rüber. Er möchte mit Ihnen reden.«

25.

Brigadegeneral Alexander J. Bohnen

General Alexander Bohnen konnte den Kontrollturm erkennen, den nächstgelegenen Schuppen und ein Amphibienrettungsflugzeug der Royal Air Force, das einen Piloten zurückgebracht hatte, der im Ärmelkanal hatte notwassern müssen. Es herrschte eine gespannte Atmosphäre; Obermonteure, Mechaniker, Waffenwarte, Männer vom Unfallrettungsdienst und von der diensthabenden Flugsicherung beobachteten den östlichen Horizont, wo die heimkehrenden Mustangs irgendwann auftauchen mußten. Ein Dutzend Männer spielte Ball, andere saßen über ein Kartenspiel gebeugt. Der Stabsarzt vom Dienst stand neben dem Krankenwagen und warf einen Ball, den Winston pflichtgemäß apportierte – aber alle diese Aktivitäten waren gekünstelt. Wenn das Geschwader einen Einsatz flog, konnte sich niemand wirklich entspannen.

Bohnen wandte den Blick ab und sagte: »Aus den Fenstern meines Londoner Büros kann man die Bedienungsmannschaften des Sperrballons auf dem Grosvenor Square sehen.«

Oberstleutnant Lester Shelley nahm nicht nur zur Kenntnis, daß der General in London ein Büro hatte – vermutlich zusätzlich zu weiteren Büros sonstwo –, sondern auch, daß dieses Londoner Büro Blick auf den genannten Platz und mindestens zwei Fenster hatte. Das war ein unübersehbarer Hinweis auf Macht und Ansehen. Shelleys Büro, das er mit seinem Schreiber teilte, hatte ein Fenster zum Lichtschacht. »Gewiß«, sagte Shelley, »der Ballon wird von Frauen bedient, die ihn ›Romeo‹ nennen.«

»Und glauben Sie nur nicht, das wäre reiner Zufall, Oberstleutnant. Auf diese Weise liefern die Engländer jedem von uns den ständigen Beweis, daß selbst ihr Weibervolk mitkämpft. Aus genau diesem Grunde hat die R.A.F. 'ne Luftwaffenhelferinnen-Einheit zum Grosvenor Square gelegt, geradewegs mitten zwischen unsere Büroräumlichkeiten.«

»Ich denke, da haben Sie nicht unrecht, Herr General.«

»Unterschätzen Sie die Engländer nicht. Wenn es darum geht, einen falschen Eindruck zu erwecken, dann sind sie ganz groß.«

Nach einem höflichen Klopfen trat Feldwebel Kinzelberg ein und fragte, ob Kaffee oder etwas anderes gewünscht werde. General Bohnen ließ sich durch diese besorgte Aufmerksamkeit nicht täuschen. »Sie können Oberstleutnant Scroll melden, daß wir den Kommandanten des Stützpunkts in einer Stunde zu sprechen wünschen.« General Bohnen erkundigte sich nicht, was Oberstleutnant Shelley von einem Täßchen Kaffee hielt. Kinzelberg salutierte und zog sich zurück.

Obwohl beide Männer die Uniform der Armee der Vereinigten Staaten trugen und sich altersmäßig kaum unterschieden, repräsentierten sie zwei grundverschiedene Aspekte eines erfolgreichen Amerika. General Bohnen war ein Konservativer von der Ostküste, hochgewachsen und muskulös. Seine Uniform stammte von einem Washingtoner Schneider, der schon viele Generationen von Berufssoldaten eingekleidet hatte. Lester Shelleys Uniform war von modernerem Zuschnitt und trug das seidene Firmenschild eines Schneiders aus Beverley Hills eingenäht, der sich um die Bedürfnisse der Reichsten unter den Bewohnern der Filmmetropole kümmerte. Shelley arbeitete beim Sprechen mit den Händen und wedelte mit seiner Zigarre in der Luft herum. Er lächelte bereitwillig und griff auf eine Art nach des Generals Arm, die in seiner Welt als freundschaftlich galt. General Bohnen verwahrte sich gegen dieses Verhalten nicht so, wie es die meisten ranghohen Offiziere getan hätten. Beide waren in Uniform gesteckte Zivilisten, und

Bohnen wußte, daß Shelley ebenso wie er selbst für eine Tätigkeit ausgesucht worden war, bei der er sich bereits bewährt hatte. Mit Männern dieser Art hatte Bohnen bereits viel zu tun gehabt – sie waren zäh, lärmend-ausgelassen, selbstsicher und überlegt berechnend. Und ebenso wie Vertreter und Geschäftsleute wußten auch sie, daß es auf ihre Energie ankam, um gesellschaftliche Zurückweisung zu überwinden. Bohnen schätzte ein solches Selbstvertrauen nicht sehr, denn er hatte die meiste Zeit seines Lebens mit reicheren und mächtigeren Männern verbracht, die ihr größeres Selbstvertrauen demonstrierten, indem sie sich nicht im geringsten darum kümmerten, ob man sie mochte oder nicht.

»Zunächst und insbesondere«, sagte Bohnen und legte eine bedeutsame Pause ein, »müssen wir die Interessen dieses jungen Piloten, nämlich Oberleutnant Morse, wahren.«

»Genau, darauf kommt es zu allererst an«, sagte Shelley und untersuchte den Aschenkegel seiner Zigarre. »Er ist pressewirksam.« Die Antwort fiel ein wenig zu schnell, und General Bohnen hatte das unbehagliche Gefühl, daß Shelley schon erraten hatte, was er, Bohnen, sagen wollte; darüber hinaus erraten hatte, daß bei den Engländern Befürchtungen wegen Morse und der verheirateten Frau aufkamen, und des weiteren erraten hatte, daß Morse ›presseunwirksam‹ gemacht werden sollte.

»Und trotzdem«, sagte Bohnen, »bin ich mir nicht sicher, ob es in seinem oder im Interesse der Luftstreitkräfte wäre, wenn Oberleutnant Morse derart breites publizistisches Interesse zuteil würde.«

Shelley nickte. Im Bewußtsein dessen, soeben vorschnell geantwortet zu haben, lehnte er sich in seinem Korbsessel zurück, rauchte schweigend und bewunderte – wobei er sich das Wort für den künftigen Eigengebrauch vormerkte – den Pluralbegriff ›Luftstreitkräfte‹. So sprach man im Pentagon. Er schloß die Augen nach Art von Drehbuchschreibern auf Regiebesprechungen, wenn Gedankentiefe angezeigt war.

»Wie ich es sehe«, fuhr Bohnen fort, »braucht Oberleutnant Morse nur noch ein paar weitere Abschüsse, um Rikkenbackers Leistung während des Ersten Weltkriegs zu übertreffen und zum führenden Fliegeras in der Geschichte der amerikanischen Luftmacht zu werden.« Er wartete; da Shelley die Augen aber geschlossen ließ, fuhr Bohnen fort. »Wie sich der Luftkrieg zur Zeit darstellt, könnte Oberleutnant Morse bereits bei seinen nächsten paar Einsätzen zu der erforderlichen Abschußzahl kommen, vielleicht sogar schon beim nächsten Mal.«

»So daß Sie ihn mit sofortiger Wirkung vom operativen Eingriff freistellen können«, sagte Shelley in einem Tonfall, der nicht erkennen ließ, was er von dieser Vorstellung hielt.

»Ihre Aufgabe wird es sein, jegliche Entscheidung, die im Stabe bezüglich Morse getroffen wird, zu unterstützen und zu vertreten. Damit meine ich nicht bloß eine entsprechende Pressemeldung ihrerseits.«

Shelley öffnete die Augen und starrte Bohnen zwischen noch immer halbgeschlossenen Lidern an, als schaue er durch grelles Gegenlicht. »Ganz im Vertrauen, General, heißt das, daß ich Ihnen dabei behilflich sein soll, einen Fall zu konstruieren, wie man den Jungen auflaufen lassen kann? Irgend 'nen Vorwand, den Presse und Rundfunk meiner Ansicht nach schlucken?«

Bohnen wurde steif. »Im Zuge unserer Geschichte ist es noch nicht so weit gekommen, daß ein Kommandierender General den Reportern in Kriegszeiten die seinen operativen Befehlen zugrunde liegenden Überlegungen zu erläutern hat.«

»Ist das Tatsache?« fragte Shelley.

»Ja, ganz gewiß.« Bohnen beugte sich bei diesen Worten vor und warf, ohne es zu merken, ein Kissen zur Erde.

»Das Dumme ist, daß es viele Schnüffler hier draußen nicht als operative Entscheidung einstufen würden. Sie würden den Braten riechen und behaupten, daß es sich genau um eine jener Strafmaßnahmen handelt, zu deren Aufdeckung und Publizierung sie hier wären.«

»Sind Sie...«, begann General Bohnen.

Oberstleutnant Shelley hob beschwörend die Hände.

»Ich spiele bloß den Advocatus diaboli, Herr General.« Er lächelte. »Sie können auf mich rechnen, ich werde stets auf Ihrer Seite sein.« Seine noch immer zusammengekniffenen Augen ließen sein diese Beteuerung begleitendes Lächeln gezwungen wirken. »Aber Sie sollten sich lieber damit vertraut machen, was auf uns zukommt. Die Presse wird nicht allzu angetan davon sein, wenn ihr Lieblingskind vom Stab an seiner weiteren Karriere gehindert wird. Wir werden an einem gewissen Geben und Nehmen nicht vorbeikönnen.«

Überrascht bemerkte Bohnen das Kissen zu seinen Füßen. Er hob es auf und warf es auf einen Stuhl. »Geben?« fragte er. »Was und wem?«

»Es gab nur eine einzige Möglichkeit, den Jungen aus seiner Absprache mit einem freiberuflichen australischen Journalisten herauszulösen, nämlich ihn einen Vertrag mit einer großen Agentur unterschreiben zu lassen; mit einem so gewichtigen Nachrichtenbüro also, daß es der Australier nicht wagen würde, sich mit jenen Leuten anzulegen.«

»Unterschreiben, sagen Sie?«

»Zweitausend Dollar bei Vertragsunterzeichnung. Die werden Zeter und Mordio schreien. Wir werden kungeln und ihnen zum Ausgleich irgendwas anderes exklusiv anbieten müssen.«

»Laß sie schreien«, sagte Bohnen, »sie haben aufs falsche Pferd gesetzt.«

Oberstleutnant Shelley ließ den Unterkiefer fallen, daß sich die Oberlippe straff über den entblößten Zähnen spannte. Stummer Ausdruck der Feindseligkeit eines Mannes, der sich ihr verbal entriet. »Vielleicht glauben sie, auf den Sieger gesetzt zu haben, daß Sie aber hergingen und den Einlauf manipulierten.«

Bohnen befühlte sein Gesicht. »Und wie geht's weiter?«

»Presseagenturen dieser Größenordnung bedienen mit ihren Geschichten Zeitungen und Magazine von Yukon bis nach Rio. Wenn Sie sich mit denen in einen Raufhandel einlassen, machen die uns fertig. Ich meine Sie und mich, Herr General. Die machen uns persönlich fertig.«

»Dann müssen Sie sehen, wie wir da herauskommen.« Bohnen achtete sorgfältig darauf, keine Einzelheiten zu nennen, was seiner Meinung nach getan werden mußte, und diese Zurückhaltung blieb Shelley keineswegs verborgen. Der General gedachte sich herauszuhalten und seine Hände in Unschuld zu waschen.

»Haben Sie jemals einen dieser hartmäuligen Burschen kennengelernt, von denen Presseagenturen geleitet werden? Es wird nicht leicht sein, sich eine überzeugende Story aus den Fingern zu saugen. Ich weiß, mit wem wir es zu tun haben. Dieser Saukerl hat mir wegen Morses Kontrakt längere Zeit einiges Kopfzerbrechen bereitet.«

Alexander Bohnen hatte Kalifornien ebensowenig gemocht wie die Bewohner dieser geruhsamen, trägen Region, die man an der Ostküste nur den »amerikanisch besetzten Teil Mexikos« nannte. Er war dagegen gewesen, daß Jamie dort aufs College ging, und hatte gut daran getan. Darüber hinaus waren seine Vorbehalte nicht dadurch geringer geworden, daß Mollie einen Bohringenieur aus Santa Barbara geheiratet hatte, und dieses Gespräch mit Oberstleutnant Lester Shelley trug noch weniger zum Abbau seiner Vorurteile bei. Mit der erschöpften Entschlossenheit des Olympioniken, der nach dem Sieg aus dem Wasser steigt, hievte sich General Bohnen aus dem Sessel. »Wir sind nicht da, um uns Geschichten *auszuklamüsern*«, sagte er, »noch werden von Ihnen irgendwelche *Manipulationen* verlangt.« Der General stand aufgereckt vor Shelley, der noch immer in seinen Sessel gefleegelt lag. »Tatsache ist«, sagte der General und packte einen Finger seiner Linken, »daß Oberleutnant Morses Ruf daher rührt, daß er deutsche Flugzeuge am Boden und im Luftkampf zerstört hat.« Er machte eine Pause und packte einen zweiten Finger. »Tatsache ist, daß die Anzahl der von ihm im *Luftkampf* bezwungenen Maschinen von Rickenbackers Gesamtergebnis noch weit entfernt ist. Weiter!« Inzwischen umschloß er drei Finger. »Oberleutnant Morse hat noch Filmmaterial zur Begutachtung eingereicht. Ehe die Aufnahmen seiner MG-Kamera nicht offiziell begutachtet sind, kann die Zahl seiner

Abschüsse nicht erhöht werden. Dabei ist es völlig egal, wie viele Hakenkreuze er auf seine Maschine malt, beziehungsweise was die Zeitungsleute inzwischen gedruckt haben.«

»Jetzt passen Sie mal auf, General«, sagte Lester Shelley. Der Korbsessel quietschte, als er unbehaglich sein Gewicht verlagerte. Er war zunächst davon überzeugt gewesen, in diesem Spiel die besseren Karten zu halten; nun aber drohten ihm seine Felle davonzuschwimmen. Bis jetzt hatten sich alle Stabsoffiziere stets Shelleys in Hollywood gewonnenem Sachverstand unterworfen. Sein Gegenüber indes wollte nicht, und so schlug Shelley zurück. »Wie ich hörte, waren Sie es doch, der den Geschwadern gesagt hat, daß auch auf dem Boden zerstörte Maschinen als Abschüsse anerkannt werden sollten. Das war Ihre Idee – da können Sie doch jetzt nicht Tatsachen verdrehen und Morse das vorhalten.«

»Tatsachen verdrehen?« fragte Bohnen, als hörte er eine derartige Obszönität zum erstenmal. »Ich rede doch nur von Dingen, die selbst in Hollywood augenfällig sein dürften. Wenn Sie die Anzahl der von Rickenbacker abgeschossenen Flugzeuge mit der Anzahl der von Oberleutnant Morse abgeschossenen vergleichen wollen, können Sie das Ergebnis doch nicht künstlich hochjubeln, indem Sie die von Morse am Boden beschossenen Maschinen dazurechnen. Von diesem Vergleich einmal abgesehen – die Luftsiege, die von der Achten Luftflotte anerkannt werden, haben mit derlei nichts zu tun.«

»Das hört sich an, als kämen Sie Reportern mit Zweideutigkeiten.«

»Dann machen Sie was Eindeutiges draus. Dafür tragen Sie die Uniform der Armee. Halten Sie also gefälligst den Kopf hin.«

»Unter Öffentlichkeitsarbeit versteht man nicht bloß den Umgang mit Reportern und Rundfunkkommentatoren. Wir müssen uns auch darüber Gedanken machen, wie die Flieger die Sache aufnehmen werden, und sie werden es für einen Schlag ins Gesicht halten.«

»Und was ist mit den Piloten der anderen Luftflotten? Was werden die Piloten in der Neunten und Fünfzehnten

Luftflotte sagen, wenn wir diesen Burschen Rickenbackers Nachfolger werden lassen? Und wie steht es mit dem pazifischen Kriegsschauplatz und den Marinefliegern, die Japaner abschießen? Falls Sie es nicht wissen sollten: die Achte Luftflotte ist der einzige Verband, der Abschüsse auf dem Boden gelten läßt.«

Oberstleutnant Shelley nagte besorgt an seiner Lippe. Er nickte und sah dann den General an. Er kannte den wahren Grund, weswegen man sich Morses als führenden Anwärter auf den Thron des Asses der Asse entledigen wollte, und wußte, daß sich Bohnen seine Argumente kurzfristig zurechtgelegt hatte. Er bewunderte eine derartige Rationalisierung; sie besaß den überzeugenden Klang des Unvermeidlichen. Er schätzte eine solche Argumentation – ›was bleibt uns weiter übrig – es gefällt uns auch nicht, aber es gibt halt keine andere Möglichkeit‹. In der Vergangenheit, als Lester Shelley noch Hausjurist einer Filmgesellschaft gewesen war, hatte sich diese Argumentationsweise auch zu seinen Gunsten ausgewirkt. Ein Filmstar wollte trotz niedergehender Popularität dieselben Vertragsbedingungen wie zu seiner Glanzzeit durchsetzen. Man hatte aus Neuengland einen Dichter kommen lassen, der für tausend Dollar die Woche das schlechteste Drehbuch geschrieben hatte, das die Gesellschaft je in Auftrag gab. Der Star wartete annähernd zwei Jahre auf die Realisierung seines Meisterstücks, dann schließlich fügte er sich in einen umgeschriebenen Vertrag. Angesichts eines aufgelösten Zwei-Millionen-Dollar-Vertrages waren zwei Jahre lang wöchentlich ein großer Riese bestenfalls kleine Fische. Doch, General Bohnen hätte sich in Hollywood nicht schlecht gemacht.

»Rechnen Sie auf mich, General«, sagte Shelley, erhob sich und drückte seine Zigarre aus.

»Geben Sie Ihrem Büro Nachricht, daß Sie sich die nächsten paar Tage in meiner unmittelbaren Umgebung aufhalten. Wir müssen uns bei jeder neuen Entwicklung der Lage unverzüglich ins Benehmen setzen können.«

»Jawohl, Herr General«, sagte Shelley. Er griff nach seiner Mütze und nahm beiläufig Haltung an.

Bohnen sah ihm in die Augen. Er traute Shelley nicht, denn der gehörte nicht zu den Leuten, die er sich freiwillig als Geschäftspartner aussuchen würde. In der Armee war es jedoch ebenso wie im Zivildienst – man mußte die Karten spielen, wie sie verteilt waren. Er hegte den Verdacht, daß Shelley nicht nur alle Vertragseinzelheiten mit der Presseagentur für Morse ausgehandelt, sondern sich auch noch eine Provision oder Bearbeitungsgebühr gesichert hatte. Falls er jemals den Zipfel eines seinen Verdacht erhärtenden Beweises in die Hände bekommen sollte, würde er den Oberstleutnant vors Kriegsgericht bringen; andererseits kannte er zur Genüge im Showgeschäft tätige Juristen, um sich keine falschen Hoffnungen auf Aufdeckung eines solchen Kuhhandels zu machen. »Ich zweifle nicht daran, daß Sie und ich die Sache durchstehen werden, Oberstleutnant Shelley.«

»Dieser Geschwaderkommandeur – Oberst Badger – hat einen sagenhaften Ruf als Flieger und Kämpfer«, sagte Shelley. »Er fliegt pausenlos Einsätze und bringt Abschüsse. Niemand hat das Recht, ihm vorzuschreiben, wer an seiner Stelle fliegen soll.«

»Ich greife diesen Punkt einmal auf, Oberstleutnant Shelley. Sie meinen, Morses Zurücksetzung müßte von unterer Ebene ausgehen, so daß man im Stab behaupten kann, die Entscheidung wäre nicht rückgängig zu machen.«

»So ist es, Sir. Die Presse würde einen kampferprobten Soldaten wie Oberst Badger nicht anzugreifen wagen.«

»Ausgezeichnet«, sagte Bohnen, »ich wußte doch, daß ein Mann mit Ihrer Erfahrung eine Lösung finden würde. Ich werde dafür sorgen, daß Ihre Leistungen voll anerkannt werden.« Er griff nach dem Telefon. »Jetzt werden wir rübergehen und Oberst Badger alles Nötige erklären.«

»Sind Sie sicher, daß er mitspielt?«

»Oberst Badger möchte sein Geschwader weiterhin ins Gefecht führen. Natürlich wird er mitspielen, es sei denn, daß er für den Rest des Krieges 'ne Schreibmaschine fliegen möchte.«

»Und Sie setzen hier einen anderen Kommandeur ein?«

Bohnen klopfte auf seinen Aktenkoffer. »Bevor ich London verließ, habe ich sicherheitshalber seine Befehlsgewalt aufheben lassen.«

Shelley nickte bewundernd. Im Verlauf ihrer Unterredung war von Vera Hardcastle oder ihrem auf Heimaturlaub kommenden Ehemann nicht einmal die Rede gewesen.

»Amerika hat junge Männer von einwandfreiem Lebenswandel als Helden verdient«, sagte Bohnen. »Solche Männer wird unsere heranwachsende Generation bewundern und ihnen nachzueifern suchen.«

»In gewisser Weise«, sagte Lester Shelley, »und ich meine das ganz ernsthaft, werden Helden im Krieg nicht viel anders aufgebaut als Filmstars.«

26.

Hauptmann James A. Farebrother

»Auseinander! Los, auseinander! Herr Jesus, auseinander!«

Die oberste Staffel bekam Zunder. Farebrother hörte Freuden- und Entsetzensschreie, blieb aber weiterhin als Begleitschutz bei seinen Bombern. Die andere Staffel hing irgendwo über den Kumuluswolken. Beunruhigt blickte er zur Seite und suchte den Himmel ab. Sein Rottenflieger war ein kurz vor der Beförderung zum Offizier stehender neunzehnjähriger Junge, der gerade erst von der Ersatztruppe gekommen war. Es wäre bodenloser Leichtsinn gewesen, sich darauf zu verlassen, daß auftauchende Angreifer von diesem Neuling ausgemacht würden. Farebrother wurde bewußt, wie sich Earl gefühlt haben mußte, als er sich das erstemal um ihn, Farebrother, hatte kümmern müssen.

Viele Deutsche bevölkerten bereits den Himmel, und Farebrother konnte erkennen, daß im Süden, etwa achttausend Meter entfernt, weitere deutsche Maschinen aus den Wolken kamen. Er blickte unter sich; die Fliegenden Festungen zogen gleichmütig dahin, als ob sie gar nicht bemerkt hätten, daß ein Angriff unmittelbar bevorstand. Trotzdem wußte er, daß aller Augen auf die schwärmenden Pünktchen gerichtet waren.

Farebrother erkannte nun auch den Typ der anfliegenden Deutschen. Es waren Focke-Wulf 190, Jäger, mit zwei 21-cm-Rohren unter den Tragflächen, mit denen sie die Bomberriegel zu sprengen gedachten. Wie lange war es her...? Ob Kevin Phelan sie wohl auch gesehen hatte? Na also! Heute führte Phelanskis ›Irish Rose‹ das Geschwader, und schon setzte Phelan zu einem steilen Turn an, um die Jäger abzufangen – ohne jedoch verhindern zu können, daß die Deutschen ihre weittragenden Rohre auf den Bomberverband abfeuerten. Das war der Preis der von den Bomberbesatzungen geschätzten, wirklich dichten Bedeckung. Die Fw 190 lagen mittlerweile auf Kollisionskurs und wurden von Sekunde zu Sekunde größer. Sie flogen in Linie und waren noch etwa tausend Meter entfernt, als sich die Raketen mit langem Feuerstrahl aus den Rohren lösten.

Rauch und Feuer, als die Geschosse inmitten der Bomber krepierten. Die Deutschen waren inzwischen nahe genug heran, um die Bomber mit Bordwaffen beschießen zu können. Die ersten Feuerstöße lagen bereits deckend. Die ›Scrapbook‹, eine betagte B 17 mit verwitterter grüner Bemalung und einer wohlgeformten Blondine auf der Nase, bäumte sich auf und bockte. Aluminiumstücke sprangen aus ihrem Rumpf, blitzten im trüben Sonnenlicht auf und trieben im Propellerstrahl davon wie die abgestoßene Haut einer großen grünen Schlange. Erst als die Geschoßeinschläge das Plexiglas zertrümmerten, kam die Maschine vom Kurs ab. Die Verglasung des oberen Turms lief weiß an und zerplatzte. Die Einschläge wanderten zu den Kanzelfenstern und zur verglasten Nase, so daß die Maschine in einem Gestöber wirbelnder Plastiktrümmer verschwand. Sie ähnelten dem winzigen flockenumwirbelten Weihnachtsmann in einem auf den Kopf gestellten gläsernen Briefbeschwerer, als die Männer der Besatzung mit Armen und Beinen zu rudern begannen, um in der dünnen Luft des blauen Himmels Halt zu finden. Die wirbelnden Flocken verschwanden, die Männer aber blieben. Sie drehten sich um ihre Achse, trieben mit ausgebreiteten Armen einen Moment neben der Maschine und stürzten dann mit den Trümmerteilen trudelnd in die Tiefe.

Nunmehr führerlos, begann die riesige Festung zu krängen, sich immer schiefer zu legen, bis sie sich schließlich um die Längsachse rollte und auseinanderbrach, während ihre Plagegeister, die blaubemalten Fw 190, an ihr vorbeijaulten und dem fliegenden Schrott auswichen.

Eine Focke-Wulf durchflog Farebrothers Visierlinie. Er

feuerte und erkannte Einschläge nahe der Kanzel, aber der Deutsche nahm sein Ruder hart herum und war verschwunden. Eine neue Maschine griff an. Instinktiv drückte Farebrother auf den Feuerknopf, erkannte aber noch rechtzeitig den weißen Stern des Hoheitsabzeichens und stellte das Feuer ein. Eine riesige Maschine glitt auf ihn zu. Die beiden Flugzeuge kollidierten beinahe, und als das andere nur wenige Meter entfernt vorbeistrich, bockte und wackelte die ›Kibitzer‹ im wilden Sog des anderen.

Farebrother wendete und versuchte, wieder einen Deutschen ins Gesichtsfeld zu bekommen. Dabei drehte er den Kopf und sah, daß Luke Robinson, sein Rottenflieger, noch neben ihm hing. Braver Junge!

Geschützfeuer erhellte den grauen Himmel. Peng! Peng! Die Maschine erzitterte, und der Steuerknüppel ruckte, als die Geschosse seine Höhenflosse durchschlugen. Er tauchte weg. Wo blieb der Neue? Ja, er war noch da und folgte. Backbords gab es eine Explosion, als ein Zufallstreffer Treibstoff und Munition in Brand setzte. Dem leuchtend orangefarbenen Feuerball folgte, als das Aluminium der Maschine in der Explosionshitze schlagartig verglühte, ein grellweißer Lichtblitz. An Zielen herrschte kein Mangel, es hingen überreichlich Deutsche am Himmel. Aber kaum hatte er einen im Visier, da sah er schon den Feuerstoß eines anderen hinter seinen Tragflächen vorbeistreichen. Nur fort! Er legte sich in eine so enge Kurve, daß die plötzlich einsetzenden Vibrationen ihn gemahnten, die Maschine nicht zu überziehen; sachte geht's auch.

Noch ein Deutscher tauchte auf. Sollte jemand versucht gewesen sein zu glauben, die deutsche Luftwaffe läge in den letzten Zügen – dies entsprach nämlich der Lagebeurteilung der Abwehr –, so war jetzt Gelegenheit, diese Fehleinschätzung zu korrigieren! Die Messerschmitt ließ sich nicht abschütteln: eine Bf 109 G mit der großen 30-mm-Maschinenkanone, um auch die stärker armierten Bomber knacken zu können. Ein einziger Treffer reichte aus, um einen leichten Jagdeinsitzer in Stücke zu schießen. Eine leichte Korrektur mit dem Knüppel. Schneller! Schneller! Langsam kam die Messerschmitt ins Visier. Der Deutsche wendete, Farebrother gab den Knüppel frei, hängte sich hinter ihn und beugte sich im Geschirr nach vorn, weil er das unsinnige Gefühl hatte, auf diese Weise seine Geschwindigkeit steigern zu können. Farebrothers Flugzeugnase wanderte langsam durch die Sonne, so daß er vollkommen geblendet war und nichts mehr erkennen konnte. Augen zu, weitermachen, Schußentfernung und Vorhalt werden kleiner. Er nahm die Hand vom Gas und klinkte sein Brustgeschirr aus. So lief er zwar Gefahr, sich das Gesicht am Instrumentenbrett aufzuschlagen, die größere Bewegungsfreiheit und die besseren Sichtmöglichkeiten waren das Risiko jedoch wert.

Er reckte den Hals und blickte sich um. Ebendies hatte er noch vor einer halben Minute getan, aber dreißig Sekunden reichten aus, um aus einem Pünktchen einen Angreifer werden zu lassen, der ihn in Stücke schießen konnte. Der Deutsche vor ihm hatte ihn immer noch nicht gesehen. Nimm die Nase etwas tiefer, damit die blaue Maschine in den beleuchteten orangeroten Kreis kommt; geh leicht ins Seitenruder und korrigiere den Vorhalt. Der Deutsche war völlig arglos, seine Aufmerksamkeit galt allein seinem Opfer. Er beschlich eine angeschossene B 17, die vor ihm in etwas geringerer Höhe aus der Formation scherte; keiner ihrer Kanoniere war auf Gefechtsstation. Geh kräftiger ins Seitenruder. Du darfst denselben Fehler nicht noch mal machen – sieh noch mal schnell in die Runde, ob du angegriffen wirst. Gut, beide Flügelenden der Messerschmitt lagen exakt im Zielkreis. Er betätigte den Abzug und spürte den Rückstoß der Kanonen. Auf den Tragflächen des Deutschen blitzte es unter den Einschlägen leuchtendgelb auf. Der Pilot kippte in eine Rolle und tauchte weg. Farebrother hatte dieses für die deutsche Luftwaffe typische Fluchtmanöver erwartet und blieb daher am Heck der Maschine kleben. Die Messerschmitt lag noch immer in Visierlinie und bekam weitere Treffer. Der Propeller wurde langsamer und stand dann still. Das Kanzeldach öffnete sich und ein schwarzes Bündel fiel heraus, prallte von einer Tragfläche ab, schlug gegen das Höhenleitwerk und wurde wieder fortgeschleudert. Mit ausgebreiteten Armen und blutbesudelter Kombination segelte der deutsche Flieger hinter Farebrothers Kopf vorbei.

Farebrother blickte sich um und suchte Luke Robinson. Sein Genick wurde langsam steif, und vom vielen Kopfdrehen schmerzten die Nackenmuskeln. Wenn der Junge sich doch bloß so nahe bei ihm halten würde, daß man ihn im Rückspiegel erkennen konnte. Fallschirm! Über ihm trieben Fallschirme, weiße amerikanische Schirme. Über ihm, das hieß, daß er unterhalb der Bomber und damit tiefer als gewollt flog. Knüppel anziehen und steigen! Für einen Jagdflieger kommt Höhe der rettenden Sicherheit gleich, abgesehen einmal von jenem letzten verzweifelten taktischen Manöver, in Höhe Null um sein Leben zu rennen. Höher! Luke war noch da. Nun konnte er die über ihm fliegenden Bomberriegel erkennen. Nachdem so viele von ihnen abgeschossen oder zurückgefallen waren, versuchten sie nun, ihre Formation wieder zu straffen. Weitere Fallschirme. Eine Fliegende Festung zog eine Rauchfahne hinter sich her, zwei andere fielen aus der Formation heraus. Arme Teufel! Aus dem Augenwinkel heraus konnte Farebrother eine weitere Explosion erkennen; ein gewaltiger gelber Blitz erfüllte den ganzen Himmel. Von der Maschine blieb nichts weiter übrig als ein graues, spinnenförmiges Rauchgebilde, dessen Beine – ein paar zur Erde fallende rauchende Trümmer – immer länger wurden. Eindeutiges Anzeichen, daß hier eine Maschine mit ihrer gesamten Bombenlast in die Luft geflogen war.

»Weg da, Jamie, verschwinde!« Es war MMs Stimme, aber woher kam sie? Farebrother ließ die Maschine wegrutschen und wollte sie auf den Rücken legen, verlor jedoch die Kontrolle und schmierte ab. Das Gewicht des Rolls-Royce-Motors drückte die Flugzeugnase zur Erde, so daß die Maschine steil herunterstürzte. Luke Robinson war noch da, und links oben hielt sich der deutsche Angreifer. Nur gut – sein Feuer geht weit vorbei. Luke schickte ihm einen Feuerstoß hinüber, traf aber nicht, da er nicht in Schußposition war.

Dunkelheit umfing sie, als sie in die wallende Kumuluswolke fielen. Graue Suppe umlagerte das Kanzeldach. Dann plötzlich war er aus der Wolke heraus – es konnte also keine Kumuluswolke gewesen sein, sondern mußte sich um die Wolkendecke selbst gehandelt haben; sogar dem unfehlbaren Farebrother sei ein gelegentlicher Fehler zugestanden. Hier unter der Wolkendecke fehlte jegliches Sonnenlicht, Deutschland bot sich als stummes Gewirr von Feldern und Wäldern dar. Einzige Abwechslung in dieser eintönig grauen Welt waren die langen, glitzernd weißen Streifen, die an Farebrother vorbeizogen und seinen Pfad erhellten. Scheiße! Der Deutsche hing noch immer feuernd in seinem Nacken. Verdammter Schweinehund! Wenden und wegtauchen! Der schießt noch immer, also gib Gas! Wo zum Teufel war Luke Robinson? Wozu hat man eigentlich einen Rottenflieger? Farebrother packte den Knüppel fester und versuchte dessen Vibrieren zu unterbinden. Die Leuchtstreifen näherten sich seinem Backbordflügel. »Mach dich davon!« Jemand brüllte immer noch – Luke oder MM. Nein, es war Rube Weins Stimme. Komm doch rüber und zieh am Knüppel, dann wirst du schon merken, was los ist!

Vollgas bis zum Anschlag, äußerste Kraft. Geh steiler runter, noch steiler! Die weiße Nadel des Fahrtmessers raste. Schneller – 350, 400, 450 – die weiße Nadel überholte die langsamere rote des Gefahranzeigers. Farebrother wußte, daß die Maschine zu zerbersten drohte und zerrte aus Leibeskräften am Steuerknüppel. Es gelang ihm jedoch auch beidhändig nicht, ihn von der Stelle zu bewegen. Er stützte die Füße ab und zog so heftig, daß er damit rechnete, die Steuersäule zu zerbrechen. Er verspürte einen dumpfen Schmerz in der Magengegend, seine Beine waren schwer wie Blei. Er fühlte einen unerträglichen Druck im Kopf, der ihn in den Sessel niederzwang, daß er meinte, sein Rückgrat müßte brechen. Ihm wurde schwarz vor Augen, als die Zentrifugalkräfte ihm das Blut aus dem Gehirn zogen. Er merkte, wie sich die Maschine schüttelte; es fing mit leichten Vibrationen an, ging in ein Stoßen und Hämmern über und rüttelte ihn in seinem Sitz schließlich fürchterlich durch, als die Tragflächen vergeblich versuchten, die Maschine von ihrem eingeschlagenen Kurs erdwärts abzubringen. Farebrother sah seine Tragflächen flattern, so daß sie jeden Augenblick abzubrechen drohten.

Er wurde nicht mehr beschossen; der Deutsche hatte mit seiner eigenen Maschine zweifellos genug zu tun und wartete sicherlich darauf, daß der Mustang die Tragflächen davonfliegen würden. Als er das Bewußtsein verlor, war Farebrother noch immer bemüht, seinen Sturzflug zu beenden und die Maschine abzufangen.

»Sparkplug Blau drei, hier Sparkplug vier. Ich wiederhole, wo sind Sie?« Es war Luke Robinsons vor Erregung überschnappende Stimme. Schließlich aber war seine Besorgnis doch größer als die Funkdisziplin, und so rief er: »Hauptmann, um Himmels willen, wo zum Teufel stecken Sie? Ich bin's, Luke.«

Farebrother war nur ein paar Sekunden lang bewußtlos gewesen, und als das Blut wieder in sein Gehirn zurückfloß und er wieder klar sehen konnte, erkannte er vorbeijagende Bäume und Häuserdächer. Ein kleiner See, ein Fabrikschornstein, ein Dutzend Leute auf einem Bauernhof, die zu ihm hinaufstarrten. Er überholte einen Zug, dessen Lokomotivrauch wie ein langes schwarzes Seidenband über die Felder trieb. Er schüttelte den Kopf und schaffte es nur unter Aufbietung seiner gesamten Willenskraft, das Gas zurückzunehmen und wieder Kontrolle über sich selbst und die Maschine zu erlangen. Es schien so viel behaglicher, bequemer und vernünftiger zu sein, nur dazusitzen und die Welt vorüberrasen zu sehen. Er warf einen Blick auf die Instrumente und probierte Quer- und Seitenruder.

Nachdem er die Maschine wieder getrimmt hatte, suchte er den Horizont ab: weit und breit kein Flugzeug. Er betrachtete prüfend seine Tragflächen und warf noch einmal einen Blick auf die Instrumente. Alles in Ordnung, aber er hatte nur noch wenig Treibstoff und flog laut Kompaß ostwärts. Er mußte sich inzwischen irgendwo nahe der polnischen Grenze befinden. Er suchte nach Landmarken, aber aus dieser Höhe wirkte das ländliche Schlesien flach und gleichförmig. Er drehte die Maschine nordwärts und kletterte langsam in die Wolken. Dann versuchte er, sich über Funk zu melden. Aber erst, als er es auf sämtlichen Kanälen probiert hatte, hörte er MM geduldig nach ihm rufen: Farebrother gab Antwort. »Hier spricht Jamie, MM. Kommen!«

»Gott sei Dank, ich dachte schon, sie hätten dich erwischt, Jamie!«

»Ich war kurz weggetreten. Irgendwas ist mit meinen Ohren. Ich kann nicht richtig hören.«

»Wo, zum Teufel, steckst du?«

»Südosten. Ich versuche euch zu finden. Ist Luke bei euch?«

»Ja. Wir kreisen, bis du da bist. Beeil dich, wir haben alle kaum noch Sprit.«

Farebrother stieß durch die Wolkendecke und sah MM, Rube und Luke Robinson, seinen Rottenflieger, etwa drei, vier Kilometer weiter westlich träge kreisen. Die Sonne schien inzwischen heller und warf ihr blendendes Licht auf die Wolken. Im Norden erkannte er die langen weißen Kondensstreifen der Bomber, die einen plötzlichen Schlenker machten, als der Kampfverband die Richtung änderte, um Frankfurt/Oder zu umfliegen. Es war ein langer Weg bis hierher in dieses öde östliche Grenzland Deutschlands gewesen, und viele würden die Heimat nicht wiedersehen.

Als die ›Kibitzer‹ zu MM und den anderen stieß, strichen zwei weitere Einsitzer über die Wolkengipfel hinweg. Farebrother behielt die beiden Unbekannten argwöhnisch im Auge. Erst vor einer Woche noch hatten sich ein paar Bf 109 einem Verband ähnlich aussehender Mustangs angeschlossen, hatten die letzte Rotte zusammengeschossen und sich dann ungestraft von dannen gemacht. Bei den Maschinen hier handelte es sich aber um ›Jugs‹, zwei dicke Thunderbolts, die nicht allein nach Hause fliegen wollten und daher Gesellschaft suchten. Die beiden hängten sich hinter Luke Robinson und seine ›Sue-perlative‹, eine metallisch glänzende, fabrikneue Mustang. Die Flugzeuge der amerikanischen Luftwaffe wurden mittlerweile nicht mehr gestrichen; dadurch sparte man ein paar Arbeitsstunden ein, und die Maschine wurde obendrein etwas schneller. Selbst der alten ›Kibitzer‹ hatten ein neuer Motor und die Entfernung der Lackierung zu einer etwa um 10 mph höheren Endgeschwindigkeit verholfen. Die in festen Großverbänden fliegenden Bomberbesatzungen hielten die natürliche Metallfarbe der Jäger für eine vernünftige Modifizierung, vielen Jagdfliegern selbst aber gefiel es gar nicht, daß ihre spiegelblanken und im Sonnenlicht glitzernden Maschinen solche Aufmerksamkeit auf sich zogen. Farebrother winkte Luke einen Gruß hinüber. Der Junge freute sich, daß ihm nicht verargt wurde, Farebrother bei seinem Sturzflug verloren zu haben. Er winkte zurück.

Nachdem MM Kurs auf die Bomber genommen hatte, flog eine der Thunderbolts näher an ihn heran. Der Pilot fuhr sich mit dem Finger über die Kehle, um anzudeuten, daß sein Treibstoff knapp wurde. MM nahm dies mit einer Handbewegung zur Kenntnis und suchte eine gemeinsame Frequenz, ohne mit der Maschine indessen Kontakt aufnehmen zu können. Die Thunderbolt ließ sich in Gefechtsposition zurückfallen und hielt sich etwa dreihundert Schritte hinter den anderen.

Die Bomber überflogen nun die Oder und hatten ihr Ziel, die weitläufigen Focke-Wulf-Werke in Sorau, inzwischen beinahe in Sichtweite. Die Führungsmaschine mit dem Befehlshaber der Kampfgruppe an Bord nahm die Fluggeschwindigkeit etwas zurück, um den langsameren Maschinen Gelegenheit zum Aufschließen zu geben. Selbst jetzt war es für die am weitesten außen fliegenden Maschinen noch äußerst schwierig, ihre Position zu halten. Es war kaum verwunderlich, daß diese die Flanken des Verbandes darstellenden Maschinen technischem Versagen in so hohem Maße unterworfen waren, und ebensowenig verwunderte es, daß sie es waren, die am meisten unter den deutschen Jägern zu leiden hatten. Als die sechs Jagdmaschinen an den Bomberverband herangerückt waren, erkannten sie ein halbes Dutzend Messerschmittjäger, die mit vereinten Kräften die obere Staffel des obersten Riegels attackierten. Die sechs konnten sich ausmalen, welche Erleichterung die Männer dieser gewaltigen Bomberstreitmacht beim Anblick amerikanischer Jäger überkam. Die Formationen rückten zusammen, und der eine oder andere Bordschütze winkte aus seinem Gefechtsstand herüber.

Die Piloten der Messerschmittjäger sahen die amerikanischen Jagdflugzeuge natürlich auch. Sie ließen daher von den beschädigten Fliegenden Festungen ab, deren unbemannte Rohre träge hin- und herschwangen, und auf deren Rümpfen und Tragflächen verlorener Treibstoff und ausgelaufene Hydraulikflüssigkeit schmierig glänzten. Man sah zersplitterte Verglasungen und aufgeschlitztes Metall. Die Deutschen ließen von den Festungen ab, gaben sie aber nicht auf. Etwa zehntausend Meter steuerbord querab kreisten sie wie ein Rudel Haie. Sie suchten nicht den Luftkampf Mann gegen Mann, sondern hielten sich streng an ihre Befehle: es galt, die amerikanischen Bomber zu zerstören!

MM flog eine scharfe Kurve, und es war wohl höchst vorteilhaft, daß ihm die beiden furchtsamen Thunderboltpiloten vertrauensvoll folgten. Gemeinsam wandten sie sich recht verhalten gegen die Messerschmittjäger, denn der geringe Treibstoffvorrat ließ höchste Fahrt nicht zu; für einen Luftkampf gar hatte man entschieden zu wenig. Als hätten sie die leere Drohung hinter diesem Manöver erraten, machten sich die Messerschmitts nur träge davon.

Farebrother wandte den Kopf. Die Bomber steuerten ihren Kurs unverdrossen weiter. Er suchte den Horizont nach den Jagdgeschwadern ab, die die Bomber eskortieren sollten, aber noch nirgends zu sehen waren. Konnte man den Bomberbesatzungen zusehen, ohne deren gelassene Entschlossenheit zu bewundern? Konnte man andere Verhaltensweisen mutig nennen, ohne sich eine Fehleinschätzung zuschulden kommen zu lassen? Die Bombenflieger waren die wahren Helden; Tag für Tag stellten sie sich als lebende Ziele jedweder Waffe, die ein erfindungsreicher, hingebungsvoller und eisern zäher Feind gegen sie zur Wirkung bringen konnte. Wahrer Mut äußert sich im Leben, wenn man weitermacht – allen Unglücksfällen, Krankheiten oder Rückschlägen zum Trotz.

»Einmal noch!« MM sprach's, ließ von den Messerschmitts ab und wendete, um den viele Meilen tief gestaffelten Bomberverband ein letztes Mal zu umfliegen. Die anderen hängten sich hinter MM, der seinen Motor mittlerweile auf minimalen Kraftstoffverbrauch gedrosselt hatte. Farebrothers Propeller machte bei kleinem Anstellwinkel 1700 Touren, jetzt gab er dem Motor soviel Druck, wie er nur verantworten konnte. Arme ›Kibitzer‹, sie nahm es damenhaft und klaglos hin.

Nachdem sie die Bomber hinter sich gelassen hatten, hielten sie sich in westlicher Richtung. Niemand warf einen Blick zurück. Etwas mehr als 900 Meter über ihnen konnten sie eine Ju 88 ausmachen; es war der »Aufklärer«, der den amerikanischen Bombern folgte und mit den deutschen Bodenstationen in ständigem Funkverkehr stand. In Kürze würden die Messerschmittjäger wiederkommen und erneut über die Bomber herfallen.

Farebrother, der eine Karte auf den Knien liegen hatte, erkannte in dem Gewässer unter sich die Einmündung des Hohenzollernkanals in die Oder. Nicht allzu weit jenseits lagen die Vororte Berlins; zum Schutz der Reichshauptstadt waren dort Flak und Jägereinheiten zusammengezogen worden. Es war ungesund, dort länger zu verweilen. Die Bomberstreitmacht war von der Ostsee her eingeflogen, die sechs Jäger aber würden einen direkteren Rückweg einschlagen müssen, wenn sie mit noch rotierendem Propeller über den Kanal kommen wollten. Südlich von Bremen wurden sie mit ungenau liegendem Flakbeschuß empfangen. Das Feuer der Acht-acht lag zunächst weit neben ihrer Route, dann aber krepierten etliche Zehn-fünf-Granaten schon wesentlich näher. Aus ihren Kopfhörern kam das Summen der deutschen Funkmeßgeräte. MM stieg höher und änderte den Kurs.

Über dem Ijsselmeer, Hollands größtem Binnengewässer, türmten sich die Wolken nicht mehr so hoch auf, sondern lagen wie eine graue Betonmasse unter den Maschinen hingebreitet. Das Wolkenband zog sich endlos in die Länge und schien im Westen an die als riesige rote Scheibe untergehende Sonne zu stoßen. Zwischen den rosa Zirrusstreifen über ihnen und diesem end- und farblosen Teppich schienen die sechs Figuren am Himmel stillzustehen und vor dem Rotlicht einer gewaltigen himmlischen Verkehrsampel auf das Zeichen für freie Fahrt zu warten.

»Sparkplug Blau drei, hier Blau eins. Kannst du mal nachsehen, was mit meinem Leitwerk los ist? Die Ruder sind kaum noch gangbar.«

Farebrother verringerte den Abstand und stieg etwas höher, um besser sehen zu können. »Scheint alles in Ordnung zu sein, MM.«

»Und was meinst du, Rube?«

Rube Wein brachte seine ›Daniel‹ näher heran, aber auch er konnte an MMs Leitwerk nichts Außergewöhnliches entdecken. »Sie haben dich hinter dem Cockpit aber 'n bißchen durchlöchert, Kumpel. Vielleicht ist das Rudergestänge beschädigt oder so.« Weins akademische Überlegenheit war unbestreitbar, sein Wissen von der Anatomie eines Flugzeuges jedoch höchst lückenhaft.

»Sind wir schon über der Nordsee, Jamie?« Wie gewöhnlich hatte MM jegliche Funkdisziplin fahrenlassen. »Das mit den Löchern weiß ich selbst, Rube, die Maschine jammert ja wie'n Klageweib – hört sich an, als wenn der Wind auf ihr Flöte spielt.« MM achtete sorgfältig darauf, daß seine Anfrage wegen der Nordsee ganz beiläufig klang.

Farebrother befragte die Karte auf seinen Knien und blickte dann auf die Uhr. »Dauert noch ungefähr vier Minuten, MM. Ende.«

»Sie macht mir richtig Schwierigkeiten, Jamie. Komm hoch, du Miststück . . .« Diese letzte Bemerkung galt seiner Maschine, die sich in den turbulenten Luftströmungen über der Küste nur noch mühsam halten ließ, weil der Sog an den klaffenden Einschußlöchern zerrte. »Ich werde nicht aussteigen«, sagte MM in das eingetretene Schweigen. »Ich habe zwei sichere Abschüsse auf dem Film, und deswegen werd' ich in der Maschine bleiben.«

»Um Himmels willen, MM«, sagte Farebrother. Auch wenn es ein Scherz gewesen sein sollte, so konnte er daran doch nichts Spaßiges entdecken.

Alle vier Mustangs waren getroffen worden; es war heute schlimm gewesen. Trotzdem konnten sie sich ihrer Luftsiege und des eigenen Überlebens nicht freuen. Der letzte Anblick der ungeschützten Bomber war unvergeßlich; der Gedanke, das bessere Los gezogen zu haben, war ihnen höchst unangenehm. Rube Weins Maschine wackelte ein bißchen und stieß, als der Vorverdichter ausfiel, schwarzen Qualm aus. Rube gab etwas mehr Gas und brachte seine Maschine wieder auf die Höhe der anderen.

»Alles okay, Rube?« fragte MM. »Kein gläserner Berg?«

»Mir fehlt nichts«, sagte Rube etwas verwirrt, weil MM auf seine nur zögernd eingestandenen Befürchtungen anspielte und sich darüber lustig machte.

»Dann wollen wir mal nach Hause«, sagte MM. Die Maschinen rückten dichter zusammen. Die in ihren Einsitzern sich vollkommen selbst überlassenen Piloten konnten sich über dem kalten, dunklen Meer gegenseitig zwar nicht helfen, aber einem Urinstinkt folgend rückten sie näher aneinander. MM tröstete dies.

Die Formation hatte die holländische Küste gerade hinter sich gelassen, als sich Rube Wein meldete. »Blau Führer, hier Blau zwei. -- Ich schaff's nicht mehr bis England.« Seine Stimme war so ruhig und nüchtern wie gewohnt.

»Was, zum Teufel, soll das heißen, Rube?« fragte MM empört. Wie jeder wußte, war *er selbst* derjenige, der heute ausfiel; wieso versuchte Rube ihm den Rang abzulaufen?

»Ich hab' keinen Stoff mehr. Das kommt von diesem verfluchten Kuhsturm.«

»Scheiße, Rube. Wir sind doch praktisch zu Hause.«

»Hat keinen Sinn, MM. Ich hab' mein Bestes getan, aber die Nadel der Benzinuhr ist im Keller.«

»Hast du 'n paarmal von links nach rechts und zurück geschaltet?«

»Mein Gott, MM, ich komm doch nicht gerade erst von

der Flugschule. Das macht der Sturm, ich hab's doch schon gesagt. Ich werd' über Holland aussteigen. Vielleicht können mich die Jungs von der Resistance rausschmuggeln oder so.«

»Nun hör mal, Rube...« MMs Rat indes blieb unbeachtet; denn Rube flog eine halbe Rolle und ließ sich rücklings aus der Formation fallen – mit dem Bauch gen Himmel wie ein toter Fisch.

Farebrother blickte sich um und versuchte festzustellen, wie weit Rube zurückfliegen mußte, um über Land abspringen zu können. Hoch über der Küste hingen Kondensstreifen – das waren deutsche Jäger, die von ihrer Funkortung auf die Fährte der sechs Amerikaner gesetzt worden waren. Sobald die deutschen Maschinen die höheren Luftschichten erreicht hatten, kondensierte die Luft zu fiedrig-weißem Gewölk. Nacheinander kamen die Maschinen vor dem sich verdüsternden östlichen Himmel auf. Rube Wein würde ihnen eine leichte Beute sein.

»Sag' dem Obersten, daß es mir leid tut.« Es war wieder Rube Weins Stimme; sie kam nur schwach durch und klang kratzig wegen der atmosphärischen Störungen. »Weißt du, ich kann nicht schwimmen. MM, du erklärst ihnen das doch, nicht wahr?«

»Wir können dich nicht zurückbringen, Rube. Wir sind mit dem Sprit nämlich auch alle am Ende.«

Es kam zwar noch eine Antwort, sie ging jedoch im rhythmischen Gejaule der deutschen Störgeräusche unter. Sie lauschten während des restlichen Fluges noch auf jedes Geräusch, aber Rube meldete sich nicht mehr.

»Jetzt sind nur noch wir beide übrig, Jamie«, sagte MM beim Überfliegen der englischen Küste.

»Und Luke«, sagte Farebrother schnell, als ihm einfiel, wie sich der Neue fühlen mußte.

»Ja, natürlich«, sagte MM, »tut mir leid, mein Junge, Rube hätte sich schleunigst davonmachen sollen, als er noch genügend Sprit hatte«, sagte MM, jede Funkdisziplin ignorierend.

»Ihm wird schon nichts passiert sein, Blau Führer«, sagte

Farebrother. »Ich würde sagen, er ist ausgestiegen, noch ehe einer von diesen Jägern auch nur in seine Nähe kam.«

Es knackte zweimal im Kopfhörer, als MM die Sendetaste drückte und die soeben empfangene Meldung bestätigte. Kurz darauf wackelten die beiden Thunderbolts mit den Tragflächen, scherten aus und steuerten ihre Basis an.

In Steeple Thaxted war es klar, relativ klar jedenfalls. Nur ein paar flockige Stratokumuli, deren rosa Streifen auf die sinkende Sonne hindeuteten. Es hatte soeben noch geregnet, das feuchte Gras glänzte, und der rötliche Himmel spiegelte sich in der nassen Rollbahn. MM ging mit der ›Mickey Mouse II‹ in den Landeanflug. Wegen der klemmenden Ruder geschah das sehr ruckartig. Er kam ein wenig hoch herein, kannte das Flugfeld aber gut genug, um die Maschine mühelos gute fünfzehn Meter durchsacken zu lassen und in der richtigen Höhe über die Hecke zu setzen. Auf der Wiese bei Hobday's Farm spielende Kinder hielten inne und sahen ihm zu. Sie waren höchst überrascht, als der Pilot plötzlich durchstartete und den Motor aufbrüllen ließ, daß er zu bersten drohte. Die Maschine taumelte und schwankte, war kurz vor dem Abschmieren, keuchte und schnaufte wie ein ärgerliches altes Weib und zog sich dann zollweise in die Höhe.

»Mein Fahrwerk klemmt«, meldete sich MM über Funk, noch ehe das Fahrzeug der Flugleitung sein rotes Warnsignal schießen konnte. »Landet ihr beiden erst mal. Schätze ich werde auf dem Bauch runter müssen.« Ohne im geringsten die Übersicht zu verlieren, fügte er hinzu: »Erst Luke, dann Jamie.«

Als die ›Kibitzer‹ an ihrem Abstellplatz zum Stehen kam, sprang Tex Gill auf eine Tragfläche. »Wir haben uns langsam Sorgen gemacht, Sir«, sagte er, blickte erst auf seine Uhr und betrachtete dann die Einschußlöcher.

»Einen hab' ich erwischt«, sagte Farebrother. Im Gegensatz zu anderen Obermonteuren stellte Tex grundsätzlich keine Fragen. »Ich sah, wie er ausstieg. Wir haben aber Leutnant Wein verloren.« Farebrother hievte sich hoch und blieb im Cockpit stehen, um MMs Platzrunde zusehen zu können. Tex beobachtete die Maschine ebenfalls, doch keiner der beiden Männer ließ sich seine Besorgnis anmerken. »Ihm ging der Sprit aus, und da ist er umgedreht, um über Holland abzuspringen.« Farebrother schob seinen Helm hoch und stocherte mit dem Zeigefinger in seinen Ohren, eine gewisse Taubheit aber blieb.

»Alle hier mochten den Leutnant«, sagte Tex Gill, ohne MM aus den Augen zu lassen.

»Keinen Sprit mehr«, sagte Farebrother. »Sein Vorverdichter war nicht in Ordnung. Passierte ihm direkt über dem Wasser, kurz bevor er umdrehte.«

Tex Gill sah seinen Hauptmann an und nickte. Farebrothers Gesicht war tief gefurcht, die Augen blutunterlaufen und schwarz gerändert. Von der Nase bis unter das Kinn verliefen die roten Striemen, die die enganliegende Sauerstoffmaske ins Fleisch gedrückt hatte. »Der blöde Kerl hätte beim ersten Anzeichen drohender Schwierigkeiten umkehren sollen.« Jeder außer Tex Gill hätte Farebrothers Stimme für zornerfüllt gehalten, aber ein Flieger hat vor seinem Obermonteur keine Geheimnisse. Gill erkannte auf Farebrothers Gesicht jene verzweifelte Bitterkeit, die wir uns für den Tod eines uns lieben Menschen vorbehalten.

»Ich vermute, er wollte Oberleutnant Morse nicht ohne Rottenflieger lassen«, sagte Tex Gill, »wo Sie sich doch um den Neuen kümmern mußten.« Er sprang von der Tragfläche. Farebrother folgte seinem Beispiel, wobei er sich auf Gills Schulter stützte.

»Ich hab' 'ne Messerschmitt abgeschossen. Der Pilot ist abgesprungen.« Farebrother zuckte vor Schmerz zusammen und setzte sich auf die Hinterkante einer Tragfläche.

»Sind Sie verwundet, Hauptmann?«

»Bloß eingeschlafen.« Er kam sich wie ein Idiot vor, mußte aber warten, bis die Blutzirkulation in seinem Bein wieder funktionierte. »Ich hab' den deutschen Piloten gesehen. Er segelte so dicht hinter mir vorbei, daß ich ihn hätte anfassen können.« Tex Gill schwieg. »Vermutlich war er tot«, sagte Farebrother. »Er war gegen sein Leitwerk geschlagen, alles war voller Blut.«

»Stehen Sie nicht kurz vorm Urlaub, Herr Hauptmann? Sie haben ihn sicher verdient.«

»Er hatte jede Menge Feuerzauber unter sich hängen. Könnte mir vorstellen, daß die Jungs alle Hände voll zu tun haben, um mit den Bordkanonen und dem ganzen Zeug, was da unter ihren Tragflächen hängt, zurechtzukommen.«

»Da kommt Oberleutnant Morse«, sagte Gill und zog Farebrother das Fallschirmgeschirr von den Schultern. »Ich würde sagen, er macht das gar nicht schlecht.«

»Ich kann MM jetzt nicht allein lassen, Tex. Und wir müssen uns auch um den jungen Robinson kümmern.«

»Sie müssen mal ausspannen, Herr Hauptmann«, sagte Tex Gill, der es für sinnlos hielt, bei einem so eindeutig unter Schockwirkung stehenden Mann um den heißen Brei herumzureden. »Manchmal...« Er trat verlegen von einem Bein auf das andere und fragte sich, wie weiter. »Manchmal sieht einer von unserer Truppe hier draußen Sachen, die dem Stabsarzt entgangen sind. Sie und Oberleutnant Morse, Sie beide brauchen erst mal Ruhe.«

»Sie sind 'n feiner Kerl, Tex«, sagte Farebrother und gab Gill den Fallschirm. »So, und jetzt kommt er runter.«

Die Hauptlandebahn wurde noch immer ausgebessert, MM mußte sich daher mit der kürzeren begnügen. Er kam mit eingezogenem Fahrwerk heran und setzte die ›Mickey Mouse II‹ behutsam auf die Betonpiste, so daß er ausreichend Raum zur Verfügung hatte. Er hielt die Flugzeugnase oben, so daß der Luftansaugschacht als erster den Boden berührte. Das Flugzeug schaukelte ein wenig und machte beim Vorwärtsgleiten einen ungeheuren Lärm, als Teile der unteren Rumpfverkleidung abgerissen wurden und davonflogen. Vor den Augen der Männer, die in der Nähe auf einer Splitterschutzwand standen, verschwand die Mustang in einer weißen Rauchwolke. Der »Rauch« war nichts anderes als staubfein aufgewirbeltes Regenwasser, das die über die Landebahn rutschende Maschine wie einen Schweif hinter sich herzog. Das atemlose Keuchen der Männer wurde zu einem erleichterten Seufzen, als die Maschine zum Stehen kam und Krankenwagen und Bergefahrzeuge auf sie zurasten.

Farebrother ging zu dem Jeep hinüber, der sie zur Schlußbesprechung bringen sollte. Luke Robinson wartete bereits im Wagen. »Ob Sie sich wohl auf den Rücksitz setzen wollen, Luke?« sagte Farebrother. Der Fahrer blickte sich um, sagte aber nichts.

»Mir fehlt nichts.«

»Setzen Sie sich nach hinten«, sagte Farebrother, legte seinen Fallschirm auf den Fahrzeugboden und setzte sich selbst auf einen der Rücksitze.

»Ich würde aber lieber...«

»Setzen Sie sich nach hinten, Sie Blödmann«, sagte Farebrother mit einer Stimme, die Robinson aus dem Beifahrersitz hochfahren ließ, als hätte er sich auf glühende Kohlen gesetzt.

»Meine Güte, Herr Hauptmann, tut mir leid«, sagte er, als er sich nach hinten bequemte.

Farebrother nahm den Helm ab und wischte sich mit der Hand über das Gesicht. Dann wandte er sich an den Fahrer und sagte: »Fahren Sie die Landebahn runter und sammeln Sie Oberleutnant Morse auf.«

»Um über die Landebahn fahren zu können, brauchen wir 'ne besondere Erlaubnis von der Flugsicherheit. Auf jeden Fall ist der Jeep nicht entsprechend gekennzeichnet.«

»Fahren Sie los«, sagte Farebrother mit sanfter Stimme, aber gerade das wirkte noch einschüchternder als der vorausgegangene Zornesausbruch. »Und das ist ein Befehl, verdammt noch mal. Wir sind schließlich nicht über ganz Europa weggeflogen, damit Sie ihn zu Fuß nach Hause laufen lassen.«

Der Fahrer drehte sich um und wollte noch etwas erwidern, ein Blick in Farebrothers Gesicht aber ließ ihn dessen Anweisungen exakt befolgen.

27.

Oberst Daniel A. Badger

Der Geschwaderkommandeur sah sich in seinem Dienstzimmer prüfend um – auf dem Fußboden rissiges Linoleum, ein wüstes Durcheinander auf dem Schreibtisch, und dazu dann noch das eine oder andere abgewetzte Möbelstück. Sein Vater hatte ihn gewarnt; das Soldatenleben zeichne sich durch Kargheit und Demütigung aus. Und die militärische Laufbahn wurde von ihm als »Glaube ohne Wunder« beschrieben, »Erlösung ohne Buße, Reue ohne seelische Aussöhnung«. Sein Vater hatte sich gedanklich zu keiner Zeit mit den tiefempfundenen pazifistischen Grundüberzeugungen auseinandergesetzt, die der Familie während des Ersten Weltkriegs und noch lange danach seitens der Umgebung soviel offene Kritik eingetragen hatten. Hatte sein Vater je geahnt, daß es die Zurücksetzungen und Beleidigungen seitens gewisser Nachbarn gewesen waren, die Dannys lange hinausgeschobenen Entschluß reifen ließen, schließlich doch den bunten Rock anzuziehen? Als er nun im Fliegerkorps zum Leutnant ›ordiniert‹ wurde, war sein Vater der Feier ferngeblieben.

Oberst Dan zog ein Taschentuch hervor und putzte sich trotzig trompetend die Nase. Nun, selbst sein Vater hatte ihn nicht vor der Möglichkeit gewarnt, daß ihm ein paar herausgeputzte Zivilisten vorzuschreiben versuchen könnten, wie er Dienstobliegenheiten nachzukommen habe, die ihm schon geläufig gewesen waren, als diese Leute noch nicht einmal militärisch grüßen konnten. Das Dumme war nur, daß diese beiden Scheißkerle, wenn alles schieflaufen sollte, wiederkommen würden, um ihn dafür zur Verantwortung zu ziehen. Er packte einen Stuhl bei der Lehne, schwang ihn hoch durch die Luft und stellte ihn dann krachend ab.

Diese Kerle treten ja recht stramm und zielbewußt auf, dachte Oberst Dan einen Augenblick später. Er sah zu, wie seine beiden Besucher die Rolläden herunterließen und ihre Stühle zurechtrückten. Die beiden Stabsoffiziere sorgten dafür, daß der arme Oberleutnant Morse keinesfalls ihre Gesichter erkennen konnte – für den Fall, daß sich darauf gewisse Gefühle ablesen ließen. Es war indes nicht allzu wahrscheinlich, daß diese beiden glattgesichtigen Fußlatscher Gefühle äußerten – sie schienen gar keine zu kennen, abgesehen vielleicht von einem irrationalen Haß und der Verachtung für einen seiner besten Piloten, der nichts Schändlicheres verbrochen hatte, als mit einer verheirateten Frau ins Bett zu steigen. Nun, ›wer ohne Sünde ist, der werfe den ersten Stein...‹ Dan Badger war fest entschlossen, auf einem ganz nachdrücklich zu bestehen: mit Oberleutnant Morse zunächst unter vier Augen zu sprechen. Die beiden Besucher konnten nebenan in der Schreibstube warten und sich gern mit dem Ohr am Schlüsselloch Gewißheit verschaffen, daß er ihren hirnrissigen Befehlen nachkam.

Zunächst hatte Oberst Dan den kleinen Pseudo-Oberstleutnant für einen Angehörigen der Militärjustiz gehalten; er hatte ein anmaßendes, gestikulierendes Gehabe an den Tag gelegt, das Oberst Dan mit der Selbstdarstellungsweise vor Gericht agierender Anwälte in Zusammenhang brachte – allerdings kannte Oberst Dan solche Leute größtenteils nur aus Hollywoodfilmen. Inzwischen war ihm klargeworden, daß dieser kleine Widerling nichts weiter als ein Schmock in Uniform, ein Presseoffizier, war.

General Bohnen schien Oberst Dans Abneigung gegen Lester Shelley zu spüren und versuchte nach besten Kräften, die Vorbereitungen für diese sogenannte ›Unterredung‹ zwischen dem Geschwaderkommandeur und Oberleutnant Morse so kurz und knapp wie nur möglich zu halten.

»Lassen Sie Dan die Telefone nach seinem Dafürhalten aufstellen. Wir wollen schließlich nicht, daß es hier wie im Gerichtssaal aussieht.«

»Ich wollte ihm doch bloß helfen«, sagte Lester Shelley. Er stellte die Telefone – ein schwarzes für den allgemeinen Dienstgebrauch, ein grünes mit eingebautem Verwürfelungsteil (Verzerrer/Entzerrer) und ein rotes für operative Zwecke – wieder auf den Schreibtisch und versuchte minutenlang vergeblich, die Kabel zu entwirren.

»Lassen Sie's gut sein, Lester«, sagte Oberst Dan. Der kleine Presse-Oberstleutnant bestand darauf, mit dem Vornamen angesprochen zu werden. »Diese Kabel sind sowieso dauernd verheddert.« Lester Shelley nahm höflich Oberst Dans Uniformrock von der Stuhllehne und versuchte ihm nach Art eines Hotelpagen hineinzuhelfen, Dan aber winkte ab. Schließlich war hier jedem bekannt, daß Oberst Dan auch am Schreibtisch nur in seinem Khakihemd mit den unvorschriftsmäßig kurzen Ärmeln arbeitete.

Oberleutnant Morse trat so unbefangen ein, daß er keineswegs argwöhnen konnte, daß Oberst Dan im Begriff stand, ihn zu sperren. Dem Gerede, man wollte ihn für das Dinstinguished Flying Cross vorschlagen, lauschte er mit großer Aufmerksamkeit, ohne sich indes viel daraus zu machen – in letzter Zeit wurde das DFC in rauhen Mengen verliehen –: ihm aber stand der Sinn nach höheren Dekorationen. Er stellte sich gerade vor, von Oberst Dan irgendwann in allernächster Zeit hereingerufen zu werden und eröffnet zu bekommen, daß ihm die Congressional Medal of Honor verliehen worden wäre. Just in diesem Augenblick erfaßte er, daß er gesperrt worden war.

»Scheiße«, sagte Morse, »wieso eigentlich? Meinen Sie, weil ich mit meiner Kiste Bruch gemacht hab'? Hören Sie, Herr Oberst, die Maschine war völlig durchlöchert, die Rettungsmannschaften können Ihnen das bestätigen. Sie können ja gleich mal den rollenden Reparaturtrupp anrufen. Einer von den technischen Unteroffizieren dort hat gesagt, er könnte sich gar nicht vorstellen, wie ich das Ding überhaupt nach Hause gebracht hab'.«

Oberst Dan beschloß, nicht zu leugnen, daß die eben gefallene Entscheidung mit der Bruchlandung in Zusammenhang stand; er war in der Tat erleichtert, daß Oberleutnant Morse selbst eine mögliche Begründung eingefallen war. »Der Stellvertretende hat ein paar Aufgaben für Sie, Herr Oberleutnant, und daher möchte ich, daß Sie bis auf weiteres hier auf dem Stützpunkt bleiben. Sie werden schnell herausfinden, daß die Offiziere, die hier im Geschwaderstab Dienst tun, nicht soviel Freizeit haben wie das fliegende Personal.«

Morse gefiel diese kleine Ansprache gar nicht, es hörte sich zu sehr nach einer ständigen Abkommandierung an. Ein paar Tage lang nicht auf den Flugplan gesetzt zu werden, ließ sich ertragen, aber eine ständige Schreibtischtätigkeit – darunter stellte er sich die Hölle vor. »Wie lange wird diese Sperre aller Voraussicht nach dauern, Herr Oberst?«

»Ich habe mir Ihre Akte mal angesehen. Ihre Flugstunden läppern sich zusammen, Oberleutnant. Sie stehen kurz davor, nach Hause geschickt zu werden.«

»Ich stehe kurz davor, das größte Fliegeras auf dem europäischen Kriegsschauplatz zu werden, Herr Oberst, und Sie wissen das ganz genau.«

»Ich habe nicht vor, mit Ihnen zu streiten, Oberleutnant Morse. Sie sind gesperrt, und damit hat sich die Sache. Der Stabsarzt und ich sind der Ansicht, daß Sie 'n bißchen Ruhe brauchen. Er sagt, Sie wären hysterisch gewesen, als man Sie aus dem Wrack rausgeholt hat.«

»Kommen Sie mir doch nicht mit dem Unsinn, ich brauchte Ruhe! Ich habe regelmäßig ausreichenden Nachtschlaf, und schließlich bin ich ja wohl nicht zu Ihnen gekommen, um mich krank zu melden. Ich brauch' kein Luminal mit 'nem doppelten Schuß Einsatzwhiskey – ich bin in allerbester Verfassung und so fit wie jeder andere hier im Geschwader auch. Und sie haben mich auch nicht aus dem Wrack ›rausgeholt‹, sondern ich hab' die Maschine richtig vorsichtig runtergebracht und bin rechtzeitig von selbst rausgeklettert.«

»Immer mit der Ruhe, mein Junge«, sagte Oberst Dan.

»Sie haben mich nicht überzeugt, daß es kein hysterischer Anfall war, als Sie den Doc verflucht und sich vorsätzlich seinem Befehl widersetzt haben, in den Sanka zu steigen und sich untersuchen zu lassen. Das könnte Disziplinarmaßnahmen nach sich ziehen.«

»Also hat Dr. Goldman 'ne Meldung gemacht?«

»Nehmen Sie Vernunft an, Morse, Sie sollten Dr. Goldman doch wohl besser kennen. Nein, ich hab's mit eigenen Augen gesehen. Sie standen auf der Maschine und brüllten so laut ›Affenscheiße!‹, daß ich Sie über das ganze Vorfeld weg hören konnte; da stand ich nämlich, nachdem ich mir Ihre Landung angesehen hatte.«

»Ach so, natürlich, jetzt komm ich dahinter«, sagte Morse sarkastisch. »Kopf – und Sie gewinnen; Zahl – und ich verlier'. Egal was passiert, ich werd' doch gesperrt. Wer hat Ihnen das eingeredet, mir so übel mitzuspielen – Major Tucker etwa?«

»Mit Tucker hat das nichts zu tun«, sagte der Oberst.

Oberleutnant Morse hatte sich in Erregung geredet, und Oberst Badger sprang auf. Angesichts der von Morse geäußerten Feindseligkeit war dies eine ganz normale Reaktion, trotzdem fiel ihm plötzlich ein, daß er besser sitzen geblieben wäre, jedenfalls hätte sich Duke Scroll so verhalten. Statt dessen beugte er sich vor und hielt Morse einen ausgestreckten Zeigefinger unter die Nase. »Sie nehmen dies zur Kenntnis und richten sich gefälligst danach, mein Junge. Jetzt wollen wir mal Fraktur reden – wenn ich sage, Sie setzen aus, dann setzen Sie auch aus.« Er setzte sich wieder und rieb sich nervös die nackten Arme. »Sie verschwinden jetzt und erzählen Major Tucker, daß ich Ihren Namen bis auf weiteres nicht mehr auf dem Flugplan sehen möchte. Morgen früh um halb neun melden Sie sich in Ausgehuniform bei Oberstleutnant Scroll und nehmen Ihre neuen Befehle entgegen. Bis dahin sind Sie mit sofortiger Wirkung vom Dienst suspendiert. Haben Sie mich verstanden?«

Morses Gesicht verzerrte sich. Die Kiefermuskeln erstarrten, und eine Schläfenader sprang so plötzlich hervor, daß Oberst Dan den Eindruck bekam, der Junge wäre vor seinen Augen urplötzlich gealtert. Mit derselben Starrheit schwang Oberleutnant Morse den rechten Arm in die Höhe, grüßte übertrieben zackig und machte stampfenden Fußes eine Kehrtwendung. »Wegtreten«, rief Oberst Dan, aber Morse war bereits auf dem Weg zur Tür. Er schlug sie so heftig hinter sich zu, daß das ganze Gebäude wackelte.

Unmittelbar nachdem Morse gegangen war, traten General Bohnen und die Oberstleutnante Shelley und Scroll wieder ein. »Wenn jemand das Türknallen gehört hat, wird er sich wohl fragen, was hier vorgefallen ist«, sagte Bohnen lächelnd. Es schien ihn nicht ernstlich zu kümmern.

Duke Scroll sagte: »So macht Oberst Badger die Türen immer zu, General Bohnen. Ich glaube, mehr gibt es dazu nicht zu sagen.« Auch er lächelte.

Dieser Versuch, Oberst Dan etwas aufzumuntern, war indessen erfolglos. Bekümmert sagte er: »Ich habe vor, den Leistungsbericht dieses jungen Offiziers so umzuschreiben, daß ein Teil dessen, was ich ihm an Nachteiligem eben angetan habe, wieder ausgemerzt wird.«

Duke Scroll hatte als einziger auf dem Fliegerhorst erkannt, wie sehr sich Oberst Dan mit Oberleutnant Morse identifizierte. Die beiden hatten zwar kaum etwas miteinander gemein, aber Oberst Dan erinnerte sich daran, daß er in seiner Jugend bei allem – bis auf das Fliegen – stets versagt hatte, und er wußte, daß dies auch für Oberleutnant Morse galt. Aber es war auch Neid im Spiel – er beneidete ihn ebenso wie jenes große Fliegeras, bei dem Oberst Dan seinerzeit nach dem Ersten Weltkrieg das Fliegen gelernt hatte.

»Ich rate zur Vorsicht, Dan«, sagte General Bohnen mit vollmundigem, onkelhaftem Tonfall, der schon die volle Aufmerksamkeit so vieler ängstlicher Geschäftsleute auf sich gezogen hatte. »Geben Sie ihm als Leistungsbenotung ein ›Hervorragend‹, aber lassen Sie den Bericht von Duke überarbeiten.« Er klopfte Oberst Dan anerkennend auf den Arm. »Nun, ich denke, wir dürfen Ihnen nicht länger im Wege stehen, Herr Oberst. Das Wetter ist gut – aller Wahrscheinlichkeit nach wird Ihr Geschwader morgen wieder fliegen müssen. Ich bin überzeugt, daß Sie noch reichlich zu tun haben.«

Duke Scroll hielt den beiden Besuchern die Tür auf und bestand darauf, sie noch auf ein Täßchen Kaffee und ein Sandwich ins Offiziersheim hinüberzubitten. Während die Schritte der drei Männer auf dem Korridor verhallten, schwang Oberst Dan seinen Stuhl herum, damit er aus dem Fenster sehen konnte. Auf dem Rasen hinter Hangar eins wurde Softball gespielt, und am Fahnenmast neben dem Exerzierplatz flatterte das Sternenbanner: Diese schlichten Beweise amerikanischer Lebensart beruhigten Oberst Dan – er spürte, daß er wieder Herr seines Daseins war und auch im soldatischen Bereich wieder alles im Griff hatte. Er wollte sich gerade bei seinem Schreiber telefonisch einen Kaffee bestellen, da hörte er auf dem Korridor das Geräusch eiliger Schritte. Die Tür öffnete sich ohne das von Duke gewohnte höfliche Klopfen, und mit grüßend und entschuldigend zugleich geschwenkter Zigarre trat Lester Shelley, der Presseoffizier, herein. »Ich habe meine Brille vergessen«, sagte er.

»Nun, ich . . .«

»Natürlich wollte ich Sie auch noch mal sprechen, Herr Oberst.« Mit gezierter Bewegung zog er ein Lederetui gerade so weit aus der Tasche, um sich als Brillenträger ausweisen zu können. »Wahrscheinlich werden Sie und ich dieses vertrackte Problem gemeinsam lösen müssen.« Er lächelte und blies Zigarrenrauch in die Luft. »Die Hälfte aller Schwierigkeiten des Daseins ließe sich vermeiden, wenn die Frauen Zigarren rauchten. So pflegte mein Vater zu sagen, und ich glaube es auch. Mit jemandem, der eine gute Zigarre zu würdigen weiß, kann man sich auch zusammensetzen und reden. Zigarrenrauch hat etwas Kontemplatives, nicht wahr?«

»Sehr richtig, Lester«, sagte Oberst Dan, ohne zu wissen, mit welcher Antwort sein Besucher wohl rechnete.

»Deshalb weiß ich auch, daß ich mit einem Manne Ihres Schlages reden kann, Herr Oberst.« Ein schneller Blick über die Schulter bewies Lester Shelley, daß niemand sonst im Zimmer war. »Dan, ich möchte Ihnen jetzt einen Gefallen tun, weil ich mir vorstellen kann, eines Tages vielleicht auf Ihre Gegenleistung angewiesen zu sein.«

»Soweit es in meinen Kräften steht«, grummelte Oberst Dan.

Shelley blickte noch einmal in die Runde und wies dann mit ausgestrecktem Finger auf Oberst Dan. »Es muß aber unter uns bleiben, Dan, *absolut* unter uns bleiben.« Er hob die Hand, um die Vertraulichkeit seiner Eröffnung zu unterstreichen: »General Bohnens Sohn dient hier auf Ihrem Horst.«

»Sein Sohn?«

»Sein einziger Sohn, und er hängt sehr an dem Jungen.«

»Ich hab' hier keinen namens Bohnen auf der Rolle – soll das 'n Offizier sein oder 'n unterer Dienstgrad?«

»Ich halte meine Ohren ständig offen, sonst hätte ich das nämlich auch nicht rausgefunden, stimmt's?« Er klopfte leicht gegen seine Nase.

»Auf diesem Fliegerhorst? Bohnen mit Namen?«

»Farebrother. Ist 'n Hauptmann, glaub' ich. Soll 'n glänzender junger Mann sein, wie man so hört. Tun Sie sich selbst was Gutes an, Dan. Fördern Sie den Jungen! Brauch' Ihnen ja wohl nicht zu erzählen, was es heißt, beim General 'nen Stein im Brett zu haben. Ja, ist 'n Hauptmann und heißt James Farebrother.«

»Vielen Dank, Lester.«

Oberstleutnant Lester Shelley klemmte sich sein Aktenköfferchen so fest unter den Arm, als plante er einen Torlauf mitten durch die gegnerische Abwehr. Mit einem Schlenkern der Rechten deutete er einen soldatischen Gruß an und verließ eiligst das Zimmer.

Das also war es. Farebrother! Jetzt wußte Oberst Dan auch, warum der General sein Geschwader so oft mit seinem Besuch beehrte, und schlagartig wurde ihm klar, was all die höflichen telefonischen Anfragen bezüglich Farebrother zu bedeuten hatten. Oberst Dan trat wieder ans Fenster und und blickte auf den Flugplatz hinaus – *seinen* Flugplatz. Ein Weilchen sah er dem Softballspiel zu. Es spielte nicht die eigentliche Mannschaft, sondern es waren nur ein paar Mechaniker, die sich ihre knappe Freizeit vertrieben. Die Männer wirkten blaß und lustlos und waren ganz offensichtlich in schlechter körperlicher Verfassung. In den letzten Wochen hatten sie Tag und Nacht Flugzeuge gewartet und repariert. Sie brauchten Ruhe und eine gewisse sinnvolle körperliche Betätigung, aber die operativen Erfordernisse duldeten keinen Aufschub, und alles deutete darauf hin, daß sich die Lage eher verschlechtern würde. Noch mehr Motoren müßten ausgewechselt, noch mehr Einschußlöcher repariert und noch mehr Kanonen gereinigt werden. Und es galt noch mehr dieser erbärmlichen Briefe zu schreiben, um die nächsten Verwandten zu benachrichtigen, daß der Bruder, Sohn oder Mann vermißt wurde. Nach dem Gefecht vermißt – so lautete die Floskel. So bekam der eine oder andere Gelegenheit, sich in Gedanken mit dem endgültigen Verlust bereits vertraut zu machen, noch ehe ihn die definitive Todesnachricht erreichte.

Farebrother also war General Bohnens Sohn! Dachte man einmal darüber nach, so entdeckte man auch eine gewisse physische Ähnlichkeit. Arbeitete Bohnen mit zweierlei Maß – hätte er den eigenen Sohn gesperrt, wenn ›das Ansehen der Streitkräfte‹ auf dem Spiel stand? Ja, meinte Oberst Dan, auch dann hätte sich Bohnen nicht anders verhalten. Bohnen besaß dieselbe gottverdammte unbeugsame Selbstgerechtigkeit, die auch Dan Badgers Vater an den Tag gelegt hatte. Solche Verhaltensweisen schätzte Oberst Dan indes gar nicht. Er dachte über seine Unterredung mit Oberleutnant Morse nach und schämte sich. Wer, zum Teufel, waren die beiden, daß sie hier einfach hereinschneien und ihn dazu bringen konnten, seinen Männern so etwas anzutun? Und ausgerechnet einem Flieger!

Oberst Dan bemerkte, daß die Tür zur Schreibstube halb offen stand. Er sah Feldwebel Kinzelberg Papiere in ein offenes Schubfach ablegen und fragte sich, ob er die Unterhaltung mit Shelley mitangehört hatte. Einen Augenblick lang war er versucht, hinüberzugehen und Kinzelberg zu fragen, kam dann jedoch zu der Ansicht, daß er doch keine offene Antwort bekommen würde. Kinzelberg und sein direkter Vorgesetzter, Duke Scroll, hatten sich gesucht und gefunden: nichts hören, nichts sehen, nichts sagen. Er beschloß, bei Gelegenheit die ›Drei klugen Affen‹ zu kaufen und Scroll als Überraschung auf den Schreibtisch zu stellen. Diese Statuette – aus massivem Gold – wäre wohl kaum zuviel Entschädigung dafür, daß Duke so oft Dans Fehler kaschiert, seine Ausführungen zurechtgebogen und den Dienstbetrieb des Geschwaders ganz allgemein aufrechterhalten hatte, während Dan Badger sich einen lustigen Tag machte, mit seiner Jagdmaschine herumflog und sich einredete, fünfzehn Jahre jünger als in Wirklichkeit zu sein.

Badger schloß leise die Tür, kratzte sich und reckte die müden Arme. Viel anstrengender noch als jeder Einsatz war es, hier den ganzen Tag lang herumzuhängen und sich zu General Bohnens Verfügung zu halten. Oberst Dan seufzte. Zum ersten Male war er bereit zuzugeben, daß er zur Führung eines Jagdgeschwaders vielleicht doch schon zu alt war, zumindest dann, wenn es ein Teil seiner Aufgabe war, solche Angeber zu betreuen. Er blickte wieder aus dem Fenster und versuchte herauszufinden, ob das Wetter beständig bleiben würde. Da er sich nicht schlüssig werden konnte, versuchte er Kevin Phelan telefonisch zu befragen, aber Major Phelan war im Stabsgebäude nirgends zu finden, und keiner seiner Untergebenen wußte zu sagen, wo er sich aufhielt oder wann er zurückkäme. Oberst Dan knallte den Hörer auf die Gabel. Er brauchte einen Vorwand, um mit Kevin Phelan reden zu können. Vielleicht hätten sie wieder einmal über das denkwürdige Footballspiel reden können, in dem die Redskins im Endspiel um die amerikanische Meisterschaft von den Bears mit 73:0 geschlagen wurden. Daniel Badger gefiel es sehr, Kevin Phelan den Spielverlauf darzustellen. Falls sich der Major gelangweilt fühlte, so war er schließlich lange genug Soldat, um zu wissen, daß es das Vorrecht eines jeden Kommandeurs war, sich bei seinen Untergebenen jederzeit Gehör zu verschaffen. Abgesehen von ein paar unerläßlichen Zwischenbemerkungen pflegte Phelan Oberst Dans Vortrag grundsätzlich nicht zu unterbrechen.

Da Phelan nicht auffindbar war, tat Oberst Dan etwas, das bei ihm so gut wie nie vorkam: er holte einen der Schlüssel hervor, die er an einer dünnen Goldkette in der Hosentasche trug, und öffnete seinen Likörschrank. Dann goß er sich einen dreifachen Bourbon ein und verschloß den Schrank wieder. Er trank seinen Whiskey erst, als die C 47 des Generals abgehoben hatte, nippte nicht daran und ließ sich den Whiskey auch nicht genüßlich über die Zunge laufen, sondern leerte das Glas in drei langen Zügen, da er das Gefühl hatte, den Alkohol zur Belebung seines Kreislaufs dringend zu benötigen.

Er saß hinter seinem Schreibtisch, genoß die Wärme des Alkohols in seinem Magen und war beinahe guter Dinge, als es klopfte. Nur Stabsoffiziere durften Oberst Dans Dienstzimmer von der Schreibstube her betreten. »Kommen Sie rein«, brüllte Oberst Dan. Die Tür ging auf und Major Tucker trat ein.

Einen Augenblick lang glaubte Oberst Dan, der Whiskey gaukelte ihm etwas vor. Denn hier stand ein anderer Major Tucker, er wirkte widerborstig und angriffslustig. Er salutierte pedantisch nach Art aller West-Point-Absolventen, aber sein Benehmen grenzte hart an Insubordination. »Ich habe Oberleutnant Morse draußen bei den Abstellplätzen getroffen, Oberst. Wie er mir sagte, haben Sie ihn gesperrt.«

Major Tucker wartete auf Bestätigung. »Sie haben recht gehört, Major«, sagte der Oberst. Er sprach etwas langsamer als gewöhnlich, da er sich um sorgfältige Aussprache bemühen mußte. Er war sich vollkommen klar, daß es ihm nicht bekam, schon so früh am Tage mit dem Trinken anzufangen.

»Dann möchte ich Sie bitten, mir das einmal zu erklären, Sir.«

»Alles zu seiner Zeit, Major.«

»Ich fürchte, diese Antwort kann ich nicht akzeptieren, Oberst.«

»Sie werden jede Antwort akzeptieren, die Sie von mir

bekommen, verdammich«, sagte Oberst Dan. Er sprach viel zu schnell.

»Vielleicht sollte ich Sie daran erinnern, daß Oberleutnant Morse der beste – und erfolgreichste – Pilot des ganzen Geschwaders ist.«

»Und vielleicht sollte ich Sie, Major Tucker, einmal daran erinnern, daß ich dessen Kommandeur bin.«

»Oberst Badger, Sie haben keinen Grund, mit mir in diesem Ton zu reden. Natürlich sind Sie der Kommandeur, aber Sie scheinen übersehen zu haben, daß ich Staffelkapitän und als solcher Oberleutnant Morses direkter Vorgesetzter bin. Vielleicht bewegen Sie sich rein rechtlich gesehen im Rahmen Ihrer Kompetenzen, aber ich möchte Ihnen nicht verheimlichen, Herr Oberst, daß ich in Ihrer mangelnden Höflichkeit eine Herabsetzung meiner Person und eine unentschuldbare Verhaltensweise sehe. Oberleutnant Morse ist ein viel erfolgreicherer Flieger als Sie selbst, und ein besserer Pilot, als ich es je sein werde. Welche Übertretung des Militärstrafgesetzes ihm auch angelastet werden kann, wir sind im Krieg und können daher unsere besten Piloten bei einem Einsatz nicht missen. Es ist entwürdigend, einen derart hochqualifizierten Offizier zu einer Schreibtischtätigkeit abzukommandieren. Ich bin bereit, für sein künftiges Verhalten die volle Verantwortung zu übernehmen; und im übrigen bin ich dabei, über seine Bruchlandung einen Bericht anzufertigen, der ihn vollkommen entlastet.«

Oberst Dan lehnte sich zurück, daß sein gefederter Drehstuhl umzukippen drohte. Er lächelte und schüttelte ungläubig den Kopf. »Sie hassen Oberleutnant Morse doch. Erst letzte Woche haben Sie sich hier in meinem Büro über seine Gehorsamsverweigerung beschwert.«

»Gehorsamsverweigerung bestraft man nicht, indem man den Oberleutnant auf dem Boden festhält. Natürlich hasse ich den kleinen Scheißkerl, aber er hilft mit, den Krieg zu gewinnen, und es gibt keinen, den ich lieber an meiner Seite hätte, wenn ein paar deutsche Jäger am Horizont auftauchen.«

Oberst Dan rieb sich das Gesicht im vergeblichen Versuch, sich von der Wirkung des Alkohols zu befreien. »Gehört dies alles zu Ihrer West-Point-Philosophie, Tukker? All dieses Gerede von wegen ›Wir haben zwar 'ne Laus im Pelz, aber das soll uns nicht weiter kratzen‹? Wird Ihnen das in West Point beigebracht?«

Tucker betrachtete Oberst Dan und kam zu der Erkenntnis, daß hinter dessen Worten keineswegs Sarkasmus stand. Er überlegte einen Augenblick lang und nickte dann bestätigend. »Ich glaube, das könnte man sagen, Sir. Die Akademie flößt dem Kadetten den Glauben ein, daß ein erfahrener Kommandeur Männer und Waffen am vorteilhaftesten zum Einsatz bringt.« Während Tucker noch überlegte, was man ihm auf West Point noch beigebracht hatte, war er so in sich versunken, daß er vollkommen vergaß, mit der Hand über seinen hauchdünnen Schnurrbart zu streichen. »Ich bin überzeugt, daß Oberleutnant Morse ein guter Soldat ist, der nach vorn gehört.«

Oberst Dan sah seinen Staffelkapitän voller Hochachtung an. Tuckers Vorwürfe beschämten ihn, und plötzlich wünschte er, sich Bohnen hartnäckiger widersetzt zu haben. »Sagen Sie mal, Tucker, suchen Sie deswegen Verwendung im Stab? Glauben Sie vielleicht, Sie sollten lieber bei der Gruppe 'n Büro leiten statt hier 'ne Staffel ins Gefecht zu führen?«

Major Tucker schürzte die Lippen. Als er dann antwortete, war eine gewisse Ängstlichkeit unüberhörbar. Major Tucker wußte, daß er dem Obersten an Schlagfertigkeit nicht gewachsen war. Im Augenblick hatte er Angst, etwas seiner Karriere Abträgliches sagen zu können. Schließlich konnte er sich jedoch überzeugen, daß es in seiner Lage am vorteilhaftesten wäre, schlichtweg die Wahrheit zu sagen. »Jawohl, Sir. Mir fehlt es am nötigen Temperament. Von Rechts wegen sollte Oberleutnant Morse die Staffel führen.«

Oberst Dan nickte und schob ein paar Papiere zurecht. »Gut, Major Tucker, Sie können gehen. Ich werd' mir Ihre Worte durch den Kopf gehen lassen. Ihre Einwände hab' ich zur Kenntnis genommen – offiziell zur Kenntnis genommen. Wollen Sie schriftlich Einspruch erheben?«

»Ich glaube, ein loyaler Untergebener sollte so etwas nicht tun, Herr Oberst.«

»Wegtreten, Major Tucker.«

Oberst Badger verfolgte Major Tuckers Kehrtwendung. Selbst das Öffnen der Bürotür geschah noch auf typische West-Point-Weise. »Übrigens, Tucker...« Tucker machte sofort im Türrahmen kehrt und wartete.

»Sie sind in Ordnung, Herr Major«, sagte Oberst Dan ernst. »Vielleicht ist an West Point am Ende doch was dran!«

»Ich danke Ihnen, Sir.«

28.

Major Spurrier Tucker jr.

Major Tucker haßte seinen Vornamen. Auch darin äußerte sich die Tyrannei seiner Familie, die ihn gezwungen hatte, nach West Point zu gehen, obwohl er insgeheim lieber Schauspieler geworden wäre. Sein Vater und Großvater – ebenso wie mütterlicherseits der alte Spurrier – hatten West Point mit Erfolg absolviert beziehungsweise nach und nach einen hohen Dienstgrad erreicht. Sein Vater versuchte ununterbrochen, Major Tucker im Stab unterzubringen; infolgedessen schrieb er fortwährend entsprechende Briefe an alte Freunde, Kongreßabgeordnete und sonstige einflußreiche Persönlichkeiten, zu denen er sich irgendwie Zugang verschaffen konnte. An diesem Morgen hatte Tucker von seinem Vater einen sehr ungewöhnlichen Brief erhalten. Falls Tucker, so schrieb sein Vater, beabsichtige, nach dem Krieg den Rock auszuziehen und irgendeiner anderen Tätigkeit nachzugehen – das ›irgendeiner‹ war mit grüner Tinte unterstrichen; eine andere Farbe kam nicht in Frage, wenn es etwas hervorzuheben galt –, so würde ihn niemand daran hindern. Hatte sein Vater aus seinen, Spurriers, Briefen zwischen den Zeilen herausgelesen, wie furchtbar unglücklich sich der Junge fühlte? Hatte seine Mutter womöglich schon immer gewußt, daß der Sohn darunter litt, von der Familie für eine militärische Karriere eingeplant zu werden? War es höchste Form der Tyrannei, sich selbst zu verachten, wenn man den hochgesteckten Erwartungen nicht gerecht wurde?

Der Mond schien so hell, daß sich Tucker mühelos an den abgestellten Militärlastwagen und zivilen Bussen, die den halben Exerzierplatz einnahmen, vorbeiwinden konnte. Noch immer trafen neue Gäste ein. Heute war Zahltag, mithin wurde im Offiziersheim, im Aeroklub und im Schaukelstuhlklub getanzt. Im Schaukelstuhlklub hatten sich die Portepee-Unteroffiziere zusammengeschlossen; dort gab es für gewöhnlich das beste Essen, die beste Musik und die hübschesten Mädchen. Jedesmal, wenn ein Lastwagen eine neue Ladung Mädchen brachte – Schwestern aus den umliegenden Krankenhäusern, ›Landmädchen‹ von nahegelegenen Bauernhöfen sowie Damen von unterschiedlichstem Äußeren, die man auf ihrem regelmäßigen ›Freiheitslauf‹ zur Cambridger Drummer Street aufgelesen hatte –, wurden bewundernde Pfiffe und leise Begrüßungsworte hörbar, ehe man den Mädchen vom Wagen half.

Mit einer Flasche Johnnie Walker, seiner Alkoholration, in der Hand ging Tucker auf dem mit weißen Steinen kenntlich gemachten Fußweg zum Klub hinüber. Ehe er sich auf den Weg machte, hatte er sich schon einen kräftigen Schluck genehmigt; Tucker ging nicht zum Tanz, um etwas zu feiern, sondern weil er sich auf andere Gedanken zu bringen versuchte, um die Auseinandersetzung mit seinem Geschwaderkommandeur zu vergessen. Auf noch dämlichere Weise konnte man seine Karriere gar nicht ruinieren.

Tucker hatte keine Tanzpartnerin für den Abend, jene flotten Sprüche und den oberflächlichen Frohsinn, die anscheinend unerläßlich waren, um auf Frauen anziehend zu wirken, hatte Tucker sich zu keiner Zeit zu eigen gemacht. Er hielt sich für einen nüchternen Neurotiker, der sich nur mühsam locker geben konnte. Und an diesem Abend war er in höchster Erregung. Er war nervös und angespannt, fand keinen richtigen Schlaf mehr – er hätte den Truppenarzt um ein paar Schlaftabletten bitten sollen, aber davon hätte Oberst Dan unweigerlich Kenntnis erhalten. Er wußte, daß er schließlich in den Stabsdienst übernommen würde, wenn er nur durchhielt. Unterdessen hatte sich seine nervöse Unruhe nur noch gesteigert. Vielleicht sollte er sich einen antrinken – die Hälfte der Offiziere im Klub hatte auch schon kräftig Schlagseite.

Oberleutnant Mickey Morse trug seinen perlgrauen Stetson. Er stand an der Theke und balancierte ein paar Gläser mit diversen Alkoholika zum Mischen und eine Eisschüssel auf einem Blechtablett. »Na, Tucker, was darf's denn sein, Sportsfreund? Den Barkeeper scheinen sie von der Besetzungsliste gestrichen zu haben.« Gerüchteweise hieß es, daß Tucker gegen MMs Flugverbot protestiert hatte. MM wußte das zu würdigen.

»Soll er sich doch zum Teufel scheren, MM«, sagte Tucker, »ich hab' 'ne Flasche Scotch dabei; damit können wir ja schon mal anfangen.« Sprach's und stellte die Flasche auf das Tablett.

»Klasse!« Es kam nicht oft vor, daß Tucker Morse ›MM‹ nannte, und daß er gar seine Alkoholration zu teilen bereit war, das hatte es noch gar nicht gegeben. »Kommen Sie mit, und setzen Sie sich zu uns.« Morse nahm noch ein Glas von der Theke und wies zu dem Tisch unter dem alten Propeller und den Filmplakaten hinüber, an dem er seinen Stammplatz hatte. Der neue Flieger – Luke Robinson – und ein paar weitere Offiziere aus Tuckers Staffel saßen bereits dort. »Hat Major Tucker gestiftet«, verkündete Morse, knallte die Scotchflasche auf den Tisch und gab Eis in die Gläser.

»Vielen Dank, Major«, sagte Luke Robinson, der als einziger von allen Anwesenden in Tuckers Verhaltensweise nichts Außergewöhnliches sah. Die anderen Flieger äußerten ihre Dankbarkeit in viel bewegteren Worten. »Das ist ja richtig nett von Ihnen«, sagte MM. Vera, die neben ihm saß, nahm ihren Drink erst, nachdem sie Tucker einen Kuß auf die Wange gedrückt hatte.

»Warum hast du mir diesen Mann bis jetzt vorenthalten, MM?« fragte sie. »Der ist 'ne Wucht!!« Tucker wurde rot.

Sie hatten einen guten Blick auf die Bühne. Die Zwölfmannkapelle war das Beste, was die Army diesseits von London zu bieten hatte. Die Musiker gehörten zum Strategic Air Depot, wo die schwer beschädigten Maschinen repariert wurden. Das Personal des Depots war so zahlreich, daß man sich die besten Leute hatte herausuchen können; zur Band gehörten daher auch ehemalige Berufsmusiker. Die Kapelle spielte ohne Pause. Die Gesangsgruppe war ebenfalls gut – Engländer, die von London herübergekommen waren. Das amerikanische Publikum konnte sich aber nicht an den Klang der mit englischem Akzent vorgetragenen Liedtexte gewöhnen:

Those icy fingers up and down my spine
The same old witch-›craft‹, when your eyes meet mine.

»Ist Ihr Kumpel Jamie hier?«

»Aber sicher doch, Major. Er tanzt gerade – da, hinter dem Tisch, an dem Oberst Dan sitzt.« Vera nahm MMs Stetson und setzte ihn Tucker vorsichtig auf den Kopf. Tucker lächelte.

»Mit dem großen, hübschen Mädchen? Ist das die Victoria, von der ich ständig höre?«

»'ne Kollegin von Vera«, sagte MM und streichelte Veras Arm, als wollte er sich ihrer Anwesenheit vergewissern.

Tucker fühlte sich von MMs gefühlvoller Geste angerührt. Er lächelte den am Tisch sitzenden Männern und Mädchen zu. Gar nicht übel, diese jungen Leute, dachte er. Sie erschienen ihm plötzlich in einem anderen Licht – vielleicht sollte er samstags abends öfter zum Tanz gehen.

Vera hatte den Arm um MM gelegt, mit den Augen aber verfolgte sie Victoria und Jamie. Victoria hatte sich vorgenommen, Jamie heute abend zu eröffnen, daß sie schwanger war. Vera hatte für sie gebetet; jetzt beobachtete sie also Jamie, um festzustellen, ob ihr Gebet geholfen hatte.

Vera befand sich an diesem Abend in Höchstform; sie gab nicht nur bissige Randbemerkungen über die amerikanischen Sitten und Gebräuche zum besten, sondern widersprach sogar MMs Bericht von der Weihnachtsparty in Cambridge und stellte den Verlauf des Abends aus ihrer Sicht dar. Ohne jegliche Boshaftigkeit – obschon sie durchaus Sinn für boshaften Humor hatte – imitierte sie Oberst Dan beim Würfelspiel, den armen Earl, der, die Fahne der Konföderierten schwingend, vom Klavier gefallen war, und Vince Madigan, der sich hinter MM versteckt hatte, als das Mädchen mit dem Brotmesser hinter ihm hergewesen war.

Sie parodierte mühelos, ganz ohne Verkleidung und Requisiten. Der amerikanische Akzent geriet ihr nur unvollkommen, aber ihre Darbietung war schlechthin gekonnt: Oberst Dans glücklicher, trunkener Blick, als er mit einem einzigen Wurf sechshundert Dollar gewann; Vinces plötzlich ersterbendes, überhebliches Lächeln; Jamies verwirrt-verlegenes Gesicht, als ihm beim Erscheinen eines verärgerten Polizisten, dem jemand aus einem Fenster des oberen Stockwerks Bowle über den Kopf geschüttet hatte, plötzlich klar wurde, daß er Gastgeber einer sich mit jedem Augenblick wahnwitziger gebärdenden Horde war.

Major Tucker ließ, als ihm bewußt wurde, worauf Veras Darstellung hinauslief, die Eisstückchen in seinem Glas herumwirbeln. Als alle Veras Blick folgten und ihn anklagend ansahen, befeuchtete er sich die Lippen. »Schuld war Jamie«, sagte er erklärend, »er hat gesagt, ich sollte die Bowle auf der Stelle loswerden; die Leute würden davon bloß krank, meinte er.«

Vera brach in lautes Gelächter aus. »Dem Polizisten klebten noch Gurkenscheiben am Helm.« Alle lachten, und Tucker stellte fest, daß es bei der ganzen Geschichte nur um sein verlegenes Schuldeingeständnis ging. Er lachte ebenfalls. MM klopfte ihm anerkennend auf den Rücken. Langsam begannen alle zu glauben, daß sich Major Tucker zu einem verteufelt guten Geschichtenerzähler entpuppen könnte.

Plötzlich stand ein weiterer großer Scotch vor Major Tucker. Protestierend behauptete er, ein noch volles Glas zu haben, stellte aber zugleich fest, daß er es bereits fast geleert hatte. »Die nächste Flasche übernehme ich«, sagte er und winkte dem Barmann, der verständnisvoll nickte und trotz des Gedränges an der Theke sofort nach einer neuen Flasche Scotch griff.

»Sehe nicht ungern, daß Sie sich auch mal entspannen, Major«, sagte Farebrother, der mit Victoria gerade an Tucker vorbeitanzte.

Tucker erhob sich. Man saß hier recht beengt in der Ecke, aber er zwängte sich zwischen Tisch und Stuhl hervor und baute sich unsicher auf. »Gestatten Sie mir einen Tanz mit Ihrer Dame, Hauptmann Farebrother?«

Jamie lächelte. Er hatte seinen Staffelführer noch nie angetrunken gesehen. »Victoria wird sicherlich entzückt sein«, sagte er und sah sie an. »Ich glaub', im Tanzen werd' ich den Bogen nie rauskriegen.« Auf Tuckers Förmlichkeit eingehend, machte er die beiden miteinander bekannt.

»Wo haben Sie das Tanzen gelernt, Herr Major?«

»Ich finde nicht oft eine gute Partnerin, Victoria. Und bitte, lassen Sie's doch bei Spurrier bewenden.« Es war keineswegs bloße Höflichkeit; Tucker war ein guter Tänzer, und Victorias Kompliment beflügelte ihn noch. »Wo ich das gelernt habe? Es fing damit an, daß ich den Geschichtsunterricht sausen ließ, um steppen zu lernen. Das war noch auf der High School, zu Hause in Augusta, Maine. Damals wollte ich Schauspieler werden.«

Victoria sah Major Tucker an und versuchte herauszufinden, ob dies seine Masche bei Mädchen war, ein Scherz sein sollte oder die einfache Antwort auf ihre Frage. »Aber Sie sind doch auf die Kriegsakademie nach West Point gegangen, Major. Wollen Sie sagen, daß Sie wirklich zum Theater wollten?«

»Ach so, Sie haben meinen Klassenring von der Akademie gesehen, nicht wahr? Sicher, ich bin Berufssoldat. Meine alten Herrschaften brachten mich zu der Einsicht, daß ein Leben im Showgeschäft ein erbärmliches Dasein ist.«

Victoria empfand Mitleid. »Es ist nie zu spät, Spurrier.«

»Vielleicht haben Sie recht, Victoria«, sagte er lächelnd. Er war ein recht hübscher Kerl mit blitzenden Augen und schmalem Bärtchen. Wenn er lächelte, fiel es nicht schwer, sich in ihm ein Filmidol vorzustellen. Er faßte sie etwas fester und tanzte noch schwungvoller, ohne etwas darauf zu geben, ob ihnen andere Paare eventuell zusahen. »Nach dem, was ich gestern zu Oberst Dan gesagt habe, ist es gut möglich, daß ich mich nach dem Krieg nach einem anderen Job umsehen muß.«

»Ich glaube nicht, daß Sie grob zu ihm waren«, sagte

Victoria aufrichtig. »Ich kann mir nicht vorstellen, daß Sie überhaupt einmal grob zu jemand sind.«

»Das ist das Komische daran«, sagte Tucker, »ich kann es mir auch nicht vorstellen, aber trotzdem war ich's.«

Major Tucker tanzte mit allen Mädchen an MMs Tisch, dann tanzte er mit allen hübschen Mädchen, die er im Klub finden konnte, wobei er stets darauf achtete, ebenso höflich und formell wie bei Jamie die Erlaubnis der jeweiligen Begleiter einzuholen. Zu Tuckers Überraschung, ja *Verblüffung,* schlug ihm nirgendwo auch nur die geringste Feindseligkeit entgegen, im Gegenteil; jeder, mit dem er sprach, schien ihm zuzulächeln, und selbst Offiziere, die er kaum kannte, bearbeiteten ihn mit einem Drink.

Es war gerade halb elf, als die Band ihr ›südamerikanisches Potpourri‹ spielte, das zu den berühmten Repertoirestücken der Musiker des Air Depots gehörte. Major Tucker ließ sich von den südamerikanischen Rhythmen nicht entmutigen – er hatte seinen Spaß daran. Als seine Partnerin mit entsetztem Lachen seine Hand fahrenließ, löste er sich von ihr und tanzte mit noch geschmeidigerer Anmut allein weiter. Die Band ging unterdessen auf ihn ein, und die anderen Tänzer bildeten einen Kreis und sahen ihm zu. Die meisten englischen Besucher nahmen seine Vorstellung ebenso hin wie alles andere Außergewöhnliche, was die Amerikaner taten, sagten und besaßen. Seine Offizierskameraden aber erlebten einen Major Tucker, der alles übertraf, was sie bisher kennengelernt hatten. Selbst Doc Goldman, der Stabsarzt, dem bestens bekannt war, wozu akuter Streß in Verbindung mit physischer Gefahr und Erschöpfung führen konnte, sah Major Tuckers wildem und wundersamem Getanze mit vor Erstaunen offenem Mund zu.

Boleros, Cachucas, Fandangos und Flings – an jenem Abend kein Problem für Major Spurrier Tucker jr. Was das Orchester auch spielte – er tanzte alles mit Stil und Anmut. Die Hände in den Taschen, ein träges Lächeln im Gesicht und MMs Stetson tief über die halbgeschlossenen Augen geschoben, tanzte er ›Sleepytime Gal‹ anscheinend so leichtfüßig, daß das Publikum auf die Beine sprang und mit einem Beifallssturm reagierte, der Fred Astaire vor Neid hätte erblassen lassen. An jenem Abend war Spurrier Tukker wie neugeboren, und als die Band die letzten Akkorde anschlug, brauste donnernder Beifall auf. Vor Bewunderung und Anerkennung jubelte, pfiff und brüllte der ganze Klub frenetisch. Der Höllenlärm ließ die Militärpolizisten ihr Wachlokal verlassen und führte im weitabgelegenen Long Thaxted zum Abbruch des Bridge-Turniers. Und das Klatschen und Brüllen dauerte an. Man rief nach immer noch einer Zugabe, als ein paar Feldwebel vom Schaukelstuhlklub völlig außer Atem hereinstürmten, um sich äußerst besorgt ein Bild zu machen, was mit ihren Offizieren passiert war. Lächelnd und mit gerötetem Gesicht stand Major Tucker im Mittelpunkt des Interesses; über Nacht war er zum beliebtesten Offizier des Stützpunkts geworden. Dies war eine Erfahrung, die Tuckers kühnste Träume überstieg; er schwelgte darin.

Im Vollgefühl jenes unechten Selbstvertrauens, das dem Ruhme auf dem Fuße folgt, ging Major Tucker zu Oberst Dans Tisch hinüber und sagte: »Was dagegen, wenn ich mich zu Ihnen setze, Oberst?«

»Schnappen Sie sich 'nen Stuhl, Major Tucker«, sagte Oberst Dan. »Wo, zum Teufel, haben Sie gelernt, so mit den Beinen zu wackeln?«

»West Point«, sagte Tucker.

Der Oberst griente und schob Tucker eine Flasche Whiskey hinüber; der schüttete sich einen Drink ein. »Morgen früh wachen Sie mit 'nem dicken Kopf auf, Major«, warnte Oberst Dan.

»Zu wissen, daß das vom Alkohol kommt, wird für mich eine neue Erfahrung sein«, sagte Tucker.

»Wollen Sie mich auf den Arm nehmen, Major?« sagte der Oberst mit gespielter Strenge. Tuckers plötzlich an den Tag gelegte Vorwitzigkeit brachte ihn ein wenig aus der Fassung, fesselte ihn andererseits aber auch.

»Vielleicht, Oberst, und vielleicht nehme ich Sie so lange auf den Arm, bis ich's geschafft habe, daß Oberleutnant Morse wieder fliegen darf.«

Oberst Dan drehte den Kopf und versuchte festzustellen, wer in Hörweite war. An seinem Tisch saßen nur zwei junge Frauen – Chormädchen von einer Londoner Bühne, die Kevin Phelan mitgebracht hatte. Kevin Phelans Bericht von seinem Zusammentreffen mit Clark Gable auf der Herrentoilette des Waldorf-Astoria nahm die beiden voll und ganz gefangen. Oberst Dan hielt auch nach Reportern Ausschau, aber die standen alle an der Theke, tranken verbissen und erzählten sich gegenseitig Geschichten von den Bombenangriffen auf London. Zufrieden, daß niemand lauschte, rückte Oberst Dan mit dem Stuhl etwas näher an Major Tucker heran. Die Band spielte laut ›Praise the Lord an' Pass the Ammunition‹ [›Lobe den Herren und jag' die Kugeln aus dem Lauf‹]. Bald, dachte Oberst Dan, würde sich der Bandleader festlegen müssen, ob die allgemeine Stimmung nach leisen, verträumten Arrangements von ›My Devotion‹ und ›Dearly Beloved‹ verlangte – mit gestopften Trompeten, schmelzenden Geigen und gedämpftem Licht –, oder ob sich der Abend zu einem jener grölenden Besäufnisse entwickelte, wo Schlagzeug und Trompete ohne Rücksicht auf die Mädchen die Oberhand gewannen, während die Männer ›On', Brave Old Army Team‹ usw. usw. herunterbrüllten. Sollte es auf eine derartige Sauforgie hinauslaufen, dann würde er sich in sein Dienstzimmer zurückziehen und sich mit ein paar Schreibarbeiten befassen.

Der Oberst starrte Tucker an und zog sich mit einer unbewußten, Vertraulichkeit heischenden Geste die braune Lederjacke bis zum Kragen zu. »Wenn Sie es schaffen, seinen Namen aus diesen lausigen Berichten herauszuhalten, dann laß ich ihn wieder fliegen«, sagte er.

Major Tucker lehnte sich im Stuhl zurück und nickte unbekümmert. Er sah sich um und winkte über die Schulter hinweg MM zu, der gerade mit Vera tanzte.

Lauter als beabsichtigt sagte Oberst Dan: »Er hat dieses verdammte Weibsstück heute abend mitgebracht.«

Kevin Phelan gab gerade noch rechtzeitig die Pointe seiner Geschichte – ›Meiner ist aber größer als deiner‹ – zum besten, um Oberst Dans ärgerliche Bemerkung über MMs

Mädchen mitzubekommen. Phelan grinste lässig und sagte: »Was haben Sie denn geglaubt, wen er mitbringen würde – eine von den Rotkreuzfrauen?«

»Warum, zum Teufel, kann er sich mit ihr nicht irgendwo außerhalb des Stützpunkts treffen?«

»Weil Sie ihn nicht aus dem Tor lassen«, sagte Phelan.

»Na klar, hab' ich ganz vergessen«, sagte der Oberst. Phelan erhob sich und bat sein Mädchen um den Tanz. Das andere Mädchen, eine Achtzehnjährige mit zuviel Augen-Make-up und einer langen, elfenbeinernen Zigaretten-spitze, lehnte sich über den Tisch und lächelte Oberst Dan zu.

Major Tucker, der dem Wortwechsel interessiert gefolgt war, sagte: »MM und seine tugendhafte Dame – hat das irgendwas damit zu tun, weswegen Sie Morse gesperrt haben?«

»Tugendhafte Dame! Wo haben Sie das Geschwätz denn her? Hören Sie etwa gelegentlich BBC oder so?«

Tucker lächelte und schwieg; er wußte, daß er richtig geraten hatte. Er wies auf das Mädchen am Tisch und sagte: »Würden Sie mir einen Tanz mit dieser bezaubernden jun-gen Dame gestatten?«

»Morse kann fliegen«, sagte Oberst Dan, »aber ich will von keinem weiteren Luftsieg was wissen. Haben Sie ver-standen, Tucker? Ihm werden keine weiteren Luftsiege mehr zuerkannt. Das Hauptquartier hat mir mitgeteilt, daß er nicht aus dem Holze ist, aus dem man Helden schnitzt.«

Tucker erhob sich und klopfte ein imaginäres Stäubchen vom Ärmel seiner makellosen Extrauniform. Er machte eine Verbeugung vor dem Mädchen und sagte: »Darf ich Sie um diesen Tanz bitten?«

»Ich bin entzückt«, sagte das Mädchen mit hoher, aufge-regter Stimme. Sie versuchte, sich wie eine jener Damen der besseren Gesellschaft zu geben, mit denen es die Amerika-ner so gern zu tun hatten. Zu jung für einen Familienvater, dachte der Oberst bei sich. Vielleicht sogar zu jung für den dreißigjährigen Tucker; zumindest aber sprachen die beiden dieselbe Sprache, und das war mehr, als Oberst Dan mit ihr anzufangen wußte. Er nickte lächelnd und winkte Tucker und das Mädchen fort. »Laß den Jungen fliegen«, sagte er impulsiv, »aber ich werde Feldwebel Kinzelberg rüberschikken, damit er Ihren Schreibstubenleuten einmal zeigt, wie der Papierkram entsprechend manipuliert wird – dann kann ich nämlich beweisen, daß ich mich dem Befehl nicht widersetzt hab'.«

»Nehmen wir einmal an, er schießt weitere Nazis ab. Angenommen, er übertrifft Rickenbackers Abschüsse?«

»Nun werden Sie mir nicht plötzlich nüchtern, Tucker. Ich versuche gerade, Sie und Ihren besoffenen Kopp zu mögen.«

»Sehr wohl, Sir«, sagte Tucker, legte die Arme um das Mädchen und tanzte vergnügt davon.

29.

Oberstleutnant Druce ›Duke‹ Scroll

Oberstleutnant Scroll schritt an den Offizieren vorbei, die mit ihren Mädchen unter den Bäumen am Rande des Rasens vor dem Offiziersheim auf der niedrigen Umfassungsmauer saßen. Wegen der kühlen Nachtluft hatten sich einige der Mädchen die Uniformröcke ihrer Begleiter um die Schultern gelegt.

Scroll stieß die Tür der Lichtschleuse auf und mischte sich unter das Getümmel in der Eingangshalle. Alle Fenster waren verdunkelt. Obwohl die Ventilatoren liefen, war es heiß im Raum, die Luft zum Schneiden; es roch nach Alkohol, Tabak und menschlichen Leibern. Er durchquerte das Spielzimmer, trat in die Tanzdiele und erblickte dort Oberst Dan, der sich etwas abseits hielt.

Oberst Dan erkannte ihn und trat sofort zu ihm. »Was trinken Sie, Duke?«

»Danke, später. Ich wollte mich hier bloß 'n bißchen umsehen.«

Die Band spielte ›Smoke Gets in Your Eyes‹.

»Sie haben Tuckers Auftritt versäumt«, sagte Oberst Dan.

»Hab' schon gehört. Soll ja richtig toll gewesen sein.«

»Langsam glaube ich, daß Tucker in Ordnung ist«, sagte Oberst Dan. »Hören Sie das Lied? Sie haben's auch an dem Abend gespielt, als ich vom Fliegerkorps meine Ernennung zum Offizier erhielt.«

»Ist 'n sehr altes Lied, soviel ich weiß«, sagte Scroll.

»An dem Abend hab' ich Babs 'nen Heiratsantrag gemacht.«

»Falls Sie vorhaben, noch mal ins Büro zu gehen, Herr

Oberst – es ist nicht nötig. Der Papierkrieg, der noch erledigt werden muß, hat gut und gern bis Montag Zeit.«

»Ich werd' auf die Stube gehen und Babs 'nen richtig langen Brief schreiben. Sie und die Kinder fehlen mir.«

Als Scroll sich abwandte und einen Blick zum Tanzboden hinüberwarf, sagte Oberst Dan: »Ich werd' Morse wieder fliegen lassen. Zum Teufel mit dem Hauptquartier.«

Scroll blieb die Antwort schuldig. Eine Sängerin war gerade auf die Bühne getreten. Die Paare tanzten ganz langsam; reflektiertes Scheinwerferlicht zuckte und ließ ihre Gesichter, wenn ein zufälliger Lichtstrahl darüber hinweghuschte, wie zu einer Momentaufnahme erstarren.

For all we know, this may only be a dream,
We come and go like a ripple on a stream.

Tucker lachte, Farebrother flüsterte Victoria etwas ins Ohr, und MM drehte sich um und grüßte ein vorbeitanzendes Paar, als der Lichtstrahl auf sie fiel. Duke Scroll sagte: »Alles deutet darauf hin, daß uns Montag ein ›Großkampftag‹ bevorsteht, Herr Oberst.«

So love me tonight, tomorrow was made for some,
Tomorrow may never come, for all we know.

Scroll sah geduldig zu, wie Oberst Dan noch minutenlang den Tänzern zuschaute; denn er wußte, wie sehr der Oberst seinen Männern ihr Vergnügen gönnte. Schließlich aber sagte er dann doch: »Major Tarrant würde Sie gerne mal sprechen, Sir. Er wartet draußen vor der Messe.«

Als würde er mitten aus einem Traum herausgerissen, drehte Oberst Dan sich abrupt um und trat auf den Rasen hinaus. Scroll ging ihm nach. Von draußen konnte man sehen, daß die Verdunkelung nur unvollkommen war. An den Blendläden vorbei fiel Licht, und auch im Obergeschoß waren die Vorhänge nur nachlässig heruntergezogen.

Major Tarrant salutierte vor Oberst Dan. Der Kompaniechef der Feldgendarmerie trug eine wasserdichte Überjacke mit MP-Armbinde, einen Pistolengurt und einen glänzend weißen Helmeinsatz. Er war ganz offensichtlich im Dienst.

»Alles klar?« fragte Oberst Dan.

Scroll sagte: »Wie mir Major Tarrant soeben meldete, sind da ein paar Frauen auf dem Weg zur Unterkunft der ledigen Offiziere.«

»Die sollten doch ohne weiteres aufzuhalten sein«, meinte Oberst Dan. Er konnte Major Tarrant nicht leiden.

Tarrant sagte: »Die Frauen gehen durch den Personaleingang und durch die Küche, Sir. Ein paar von ihnen sind sogar durch das winzige Toilettenfenster geklettert. Ich würde sagen, im Augenblick dürften da so etwa fünfzig Frauen drin sein.« Er wies mit dem Kinn in Richtung Offiziersunterkunft.

Oberst Dan sah zu den altertümlichen Häusern im englischen Stil mit den roten Ziegeldächern und hübsch eingefriedeten Vorgärten hinunter, schürzte die Lippen, schwieg jedoch.

»Sie sagten, Sie wollten das unterbinden«, sagte Tarrant. Mit solchen, jeden aufbringenden Anmahnungen machte Tarrant sich so unbeliebt – nicht nur bei Oberst Dan, sondern auch beim größten Teil seiner Soldaten.

»Ja, unterbinden«, sagte Oberst Dan und sah Tarrant in die Augen. »Und Sie haben's nicht unterbunden, Sie haben's geschehen lassen.«

Duke Scroll kam Tarrant zu Hilfe. »Major Tarrant ist überlastet, Sir. An diesem Wochenende haben wir selbstverständlich die Visiereinrichtungen der Maschinen nach den letzten Instruktionen der Beschaffungsstelle umgebaut. In den Cockpits wird gearbeitet. Die Hallentore stehen offen, und überall liegt 'ne Menge Material herum. Da wir heute abend so viele Zivilisten auf dem Horst haben, habe ich Major Tarrant angewiesen, dafür zu sorgen, daß im technischen Bereich ständig Streife gegangen wird.«

»Ich weiß, daß Piloten Zivilisten nicht bloß zu den Abstellplätzen, sondern selbst in die Hangars mitnehmen«, sagte Tarrant. Er stemmte die Arme in die Hüften und hakte die Daumen hinter sein weißes Koppel.

Oberst Dan verlangte zwar nicht, daß seine Offiziere strammstanden, wenn sie mit ihm sprachen; Tarrants Haltung indes hielt er für ungehörig und obstinat. Wenn er auch mit keiner Bemerkung darauf einging, so war seiner Stimme doch Verärgerung zu entnehmen. »Vielleicht zeigen die Flieger ihren Mädchen ihre Maschinen, Major. Da muß nicht unbedingt was Anrüchiges dahinterstecken.«

»Nein, Sir«, sagte Tarrant und ließ die Arme herabfallen. »Und was soll ich mit den Frauen in der Unterkunft machen?« Ungeduldig fummelte er an der Klappe seiner weißen Pistolentasche herum.

»Ich möchte nicht, daß Ihre Bullen meine Offiziere aus dem Bett holen und in den Toiletten herumschnüffeln, falls Sie das meinen sollten.«

Duke Scroll kannte Oberst Dan gut genug, um zu wissen, daß dieser längst vergessen hatte, wie sehr er sich einmal darüber entrüstete, daß sich Frauen in der Offiziersunterkunft aufhielten. »Major Tarrant und ich werden noch einen Rundgang um die Gebäude machen und anschließend die Streifen im technischen Bereich kontrollieren.«

Oberst Dan faßte nach Scrolls Arm. »Ich kann den Einsatzbefehl auch förmlich riechen. Wie ich erfahren habe, wird der nächste Einsatz wieder sehr hart werden. Jetzt, wo die Krauts ihre Flugzeugfabriken nach Osten verlegt haben, kommt ein langer, harter Ritt auf uns zu.« Tarrant hielt sich zwar ganz in der Nähe, hörte aber taktvoll über dieses kleine Privatgespräch hinweg. Deswegen sprach Oberst Dan jetzt etwas lauter, damit auch Tarrant seine Worte verstehen konnte. »Vielleicht haben ein paar von den Jungs heute abend zum letzten Mal Gelegenheit, mit 'nem Mädchen ins Bett zu gehen. Berücksichtigen Sie das bitte, ja?«

Duke Scroll nickte. »Ich werde anordnen, daß ausnahmslos alle Zivilpersonen den Stützpunkt Sonntag mittag verlassen haben müssen.«

Oberst Dan hatte sich bereits Tarrant zugewandt. »Nehmen Sie's nicht so schwer, Major Tarrant«, sagte er. »Denken Sie daran, daß meine Jungs kein anderes Zuhause haben.«

Nachdem der Oberst fort war, machten Duke Scroll und Major Tarrant ihren Rundgang. »Irgendwie muß das mit der Verdunkelung anders werden«, sagte Scroll. »Die deutsche Luftwaffe schickt nachts Störflugzeuge nach England rüber. Feldflugplätze sind ihr bevorzugtes Ziel. Ich möchte nicht, daß hier alles taghell erleuchtet ist wie der Boardwalk in Atlantic City, wenn die Deutschen unterwegs sind und sich umsehen, ob sie nicht irgendwo was zusammenschießen können.«

»Sehen Sie, genau darüber habe ich noch letzten Monat mit Oberst Dan sprechen wollen, aber er hat mich fürchterlich zur Sau gemacht. Ich glaube, er mag mich nicht leiden. Ich kann tun, was ich will, er ärgert sich immer. Was ist mit dem Kerl eigentlich los?«

Duke erlag einer seltenen Anwandlung von Leutseligkeit und sagte: »Harry, der Oberst hat 'ne Menge Sorgen, von denen Sie besser nichts erfahren, und trotzdem fliegt er die schlimmsten Einsätze selber mit. Er fliegt gut und holt sich seine Abschüsse, obwohl er fünfzehn Jahre älter als etliche seiner Piloten ist. Nach dem Einsatz klettert er aus seiner Maschine, und wenn die andern saufen, pennen oder rumhuren, arbeitet der Oberst seinen Papierkram auf, schreibt Berichte und schafft sich irgendwie idiotische Einmischungsversuche seitens der hohen Tiere vom Halse.«

»Daß das so ist, hab' ich mir gar nicht vorgestellt.«

»Ich will Ihnen mal was sagen, Major Tarrant. Als ich meiner Frau gestern abend 'nen Brief geschrieben hab', da hab' ich gesagt, ich hätt' das Privileg, für einen der anständigsten und besten Männer arbeiten zu dürfen, denen ich je begegnet bin.«

Tarrant erwiderte nichts darauf. Er hielt das soeben Gehörte für die reichlich übertriebene Beurteilung eines Mannes, dessen Verhalten dem jener rauhbeinigen Burschen sehr nahe kam, die Tarrant mit schöner Regelmäßigkeit in seine Arrestzellen sperrte. Aber andererseits war Duke Scroll auf West Point gewesen; er war pedantisch, übergenau und schwer zufriedenzustellen. Tarrant hielt sich auf seine Flexibilität und sein Einfühlungsvermögen einiges zugute; beides war für die berufliche Qualifikation eines Polizisten von großer Bedeutung. In Zukunft würde er Oberst Dan mit ganz anderen Augen sehen.

»Er ist reizbar und nörgelig«, sagte Duke Scroll überraschend indiskret, »ändert sprunghaft seine Meinung – haben Sie ja eben noch selbst erlebt –, aber er ist ein mutiger Mann, Harry. Oberst Dan wird niemals 'nen Stern kriegen. Generale starren ihren Vorgesetzten nicht in die Pupille oder legen sich mit ihnen wegen eines Gefreiten an, der nicht schreiben kann, und sie machen sich schon gar nicht für 'nen Oberleutnant gerade, der nichts weiter kann als Deutsche abschießen. Nach dem Krieg werden sie Oberst Dan genauso aus der Luftwaffe rausdrängeln wie die Jungs, die heute das Kämpfen besorgen.«

»Schätze, der Oberst ist 'n ganzer Kerl«, sagte Major Tarrant, auf den in Flint, Michigan, eine gute Frau und ein ebenso guter Job warteten, und der sich folglich gar nichts Angenehmeres vorstellen konnte, als nach dem Krieg schnellstmöglich den Rock auszuziehen.

Die beiden bogen um die Hausecke und näherten sich einer langen Reihe von Mülltonnen, die neben den Hintereingängen zu den Küchenräumen der Offiziersmesse standen. Plötzlich fiel ganz kurz gelbes Licht nach draußen, und als zwei Gestalten ins Freie huschten, klang Musik auf. Major Tarrant und Duke Scroll traten in den Schatten des Fahrradschuppens. Sie sahen einen Mann und eine Frau über den Hinterhof gehen und hinter einem Lastwagen, der ein schadhaftes Stück der Einzäunung verbarg, verschwinden. Man hörte, wie das Pärchen über den Zaun kletterte und sich über den Rasen in Richtung Offizierswohnungen entfernte.

»Noch zwei«, flüsterte Major Tarrant.

»Ich glaub', das ist Hauptmann Farebrother«, sagte Duke Scroll.

»Und die lange Engländerin, die ständig um ihn rum ist«, sagte Tarrant. »Ihr Name steht im Besucherbuch. Meinen Sie, ich sollte die beiden mal zur Rede stellen, mal fragen, wo sie hinwollen? Wenn wir eines Pärchens wegens 'nen richtigen Aufstand machen, würde sich das vielleicht rumsprechen und andere möglicherweise in Zukunft von solchen Sachen abhalten.«

»Falsche Zeit, falscher Ort, die falschen Leute«, sagte Duke Scroll, der von Oberst Dan mittlerweile die beunruhigende Neuigkeit erfahren hatte, daß der Sohn eines Generals in ihrer Mitte weilte.

»So sehe ich das auch!«

»So?« fragte Duke Scroll, der vom genauen Gegenteil überzeugt war.

»Ist schon zu spät, das Mädchen ist nämlich schwanger; ganz sicher, das hab' ich gleich gesehen.«

»Farebrothers Mädchen?«

»Natürlich nicht am Kugelbauch oder so. Man erkennt das irgendwie an der Körperhaltung der Frauen – ist vermutlich psychologisch bedingt. Ich hab' drauf geachtet, wie sie geht. Ich war acht Jahre bei der Polizei. Ein Bulle lernt auf Sachen zu achten, die anderen Leuten entgehen.«

30.

Hauptmann Vincent H. Madigan

Der Montag wurde schlimm – wie von Oberst Dan prophezeit. Später sprach man im Geschwader nur vom ›Schwarzen Montag‹. Reporter schienen schlagzeilenträchtige Einsätze stets zu riechen; folglich hatte Vince Madigan an jenem Morgen eine ganze Meute auf dem Hals. Um geheime Botschaften von Vera zu empfangen, war es ein besonders ungünstiger Augenblick, aber ebenso neugierig brannte Madigan darauf, Näheres zu erfahren. Er fragte sich, ob Vera ihn wegen MMs Schwierigkeiten mit Oberst Dan, die Vince indes nur gerüchteweise zu Ohren gekommen waren, ausholen wollte. Sein Schreiber, der Gefreite Fryer, der immer die Anrufe entgegennahm, wenn Vera das Dienstzimmer anrief, hatte den Eindruck, als wäre sie auch bloß eins der in den Hauptmann unsterblich verliebten Mädchen. Madigan sah keinen Anlaß, ihm diese Illusion zu zerstören.

Im Augenblick tat Madigan das, was ihm besonders gut lag – er führte die Presse über den Fliegerhorst, ohne die Reporter den operativen Vorbereitungen in die Quere kommen zu lassen.

Damit ihn alle sehen konnten, kletterte er auf einen Stapel 300-Liter-Abwurftanks. »Meine Herren, die Bodenmannschaften sind heute morgen um dreiviertel sechs aus der Koje gekrabbelt. Zunächst sind je ein Mechaniker und Waffenwart mit dem Rad rübergefahren und haben die Maschinen vorgecheckt. Zum Frühstück wurden sie später abgelöst. Die Fernmelder haben bereits in der vergangenen Nacht die Sprechfunkgeräte überprüft, weil der Funkverkehr nachts ruht und der Empfang dann besonders klar ist.«

Ein paar Reporter machten sich Notizen. Andere fotografierten eine Maschine, deren Propeller ein Mechaniker mit der Schulter durchdrehte, um die Zylinder zu entlüften. Dann kletterte er in den Pilotensitz der ›Kibitzer‹, und schon keuchte und spuckte der Motor, ehe er mit ohrenbetäubendem Gebrüll und zuckenden Auspuffflammen auf Touren kam. Tex Gill wußte sich im Zentrum des Interesses und spielte daher ein wenig mit der Maschine herum; er packte den Steuerknüppel, als müßte er das Leitwerk am Boden halten, und beobachtete mit gefurchter Stirn die Bordinstrumente. Dann würgte er den Motor ab. Einen Augenblick lang war es still, dann wurde die nächste P 51 angelassen – ›Mickey Mouse III‹, eine nagelneue, aluminiumweiß glänzende Maschine. Auf Hauptmann Madigans Drängen hin begann der Waffenwart die Bordwaffen der ›Kibitzer‹ zu überprüfen und Gurtzuführer und Munition einzulegen. Er hatte das zwar alles schon getan, aber es war ein gutes Motiv für die Fotografen.

»Die Treibstofftanks müssen noch überprüft und die Sauerstoffflaschen gefüllt werden, aber das können wir uns auch auf einem anderen Abstellplatz ansehen, wenn wir mit dem Bus auf der Ringstraße zurückfahren.«

Nach dem Überprüfen der Betriebs- und Kampfbereitschaft hätten sich die Bodenmannschaften normalerweise in ihre provisorischen Hütten und Unterstände zurückgezogen, aber heute entfernten sie sich nur zögernd aus dem Rampenlicht. Sie nahmen sogar noch unnötige Checks vor; Tex Gill umrundete nun schon zum dritten Mal seine ›Kibitzer‹ und rüttelte an Höhenruder und Landeklappen. Dann kauerte er sich unter die Maschine und überprüfte noch einmal Fahrwerkstützen und Bereifung. Selbst als die Männer sich schließlich hinsetzten, um Karten zu spielen und ein wenig zu tratschen, geschah dies ganz bewußt.

»Ist jemand von euch aus dem Bundesstaat Washington, aus Miami, New York City oder aus Nord- oder Süddakota?« fragte Madigan, der wußte, daß gewisse Reporter aus seiner Besuchergruppe ihre Berichte gern mit Lokalpatriotismus anreichern würden, aber keiner der Männer ging auf seine Frage ein. Sie posierten weiter, setzten ihre an den Haaren herbeigezogenen Gespräche fort und taten so, als wären Madigan und seine Reporter nirgends zu sehen.

Hauptmann Madigan wandte sich an seine Schützlinge und sagte: »Als erste haben die Abwehroffiziere vom heutigen Einsatz erfahren. Der diensthabende Nachrichtenoffizier und die Männer vom Einsatzstab haben heute nacht kein Auge zugetan. Sie haben die Wandkarte vorbereitet und den Besprechungsraum hergerichtet.«

Der Gefreite Fryer, Hauptmann Madigans Schreiber, kam mit dem Jeep vom Büro herübergefahren, lief zu seinem Hauptmann, nahm ihn beiseite und flüsterte: »Die bewußte Dame hat wieder angerufen. Ich hab' gesagt, Sie hätten zu tun; aber sie sagt, sie müßte ganz dringend mit Ihnen sprechen.« Fryer leierte seinen Bericht in vertraulichem Ton herunter, konnte eine gewisse Häme jedoch nicht verbergen.

Hauptmann Madigan ärgerte sich über Veras Hartnäckigkeit. »Die Dame weiß nicht, was ›dringend‹ heißt. Glaubt die vielleicht, ich säße hier draußen rum und wartete bloß darauf, irgendwas zu tun zu bekommen?«

Durch Madigans vertrauliche Äußerung ermutigt, sagte Fryer: »Na sicher. Ich hab' gesagt: ›Sie meinen, es handelt sich um 'ne Sache auf Leben oder Tod, meine Dame?‹«

Madigan drehte den Zeitungsreportern den Rücken zu und sagte: »Und was hat sie darauf geantwortet?«

»Sie hat gesagt: ›Ja, so ist es, es geht um Leben oder Tod.‹ Ich hab' gesagt: ›Sie wollen mich wohl auf den Arm nehmen‹, aber sie dreht richtig durch und sagt, sie müßte Sie sehen.« Fryer rieb sich die Nase und ergänzte: »Sie hörte sich richtig hysterisch an, Hauptmann. Wär' vielleicht gar nicht schlecht, wenn Sie sich 'n bißchen Zeit nehmen könnten, um sie zu beruhigen. Es könnte nämlich sein, daß sie versucht, hier auf den Stützpunkt zu kommen oder so.« ›Oder so‹ hieß, den Militärgeistlichen um sofortige Trauung zu bitten beziehungsweise Anerkenntnis der Vaterschaft, ohne die eine ledige Mutter von der US Army keine Alimente ausgezahlt bekommen konnte.

»Darum handelt's sich nicht«, sagte Madigan gereizt. »Ich weiß überhaupt nicht, was sie will.«

»Vertrauliche Mitteilung. Sie möchte Ihnen für jemand anderen eine vertrauliche Mitteilung machen – für einen anderen Offizier, sagt sie.«

»Hätten Sie das denn nicht gleich sagen können?« Es ging also um MM. Besser, er kümmerte sich gleich um die Sache, wenn er nicht den verdammten Oberstleutnant Shelley im Nacken haben wollte.

»Tut mir leid, Herr Hauptmann, aber ich habe das für 'nen bloßen Vorwand gehalten.«

»Glauben Sie, daß Sie diesen Haufen ein Weilchen übernehmen können? Fahren Sie mit ihnen im Bus zum Stab rüber und erzählen Sie ihnen, daß der Nachrichtenoffizier und der Einsatzleiter die ganze Nacht auf den Beinen waren und im Schweiße ihres Angesichts rote Bänder auf die Karte gepinnt und sich an den Streckenkarten für die einzelnen Piloten die Finger wundgeschrieben haben.«

»Wenn man sich bei der Kursangabe für einen Langstreckenflug um ein Grad vertut, kann das zu einem Navigationsfehler von Hunderten von Kilometern führen und die gesamte Bomberstreitmacht in Gefahr bringen.«

Madigan mußte über die wörtliche Wiedergabe seiner üblichen Behauptungen vor der Presse säuerlich lächeln. »Halten Sie sich beim Stab nicht zu lange auf, lassen Sie die Leute bloß mal durch die Tür gucken. Ich werd' den Jeep nehmen. 'n Imbiß für die Presse ist vorbereitet, nicht wahr? Sie haben doch das Übliche zum King's Head rübergeschickt und von mir 'nen Gruß ausgerichtet? Gut. Niemand darf sich von dem Empfang entfernen oder mal telefonieren, wenn der Stab nicht ausdrücklich grünes Licht gibt.« Er schaute sich um. Die Reporter beglotzten Maschinen und Flugfeld mit ehrfürchtiger Fasziniertheit. Sie alle waren gerade erst aus den USA eingetroffen und bekamen einen Feldflugplatz zum ersten Male zu Gesicht. »Rufen Sie bei uns im Pressebüro an und lassen Sie sich von jemandem 'n Schwung von den Verlautbarungen rüberbringen, die ich angefertigt hab' – ›Der Stützpunkt ist eine große Stadt‹.

Darin finden Sie alle Informationen, die Sie für die Führung brauchen. Bringen Sie die Jungs aus dem Fotolabor dazu, 'nen Film über 'nen Luftkampf vorzuführen. Danach zeigen Sie ihnen den Fernmeldeübungsraum, die Wäscherei, den Postraum, die Apotheke, das Krankenrevier, die Bäckerei und was Ihnen sonst noch einfällt. Aber ehe Sie mit ihnen zum Bau rübergehen, sorgen Sie dafür, daß keiner im Kahn sitzt. Ich hab's nämlich mal erlebt, daß ein besoffener Mechaniker meinen Reportern 'nen großen Vortrag hielt, wie schlecht er von der MP behandelt würde und wie dringend er mal wieder in 'n Puff müßte. Ich möchte nicht, daß so was heute wieder passiert.«

»Wird nie wieder vorkommen, Sir«, sagte der Gefreite Fryer mit überlegenem Lächeln und zackigem Gruß. Fryers in den Zeitungswissenschaften erworbenes Diplom war für die untergeordnete Rolle, die er nur zu oft spielen mußte, keine sonderlich gute Voraussetzung.

»Wenn ich bis halb eins nicht wieder zurück bin, dann löse ich Sie im King's Head ab.«

Der junge Gefreite Fryer aber richtete bereits das Wort an die Reporter. »Meine Herren, sollte jemand von Ihnen eine Gelegenheit für einen Schnappschuß suchen, dann sollte er sich jetzt auf das Eintreffen der Piloten einrichten. Sie werden bemerkt haben, daß manche Flugzeuge unlackiert sind. Durch das blanke Metall kann sich die Höchstgeschwindigkeit um zehn bis zwanzig Kilometer pro Stunde erhöhen. Ich brauche Ihnen nicht zu sagen, daß dies im Gefecht« – er warf einen Blick zu Madigan hinüber, der ihm vom Fahrersitz des Jeeps aus zusah – »von entscheidender Bedeutung sein kann.« Nervös lächelnd fuhr er fort: »Die P 51 – sie werden oft auch Mustangs genannt – starten paarweise. Dies erfordert hochgradige Geschicklichkeit, ganz besonders vom Rottenflieger – er fliegt jeweils die zweite Maschine des Paars –, weil er sich durch Gasgeben und -wegnahme ganz dicht bei seiner Führungsmaschine halten muß. Um ihm die Sache eine Spur leichter zu machen, fliegt der Führer einer jeden Zweimanngruppe grundsätzlich mit nicht voll geöffneter Drosselklappe. Wenn die Maschinen vom Rollfeld abheben, dann wackeln sie ein bißchen, wie Sie bald feststellen können. Sie sind noch schwerfällig – alle Tanks sind voll, das Fahrwerk und die Landeklappen sind ausgefahren, und die Geschwindigkeit ist gerade hoch genug, um die Tragflächen in die Luft zu bekommen. Selbst für einen gutausgebildeten, erfahrenen Flieger ist dies ein gefährlicher Augenblick. Sie werden sicher schon bemerkt haben, daß unsere Hauptstart- und -landebahn noch ausgebessert wird. Wir müssen uns daher mit einem wesentlich kürzeren Rollfeld begnügen. Heute haben wir obendrein Bodennebel, wodurch die Dinge noch erschwert werden...«

Die Reporter blickten sich um und erkannten, daß die Straße, die zu dem Treibstofflager hinüberführte, unter einer dichten grauen Nebeldecke lag. Dieser junge Mann macht seine Sache verdammt gut, dachte Madigan; es war gar nicht so leicht, einen Flugzeugstart mit derlei dramatischen Momenten anzureichern. Nur allzuoft hatte er es erlebt, daß die Presseleute ungeduldig mit den Füßen scharrten und nach heißem Kaffee verlangten, heute aber schenkten sie allem ihre ungeteilte Aufmerksamkeit.

Hauptmann Madigan ließ den Jeep an; das Motorengeräusch verschluckte sofort Fryers wohlmodulierte, gemessene Stimme. Auf der gegenüberliegenden Seite des Flugfeldes rollte die erste Jagdmaschine an den Start. Es war die ›Pilgrim‹; Oberst Dan führte sein Geschwader wieder einmal selbst in den Kampf.

Als Madigan den Jeep wendete, sah er Major Tucker in voller Fliegermontur von einem Laster klettern. Die Flieger lachten und scherzten mit ihm auf eine noch nie dagewesene Art. Madigan fragte sich, was zum Teufel wohl in Tucker gefahren wäre, und während er dies noch überdachte, sah er MM und Farebrother aus dem Heck eines Jeeps heraussteigen. Die beiden waren in den letzten Wochen gealtert; dies war nicht der Augenblick, um MM mit Nachrichten von Vera zu belästigen. Madigan winkte ihnen zu, und die beiden erwiderten seinen Gruß. Irgend jemand pfiff durchdringend, Madigan jedoch verkniff es sich, wie gewöhnlich mit einer vulgären Handbewegung darauf zu reagieren, denn vielleicht wurde er von einem der Reporter beobachtet. Die Jungs waren guter Dinge. Das freute Madigan, denn das war es, was die lauernde Pressemeute sehen wollte.

Ehe er sich zu Vera auf den Weg machte, hielt er vor seiner Unterkunft, wusch sich schnell und legte seine beste Uniform an. Dann lieh er sich Farebrothers Bürste und brachte seine Schuhe auf Hochglanz. Er betrachtete das sorgfältig gebaute Bett des Stubenkameraden und dessen sauber und frischgebügelt in ihrem gemeinsamen Kleiderspind hängende Uniformen. Farebrother war verdammt viel zu sauber und ordentlich; er wünschte, er hätte jemanden auf der Stube, der es nicht ganz so genau nahm. Dann lieh er sich noch eine von Farebrothers Krawatten aus – auf seinen eigenen beiden waren Schmutzflecken. Inzwischen erfüllte die Luft ein unaufhörliches Motorengedröhn, das von der Wolkendecke, durch die die Maschinen Paar um Paar hindurchstießen, reflektiert wurde.

Madigan war nicht befugt, mit dem Jeep den Fliegerhorst zu verlassen – eigentlich durfte er sich überhaupt nicht vom Stützpunkt entfernen. Deswegen war er ein wenig beunruhigt, als ihn der Militärpolizist am Tor anhielt. »Scheiße«, sagte Madigan leise und legte sich schon für den MP die Ausrede zurecht, er würde dringend in der Redaktion des hiesigen Blättchens benötigt – was der Wahrheit ja auch recht nahe kam. Major Tarrant zu bitten, einmal ein Auge zuzudrücken, wäre vollkommen zwecklos gewesen – seines Wissens hatte Tarrant noch nie jemandem einen Gefallen getan.

»Hauptmann Madigan, Sie werden von einem Ihrer Leute am Telefon verlangt.« Der MP tippte grüßend an seinen weißen Helmeinsatz. »Sie können Ihren Jeep hier stehenlassen, Sir.«

Der Wachhabende reichte den Hörer durch das offene Fenster. »Hier Hauptmann Madigan, was gibt's?« Madigan grinste den Wachhabenden verschwörerisch an, der aber reagierte nicht.

»Eine der Maschinen ist beim Start auf dem Rollfeld zu Bruch gegangen, Sir. Reifen geplatzt.« Der Anrufer war Madigans Presseunteroffizier. »Die Reporter wollen hin und sich den Schaden ansehen. Geht das in Ordnung?«

»Ich will nicht, daß sie darüber berichten, daß irgend so 'n krummer Hund von Limey-Unternehmer beim Bau der Rollbahn mit minderwertigem Material gearbeitet hat und daß unsere Jungs sich deswegen das Genick brechen. Obwohl das ja stimmt – ich will nicht, daß darüber berichtet wird. Wo sind die Reporter jetzt?«

»Fryer hat sie im Bus gelassen, als er zum Telefon ging. Ich hab' ihn hier auf der anderen Leitung, Sir.«

»Gut überlegt, Fryer«, murmelte Madigan sarkastisch. »Ist der Pilot verletzt? Ich hör' die Maschinen immer noch starten.«

»Ich kann mit dem Stab oder Tower keine Verbindung kriegen. Vermutlich wird bloß die eine Seite der Startbahn benutzt.«

Madigan dachte nach und rieb sich das Gesicht. Er hörte noch immer das laute Motorengebrüll der Maschinen, die paarweise über dem Platz kreisten und nacheinander durch die Wolkendecke stießen. »Sagen Sie Fryer, er soll die Sache mit dem Stab ausfallen lassen. Er soll den Leuten irgend 'nen Luftkampffilm zeigen und reichlich Kaffee und Doughnuts ranschaffen lassen. Anschließend soll er mit der Besichtigung wie abgesprochen weitermachen. Sagen Sie den Presseheinis, daß sie an den Unfallort gebracht werden, sobald wir Klarheit haben; das soll heißen, wenn wir wissen, daß der Pilot nicht ausgefallen ist, daß kein Sprit ausgelaufen oder sonst was Gefährliches passiert ist.«

»Ich werd's an Fryer weitergeben, Sir. Bleiben Sie lange weg?«

»Nein, Feldwebel. Ich gedenke, noch vor dem Lunch im King's Head wieder zurückzusein. Wir werden ihnen dort ordentlich was zu essen vorsetzen, und wenn sie satt sind, wird das Wrack weggeräumt sein. Die Bergungsleute werden sich beeilen müssen – das Rollfeld wird hinterher ja wieder zum Landen gebraucht. Hölle und Teufel! Leider können wir nicht sagen, daß der Unfall auf Trefferwirkung zurückzuführen ist.«

Als er an Veras Haustür klopfte, rief eine Männerstimme: »Herein!« Der Mann öffnete die Tür und sagte: »Vera hat schon versucht, Sie zu erreichen.«

Der Mann nötigte Hauptmann Madigan in den winzigen Flur, bestand darauf, daß Madigan den Mantel ablegte und im besten Sessel Platz nahm. »Ich trinke gerade eine Tasse Tee«, sagte er. »Vera hätte darauf bestanden, daß ich es Ihnen gemütlich mache.« Vince lächelte und blickte sich in dem winzigen Zimmer um. Der Tisch war für das Frühstück gedeckt, auf der Decke aber war ein frischer Teefleck, und der Milchkrug war beiseite geräumt worden. An seiner Stelle stand eine Büchse Kondensmilch mit zwei in den Deckel gestoßenen zackigen Löchern. Der Kamin war voller Asche und angekohlter Holzstückchen, das Feuer brannte kaum noch.

»Ich hab's eilig«, sagte Madigan, »wir fliegen heute.«

Der Mann goß Tee ein. »Ich hab' die Maschinen hier drüberwegfliegen gehört. Fliegende Festungen, nicht wahr? Sind die von Ihrer Einheit?« Es war ein hagerer Mann mittleren Alters, er sprach mit sanfter, freundlicher Stimme und verschlossenem Lächeln. Er trug eine Uniformhose und einen khakifarbenen Sweater. Seine glänzend schwarzen Schuhe standen auf dem Nähmaschinenkasten – zur Schau gestellt wie ein ›objet d'art‹. Das Gesicht des Mannes war runzlig und zerfurcht; die Tropensonne ruiniert die Haut sehr schnell. Er hatte narbige Hände mit dunklen Rändern unter den Nägeln; Folgen körperlicher Arbeit. Selbst Vera hatte Mühe gehabt, in diesem muskulösen, strengblickenden, unanständig redenden Burschen den Mann wiederzuerkennen, der vor fast vier Jahren ins Feld gezogen war. »Verdammt kalt, nicht wahr«, sagte er, »ich werd' überhaupt nicht richtig warm.«

Vince nahm die heiße Teetasse entgegen und fragte: »Sind Sie Veras Mann?«

Er zitterte. »Kalt in England.«

Es war nicht sehr kalt, aber Madigan lächelte und nickte bekräftigend. »Sie sind bestimmt froh, wieder zu Hause zu sein«, sagte er und nippte an dem starken dunklen Tee.

»Zu Hause, das ist das einzige, woran man da draußen denkt.« Die Worte kamen hervor, als wiederholte er sie bereits zum millionsten Mal; seine Stimme jedoch blieb ruhig und gleichmütig. »Männer drehen durch – der Dschungel, die Malaria, und die ganze Zeit diese beschissene schwüle Hitze. Und Männer brauchen 'ne Frau, Vince. Sie wissen das ja.«

»Sie wissen, wie ich heiße?«

»O ja, Ihren Namen kenne ich genau.« Eine Maschine flog in Bodennähe über sie hinweg. Wahrscheinlich wegen Schwierigkeiten umgekehrt, registrierte Madigan anhand des stotternden Motorengeräuschs.

Der Mann ging in die Küche und kam mit einem Päckchen zurück, aus dem er etwas in seinen Tee löffelte. »Das ist Salz«, erklärte er. »Man braucht 'ne ganze Weile, um sich an den Gedanken zu gewöhnen, daß man es nicht mehr Tag und Nacht durch jede Pore ausschwitzt. Ist mir' n echtes Bedürfnis, Vince. Männer haben so ihre Bedürfnisse – und Frauen auch, vermutlich.«

Die Unterhaltung nahm eine Wendung, die Vince Madigan nicht gefiel. »Ich muß jetzt gehen«, sagte er, blieb aber sitzen. Er wollte wissen, wie der andere darauf reagierte.

»Trinken Sie Ihren Tee, Vince.«

»Ein paar Kumpels von mir ...« Vince kam der unbestimmte Gedanke, darauf hinweisen zu sollen, daß seine Kameraden in Rufweite warteten, aber die dunklen Augen des Mannes fixierten ihn und ließen ihn verstummen.

»Kumpels«, sagte der Mann und ließ sich das ungewohnte Wort über die Zunge gehen, als benutzte er es das erste Mal. »Kumpels. Ich hab' im Dschungel ein paar feine Kumpels verloren, Vince. Feine Männer, keine Helden, jedenfalls nicht alle. Ein paar von ihnen hatten Schiß, Vince, hatten die ganze Zeit gewaltige Angst. Aber es waren Männer! Männer, die für ihre Freunde ihr Leben gegeben haben,

Vince. Das hört sich hier in Cambridgeshire ziemlich unwahrscheinlich an, nicht wahr?«

»Nein«, sagte Madigan.

Der Mann fuhr fort, als hätte er Madigans Antwort überhört. »Ja, hier in Cambridgeshire hört sich das albern an, hier streiken Männer wegen ihrer Teepause, hier kriegen die Fabrikarbeiter sonntags doppelten Lohn, und Männer, die sich mit Warmwasser rasieren wollen, und ein Glas Bier, ein frisches Hemd oder eine Frau brauchen, gehen einfach hin und schnappen sich die erstbeste. Geld muß dabei ein Vorteil sein, wie, Vince? Ein Yankee mit dicker Brieftasche, hervorragenden Zigarren und billigem Whiskey – welche Frau könnte dem widerstehen? Frauen sind schwache Geschöpfe, Vince. Das müßten Sie inzwischen wohl herausgefunden haben.«

Madigan erhob sich. »Ich weiß, worauf Sie hinauswollen, Herr Hardcastle. Aber so was ist zwischen Vera und mir zu keiner Zeit vorgefallen.«

Der Mann nahm Madigans Beteuerungen gar nicht zur Kenntnis. Er sprach im selben gelassenen, gleichmütigen Tonfall weiter. »Und sehen Sie sich mal die Uniformen an, in die sie euch stecken. Nicht dieser billige Scheiß hier. Nicht diese alten, groben, kratzenden, haarigen Pferdedecken, die unsere Leute für Soldaten für gut genug halten. Euch putzen sie fein raus: beste Wolle, Kragen, Krawatte, hübsche braune Schuhe.«

»Die Flieger machen richtiges Geld«, versuchte Madigan für den Mann Partei zu ergreifen, »die *sind* reich – Überseezuschlag und obendrein noch die Fliegerzulage.«

»Das stimmt«, sagte Hardcastle. Er griff nach einem Foto von Vince Madigan. Es war zerknautscht und zerknittert, weil es hinter dem Geschirregal gesteckt hatte, aber Hardcastle strich es mit der Kante seiner riesigen Hand glatt. Die halbe letzte Nacht hatte er dieses Foto angestarrt. Madigan war in Fliegermontur und hatte einen Arm um ein Propellerblatt einer P 51 gelegt.

Madigan verfluchte sein Pech; ebenso verfluchte er Vera, weil sie das Foto auch nach ihrer Trennung behalten hatte.

»Was ich Ihnen jetzt sage, kommt Ihnen bestimmt albern vor«, sagte er, »aber dieses Foto sollte bloß ein Scherz sein.«

Mit lauter Stimme las Hardcastle die Aufschrift. »Zur bleibenden Erinnerung. In Liebe, Dein Vincent.« Er blickte auf. »War das auch ein Scherz, Vincent? Kommt mir gar nicht so vor. Sieht wirklich nicht wie 'n Scherz aus, den man sich mit der Frau eines anderen Mannes erlaubt.« Er riß den beschrifteten Teil der Fotografie ab und warf ihn ins Feuer.

Madigan hielt es für angebracht, sich langsam in Bewegung zu setzen. Immer lächeln und nicken, aber sich ganz langsam in Richtung Tür vorarbeiten. Eine Zeitlang sah es so aus, als würde sein Vorhaben gelingen.

»Hinsetzen, Vince!« Madigan sah hoch und erblickte in Hardcastles Hand einen riesigen Webley-Revolver, die Dienstwaffe der britischen Armee. Trotz seines Gewichts lag er ruhig in Hardcastles Hand. Die Waffe wirkte antiquiert, Hardcastle aber schien in ihr einen alten Freund zu sehen. Mehr als ein dutzendmal hatte sie ihm im Dschungel das Leben gerettet, wenn ein Schnellschuß auf kürzeste Distanz das allein Richtige war. Die hölzernen Griffschalen indes wiesen keine Kerben auf. Das Ostentative war nicht nach Hauptfeldwebel Hardcastles Geschmack.

Vince setzte sich wieder und spürte, wie ihm der Angstschweiß ausbrach. Das anscheinend völlig heruntergebrannte Feuer flackerte plötzlich auf, als das zerrissene Foto Feuer fing, und erlosch sofort wieder. »Sie haben den falschen Mann vor sich«, sagte Madigan mit kratzender Stimme, da seine Kehle völlig ausgetrocknet war.

»Sie verschwenden nur Ihren Atem. Vera hat mir alles erzählt, Vince.«

»Lassen Sie mich mit ihr reden – das ist ein Irrtum, ich schwöre es Ihnen.«

»Sie können mit Vera nicht mehr sprechen.« Ein kaltes Lächeln huschte über sein leeres Gesicht. »Ich habe mit ihr bereits abgerechnet.«

»Nein!«

»Sie ist in der Spülküche, Vince. Ich habe das Brotmesser genommen. Ich wollte keinen Lärm machen. Ich wollte nicht, daß die Polizei kommt und mir Fragen stellt, ehe ich Gelegenheit hatte, mich mit Ihnen zu befassen.«

»Sie werden Sie mit Sicherheit kriegen«, sagte Madigan. Er lockerte seine Krawatte und öffnete seinen obersten Hemdknopf. Ihm fiel ein, daß sein Vater einmal gesagt hatte, Frauen würden eines Tages sein Untergang sein. Sein Vater war dahintergekommen, daß Vince mit der Frau eines seiner besten Kunden, eines sehr guten Freundes obendrein, eine wilde Affäre hatte. Sie war zwanzig Jahre älter als Vince; nach dem Skandal waren die Frau und ihr Mann in eine andere Stadt gezogen. Sein Vater hatte ihm nie verziehen. Selbst jetzt noch verließ sein Vater sofort das Haus, sobald Vince seine Mutter besuchen kam. »Die Polizei wird Sie mit Sicherheit fassen«, wiederholte Madigan.

»Natürlich. Sobald ich mit Ihnen fertig bin, werde ich hingehen und die Bobbys benachrichtigen«, sagte Reg. »Sehen Sie, ich liebte Vera. Ohne sie ist es sinnlos. Ohne sie ist es sinnlos, weiterzuleben.«

»Aber warum? Warum wollen Sie mich denn umbringen?« Großer Gott, was hätte Mozart aus einer solchen Verwechslungsszene machen können. Heute abend im Offiziersclub würde er Jamie Farebrother von der Sache berichten, und Jamie würde nicht umhin können zu bewundern, wie kaltblütig er geblieben war und sogar noch an Mozart denken konnte.

Hardcastle zog den Hammer zurück, bis der Abzugsmechanismus klickte. Alle Gedanken an Mozart waren plötzlich dahin. »Weil es in die Zeitung kommen wird, und weil es dann alle Yankees lesen werden, die sich mit verheirateten Frauen eingelassen haben. Wenn Sie gelesen hätten, daß ein Yankee-Liebhaber umgebracht wurde, dann hätten Sie es sich vielleicht zweimal überlegt, ob Sie sich an meine arme Vera ranmachen sollen.«

»Aber *ich* war das doch gar nicht ...«

»Da pflichte ich Ihnen bei. Immer haben die Frauen schuld. Sehen Sie, das ist die Situation, über die wir im Dschungel so oft gesprochen haben. Und alle Kameraden waren derselben Ansicht – schuld sind immer die Frauen.«

»Ich kann Ihnen den Namen nennen.«

»Bewahren Sie Haltung, mein Sohn, sterben Sie wie ein Mann. Sterben Sie wie Ihre Freunde, die über Deutschland gefallen sind. Sie müssen doch gesehen haben, wie da gestorben wurde. Sie müssen sich doch damit vertraut gemacht haben, daß Sie eines Tages an der Reihe sein könnten.«

»Ich bin kein Flieger.« Madigans Stimme wurde ein häßliches kleines Aufkreischen. »Ich bin kein Flieger. Geht das denn nicht in Ihren dämlichen Schädel rein?«

»Ist sinnlos, Junge«, sagte Hardcastle mitfühlend. »Ich gebe Ihnen eine Minute, damit Sie sich zusammenreißen und noch mal ein Gebet sprechen können, wenn Sie dazu in der Lage sind.«

»Bitte«, sagte Madigan, »bitte. Ich gebe Ihnen alles, ich verspreche Ihnen alles, aber bitte...«

Die beiden Männer sahen einander lange an; Hardcastle jedenfalls kam es lange vor. Als er den Abzug betätigte, sprengte die Kugel Madigans Schädeldecke weg.

31.

Victoria Cooper

Am Morgen dieses ›Schwarzen Montag‹ blieb Victoria Cooper im Bett. Seit Tagesanbruch war das unablässige Motorengedröhn der Flugzeuge zu hören. Victoria wußte, was der Lärm so vieler Maschinen zu so früher Morgenstunde zu bedeuten hatte: einen weiteren Tagesangriff der Amerikaner. Stundenlang kreisten die schweren Bomber; Victoria konnte keinen Schlaf mehr finden, blieb jedoch liegen. Sie ließ das Motorengedröhn über sich ergehen, ohne jedoch einen Blick auf die kreisenden Maschinen werfen zu wollen: ihre Angst um Jamie wäre nur noch größer geworden.

Victoria hatte montags dienstfrei; die Arbeit für eine Wochenzeitung brachte einige Vorteile mit sich. Frau Cooper brachte das Frühstück herein und stellte das Tablett auf den Nachttisch. »Ich habe dir die ganze restliche Milch gegeben. Hoffentlich kommt der Milchmann gleich vorbei.«

»Vielen Dank, Mutter, das ist sehr lieb von dir.«

Es half nichts. Ihre Mutter konnte nicht vergessen, daß es am Sonntagmorgen bei Victorias Rückkehr einen bösen Wortwechsel gegeben hatte. Die Eltern waren aufgeblieben und hatten auf Victoria gewartet – ihr Vater rauchte, hustete und blickte verständnisvoll-entschuldigend drein, die Mutter rang die Hände und brachte mit geheuchelter Friedfertigkeit all die schmerzlichen und bitteren Wahrheiten zur Sprache, die ihr seit Jahren auf der Zunge gelegen hatten. Ihre Mutter hatte erraten, daß Victoria schwanger war – kein Wunder, denn Vera waren ihre Umstände ja auch nicht entgangen: für derlei haben Frauen ein scharfes Auge. War Mickey Morse auch von selbst dahintergekommen, oder hatte Vera es ihm erzählt? Victoria wünschte, daß auch Jamie ihren Zustand erraten hätte, denn dann brauchte sie hier nicht im Bett zu liegen und sich zu überlegen, wie sie ihm die Neuigkeit am besten beibrachte. Sie hatte es ihm bereits beim Tanz im Offiziersheim erzählen wollen, hatte aber nicht die richtigen Worte finden können.

Sie legte sich die Hand auf den Bauch. Würde Jamie sich freuen oder ärgern? Würde er glauben, sie versuchte ihn auf diese Weise in die Ehe zu locken? Sicherlich nicht, denn er hatte das Thema Ehe auf seine vorsichtige Art bereits zur Sprache gebracht, ihr von amerikanischen Soldaten erzählt, die englische Mädchen geheiratet hatten. Es war jedoch schwer zu sagen, was er von diesem Schritt seiner Kameraden wirklich hielt – Victoria wußte bloß, daß er in einer Heirat, solange der Mann im Krieg sein Leben aufs Spiel setzen mußte, eine zusätzliche Belastung sah.

Sie setzte sich mit einer Tasse Kaffee an ihren Schreibtisch und brütete die ganze nächste Stunde lang über einem Brief an Jamie. Sie schrieb, sie sei schwanger und freue sich darüber. Sie legte ihm dar, daß ihre Mutter wollte, sie möge zu ihrer Tante ziehen und das Kind dort, fernab vom Kriegsgeschehen, zur Welt bringen. Jamie würde verstehen, was mit ›fernab vom Kriegsgeschehen‹ gemeint war: außer Sichtweite der Freunde und Nachbarn ihrer Eltern und weit entfernt von jenen einflußreichen Herren, die regelmäßig ins Haus kamen, um ihren Vater zu sprechen. Sie schrieb, so hätte sie Gelegenheit zum Nachdenken, strich es dann aber wieder durch, weil es sich absurd anhörte – Gelegenheit zum Nachdenken hatte sie in Cambridge nämlich auch. Trotzdem blieben ihr Verstand und Gemüt von ihrer physischen Umstellung nicht unberührt. Sie konnte nur noch an ihr Kind denken, fühlte sich schwerfällig und vermochte sich nicht zu konzentrieren. Sie schrieb Jamie von Depressionen, die sie aus unerfindlichen Gründen überkamen, und strich ›Depressionen‹ dann wieder durch; ihr Vater hatte sie gelehrt, eine bloß gedrückte Stimmung nicht mit solchen medizinischen Termini technici zu belegen. Sie griff nach einem neuen Blatt Papier und begann noch einmal. Sie ginge fort, um Jamie Gelegenheit zum Nachdenken zu geben – das kam der Wahrheit schon näher. Das Weitere fiel ihr dann leichter. Sie schrieb, wie sehr sie ihn liebte und immer lieben würde, auch wenn er sie nicht mehr sehen wollte. Sie wolle nicht, daß er sich überfahren fühle, sie erwarte nichts. Er habe ihr die glücklichsten Monate ihres Lebens beschert, sie werde ihn nie vergessen können, selbst wenn sie es je versuchen sollte.

Sie schloß den Umschlag nicht, sondern las den Brief immer wieder durch. Dann schrieb sie ihn neu und schaffte es sogar, hier und da einen kleinen Scherz einzuflechten. Als der Brief ihr endlich zusagte, versiegelte sie ihn und beseitigte sorgfältig die ersten Entwürfe. Sie hatte nicht den geringsten Zweifel daran, daß ihre Mutter alles las, was ihr in Victorias Zimmer in die Hände fiel. Um es dazu nicht kommen zu lassen, spülte sie die Blätter die Toilette hinunter und steckte den gesiegelten Umschlag in die Tasche.

Sie ging die Treppe hinunter, um ihrer Mutter bei der Herrichtung des Mittagessens zu helfen. Ihre Gedanken waren noch immer bei Jamie, und sie fragte sich, wie er auf ihren Brief wohl reagieren würde. Ihr Vater saß mit einem Besucher im Wohnzimmer. Als Victoria an der Tür vorbeiging, sagte eine männliche Stimme: »Man kann nicht mit letzter Sicherheit sagen, wer was zuletzt getan hat. Es könnte durchaus der Soldat gewesen sein, der die anderen beiden umgenietet hat.« Victoria hörte ihren Vater Zustimmung murmeln.

In der Küche war ihre Mutter gerade dabei, ein paar Karotten zu waschen – sie zu schälen hieß nur, Vitamine zu vergeuden; diesen ›Küchentip‹ hatte die BBC heute gleich nach den Morgennachrichten gebracht.

»Mit wem sitzt Vater da zusammen?« fragte sie ihre Mutter. ›Umgenietet‹ klang irgendwie nach Comic-Heften – sie konnte sich nicht vorstellen, daß ein Freund oder Kollege ihres Vaters einen solchen Ausdruck gebrauchte.

Ihre Mutter ließ die Arbeit am Spülstein im Stich und betrachtete Victoria von oben bis unten. »Freut mich zu sehen, daß du weder Farbe noch Schmiere im Gesicht hast«, sagte sie übellaunig. Von Victorias dezentem Make-up war während des gestrigen Streits wiederholt die Rede gewesen. Dahinter verbarg sich die unausgesprochene Unterstellung, daß Make-up und der Verlust der Unschuld gleichermaßen schändlich waren.

Ihre Mutter suchte auch heute morgen noch Streit, weil nach wie vor der Zorn in ihr kochte. Die Schwangerschaft der Tochter konfrontierte sie mit Tatsachen, denen sie nicht ins Gesicht zu sehen gedachte. Sie wurde an ihr vorrückendes Alter erinnert, an den schmerzlichen Verlust ihres Lieblingskindes, an die nur allzu fadenscheinige Hochzeit, an der nun kein Weg mehr vorbeiging. Sie hätte das alles gern ertragen, wenn ihre Tochter sie nur nicht auch noch zurückgewiesen hätte. Wenn Victoria ihr vertraut hätte, dann hätte sie sogar den närrischen Glanz in Victorias Augen ertragen.

»Könnte das jemand vom Ausschuß für Kriegsanleihen sein?« fragte Victoria.

Frau Cooper drehte den Wasserhahn auf und ließ einen Kessel Wasser so geräuschvoll ein, daß jegliche Unterhaltung darin ertrank. Nachdem der Kessel voll war, sagte sie: »Ich bin sicher, daß mir dein Vater nichts von seinen Geschäften erzählt.« Sie rang sich ein Lächeln ab – Victoria tat ihr leid, das hatte sie ihrem Mann bereits mehr als einmal erzählt. Auf solche Behauptungen pflegte ihr Mann allerdings nicht einzugehen. Er wußte genau, daß es bei Licht besehen nicht die Sorge um Victoria war, die ihrem Ärger neue Nahrung gab, sondern der blanke Neid.

Dr. Cooper streckte den Kopf durch die Küchentür und sagte: »Victoria, Liebes, hast du mal einen Augenblick Zeit? Hier ist jemand, der dich kurz sprechen möchte.«

»Wer denn?« fragte Victoria.

Frau Cooper sah ihren Mann eigenartig an, aber Dr. Cooper sagte nur: »Es dauert nicht lange.«

Der Besucher war ein Mann um die Dreißig, wegen seines blassen Gesichts und seiner zierlichen Gestalt wirkten seine strengen Kleider – eine schwarze Jacke und Nadelstreifenhosen – merkwürdig unangebracht. Er sah aus wie ein entsprechend verkleideter schmächtiger Junge, der bei einer Schulaufführung den Bankdirektor spielen muß.

»Fräulein Cooper«, sagte der Mann mit heiserer, ziemlich hoher Stimme, »beginnen wir zunächst mit...« Victorias Vater brachte den Besucher mit einem wilden Blick zum Verstummen. Diese Seite seines Wesens hatte Victoria noch gar nicht kennengelernt. Plötzlich wurde ihr klar, warum er manchen seiner Studenten Furcht und Schrecken einflößte.

»Setz dich, meine Liebe«, sagte ihr Vater behutsam, »ich möchte dir Kriminalkommissar Jenkins vorstellen.«

»Ein Polizist?« Victoria betrachtete den Kriminalbeamten, der eine Blechschachtel aus der Tasche zog und ihr ein Hustenbonbon entnahm.

»Kriminalpolizei«, stellte Jenkins richtig und schob sich das Bonbon in den Mund.

»Darf ich fortfahren?«

»Verzeihung, Sir.« Die Entschuldigung war ironisch.

»Der Kommissar hat ein paar schockierende Neuigkeiten, Victoria.« Cooper beobachtete Victorias Gesicht; über seine Schulter hinweg konnte sie erkennen, daß auch der Kriminalbeamte sie gespannt beobachtete.

»Jamie?«

»Nein, nein, nein«, sagte ihr Vater, »Jamie nicht.«

Victoria seufzte erleichtert. Wenn es nicht um Jamie ging, konnte sie so gut wie alles ertragen.

»Es geht um deine Freundin Vera«, sagte ihr Vater. »Es hat da so etwas wie einen Unfall gegeben.«

»Keinen Unfall«, sagte Kriminalkommissar Jenkins, der keine Zeit mit solchen eleganten Umschreibungen vergeuden wollte, »einen Mord! Herr und Frau Hardcastle, wohnhaft in Michael Street Nr. 45, sind tot.«

»Nein«, sagte Victoria. Das konnte nicht wahr sein. Reg Hardcastle war doch mit Sicherheit irgendwo am anderen Ende der Welt. »Sie kommt heute abend zu mir...«

»Drei Stiche mit dem Küchenmesser«, sagte der Kriminalbeamte.

»...und bringt ein bißchen Baumwolle zum Sticken vorbei.« Victoria beendete, was sie hatte sagen wollen, als ihr Verstand das soeben Vernommene erfaßte. Vera – diese verrückte Quasseltante. Sie hatten zusammen gelacht und sich gegenseitig getröstet; Vera war die einzige gewesen, mit der Victoria über ihre Schwangerschaft hatte reden können. Veras unbeugsamem Optimismus war es zu danken gewesen, daß sie sich an ihre Umstände so leicht und mühelos hatte gewöhnen können. Vera war der munterste und lebendigste Mensch der Welt – Vera konnte nicht tot sein. »Ich war mit ihr am Samstag noch zusammen«, sagte Victoria.

»Und der Ehemann wurde erschossen«, sagte der Kriminalbeamte, »von einem amerikanischen Offizier erschossen.«

Victoria wurde es weich in den Knien. Sie mußte sich gegen einen Sessel lehnen. Das konnte doch wohl nur MM sein.

»Ja«, sagte der Kriminalbeamte, der noch immer sein Hustenbonbon lutschte, »Herr und Frau Hardcastle sind tot. Das Ganze ist irgendwann heute morgen passiert. Der Polizeiarzt nimmt an, höchstens eine Stunde vor unserem Eintreffen am Tatort.«

»Sie waren bemerkenswert schnell zur Stelle«, sagte Dr. Cooper.

Der Kriminalpolizist sah ihn eine Weile an und gestand: »Ein Mann, der sich als Hardcastle ausgab, hat die Polizei angerufen.«

»Ein Nachbar hat die Hardcastles bereits identifiziert«, sagte Dr. Cooper zu Victoria. »Die Polizei möchte, daß du dir einmal ein Foto des amerikanischen Offiziers ansiehst. Ich habe dem Kommissar bereits gesagt, daß ich den Mann nicht kenne.« Während der Polizist zur Seite trat, um das Foto aus seiner Mappe zu nehmen, sah Victoria ihrem Vater ins Gesicht. Er war mit MM zweimal zusammengetroffen. Dr. Cooper hielt Victorias Überraschung fälschlich für Furcht und gab ihr mit einem Lächeln zu verstehen, daß es keinen Grund zur Besorgnis gab.

Victoria betrachtete das Foto – der zerrissene Hochglanzabzug zeigte Vince Madigan, angetan mit Fliegerhelm und

Schwimmweste. Hinter ihm stand eine Mustang, Vince hatte einen Arm um ein Propellerblatt gelegt.

Weil Victoria nicht gleich antwortete, klapperte der Polizist voller Ungeduld mit seiner Bonbonschachtel. Schließlich sagte er: »Gehört zum amerikanischen Geschwader in Steeple Thaxted. Man kann es anhand der Kennbuchstaben auf der Maschine sehen.«

»Und Sie wissen nicht, wie der Mann heißt?« flüsterte Victoria.

»Ich weiß, wer der Mann ist, doch, doch«, sagte der Kriminalbeamte. »Ich habe seine Personalpapiere. Ich brauche aber jemanden zur Identifizierung.« Er blickte Dr. Cooper mit wissendem Lächeln an und fuhr fort: »Ich möchte die Amerikaner nicht hineinziehen, damit sie die Sache nicht verschleiern können. Wissen Sie, die kümmern sich immer um ihre eigenen Leute.«

Victorias Vater lehnte sich zu ihr hinüber und meinte: »Wenn du den Mann kennst, mußt du's dem Beamten sagen. Ich gehe davon aus, daß er mit dir dann hinübergehen wird, damit du die Leiche identifizierst.«

Der Kriminalbeamte runzelte die Stirn. Wenn er den Leuten sagen würde, daß sie ins Leichenschauhaus müßten, dann würde niemand jemals eine Leiche identifizieren wollen.

Victoria schauerte es. Sie begriff, daß ihr Vater sie zu schützen versuchte, und liebte ihn deswegen. Und wenn sie zugab, Vince Madigan zu kennen, dann würde die nächste Frage unweigerlich lauten: »Und welche Beziehungen unterhielt dieser Amerikaner mit Frau Hardcastle?« Weitere Fragen würden folgen. »Ich kenne ihn nicht«, sagte sie leise.

Der arme Vince war also tot. Letzten Samstag hatte er sie beim Tanzen noch im Arm gehalten. Er war später mit einer Flasche Bourbon auf Jamies Stube gekommen und hatte mit MM darüber gestritten, wie man am besten Taschenkrebse fängt. Dann hatten sie wegen eines alten Baseballergebnisses gewettet, und Vince hatte vier Pfund gewonnen. Aber was hatte Vince an einem Montagmorgen in der Michael Street zu suchen?

»Wie ich höre, kennen Sie viele amerikanische Soldaten«, sagte der Polizist. »Bitte, sehen Sie sich das Foto noch einmal an. Sind Sie ganz sicher, daß Sie ihn nicht kennen, ihn nie gesehen haben?« Sie konnte seinen scharfen Mentholatem riechen. Victoria sah, daß ihr Vater wegen der rohen Vorgehensweise des Polizisten mißbilligend das Gesicht verzog.

»Wenn meine Tochter meint, sich nicht daran erinnern zu können, diesen Mann jemals gesehen zu haben, dann kann sie Ihnen nicht weiterhelfen. Wie ich Ihnen bereits sagte, geht es ihr nicht übermäßig gut. Ich lasse sie von Ihnen nicht belästigen.«

Der Polizist ignorierte ihn völlig. »Ich muß Sie darauf hinweisen, Fräulein Cooper, daß die Behinderung der dienstlichen Obliegenheiten eines Polizisten einen Straftatbestand darstellt.«

»Sie gehen zu weit«, sagte Cooper ärgerlich.

»So?« sagte der Detektiv und schluckte die Reste des Hustenbonbons hinunter. »Nun, man könnte auch sagen, daß ich noch gar nicht weit genug gegangen bin. Ihre Tochter unterhält Kontakte mit einem amerikanischen Soldaten – woher ich das weiß, ist egal.« Er wischte Coopers Protest mit einer Handbewegung beiseite. »Der Amerikaner ist tot.« Er tippte mit dem Finger auf das Foto. »Vielleicht ist er eines der Opfer, aber mir kommt es so vor, als wäre der Ehemann nach Hause gekommen und hätte gemerkt, daß der Amerikaner die Nacht in seinem Haus verbracht hat. Der Ehemann bringt seine Frau um, der Liebhaber tötet den Ehemann und verübt anschließend Selbstmord. Oder ließe sich die Anwesenheit des Amerikaners an einem Montagmorgen anders erklären?« Er klimperte mit ein paar Münzen in der Tasche. »Ich ermittle in einem Mordfall und habe noch viel zu tun. Daher frage ich Sie jetzt noch einmal, Fräulein Cooper«, er klopfte auf das Foto, »haben Sie diesen Mann schon einmal gesehen?«

»Nein, niemals«, sagte Victoria.

»Sehr schön.« Der Polizist griff nach seinem Hut. »Ich muß Sie dann bitten, Cambridge nicht zu verlassen, ohne mich von Ihrem Vorhaben zuvor in Kenntnis zu setzen. Es könnte sein, daß ich Ihnen noch weitere Fragen stellen muß, sobald ich mit meinen Ermittlungen etwas weiter vorangekommen bin.«

»Meine Tochter fährt heute nachmittag fort«, sagte Dr. Cooper. »Sie fährt zu einem längeren Besuch ihrer Tante nach Schottland.«

Der Polizist sah beide an. Er schnaubte. Von einer Familie, die ihre Tochter noch ermunterte, sich mit Yankees herumzutreiben, war eine derartige, jede Zusammenarbeit verweigernde Verhaltensweise ja geradezu zu erwarten. Und dies waren wohlhabende Leute, die sich vor ihm wichtig tun wollten – sie gehörten nicht zur Unterschicht. Solche laxen Verhaltensweisen beleidigten ihn. Er würde dafür sorgen, daß sich seine Töchter mit keinem ausländischen Soldaten einließen. »Es steht mir nicht zu, Sie daran zu hindern, Fräulein Cooper. Wenn nötig, werde ich mir von Ihrem Vater Ihre Adresse geben lassen und über die örtliche Polizei mit Ihnen Kontakt aufnehmen – ganz gleich, wo Sie sich aufhalten«, fügte er bedeutungsschwer hinzu.

Er ging seinen Mantel holen. Victoria schloß die Augen, um die Tränen zurückzudrängen. Arme Vera, beim Tanz hatte sie so hübsch ausgesehen.

»Du hast ihn gar nicht gefragt, was passiert ist«, sagte ihr Vater, nachdem er den Beamten aus dem Haus gelassen hatte. »Die Polizei erwartet von dir etwas mehr Neugier, meine Liebe. Dem Beamten muß das verdächtig erschienen sein.«

Victoria nickte. Aber sie wußte ja, was passiert war. Veras schlimmste Alpträume hatten sich erfüllt. Sie wischte sich eine Träne fort. Das einzige Rätsel war Vince – warum Vince, warum nicht MM? Und dann erriet sie die Lösung: Vera hatte ihrem Mann von Vince erzählt. Sie haßte Vince. Gleichzeitig war dies ihre letzte Möglichkeit, schützend die Hand über MM zu halten. Typisch Vera.

Ihr Vater sagte: »Die Polizei hat unsere Adresse im Haus der Hardcastles gefunden. Als du ihr die Eintrittskarten für einen Tanzabend geschickt hast, hattest du Namen und Anschrift als Absender auf den Umschlag geschrieben.«

Sie nickte erneut. Kam es darauf an, wie man ihre Anschrift herausgefunden hatte? Bei den Worten ihres Vaters fiel ihr jedoch etwas ein. Sie griff in die Tasche und zog den Brief hervor. »Gibst du ihn für mich auf, Vater? Ich hatte keine Briefmarke zur Hand.«

»Sofort. Ich möchte nämlich vor dem Essen noch einmal mit dem Hund auf die Straße.«

»Vielen Dank, Vater.« Sie saß ganz still und wußte, daß sie ihn noch etwas fragen wollte; er wartete also. »Möchtest du, daß ich fortgehe?« fragte sie leise.

Er trat zu ihr, berührte sie jedoch nicht. Jetzt, wo sie eine erwachsene Frau war, konnte er es nicht mehr über sich bringen, sie in den Arm zu nehmen. »Natürlich nicht, Liebes.«

»Aber Mutter will, daß ich fahre?«

»Sie und ich halten es für das Beste. Und jetzt, wo dieser furchtbare Mord passiert ist, könnten, wenn du hierbleibst, möglicherweise Schwierigkeiten auf dich zukommen.«

»Wo ich doch schwanger bin«, sagte sie und ärgerte sich, daß er nicht darauf zu sprechen gekommen war.

»Ja«, sagte er. Er fand ein paar Marken in seiner Brieftasche und klebte zwei davon auf den Umschlag. Er stand da, hielt den Brief in der Hand und klopfte damit auf den Kaminsims. Er wartete auf ihre Zustimmung zur Reise.

»Wir lieben uns«, sagte sie, »nur darauf kommt es an, nicht wahr?«

Er drehte sich um, blickte sie an und schlug die Augen nieder. »Ich weiß es nicht, Liebes.«

»Bringst du mich mit dem Auto zum Bahnhof?«

Er strahlte, jetzt, da sie Vernunft annahm. »Natürlich. Ruf den Bahnhof an und laß dir einen Sitzplatz reservieren. Und ich werde mit deinem Verleger reden und ihm klarmachen, daß du aus gesundheitlichen Gründen nicht arbeiten kannst – es wird alles in die Reihe kommen, Liebes.«

Sie erhob sich schwerfällig aus dem Sessel. Manchmal

machte ihr das Kind in ihrem Leib zu schaffen – sie redete sich das zwar nur ein, dafür aber um so lebhafter. »Vergiß nicht, meinen Brief einzuwerfen«, sagte sie in der Tür. »Ich gehe jetzt nach oben und packe meine Sachen.«

»Ich werde daran denken«, sagte er, vergaß es aber.

Nach dem Essen entdeckte Frau Cooper den Brief auf dem Kaminsims. Nach kurzem Zögern öffnete sie den Umschlag und las. Sie las den Brief sehr sorgfältig noch ein zweites Mal und warf ihn dann ins Feuer.

32.

Hauptmann Milton B. Goldman

An jenem ›Schwarzen Montag‹ hatte das Sanitätspersonal alle Hände voll zu tun. Dem Stellenplan des Geschwaders entsprechend, mußte der Sanitätsbereich mit vier Ärzten besetzt sein: einem Oberstabsarzt und drei Stabsärzten – je einer für jede Staffel. Es waren jedoch nur zwei Stabsärzte zur Stelle, der Oberstabsarzt wurde in Edinburgh in einem Militärlazarett in der Behandlung mit Sulfonamiden unterwiesen. So warfen die beiden verbliebenen Ärzte an jenem Montag eine Münze in die Luft, um sich zu einigen, wer ins Krankenrevier gehen sollte, um Aspirin gegen Alkoholnachwirkung auszugeben, eine unidentifizierbare, kreidige Flüssigkeit gegen Durchfall zu verabfolgen und die Simulanten gehörig ins Gebet zu nehmen. Milton Goldman war von beiden der bessere Arzt – im Grunde genommen sogar besser als die meisten Ärzte der Achten Luftflotte –, da der Penny aber ›Kopf‹ zeigte, mußte er im Sanka sitzen und vom Rande des Flugfeldes dem Start des Geschwaders zusehen.

Sein Fahrer war an jenem Tage ein langsam kahl werdender Unteroffizier mittleren Alters namens Walker, dessen gewaltiger hängender Schnurrbart und dichte hängende Brauen den Eindruck großer Langsamkeit und Trägheit vermittelten. Walker indes war weder träge noch langsam. Die beiden Männer kannten sich schon lange, sie hatten viele Stunden gemeinsam wartend in ihrem Sanitätsfahrzeug verbracht; Rangunterschiede spielten zwischen den beiden schon längst keine Rolle mehr. Ihre der Höflichkeit genügenden kleinen Plaudereien waren von jener ruhigen

Verzweiflung gekennzeichnet, wie sie Leute überkommt, die mit dem Lift steckengeblieben, unter Tage verschüttet oder im Ehejoch gefangen sind. Sie erörterten den unmöglich kalkulierbaren Charakter der Frau. Ganz zwangsläufig begann sich das Gespräch um Vincent Madigans Ruf zu drehen.

»Aber dieser Hauptmann Madigan«, so sagte Goldman, »versteht die Frauen wirklich.« Goldman war ein kleiner, bebrillter New Yorker mit kohlschwarzen, flinken Augen und einem so neurotischen Temperament, daß er fortwährend mit Schlüsseln spielen, mit Münzen klimpern oder – wie jetzt – andauernd mit der Faust auf dem Armaturenbrett herumhämmern mußte.

»Du sagst es.«

»Er ist immer verliebt – wirklich verliebt, und das wird von Mal zu Mal schlimmer.«

»Wenn er jede Woche 'ne andere hat?« fragte Walker, ein Familienvater und häuslicher Mensch, dem schon die mit dem Sich-neu-Verlieben verbundenen bloßen Mühen entsetzlich vorkamen.

»Auf der Uni hatten wir 'nen Medizinprofessor, der Liebe für nichts anderes als 'ne chemische Reaktion hielt.«

»Gibt das wirklich so was wie 'n Aphrodisiakum?« wollte Unteroffizier Walker wissen.

»Das weißt du doch selbst am besten«, sagte Goldman, der den luxuriösen Drugstore auf der Madison Avenue kannte, wo Walker als Apotheker gearbeitet hatte. »Wenn's so was gibt, dann gehören die Madigans dieser Erde jedenfalls zu denen, die so was nicht nötig haben.«

Walker schnaubte. »Irgendwas nicht nötig zu haben, ist für die Madigans dieser Erde noch längst kein Grund, darauf auch zu verzichten.«

Goldman griente. »Hätte ja nie gedacht, daß du'n Philosoph bist. Ach, sieh da, das ist doch Tuckers Maschine, die jetzt an den Start rollt, nicht wahr?« Er schob die Brille etwas höher auf den Nasenrücken, um besser sehen zu können. Am nordöstlichen Ende der Piste standen zwei Mustangs in Startposition. Als die Piloten bei angezogener

Bremse mit vollangestelltem Propeller Vollgas gaben, begannen die Maschinen nervös auf der Stelle zu hüpfen.

»Das ist Tucker«, sagte Walker. Als die Bremsen gelöst wurden, ruckelte die Maschine schwerfällig auf die Betonpiste und machte kräftig schaukelnd zunächst nur langsame Fahrt. Sie wurde jedoch, als der hochtourige Motor wie ein schmerzgepeinigtes Tier aufbrüllte, zusehends schneller, Unteroffizier Walker sah auf die Uhr. »Sieht ganz danach aus, als wären wir hier rechtzeitig fertig, um 'nen Kaffee trinken zu können, sobald die Kantine aufmacht.«

»Für euch mag das zutreffen«, sagte Goldman, »aber im Offizierskasino auf 'ne Tasse frischgekochten Kaffee zu hoffen, ist ungefähr dasselbe, wie 'ne eisgekühlte Flasche Bollinger zu bestellen. Die Kerle da nehmen dich überhaupt nicht ernst, wenn 'n Einsatz geflogen wird.«

»Im Aeroklub hat's 'ne Kaffeemaschine.«

Goldman zog ein Gesicht.

»Sieh mal, die Jungs ziehen schon das Fahrgestell ein, wenn sie noch gar nicht über die Hecke weg sind.« Walker stieß einen leisen, bewundernden Pfiff aus – überrascht war er jedoch nicht. Dieselbe Bemerkung hatte er schon öfter gemacht; eigentlich sagte er dies fast jedesmal, wenn die beiden einen Start beobachteten. Auf der Ringstraße standen die Maschinen paarweise dicht hintereinander. Das Motorengeräusch der auf den Start wartenden Flugzeuge vermischte sich mit dem Gebrumm der bereits in der Luft befindlichen Maschinen zu einem einzigen, anhaltenden Gebrüll.

»Ja, ich bin Philosoph«, griff Walker den Gesprächsfaden wieder auf. Wegen des Motorenlärms mußte er fast schreien. »Wenn du's in 'ner Kasernenbude aushalten mußt und nicht verrückt werden willst, bleibt dir gar nichts anderes übrig.«

Goldman nickte. »Weißt du, wohin sie heute fliegen?«

»Dem Vernehmen nach geht's nach Berlin«, sagte Walker in einem Ton, der erkennen ließ, daß er der Latrinenparole keinen Glauben schenkte. »Wird aber 'ne heiße Sache werden. So was läßt sich der Oberst ja nie entgehen.«

»Der Oberst sollte überhaupt keine Einsätze mehr fliegen«, meinte Goldman.

Walker blickte zu ihm hinüber; er glaubte hinter Goldmans Worten den Mediziner zu erkennen. »Meinst du, er ist krank?«

»Sicher, er stirbt an Altersschwäche, wir anderen übrigens auch.« Goldman grinste. »Nein, der Oberst ist für sein Alter in guter körperlicher Verfassung. Aber Punkte vor den Augen, 'ne nicht vollkommen einwandfreie Blutzirkulation oder geringfügig langsamere Reaktionen können sich im Luftkampf als tödlich herausstellen. 'n Jagdflieger hat mit sechsundzwanzig seine beste Zeit hinter sich, ganz egal, was in der Dienstordnung steht. Laß dir das von mir gesagt sein.«

Die nächsten beiden Maschinen hatten die Hälfte der Startbahn bereits hinter sich, als der einen plötzlich ein Reifen platzte. Die Maschine schleuderte um ihre Achse und rutschte seitwärts weiter. Mit lautem Kreischen zerfetzte die Felge den schlappen Reifen. Der Fahrwerkträger war einer so extremen Belastung nicht gewachsen und knickte weg. Als die Tragfläche auf die Startbahn knallte, glaubte man das Geräusch einer Kreissäge zu hören – die Propellerblätter hackten kleine Betonbrocken aus dem Pistenbelag, ehe sie bizarr verbogen zum Stillstand kamen. Ein Teil der Tragfläche riß ab, Motortrümmer segelten durch die Luft. Dann blieb das Wrack stehen.

»Du lieber Gott, das ist 'n Fall für uns«, sagte Unteroffizier Walker.

»Schalt die Sirene ein, und dann los«, sagte Goldman. Mit einer einzigen Bewegung knallte er die Tür des Jeeps zu und überzeugte sich mit einem kurzen Griff, daß sein Sanitätskoffer zur Hand war.

Der Kontrollturm, unter dem der Sanka, der Löschzug und das Bergefahrzeug warteten, war ein kleines weißes Bauwerk mit einer primitiven Balustrade und einem ringsum verglasten Dachhäuschen. An jenem Morgen überprüfte der Oberfeldwebel Harold Boyer gerade die auf dem Turm installierten Funkgeräte. Er hatte sich ans Geländer

der Balustrade gestellt und sah dem Start der Maschinen zu; von seinem erhöhten Standort aus konnte er den Unfallhergang besonders gut erkennen.

Oberfeldwebel Boyer war kein gelernter Flugzeugbauer, aber aufgrund seiner langen Dienstjahre im Fliegerkorps erkannte er sofort, daß die Tragfläche nach dem Wegknicken der Fahrwerkstütze mit solcher Wucht auf die Piste geknallt sein mußte, daß der Hauptholm irgendwo in der Gegend der Tragflächenmitte durchbrach. Dadurch – und wohl auch durch die Hebelwirkung der in den Beton hackenden Propellerblätter – wurde der Motor aus seiner Verankerung gerissen. »Du großer Gott«, sagte Boyer. Er blickte zu den nebeneinander wartenden Lösch- und Sanitätsfahrzeugen hinunter. »Beeilen Sie sich«, brüllte er wohl mehr aus dem verzweifelten Verlangen heraus, tätig werden zu müssen, als daß er erwarten konnte, wegen des allgegenwärtigen Motorenlärms von den Männern im Sanka gehört zu werden. Wie auch immer, es hätte seines Ausrufs gar nicht bedurft, denn die Ambulanz raste bereits davon, noch ehe er seine Worte herausgeschrien hatte. Die Besatzung des Löschzuges war an diesem Morgen indes nicht einsatzbereit. Als sich der Unfall ereignete, lag der groteske weiße Asbestanzug des Fahrers noch mutterseelenallein vorn auf dem Fahrzeug. Und während die Ambulanz bereits auf dem Weg zur Unfallstelle war, begann der diensthabende Feuerwehrmann gerade erst in seinen Schutzanzug zu steigen.

»Los, auf den Bock, du blöder Hund«, brüllte Boyer. »Bring deinen Arsch in Bewegung, das ist ein Totalschaden! Wenn das Wrack Feuer fängt, marschierst du in den Bau!« Seine letzten Worte verschluckte Motorengedröhn einer einzelnen ungestrichenen Maschine, die ganz tief über die Startbahn hinwegflog. Das war unter den gegebenen Umständen ein gefährliches Unterfangen, aber niemand nahm es Oberleutnant Morse, dem Piloten der ›Mickey Mouse‹, übel, daß er in Erfahrung zu bringen suchte, was mit seinem Rottenflieger passiert war.

Aufgrund seiner Ausbildung und Erfahrung kannte Oberfeldwebel Boyer den Unterschied zwischen einem gewöhnlichen ›Überschlag auf dem Boden‹ – bei dem man davon ausgehen konnte, daß der Pilot bestenfalls Schäden davongetragen hatte, die sich mit einem Schluck Whiskey und einer Schlaftablette sofort wieder beheben ließen – und diesem Schaden der Kategorie E – ›Reparatur unwirtschaftlich‹, was hieß, daß der Pilot hinter seinem Motor eingeklemmt war und trotz des Morphiums, das ihm Dr. Goldman in die Adern pumpte, vor Schmerzen stöhnte.

»Gib mir doch mal einer die verdammte Schere, die große Blechschere!« rief McDonald, ein grauhaariger Oberleutnant vom mobilen Reparatur- und Wartungstrupp. Er stand auf der Tragfläche und hatte bereits unter Aufbietung aller Kräfte das Kanzeldach aufgehebelt. Obwohl er völlig außer Atem war, hatte er noch genügend Luft zum Brüllen. Er wechselte mit Dr. Goldman einen Blick. Beide wußten, daß McDonald – wie die anderen auch – nur schrie, weil er befürchtete, das Wrack könnte Feuer fangen.

Es war das klassische Brandrisiko: undicht gewordene Sauerstoffflaschen und wahrscheinlich ein Kurzschluß im elektrischen Leitungssystem. Obendrein war Treibstoff ausgelaufen; man konnte noch immer das leise Glucksen des aus den geborstenen Tanks rinnenden Benzins hören; herausgespritzter Kraftstoff glänzte überall auf dem silbrigen Metall der Maschine. Der Sprit lief über die Betonpiste und bildete Pfützen im Gras; die Luft stank schwer nach Benzindunst. Am schlimmsten waren die unter der Motorverkleidung wahrnehmbaren Geräusche; es zischte wie Steaks in der Pfanne, wenn Flüssigkeit auf den heißen Motor tröpfelte.

»Alle, die nicht zur Rettungsmannschaft gehören, verschwinden gefälligst!« brüllte Oberleutnant McDonald. Er warf die demolierte Motorverkleidung zu Boden und nahm seinem Unteroffizier den Bolzenschneider ab. »Wir haben auch ohne Gaffer noch genug Probleme.« Etwas leiser sagte er dann zu Goldman: »Wo ist eigentlich dieses Arschloch Tarrant; braucht man mal 'n paar Bullen, um die Leute hier wegzuscheuchen, dann ist natürlich keiner da.«

»Der poliert seine Uniformknöpfe«, sagte Goldman, der

ebenfalls jemanden brauchte, an dem er seine Frustration abreagieren konnte.

Dann trafen der Stellvertretende und der Technische Offizier des Geschwaders ein. Oberstleutnant Scroll nahm sich erst einmal die Zeit, nach dem aufgemalten Namen des Wracks Ausschau zu halten: ›Kibitzer‹. Der Anrufer auf dem Kontrollturm hatte also richtig gesehen. Nachdem er sich vergewissert hatte, daß die Rollbahn neben dem Wrack genügend Platz ließ, um weitere Starts zu ermöglichen, kletterte er mühsam und unbeholfen auf die geborstene Tragfläche. Von dort aus konnte er erkennen, wie sehr das Gewicht des Motors das Metall der Außenhaut geknautscht und verbogen hatte. Er hielt sich neben Dr. Goldman an dem warmen Metall fest und sah Unteroffizier Walker zu, der gerade dabei war, mit einer Schere den massiven Reißverschluß aufzuschneiden und die Kabel des elektrisch beheizten Fliegeranzugs zu durchtrennen. Jamie Farebrother schien bewußtlos zu sein. Goldman fühlte seinen Puls und machte dabei jenes teilnahmslose Gesicht, das sich die Ärzte bereits auf der Universität zulegen. Seine Augen waren gerötet von den beißenden Dämpfen der ausgeflossenen Kühl- und Hydraulikflüssigkeit, die sich mit dem Benzindunst vermischten, der das ganze Wrack umlagerte.

Unteroffizier Walker nahm die Schere und schnitt Fliegerjacke, Pullover und Hemdärmel auf. Dann schob er eine Kanüle in Farebrothers Armvene. Goldman hielt die Blutkonserve in die Höhe, bis Walker fertig war, dann reichte er ihm die Flasche wieder zu.

»Ist er eingeklemmt?« fragte Duke Scroll.

»Der Motor ist von seinem Lagerbock gerutscht, wiegt über 'ne halbe Tonne, drückt gegen den Jungen«, sagte Oberleutnant McDonald, ohne von seiner Arbeit aufzublicken.

»Schlimme Sache, Doc?« fragte Duke Scroll. Er mußte sich zu Goldman hinüberbeugen und seine Frage wiederholen, weil seine Worte im Lärm der unmittelbar neben ihnen startenden Maschinen untergingen. Er stand jetzt so nahe neben dem Arzt, daß er die über dessen Hände gelaufene Morphiumlösung riechen konnte.

Goldman vergewisserte sich mit einem schnellen Blick, daß Farebrother seine Antwort nicht hören würde, und sagte: »Mit der Fliegerei ist's für ihn vorbei, Sir.«

Während Duke Scroll den Arzt ansah, fiel ihm ein, daß Goldman und Farebrother am letzten Samstag beim Tanzen noch munter miteinander herumgealbert und gelacht hatten, Goldman aber äußerte nicht die geringste Gefühlsregung; er schaute bekümmert drein, aber anders sah er nie aus – dieser Gesichtsausdruck gehörte zu ihm wie der wilde Blick zu Major Tarrant oder die offensichtliche Trunkenheit zu Kevin Phelan. Duke Scroll sagte: »Gibt es vielleicht 'nen Spezialisten, der vielleicht…?« Er fuhr sich über die Augen, wegen der Dämpfe.

Goldman schüttelte den Kopf. »Nein, Sir. Er hat 'nen Schock. Blutdruck und Körpertemperatur sinken, ganz schwacher Puls. Wahrscheinlich hat er innere Blutungen. Ich komm' nicht richtig an ihn ran. Das Blut hat seinen Unterleib so aufgebläht, daß ihm der Sitzgurt den Magen einklemmt – wir kommen nicht ran. Wir müßten Blechscheren haben, dann könnten wir uns 'nen etwas größeren Bewegungsraum schneiden. McDonald glaubt, er müßte Seilwinden haben, um den Rumpf auseinanderzureißen.«

Nachdem McDonald den hinteren Teil des Kanzeldachs ein wenig aufgehebelt hatte, faßte er mit dem Bolzenschneider in den Rumpf und versuchte, das Pilotengeschirr an seinen Verankerungspunkten hinter dem Sitz loszutrennen. Er konnte die Bolzenschere nirgends ansetzen, aber leise vor sich hin fluchend versuchte er es immer wieder.

Als Scroll von der Maschine heruntergeklettert war, versperrte ihm ein Mann in Ausgehuniform und Schirmmütze den Weg. Das adrette Aussehen des Gefreiten unterschied sich erheblich vom Anblick der höchst unterschiedlich gekleideten anderen Männer – sie trugen Zwillichoveralls, Arbeitsanzüge, Baseballmützen, wollgefütterte Lederjacken und Pullover. Der Gefreite salutierte vorschriftsmäßig.

»Was gibt's?« fragte Oberstleutnant Scroll. Er hatte Farebrother schätzen gelernt und mochte ihn mittlerweile, daher brauchte er einen Augenblick, um wieder zu dem unpersönlichen Gehabe zurückzufinden, das angesichts von Dienstgrad und -stellung unerläßlich war.

»Gefreiter Fryer«, meldete der junge Mann. »Ich gehöre zum Pressebüro. Im Augenblick mache ich mit einer Reportergruppe gerade eine Führung. Sind Sie damit einverstanden, daß ich die Leute hierherbringe, Sir?«

»Sie meinen, damit sie mal den Krieg aus erster Hand erleben?« Obschon Scroll eine Pause einlegte, war der junge Fryer klug genug, auf eine Antwort zu verzichten. »Das wollten Sie damit doch sagen, nicht wahr?« hakte Scroll nach.

So einfach ließ sich der Gefreite Fryer nicht einschüchtern. Er wußte schon lange, daß die Macht der Presse die der Generale bei weitem übertraf, und dieser Scroll war schließlich bloß Oberstleutnant. »Die Leute zu Hause sollten die Opfer zu sehen bekommen, Sir.« Als Scroll darauf nicht einging, fügte er hinzu: »Sie sollten hinter den Verlustziffern das tragische Moment erkennen können.«

»Dieser Pilot geht gar nicht in die Verluststatistik ein«, sagte Scroll. »Unfälle beim Start, bei der Landung, ja selbst die beschädigten Maschinen, die in den Kanal stürzen, gehören nicht auf die Liste der Ausfälle durch Feindeinwirkung.«

»Jawohl, Sir«, sagte der Gefreite Fryer in leicht zögerndem Tonfall. Er fand Scrolls Einstellung schwer ergründlich. Farebrothers Anblick konnte den Mann, den die einfachen Soldaten bloß ›Eisenarsch‹ zu nennen pflegten, sicherlich nicht aus der Fassung gebracht haben. »Ich hatte vergessen, wie sich die Verlustziffern zusammensetzen.«

»Halten Sie mir diese Leute vom Leibe«, sagte Scroll. »Und wir wollen ganz sicher nicht, daß sie hier rüberkommen, bloß im Wege stehen und Aufnahmen für ihre Fotoalben machen.«

»Wie Sie meinen, Sir«, sagte der Gefreite Fryer. Seiner Meinung nach mußte Oberstleutnant Scroll ein Magengeschwür oder ein anderes Leiden haben; denn anders ließen sich seine gelegentlichen Anflüge von schlechter Laune nicht erklären. Hauptmann Madigan hatte des öfteren gemeint, daß Vorträge über Pressearbeit von allen Offizieren obligatorisch gehört werden müßten. Fryers Zustimmung zu dieser Behauptung war nie größer gewesen als jetzt.

Scroll stieg in den Jeep. »Zum Büro«, wies er den Fahrer an. Während der Fahrt überlegte er sich, wie er es General Bohnen am Telefon beibringen könnte.

Überrascht stellte er fest, daß er vom Technischen Offizier des Geschwaders im Büro bereits erwartet wurde. »Da draußen bin ich überflüssig. Der Oberleutnant vom Bergungstrupp versteht mehr vom Niederbrechen von Flugzeugwracks, als ich zeit meines Lebens noch lernen könnte«, erläuterte der Major. »Was ich aber doch gerne wüßte: Wie finden Sie's denn, daß Ihre einzige noch intakte Stelle blockiert ist?«

»Kann man denn da gar nichts machen?«

»Kein Problem – wir schieben das Wrack zur Seite, 'n Bulldozer hab' ich zur Hand. Ist 'ne Sache von fünf Minuten.«

Scroll setzte vorsichtig seine Brille ab und behielt sie in der Hand. »Sie meinen, noch ehe wir den Piloten befreit haben?«

»Das ist der Haken«, gab der Major zu, »aber ich habe bereits mit dem Wetterdienst gesprochen. Man hat mir gesagt, daß es sich aller Wahrscheinlichkeit eintrüben wird. Wenn sich der Wind noch 'n bißchen dreht, haben wir auf dem Rollfeld Seitenwind. Und wenn noch Bodennebel dazukommt – wie schon die letzten paar Nachmittage zuvor –, dann könnte es höchst gefährlich werden, wenn die Jungs bei der Landung dem Wrack ausweichen müßten.«

»Meinen Sie, das wüßte ich nicht auch, Major?«

»Verzeihung, Sir.«

»Und meinen Sie, daß es sich auf die Moral der Piloten günstig auswirkt, wenn sie hören, daß wir 'nen Verletzten mit dem Bulldozer einfach wie 'nen Haufen Dreck von der Landebahn geschoben haben?«

»Darauf fällt mir keine Antwort ein.«

Auch Scroll wußte hierauf keine Antwort, aber sein Kommandeur war in der Luft und mit ihm sowohl sein direkter Vertreter als auch Phelan, der Einsatzleiter. »Lassen Sie alles so, wie es ist, bis sie den Piloten rausgeholt haben«, sagte er schließlich. »Halten Sie den Bulldozer mit Fahrer abrufbereit und lassen Sie Ihren Schreiber stets wissen, wo Sie sind, damit ich Sie jederzeit erreichen kann.« Er schwenkte seine Brille. »Vielleicht kann ich Oberst Dan über Funk informieren.«

Scroll rief nach seinem Schreiber. »Haben wir Funkkontakt, Feldwebel?« Feldwebel Kinzelberg sah auf die Uhr. »Sie dürften im Augenblick in der Nähe der deutschen Grenze sein, Sir. Ich glaube schon, daß wir sie erreichen könnten, aber die Antwort müßte über die Relaismaschine kommen.«

Scroll biß sich auf die Lippen. »Na, lassen wir das für den Augenblick«, sagte er rasch, »wir wollen ihnen einstweilen nicht noch mehr Probleme aufhalsen.«

Der Technische Offizier salutierte und verließ das Dienstzimmer. Nachdem er fort war, wandte sich Scroll an seinen Schreiber. »Ich möchte, daß Sie General Bohnen ausfindig machen, gleichgültig, wo er sich gerade aufhält. Haben Sie mich verstanden?«

»Soll ich was ausrichten?«

»Ich werde selbst mit ihm telefonieren. Sie brauchen ihn bloß ausfindig zu machen.« Oberstleutnant Scroll setzte sich an seinen Schreibtisch, legte die Brille in den Eingängekorb und begann sich die Augen zu reiben. Er wollte Oberst Dan nicht belästigen, aber wenn er zurückkam und merkte, daß General Bohnen auf ihn wartete, würde er verrücktspielen. Aber andererseits – großer Gott, wie konnte jemand nur zögern, in einem solchen Falle den Vater des Jungen zu benachrichtigen?

Während sein Schreiber den General zu erreichen suchte, schritt Scroll unruhig in seinem Dienstzimmer auf und ab. Schließlich ging er über den Flur ins Büro des Technischen Inspekteurs. Spencer Larsson, ein bedächtiger Major, saß hinter seinem mit Papieren übersäten Schreibtisch und nukkelte gedankenverloren an seiner alten Meerschaumpfeife. Als Scroll eintrat, sprang er auf, hustete und wedelte mit der Hand den Rauch beiseite.

»Spike«, sagte Oberstleutnant Scroll, »hör mal genau zu. Schnapp dir den Technischen Offizier der 199. Staffel und deine besten Leute und dann bau den verdammten Träger stückweise auseinander.«

»Bei der verunglückten Maschine?«

Scroll unterdrückte einen Fluch und sagte: »Richtig, Spike, das Fahrgestell der Maschine, die auf meiner einzigen intakten Rollbahn zu Bruch gegangen ist. Wenn dein Tabaksqualm hier nicht die Luft vernebeln würde, dann hättest du's vom Fenster aus sehen können. Du wirst mit deinen besten Leuten 'ne Untersuchung des Unfallhergangs einleiten. Sorg' dafür, daß nichts beschönigt oder unter den Teppich gekehrt wird.«

»Wozu denn alles, Duke? Glaubst du, da steckt Sabotage oder so was Ähnliches dahinter?« Er klopfte seine Meerschaumpfeife aus. Nachdem er den Pfeifenkopf sorgfältig gereinigt hatte, stellte er sie vorsichtig in den Aschenbecher.

»Nein, das nicht«, sagte Scroll, »ich fürchte, daß ich die Sache mit dir auch nicht lange erörtern kann. Aber in meiner Schusterkugel ist klar zu erkennen, daß 'n großer, dunkelhaariger Fremder mit 'nem Generalsstern auf der Schulter jeden Augenblick in mein Büro kommen kann und mich fragen wird, ob ich wegen des Wracks da draußen 'ne Untersuchung in die Wege geleitet habe. Und wenn ich jawohl sage und nach dir schicke, dann möchte ich, daß du 'nen dicken Ordner mit Zeugenaussagen, technischen Reports und Nahaufnahmen mitbringst. Und ich möchte, daß das die schönste Unfalluntersuchung wird, die die Achte Luftflotte je gesehen hat; denn wenn die Sache zum Kommandierenden General raufgeht, und die dort an den Aussagen irgendwas auszusetzen haben oder 'n Fleck auf irgend 'nem Hochglanzfoto finden, dann drehen die mich durch den Wolf, und ich werd' dafür sorgen, daß du auch dein Fett kriegst. Kapiert?«

»Na sicher doch, Duke. Laß mich nur machen. Stimmt das, daß ich Fotografen, Stenografen und so kriegen werde?«

»Wenn du willst, daß Major Tarrant splitternackt oben auf dem Tower Modell steht, dann sollst du's haben«, sagte Scroll.

»So weit braucht es vielleicht nicht zu kommen«, meinte Larsson.

Aufblickend stellte Scroll fest, daß der Major lächelte. »Mach mal 'n Exposé über deine Vorstellungen, und leg's mir in 'ner Stunde auf den Schreibtisch. Laß alles andere weg, bis wir mit dieser Sache durch sind.« Scroll machte sich, noch ehe Larsson seine ausführlichen, langatmigen technischen Erläuterungen zum besten geben konnte, eiligst davon.

Selbst der findige Feldwebel Kinzelberg brauchte länger als eine Stunde, um General Bohnen ausfindig zu machen. Er befand sich in Lancashire und sonderte im weitläufigen, labyrinthähnlichen Depot der US Army in Burtonwood bei Liverpool diverse Nachschubgüter aus.

Oberstleutnant Scroll trieb einen alten Freund aus seiner West-Point-Zeit auf und machte ihm klar, daß Bohnen unbedingt gefunden werden müßte. »Die Sache ist dringend, ganz dringend. Wir hatten hier 'nen Unglücksfall, jemand, dem der General sehr nahesteht. Nun, seinetwegen müssen wir jetzt Trübsal blasen, verstehst du? Gut. Wahrscheinlich wird er ganz schnell zu uns rauskommen wollen, aber mit 'ner mehrmotorigen Maschine geht das auf gar keinen Fall, denn unsere beiden Landebahnen sind außer Betrieb. Ich würde vorschlagen, er fliegt nach Narrowbridge, und wir holen ihn dort mit dem Wagen ab. Behalt ihn im Auge, die Sache dürfte ihm sehr nahegehen. Nein, mehr kann ich dir nicht sagen, Kumpel. Ruf mich zurück, wenn du den General gefunden hast. Ich werd' in der Nähe des Telefons bleiben.«

Oberstleutnant Scroll hängte ein und blickte noch einmal auf die Uhr. »Feldwebel«, rief er, »haben Sie schon was von Dr. Goldman gehört?«

»Einer von den Schreibern war gerade hier. Sie haben Hauptmann Farebrother noch immer nicht aus dem Cockpit raus.«

»Und wieviel vor TOT?«* Kinzelberg hatte mit dieser Frage gerechnet und bereits überschlagen, wie lange es noch bis zum Bombenabwurf dauern würde. »Fünfundfünfzig Minuten, Sir.«

Scroll griff bereits beim ersten Klingeln nach dem Hörer, mußte jedoch feststellen, daß es sich bei dem Anrufer nur um Major Tarrant, den Chef der Militärpolizeikompanie, handelte. »Ich belästige Sie nur ungern, Oberstleutnant Scroll«, sagte dieser, Major Tarrant hatte eine metallisch-harte Stimme, die Scroll überhaupt nicht gefiel. Er erinnerte sich, mit solcher Stimme von Polizisten angeherrscht worden zu sein, wenn sie ihn, als er noch jung war, beim Rumschmusen im Auto seines Vaters erwischt hatten. »Aber ich frage mich, ob Sie schon von der englischen Polizei, der Cambridger Stadtpolizei, angerufen worden sind?«

»Nein, bis jetzt noch nicht.«

»Hat Ihnen niemand Fragen wegen Ihrer Urlauber gestellt?«

»Ich bin für 'nen Quiz im Augenblick nicht aufgelegt, Tarrant. Was fehlt Ihnen eigentlich?«

»Unser Verbindungsoffizier zur englischen Polizei hat mich angerufen. Er sagt, bei der Kripo ist irgendwas im Gange. Er konnte zwar keine Einzelheiten in Erfahrung bringen, aber die Kripo hat um Autopsie nachgesucht. Könnte sich um Ermittlungen in 'nem Mordfall handeln. Er sagt, die Polizei hat ein Foto, auf dem ein Flieger vor seiner Jagdmaschine posiert. Er sagt, die Maschine trägt unsere Kennbuchstaben.«

»Wenn einer von unsern Jungs jemanden umgebracht hat, dann ist die englische Polizei gehalten, uns die Fakten

---

* »Time Over Target«, hier der bei der Planung vorab festgelegte Augenblick des Bombenabwurfs.

schnellstmöglich zugänglich zu machen. Wenn die Polizei jemanden zu decken versucht, dann können wir wetten, daß unsere Leute unschuldig sind. Vielleicht suchen sie einen, dem sie die Sache anhängen können.«

Major Tarrant hielt diese Einstellung gegenüber der englischen Polizei für die Einschätzung der Polizei allgemein; daher nahm er die Unterstellung des Stellvertretenden als persönlichen Affront. »Entschuldigen Sie die Störung, Sir«, sagte er kalt und legte auf.

»Ich glaube, jetzt habe ich Major Tarrant beleidigt«, sagte Scroll zu seinem Feldwebel, »und das ist gar nicht mal so leicht.«

Der nächste Anrufer war General Bohnen. Er ließ Oberstleutnant Scroll über den Unfallhergang berichten, ohne ihn zu unterbrechen. »Ist Hauptmann Farebrother ernstlich verletzt?« fragte Bohnen.

»Der Stabsarzt kann ihn nicht untersuchen, da er noch nicht aus dem Wrack befreit werden konnte.«

»Ich werde ein Flugzeug nehmen und sofort zu Ihnen rüberkommen.«

»Für Ihre Unterbringung habe ich bereits gesorgt, Sir. Brauchen Sie ein Köfferchen mit ein paar Sachen aus Ihrem Londoner Büro? Ich könnte das von hier aus arrangieren.«

Bis Scroll sein Übernachtungsangebot gemacht hatte, war Bohnen kühl und gefaßt geblieben; Scrolls Stimme indes konnte er entnehmen, daß sein Sohn Jamie offenbar lebensgefährlich verletzt war. »Vielen Dank, Oberstleutnant Scroll, das ist höchst entgegenkommend. Bitte veranlassen Sie das Entsprechende.«

Als Scroll aufgelegt hatte, ließ er die Hand noch auf dem Hörer ruhen, als ob er so ein erneutes Klingeln des Telefons verhindern könnte. »Feldwebel, wollen Sie mal rüberlaufen und mir 'n Schinkensandwich besorgen? Ich glaube, es ist das beste, wenn ich hierbleibe.«

Er sah aus dem Fenster. Im Westen zerriß die Wolkendecke, so daß diffuses Sonnenlicht auf die Hügel hinter Steeple Thaxted fiel; es zogen jedoch noch mehr Regenwolken auf und verdüsterten den Himmel.

»Feldwebel Kinzelberg«, sagte Scott, als sein Schreiber mit dem Schinkenbrot zurückkam, »gibt es eigentlich verbindliche Anweisungen, daß Journalistengruppen auf dem Fliegerhorst immer von einem Offizier geführt werden müssen?«

Feldwebel Kinzelberg sah ihn schweigend an.

»Wie Sie sehen«, sagte Scroll, der die obere Hälfte des Sandwiches abhob und nachsah, wieviel Schinken auf dem Brot war, »wird die große Reportergruppe im Augenblick von einem Gefreiten auf dem Horst herumgeführt. Ist das etwas ganz Normales?«

Kinzelberg zappelte betreten herum, wischte sich die Hände an der Hose ab und zog seinen Krawattenknoten fester.

»Verdammich, Kinzelberg, hören Sie mir überhaupt zu, oder spielen hier alle verrückt?«

»Den Paragraphen und so weiter könnte ich wohl raussuchen«, sagte der Feldwebel, »aber Zivilisten dürfen sich nur in ständiger Begleitung eines Offiziers auf dem Fliegerhorst bewegen. Ich kann mir nicht vorstellen, daß Reporter vom Heeresministerium nicht als Zivilisten eingestuft werden, obwohl sie militärähnliche Uniformen tragen.«

Scroll nickte und biß in sein Sandwich; erst dann merkte er, daß ihm Kinzelberg auch etwas zu trinken vorgesetzt hatte. Er griff nach dem Glas und roch daran. »Was, zum Teufel, soll denn der Alkohol? Haben Sie mich schon mal mitten an 'nem normalen Arbeitstag Whiskey trinken sehen? Herr Jesus, Kinzelberg, sind Sie auf Dienstunfähigkeit aus oder was?«

»Der Oberst ist gefallen«, flüsterte Kinzelberg.

»Raus mit der Sprache, Feldwebel. Haben Sie jemals gesehen, daß ich Whiskey trinke? Was haben Sie gerade gesagt?«

»Der Oberst ist gefallen, Sir.« Lange Pause. »Ich komme gerade vom Stab – weil ich dachte, Sie würden mich vielleicht fragen wollen, wie sich die Sache macht, Sie tun das ja schon mal...«

»Stimmt, das tu ich schon mal.«

»Deutsche Jäger sind im Frontalangriff zwischen unsere Maschinen gefahren. Einer ist dabei mit Oberst Dans Maschine kollidiert.«

Scroll nahm einen Schluck Whiskey.

Kinzelberg sagte: »Ich fürchte, daran gibt es nichts zu deuten – jeder hat den Absturz gesehen. Der Major im Stab meinte, es wäre besser, wenn ich es Ihnen sagte, und da dachte ich, ein Schnaps...«

»General Bohnen kommt hierher«, sagte Scroll plötzlich. »Ich glaube, Sie wissen bereits, daß Hauptmann Farebrother sein Sohn ist.«

Kinzelberg nickte.

Scroll trank seinen Whiskey aus und hielt das Glas so lange hoch, bis auch der letzte Tropfen heraus war. Dann setzte er es ab und sagte: »Wir bleiben besser auf Draht, Kinzelberg. Morgen früh – vielleicht auch schon heute abend – haben wir 'nen neuen Kommandeur im Nacken. Wissen Sie, dahinter steckt Methode – sie geben niemand Gelegenheit, sich von einem solchen Verlust bedrücken zu lassen.«

»Ich werde den Paragraphen bezüglich Reportergruppen heraussuchen, Sir. Soll ich 'ne Aktennotiz für das Pressebüro entwerfen, oder wollen Sie die Sache lieber im Offiziersheim zur Sprache bringen?«

»Ich hab' ihm gesagt, er sollte heute nicht raus«, sagte Scroll. »Ich hab' ihn förmlich angefleht. Er brauchte Ruhe, er war viel zu erschöpft zum Fliegen.«

Es hörte sich an, als trete jemand in Kinzelbergs Schreibstube. »Wer da?« rief Kinzelberg, und in der Tür erschien Unteroffizier Walker, ohne Kopfbedeckung und mit großen Ölflecken auf Jacke und Hose. »Was gibt's?« fragte Kinzelberg mißbilligend.

»Unteroffizier Walker vom San-Bereich. Ich habe Meldung für Oberstleutnant Scroll.«

»Worum geht's?« fragte Scroll, dem inzwischen eingefallen war, daß dies der Unteroffizier war, der Dr. Goldman an der Unfallstelle assistiert hatte.

»Hauptmann Goldman läßt grüßen«, sagte Walker, »und

ich soll Ihnen sagen, daß wir Hauptmann Farebrother vor der planmäßigen Rückkehr des Geschwaders nicht aus dem Wrack freibekommen.«

»Wie geht's ihm?«

»Fragen Sie mich, Sir?« wollte Walker wissen. In seiner Stimme lag weder Unverschämtheit noch Insubordination, aber Scroll erfaßte auf der Stelle das Benehmen des gutbezahlten Zivilisten, der zwar freiwillig für sein Land ins Feld gezogen war, jedoch Wert darauf legte, daß sein Amateurstatus im Umgang mit Vorgesetzten anerkannt wurde. Oberstleutnant Scroll hatte es stets für zweckmäßig gehalten, sich dieser Ungezwungenheit wenn irgend möglich anzupassen.

»Natürlich frage ich Sie«, sagte Scroll. »Sie sind doch ausgebildeter Arzt, nicht wahr?«

»Ich zweifle, daß Hauptmann Farebrother die Nacht übersteht, Herr Oberstleutnant. Ich glaube, er ist wirklich übel verletzt.« Er streckte den Arm aus und spreizte die Finger wie ein Bauer, der eine Handvoll Erde zu Boden rieseln läßt. »Der Motor hat ihn mit solcher Wucht getroffen, daß sein Sitz kaputtbrach, und dazu gehört schon einiges. Er hat einen Schock und mehrfache Unterleibsverletzungen. Sie und mich hätte der Schock innerhalb weniger Minuten getötet. Aber er ist jung und kräftig, doch das allein reicht nicht.« Er sah erst seine Hand, dann Oberstleutnant Scroll an. »Statistisch gesehen sind Unterleibsverletzungen viel häufiger tödlich als selbst Kopfwunden.«

»Hat Hauptmann Goldman davon gesprochen, gegebenenfalls die Mediziner in Narrowbridge hinzuzuziehen? Dort ist ein großes Lazarett für die Bomberflieger, und die B 17 bringen heutzutage nach fast jedem Einsatz Schwerverwundete mit nach Hause.«

»Ich wüßte nicht, was Leute in Narrowbridge Dr. Goldman noch beibringen könnten«, sagte Walker. »Wenn wir den Hauptmann raushaben, wird sofort operiert.«

Oberstleutnant Scroll hielt es für unklug, sich in diese Angelegenheit einzumischen. Jenseits aller militärischen Verfahrensweisen und der Befehlsstränge des Militärgesundheitswesens gab es noch das besondere Verhältnis zwischen Arzt und Patient. Jeder Laie, der dumm genug war, sich zu einer Intervention hinreißen zu lassen, würde sofort mit dem gesamten Berufsstand der Mediziner zu tun bekommen. »Nun, das wird Hauptmann Goldman sicherlich selbst am besten beurteilen können«, sagte Scroll. »Er möchte mich doch mal anrufen, sobald er sich 'nen Augenblick Zeit nehmen kann. Es hat sich ein Besucher für Hauptmann Farebrother angesagt. Er ist im Augenblick schon unterwegs.«

»Er sollte sich lieber höllisch beeilen«, sagte Walker.

»Wegtreten«, sagte Feldwebel Kinzelberg, »und wenn Sie das nächste Mal ins Dienstzimmer des Oberstleutnants kommen, dann sorgen Sie vorher für einen ordentlichen Anzug. Nirgendwo steht geschrieben, daß Sanis Sonderrechte haben und ohne Mütze rumlaufen dürfen.«

Scroll ging wieder an seinen Schreibtisch und aß den Rest seines Sandwiches. Da war doch noch dieses englische Mädchen – Victoria Soundso. Tarrant meinte, sie sähe schwanger aus. Tarrant war zwar schwer zu ertragen, aber alles andere als ein Idiot. Und letzte Woche hatte Jamie an der Theke beiläufig die Frage der Heiratserlaubnis für Offiziere angeschnitten.

Kinzelbergs Telefon klingelte, und Scroll konnte ihn irgend etwas Zustimmendes grunzen hören. Einmal angenommen, er schickte nach dem Mädchen – Victoria Cooper, ja so hieß sie. Angenommen, er fände sie und ließe sie holen, und es würde sich herausstellen, daß General Bohnen überhaupt nichts von ihr wußte, sie entweder nicht mochte oder gar vom Fliegerhorst entfernt haben wollte. Vielleicht sollte er noch einmal zu dem Wrack hinübergehen. Wenn Farebrother bei Bewußtsein war und nach dem Mädchen fragte, dann würde die Sache leichter zu entscheiden sein.

»Das war noch mal der Stab«, sagte Kinzelberg.

Scroll starrte durch ihn hindurch. »Stimmt das?« fragte er.

»Sie sind auf dem Rückflug. Major Tucker führt, und

Oberleutnant Morse hat die 199. Staffel übernommen. Die Viermots hat's bös erwischt. Wir selbst haben außer dem Obersten noch fünf Mann verloren – könnten leicht mehr werden, weil sie von den Krauts noch immer angegriffen werden.«

»Haben Sie schon dran gedacht, Kinzelberg, daß Sie heute morgen besser im Bett geblieben wären?«

Kinzelberg wußte, was von ihm erwartet wurde: er probierte ein Lächeln. »Soll ich dem Technischen Offizier irgendwas melden, Sir?«

Scroll sah weiter aus dem Fenster, als ließe sich draußen die Lösung seines Problems finden. »Daß das Wrack fortgeschleppt werden soll?«

Kinzelberg wartete geduldig.

Nach längerer Pause sagte Scroll: »General Bohnen wird bald hier sein. In Narrowbridge wartet ein Wagen auf ihn. Er ist der ranghöchste Offizier.«

»Das Geschwader könnte auch in Narrowbridge landen, Sir.«

»Wie es sich anhört, werden unsere Jungs zusammengeschossen und mit den letzten Tropfen Sprit ankommen. Sollen wir ihnen 'ne Navigationsübung und neue Landebedingungen zumuten?« Er erwartete von Kinzelberg keine Antwort. Scroll fuhr fort. »Heute sind alle Geschwader hier in der Luft. Narrowbridge erwartet die eigenen Maschinen – große Maschinen, die eine schwere Niederlage hinnehmen mußten; manche haben Tote und Sterbende an Bord. Und dann sehen Sie sich mal das Wetter an. Die Hälfte aller Flugplätze Südenglands ist schon dicht.«

»Sie stehen vor einer schweren Entscheidung, Sir.«

»Und was ich auch tue, es wird mit Sicherheit das Falsche sein«, murmelte Scroll. »Ich kenne den General gut genug, um mich darauf verlassen zu können.«

»Irgend jemand muß das Wrack wegräumen lassen, Sir. Wenn Sie das nicht befehlen, muß General Bohnen das machen. Wie Oberst Dan sagte, ist es sein Sohn, und General Bohnen wird es nicht wagen, ihn dort zu lassen und das ganze Geschwader in Schwierigkeiten zu bringen. Heutzutage wimmelt's überall von Presseleuten. Sie würden mit Sicherheit dahinterkommen und ihn in die Pfanne hauen.«

Scroll drehte sich um und sah seinen Feldwebel an. »Also, Kinzelberg, was kann ich tun?« Seine Stimme war schrill, sie verriet den Zorn des Mannes, der sich in die Enge getrieben sah. »Soll ich General Bohnen sagen, daß er wieder abhauen soll? Bestehe ich darauf, hier die Befehlsgewalt zu behalten, weil ich die für eine solche Entscheidung nötige berufliche Erfahrung habe?«

»Nein, Sir«, sagte Kinzelberg mit knapper, emotionsloser Stimme, die einzige Zuflucht der unteren Dienstgrade vor ihren Vorgesetzten.

»Vielen Dank, Kinzelberg«, sagte Scroll. »Melden Sie jetzt Major Tarrant, daß wir in allerkürzester Zeit den General erwarten. Ich verlange, daß die Torwache ordentlich besetzt wird und daß seine Männer mit dem vorgeschriebenen militärischen Zeremoniell bestens vertraut sind.«

33.

Brigadegeneral Alexander J. Bohnen

Der Mond schien zwar, warf aber nur karges Licht auf Hangars und abgestellte Maschinen. Außer einem zufällig vorbeikommenden Patrouillenflugzeug hörte man nur das regelmäßige Schlagen der Kirchturmuhr von Steeple Thaxted – aber auch nur, weil in dieser Nacht der Wind von Westen wehte.

In dem kleinen, geweißten Zimmer des Krankenreviers saßen vier Männer. Unteroffizier Walker hatte den Pfleger, der den ganzen Nachmittag über Dienst getan hatte, freiwillig abgelöst. Er trug einen weißen Leinenkittel und saß auf einem Stuhl neben dem Krankenbett und durchblätterte einen Stapel ›Yank‹-Magazine, die er sich auf dem Nachttisch bereitgelegt hatte.

Oberleutnant Morse hatte sich unmittelbar nach der Abschlußbesprechung eingefunden. Seine Haare waren zerwühlt, und das Gesicht zeigte noch Schmutzspuren. Er hatte seine Hemdsärmel aufgerollt, die Krawatte abgenommen und die Schuhe ausgezogen. Mit nach hinten gegen die Wand gelehntem Kopf war er eingenickt; wenn er gelegentlich kurz erwachte, ließ er ein absonderliches Grunzen oder Schnauben vernehmen.

Unmittelbar neben dem Bett saß General Bohnen stocksteif mit zugeknöpftem Uniformrock auf einem Stuhl. Er hatte es so eingerichtet, daß er seinem Sohn ins Gesicht sehen konnte. Er wandte den Blick nicht ein einziges Mal ab.

Als es vom Kirchturm drei Uhr schlug, trat Dr. Goldman leise ins Zimmer: Zeit für seine stündliche Visite. Goldman schien gerade erst aus dem Bett gestiegen zu sein. Er warf Unteroffizier Walker einen schnellen Blick zu, sah über die anderen jedoch hinweg. Er fühlte Farebrothers Puls und lauschte seinen Atemzügen. Dann legte er dem bewußtlosen Flieger prüfend die Hand auf die Stirn: Die Haut war kalt und feucht; kein gutes Zeichen.

Als Goldman wieder ging, folgte ihm Bohnen in die Küche. Erst als er einen Schluck Kaffee eingegossen hatte, ließ er erkennen, daß er sich Bohnens Gegenwart bewußt war, denn er hielt die schlichte weiße Tasse hoch und fragte: »Auch 'n bißchen?«

»Nein, danke schön, Hauptmann.«

Aha, dachte Goldman, er redet dich also mit dem Dienstgrad an; sieht ganz so aus, als ob er den Vorgesetzten rauskehren will. Dann goß er sich aus der Thermoskanne selbst eine große Tasse schwarzen Kaffee ein und nahm einen ersten vorsichtigen Schluck. Als er nach der Keksbüchse griff, weil er darin noch einen Pfannkuchen zu finden hoffte, wurde er allerdings enttäuscht.

»Sie haben diesmal seinen Blutdruck gar nicht gemessen«, sagte Bohnen.

»Nein, bloß den Puls«, erwiderte Goldman.

»Da drüben liegt mein Sohn«, sagte Bohnen verzweifelt. »Soll ich hier rumstehen und zusehen, wie Sie Kaffee trinken und ihn unterdes sterben lassen?«

»Mehr kann ich für ihn nicht tun, General.«

»Dann werde ich eben jemanden von der Gruppe hierherkommen lassen. Ich werde mit der Gesundheitsbehörde in London reden. Vielleicht gibt es englische Spezialisten...«

»Ich weiß, wie Ihnen zumute ist, Sir, aber dadurch werden die Genesungsaussichten Ihres Sohnes auch nicht besser. Er ist nicht transportfähig, ganz außer Frage. Und im Grunde genommen glaube ich nicht einmal, daß ein Spezialist noch mehr tun könnte, als wir hier bereits unternommen haben.«

»Und können Sie mir mal ganz genau sagen, was Sie im einzelnen unternommen *haben*?« Bohnen konnte trotz besten Bemühens den feindseligen Klang seiner Stimme nicht unterdrücken.

»Wieweit ist es mit Ihren medizinischen Kenntnissen her?«

Nicht nur die Frage des Arztes, sondern auch die Fragestellung selbst waren für Bohnen hinreichende Bestätigung seiner bittersten Vorurteile. Wie es schien, durfte niemand fragen oder gar eine korrekte Antwort verlangen, der diesem elitären Kreis nicht angehörte. »Ich bin zwar kein Arzt, Hauptmann Goldman, aber ich möchte trotzdem eine vernünftige Antwort hören.«

»Ich kann Ihre Gefühle verstehen, General.«

»Haben Sie etwa auch einen Sohn, einen einzigen Sohn, der nebenan mit dem Tode ringt?«

Goldman schüttelte den Kopf. Er griff nach einer Weckuhr und einer aufgeschlagenen Zeitung mit einem halbgelösten Kreuzworträtsel.

»Ich warte auf Antwort, Hauptmann.«

Goldman blickte Bohnen voll ins Gesicht und begann mechanisch zu sprechen. »Erste Bauchhöhlenschnitte zeigten übelste innere Blutungen. Wegen der Schwäche des Patienten mußte ich es mit Lokalanästhesie bewenden lassen. Ich habe ins Bauchfell injiziert – das ist das Gewebe, das die Eingeweide umschließt und im Unterleib hält. Dann habe ich drei Gekrösewunden genäht sowie fünf Darmverletzungen. Anschließend habe ich diverse weniger gefährliche Verletzungen behandelt. Sodann habe ich die Bauchhöhle geschlossen und mich um die Schnitte in der Bauchdecke gekümmert.« Goldman nippte an seinem Kaffee. Das Gebräu war so bitter, daß er zusammenzuckte. »Zum Schluß bin ich in Gedanken alles noch einmal durchgegangen, aber ich konnte nicht erkennen, was man im Interesse des Patienten zusätzlich oder anders hätte machen können.«

»Und wohin wollen Sie jetzt?«

»Ich gehe nach draußen in den Bereitschaftsraum. Ich werde den Wecker so stellen, daß ich in etwa einer Stunde nach dem Hauptmann sehen kann.«

»Sind Sie hier der einzige Arzt?«

»Zur Zeit sind wir zu zweit. Wir machen abwechselnd zwölf Stunden Dienst. Da ist gerade ein neuer Befehl reingekommen – drüben im Stabsgebäude brennt noch Licht, und das bedeutet, daß morgen mit Sicherheit wieder ein harter Einsatz bevorsteht. Ich hab da unten noch 'nen Jungen mit 'nem Ulcus liegen, spricht auf keine Behandlung an. Und dann ist da noch jemand mit 'nem Abszeß, der die Nachtwache in Trab hält.«

Beide waren nun verärgert, jeder sah sich als Opfer eines Systems, das Außenseiter nicht duldete. Bohnen goß sich eine Tasse Kaffee ein, und Goldman, der sich mithin entlassen sah, entfernte sich. Bohnen stand neben der Spüle und trank seinen heißen Kaffee. Er betrachtete die glänzendweißen Tassen, die umgedreht auf dem Abtropfbrett standen, und überflog die handschriftlichen Anweisungen: Vor Verlassen der Küche Ventilator und Heißwassergerät ausschalten! Da er Walkers Eintreten nicht bemerkt hatte, zuckte er zusammen, als der Unteroffizier plötzlich das Wort an ihn richtete.

»Das war nicht korrekt, Herr General«, sagte Walker so ruhig, wie es Männern bei Nacht zukommt.

»Wie meinen Sie das?«

»So sollte man mit Dr. Goldman nicht reden.«

»Und warum nicht, Unteroffizier?«

Walker rieb sich mit der Hand die schmerzenden Nackenmuskeln. Er war müde, sehr müde, sonst hätte er anders mit einem General gesprochen. »Er ist der Beste, deswegen nicht. Dr. Goldman wurde an der John-Hopkins-Universität cum laude graduiert. Sein Vater ist Chirurgieprofessor und beratender Arzt an vier oder fünf New Yorker Krankenhäusern. Doc Goldman hat 'ne Chefarztstelle und 'n Bombengehalt sausen lassen, weil er am Krieg teilnehmen wollte. Letzten Monat haben ihn die Chirurgen vom Bombengeschwader in Narrowbridge kommen lassen, weil sie mit 'ner komplizierten Operation nicht fertig wurden.«

General Bohnen war noch immer nicht überzeugt. »Wenn er wirklich so gut ist, würde er in einem der großen Feldlazarette arbeiten.«

»Er will in den Kampf! Er möchte in 'ne Infanterieuniform rein. Goldman ist Jude. Ehe die Nazis ihn ins KZ steckten, war sein Onkel in Frankfurt einer der renommiertesten Chirurgen. Goldman führt so 'ne Art Privatkrieg gegen die Nazis. Wenn er um jemandes Leben kämpft, der draußen war, um Deutsche abzuschießen, dann brauchen Sie ihm nicht erst zu erzählen, daß er sein Bestes tun sollte. Wenn die Chancen Ihres Jungen dadurch besser geworden wären, hätte Goldman heute nachmittag seinen rechten Arm für ihn hergegeben.«

»Das Wrack mußte fortgeschafft werden«, sagte Bohnen, »es ging nicht anders.«

»Ich habe selber Kinder«, sagte Walker. »Ich bete jeden Abend zu Gott, daß dieser lausige Krieg vorbei ist, ehe sie eingezogen werden.«

»Man hätte es tun sollen, bevor ich herkam«, sagte Bohnen. »Jeder wußte doch, daß das Wrack weggeräumt werden mußte, aber man hat mir die Entscheidung zugeschoben.« Walker sah ihn ohne jedes Anzeichen von Mitleid an. Bohnen ärgerte dies. »Was, zum Teufel, wißt ihr eigentlich von mir und meinem Jungen? Sie stehen hier vorwurfsvoll rum, wissen Sie überhaupt, was es mich gekostet hat? Hätte ich ihn da draußen gelassen, hätten Sie's für verantwortungslos gehalten. Weil ich die Landebahn habe freimachen lassen, halten Sie mich für gefühllos. Sie haben doch Kinder zu Hause, Unteroffizier, Sie haben sie großwerden sehen. Gut, ich freue mich für Sie. Aber ich habe meinen Sohn verloren, als er noch klein war. Ich habe ihn an dem Tage verloren, als ich ihn an den Zug brachte. Ich habe ihm ein Eis gekauft, ihn mit ein paar Späßen zum Lachen zu bringen versucht und ihm gesagt, er sollte seinen neuen Vater genauso lieben wie mich. Damals habe ich ihn verloren, Unteroffizier; denn seine Mutter nahm ihn mir fort und wiegelte ihn so gegen mich auf, daß er nie wieder zu mir zurückfand. Der Zug fuhr an, und ich habe gewinkt, bis er nicht mehr zu sehen war. Dann bin ich in die leere Wohnung zurück und habe mich zum erstem Mal in meinem Leben fürchterlich betrunken. Wenn Ihre Kinder Masern oder

Ziegenpeter hatten, konnten Sie ihnen Süßigkeiten geben und die Hand halten. Wenn Jamie krank war, bekam ich von seiner Mutter eine trockene Mitteilung, ich sollte ihm ja keine Geschenke schicken, weil ihn das aufregen würde. Hat Ihnen schon mal jemand ein Spielzeugflugzeug und ein Buch über Lincoln zurückgeschickt, weil sie ›militaristisch‹ waren und nicht dem entsprachen, wie sie *Ihren* Sohn zu beeinflussen wünschte? Wissen Sie, wie oft ich dreitausend Meilen über Land gefahren bin, bloß um ein paar Minuten mit meinem Sohn zusammensein zu können? Wissen Sie, was es mich heute gekostet hat? Nun, ehe Sie antworten, Unteroffizier, lassen Sie sich gesagt sein, Sie haben nicht den Schimmer einer Ahnung. Halten Sie mir also keine Vorträge über Kriegführung und verkneifen Sie sich auch Ihre Ratschläge hinsichtlich Vaterschaft.«

»Sie sollten ein wenig schlafen, General«, sagte Unteroffizier Walker. »Ganz ohne Schlaf kommt auf die Dauer niemand zurecht.«

»Zum Schlafen ist noch Zeit genug«, sagte Bohnen.

Kurz nachdem General Bohnen mit Goldman und Walker gesprochen hatte, war Farebrother einige Minuten bei Bewußtsein. Bohnen und sein Sohn waren allein – Unteroffizier Walker wechselte in einem anderen Krankenzimmer am Ende des Gangs dem unter einem Abszeß leidenden Soldaten den Verband, und Oberleutnant Morse war im Waschraum – Bohnen war dafür dankbar.

Bohnen hielt seine Hand, wie er es immer getan hatte, als Jamie noch klein war. »Wir schaffen das schon, Jamie. Du und ich, genau wie früher, weißt du noch?«

Farebrothers Gedanken indes gingen auf die Reise. Er flog. »Ich hätte beim Rottenführer bleiben sollen – wie es sich für einen Rottenflieger gehört.«

»Jamie – Junge –, hier ist dein Vater.«

»Mickey Mouse? Mickey Mouse?« Er lächelte. »Bist du's? Hast du sie abgeschüttelt, MM?«

»Alles ist gut, Jamie«, sagte Bohnen und legte seinem

Sohn die Hand auf die Stirm. Die Haut fühlte sich kalt und feucht an, der Atem ging schnell und war flach. »Alles ist gut.«

»MM? MM? Hör mal, MM, du sollst mal herhören!«

»Ich höre«, sagte Bohnen.

»Sollen sie sich doch alle zum Teufel scheren, MM. Mach weiter so – mit Vera, mein ich. Tu, was du für richtig hältst, MM.«

»Und was ist mit deinem Vater?« fragte Bohnen.

»MM? Ich kann keine Formation mehr halten.«

»Jamie!«

»Ich versuch's ja, MM, aber die Kiste hat noch nie viel getaugt, du hast ganz recht gehabt.«

»Jamie, hör doch einmal. Ich bin's dein Vater.«

»Leb wohl, Mickey Mouse, und vielen Dank. Mach dir meinetwegen keine Sorgen, ich schaff's auch im Gleitflug bis zur Küste. Sag Vicky, ich würde zur Küste segeln.« Farebrother legte sich bequem in die Kissen zurück und lächelte, ehe er wieder die Augen schloß. Als Bohnen sich umsah, stand Oberleutnant Morse neben dem Bett.

»Die Maschine hätte ins Museum gehört, Herr General, aber Jamie wollte sie nicht abgeben. Er meinte, sie würde ihm Glück bringen.«

»Er glaubte mit Ihnen zu sprechen«, sagte Bohnen zu Morse. »Er sagte, Sie sollten mit Vera so weitermachen – vielleicht wissen Sie ja, was das bedeuten soll. ›Tu, was du für richtig hältst‹, hat er gesagt.«

»Ich muß gleich gehen, Herr General. Ich bin für morgen eingeteilt, und es wird wieder heiß hergehen. Wir haben gestern den Obersten verloren. Ich werde die Staffel führen.«

»Ich weiß«, sagte Bohnen. Er hatte Tucker das Kommando über das Geschwader übertragen und per Fernschreiber um Bestätigung und Tuckers Beförderung nachgesucht. Er mißbilligte in höchstem Maße, daß Tucker seine neuerworbenen Kompetenzen als erstes dazu benutzte, Morse zum Staffelkapitän zu ernennen. Diese Mißbilligung indessen ließ Bohnen sich nicht anmerken, als er Morses

Hand ergriff und kräftig schüttelte. »Viel Glück, Herr Oberleutnant.«

»Jamie hatte den besten Obermonteur des ganzen
Geschwaders, Herr General. Wenn am Reifen oder am
Fahrwerk auch nur das Geringste zu entdecken gewesen
wäre, dann wäre das Tex nicht entgangen.«

»Wenn Sie wieder zurückkommen, steht Jamie winkend
am Fenster«, sagte Bohnen.

»Also dann, ich muß mich beeilen.«

»Leben Sie wohl, Mickey Mouse«, sagte der General.

Gegen fünf Uhr früh fiel Hauptmann James Farebrother
ins Koma. Um 9.33 Uhr, als Oberleutnant Morse mit seiner
Staffel an den Start rollte, starb er.

Epilog – 1982

Mickey Morse stand neben dem mit einem rostigen Vorhängeschloß gesicherten Farmtor in der Nähe der ehemaligen Abstellplätze seiner Staffel. MM rüttelte daran, es versperrte ihm jedoch weiterhin hartnäckig die Rückkehr in die Vergangenheit. Von hier aus konnte er die Wellblechhütte erkennen, die einmal den Piloten der 199. Staffel als Aufenthaltsraum gedient hatte. Auf ihren Stufen hatte er sich mit Rube, Earl und Jamie fotografieren lassen. Jetzt war die Hütte nur noch ein dachloses Gerippe, aber das kleine Toilettenhäuschen aus Beton ganz in ihrer Nähe erwies sich als so stabil wie eh und je.

Auf dem ehemaligen Flugfeld reifte eine neue Weizenernte heran: Der Wind ließ die Halme wogen wie ein sturmbewegtes grünes Meer. Dann aber teilte sich das Meer, und trüber Sonnenschein fiel auf den rissigen Beton der Piste, auf der Jamie Farebrothers ›Kibitzer‹ zerschellt war.

Victoria kam mit seinem Mantel. »Komm, Liebling, zieh ihn an; du weißt doch, was der Arzt gesagt hat. Paß auf, daß du dich nicht erkältest.« Wie es bei Ehepaaren, die ein ganzes Leben lang in gegenseitiger Liebe und Achtung miteinander verbracht haben, so oft der Fall ist, waren auch die beiden auf höchst anmutige Weise gealtert. Sie hatte um die Hüften herum ein paar Pfunde angesetzt, und Mickey waren fast alle Haare ausgefallen, aber trotzdem waren sie für jedermann erkennbar noch ganz die alten.

»Ich mußte gerade an Madigan denken«, sagte Mickey Morse. »Weißt du, er hat in unser aller Leben eingegriffen.«

»Vince Madigan?« Sie knöpfte seinen neuen Mantel zu

und knotete den Wollschal fest um seinen Hals. Trotz seiner Einwände ließ er sich gern bemuttern.

»Veras Mann hat Vince erschossen, aber eigentlich hätte er mich erschießen müssen. Man hat das die Presse zwar nicht wissen lassen, aber so ist es gewesen. Wir beide wissen das.«

»Ach, Mickey, Liebling, das ist doch alles längst vorbei. Du hast mir versprochen...«

»Ich glaube, Vera hat mir das Leben gerettet. Ich nehme an, Vera hat ihrem Mann erzählt, daß sie mit Madigan was gehabt hätte. Ich glaube, sie wollte mein Leben retten.«

»Arme Vera, ich habe neulich nachts noch von ihr geträumt. Ich glaube, das kommt daher, daß ich nach so langen Jahren wieder zu Hause in England bin. Ich habe mich dabei ertappt, daß ich wieder an sie dachte.«

»Dieser kleine Oberstleutnant mit all seinen Hollywood-Zweideutigkeiten. Noch ehe ich gehört hatte, daß Vera umgebracht worden war, traf er schon auf dem Fliegerhorst ein. Er hat mir von dem Doppelmord und von Reg Hardcastles Selbstmord erzählt – er sprach von einem ›crime passionnel‹. Er befahl mir, Urlaub zu nehmen.«

»Und du hast mich in Wales gefunden und mir von Jamie erzählt.«

»An dem Abend, als Tucker seinen Pflichttanz machte, bin ich darauf gekommen, daß du schwanger warst. Am nächsten Morgen hat er das Geschwader übernommen und wurde zum Oberstleutnant befördert. Komisch, daß ich Tucker zu Anfang überhaupt nicht leiden konnte. Aber nachdem er es übernommen hatte, schien er sich irgendwie verändert zu haben.«

»Meine Mutter hat alles Mögliche versucht, damit ich nach Schottland gehe und dort das Kind zur Welt bringe. Da hättest du mich nie gefunden.«

»Als ich dich gebeten habe, mich zu heiraten, weintest du.«

»Du hast mich gar nicht gebeten, dich zu heiraten. Du hast gesagt, wir sollten eigentlich heiraten.«

»Ist doch wohl dasselbe, oder nicht?«

Sie nahm ihn in die Arme. »Natürlich.«

»Alles passierte nur Madigans wegen. Du hast Jamie kennengelernt, ich dich, ich Vera. Mit diesem blöden Ochsen Madigan fing alles an.«

»Armer Vince mit seinen Mozart-Platten und seiner aufreizenden Stimme, die er manchmal aufzulegen vergaß. Zu mir hat er gesagt, er wäre immerzu unglücklich verliebt.«

Mickey Morse schnaubte. »Das hat er jedem erzählt. Das gehörte zu seinem üblichen Gequatsche.« Er hatte sich halb herumgedreht und beobachtete den Bus mit den übrigen Teilnehmern des Ausflugs der Veteranenvereinigung des 220. Jagdgeschwaders. Der Bus war die Ringstraße entlanggefahren und wartete nun auf sie. »Der alte Tarrant ist ausgestiegen und kommt zu uns rüber. Was mag der wohl wollen?«

»Sei nett zu ihm, Liebling. Er schreibt über euer Treffen einen Artikel für die Verbandszeitung. Er nimmt das sehr ernst.«

»Tarrant war der größte Drückeberger auf dem ganzen Stützpunkt. Kein Mensch konnte ihn leiden. Gehören schon Nerven dazu, die Verantwortung für den Artikel zu übernehmen.«

Harry Tarrant hatte sich zu einem ungeschlachten, rotgesichtigen Mann entwickelt. Bei seinem Eintreffen hielt er einen Kugelschreiber und ein Ringbuch bereit. Seine liebenswürdige Erscheinung war mit dem strengblickenden Feldgendarmen, gegen den Morse eine so starke Abneigung gehegt hatte, nicht so leicht in Einklang zu bringen. Tarrant trug eine kurze rote Schottenjacke, eine Schlotterhose und weiße Schuhe, dazu einen roten Schlapphut mit dem Reklameaufdruck der Versicherungsgesellschaft, für die er jetzt arbeitete. Tarrant strahlte Mickey an. »Es ist ein wahres Vergnügen, Sie und Frau Morse zu unserer Reisegesellschaft zählen zu dürfen.«

Morse nahm dieses Kompliment mit eisiger Gleichgültigkeit zur Kenntnis.

Victoria sagte: »Es ist ja alles so phantastisch gut organisiert.«

Tarrant nickte ihr zu. »Wir versuchen unser Möglichstes«, sagte er bescheiden. »Ich bin gerade dabei, für die nächste Ausgabe ein paar Notizen zusammenzutragen«, erläuterte er, während er eine neue Seite aufschlug und mit ›Morse‹ betitelte.

»Wie weit sind Sie denn schon gekommen«, fragte Morse und wandte sich Tarrants Aufzeichnungen zu.

»Wußten Sie schon, daß Tex Gill, einer unserer Obermonteure, noch Oberst wurde, bevor er 1975 in den Ruhestand trat?«

»Ja, weiß ich schon.«

Tarrant zeigte ein schnelles Lächeln und zog sein Notizbuch zu Rate. »Duke Scroll hoffte, sich uns anschließen zu können, aber seine Frau wurde krank. Er war Direktor einer großen Fluggesellschaft und hat sich letztes Jahr pensionieren lassen. Er versucht uns dazu zu überreden, unser nächstes Treffen in Palm Beach abzuhalten, er wohnt nämlich ganz in der Nähe.«

»Und ich hab' gedacht, dann müßte er doch ganz billig an Flugkarten rankommen können«, sagte Mickey Morse.

»Was weiß ich«, sagte Tarrant unbehaglich und sah Victoria mitleidig lächelnd an.

»Und Tucker?«

»Er wird morgen bei unserer Feier sein. Bevor er ausschied, hat er noch seinen Generalsstern gekriegt. Wußten Sie das?« Tarrant war in einen Kuhfladen getreten und versuchte jetzt, seinen Schuh am untersten Torbalken sauberzuwischen.

»Wir haben alle gedacht, er wäre noch vor Kriegsende General geworden«, sagte Morse. »Vielleicht wär' ihm das auch geglückt, wenn er nicht das Geschwader übernommen, sondern im Stab Verwendung gefunden hätte.«

»Fällt richtig schwer, sich Tuckie als General vorzustellen«, sagte Tarrant. »Er kommt zu allen unseren Treffen, freut sich jedesmal richtig. Na, morgen werden Sie's ja selbst erleben. Wissen Sie, Frau Morse, er ist nämlich die Seele des Unternehmens.« Tarrant schrieb »Tuckers Karriere?« in sein Notizbuch. »Natürlich hat er sich nicht von

Anfang an gefreut. Er brauchte 'ne Weile, um den richtigen Dreh zu finden, stimmt's Mickey?«

»Tucker stellte sich als große Klasse raus«, sagte Morse. Er dachte an den Tag der deutschen Kapitulation. Tucker war aus seinem Büro hinüber zu MM auf die Stube gegangen. Er war hereingekommen, hatte die Tür geschlossen und eine Flasche Scotch hervorgezogen, schweigend zwei Drinks eingeschenkt und MM ein Glas gereicht. »Wir haben's geschafft, MM.« Mehr hatte Tucker nicht gesagt. Zu jener Zeit waren alle anderen bereits nicht mehr dagewesen – gefallen, verwundet, nach Ende ihrer Verpflichtung ausgeschieden. Tucker und MM hatten die Flasche leergetrunken und sich in einem Graben wiedergefunden, nachdem beide von Tuckers Fahrrad gefallen waren. »Tucker ist 'n feiner Kerl«, sagte MM.

»Was wurde denn aus dem Doktor? Er war richtig nett zu mir, fällt mir dabei ein«, sagte Victoria.

»Vermutlich meinen Sie Hauptmann Goldman«, sagte Tarrant. »Er wird bei uns noch immer unter den Offizieren geführt, aber der Verband konnte keine Verbindung zu ihm herstellen. Durch einen glücklichen Umstand habe ich gestern von Herrn Walker – dem äußerst würdevollen Herrn mit der diamantenen Krawattennadel da drüben – Näheres erfahren können. Walker hat vier Drugstores in Chicago. Können Sie sich an ihn erinnern, MM? Haben Sie gesehen, wie er auf dem Flugplatz in 'nem Wagen mit eigenem Fahrer vorfuhr? Kann man sich gar nicht vorstellen, daß der Kerl mal bloß Sanitätsunteroffizier war, wie?« Er blätterte in seinen Aufzeichnungen. »Ja, da haben wir ihn! Goldman. Wurde zu einer Chirurgengruppe versetzt, die bei der Invasion im Abschnitt Omaha Beach an Land ging. Goldman ist gefallen, als eine Mörsergranate das Zelt traf, das ihnen als Operationssaal herhalten mußte.« Tarrant klopfte mit dem Bleistift die Takte des Zapfenstreichs auf sein Notizbuch – auch dieses zierte eine Reklame seiner Versicherungsgesellschaft. »Werden Sie morgen an der Feier teilnehmen? Während des Festessens wird Bobby Baxter ganz offiziell die Präsidentschaft des Verbandes übernehmen.«

»Bobby Baxter!« lachte Morse verächtlich. »Der Kerl, der mal Tuckers Rottenflieger war? Präsident? Der Widerling war doch keine zehn Minuten beim Geschwader. Ich war doch selbst dabei, als er sich über München, Braunschweig oder irgend 'nem anderen blöden Nest an den Schirm hängte. Baxter hat den Krieg im Gefangenenlager überstanden. Ich weiß noch ganz genau, daß er Tucker dauernd Postkarten schrieb und um Zigaretten und Schokolade bettelte. Baxter!«

Tarrant wartete geduldig. Er wußte bereits, was MM von Baxters Eignung für höhere Ämter hielt. Er lächelte, jedoch nicht so breit, daß man es als Illoyalität seinem neuen Präsidenten gegenüber hätte auslegen können. »Bobby war im Verband ausgesprochen rührig, Mickey. Vergangenes Jahr hat er die letzte Woche seiner Urlaubsbuchung storniert und ist extra von Hawaii rübergekommen, um sich mit uns in New Orleans treffen zu können. Er ist auf jedem Treffen dabei.«

»Hat jemand mal was von *meinem* Rottenflieger, von Rube Wein, gehört?«

»Ich habe mein Möglichstes versucht, Mickey. Wir haben in der Zeitung des Verbandes ehemaliger Offiziere inseriert, und außerdem habe ich nach Washington und an seine alte Adresse geschrieben.«

»Sie hätten nach Berlin schreiben sollen«, sagte Morse. »Ich vermute, daß Rube nie bis in ein Kriegsgefangenenlager gekommen ist. Diese Krauts werden mit ihm wohl genau das angestellt haben, was Rube selbst immer befürchtete.«

Tarrant wand sich unbehaglich. »Lassen Sie uns keine voreiligen Schlüsse ziehen, MM. Bei unserm Festessen und der Präsentation morgen sind auch ein paar deutsche Kriegsteilnehmer anwesend.«

»Sagen Sie mir bloß nicht, ich sollte Ruhe geben, Tarrant. Während Sie sich damit beschäftigt haben, wegen 'n paar Soldaten, die mal einen über den Durst getrunken hatten, 'n Protokoll aufzunehmen, haben diese Scheißkerle versucht, mich umzubringen.«

Victoria zog leicht an seinem Arm; sie wollte ihm zu

verstehen geben, daß es heikel zu werden begann. Tarrant klopfte auf sein Notizbuch und sagte: »Nun, liebe Leute, und wie steht's mit euch? Ich habe mein Notizbuch nicht hervorgeholt, um mich über andere auszulassen. Laßt doch mal etwas über eure Umstände hören!«

Tarrant nahm seine Olympus hoch, um die beiden vor dem Hintergrund des alten Abstellschuppens abzulichten. »Sie waren das große Fliegeras des Geschwaders, MM. Sie sind berühmter als alle anderen von uns.« Da sich Tarrant die Kamera dicht vors Gesicht hielt, klang seine Stimme nur dumpf. »Mein Ältester las neulich in einem Luftfahrtmagazin, und als ich ihm über die Schulter gucke, da sehe ich Ihr Foto. Ich sag zu ihm: ›Das ist einer meiner besten Kumpels‹, aber er wollte mir das kaum glauben. Machen Sie nicht so 'n böses Gesicht, MM, ich hätte gern 'n fröhliches Foto.«

»Kinzelberg ist viel berühmter, als ich es je werden könnte«, sagte Morse.

Darauf Tarrant: »Haha!«

»Ist das nicht der, dem sie zwanzig Jahre gegeben haben?« fragte Victoria. »Stand das nicht in der Zeitung?«

»Der Richter meinte, er hätte bei seiner Bank 'ne knappe Million Dollar unterschlagen«, sagte Morse.

»Kinzelberg? Hat der nicht immer die Würfelspiele organisiert?«

»Sind Sie verrückt, Tarrant? Kinzelberg war Schreiber beim Stellvertretenden, streitsüchtig aussehender Scheißer mit 'ner Narbe im Gesicht. Der hätte Ihnen nicht mal die Uhrzeit genannt, ohne sich vorher mit seiner Kartei abgestimmt zu haben. Nee, der Mann, hinter dem Sie dauernd her waren, der hieß Boyer.«

»Boyer! Boyer! Boyer?« Tarrant schnickte mit den Fingern. »Wie konnte ich den Namen bloß vergessen. Wegen Boyer und seinen Würfelspielen hat mir Duke Scroll das Leben zur Hölle gemacht. Das Dumme war bloß, daß jedesmal, wenn ich den Sauhund in flagranti erwischt hab', auch Oberst Dan dabei war und gerade die Würfel in der Hand hatte.«

Morse mußte lachen. »Boyer ist dem Verband niemals

beigetreten. Ich habe ihm ein paarmal geschrieben, und irgendwann hat er mir dann mal mitgeteilt, er wäre auf Hawaii Verwalter eines Appartementhauses mit Aussicht auf die Hilo-Bay. Als ich jemand gebeten habe, ihn im Urlaub dort einmal aufzusuchen, hat man ihm erzählt, es sähe ganz danach aus, daß ihm das Haus selbst gehörte. Schätze, Mäuse hat er genug gemacht.«

»Nun wieder zu euch«, sagte Tarrant, nachdem er seine Kameratasche vorsichtig geschlossen hatte. »Gehe ich richtig in der Annahme, daß Sie Engländerin sind, Frau Morse, daß Sie sich hier kennengelernt haben, als Mickey seine Einsätze flog?«

Victoria nickte.

Dadurch ermutigt, meinte Tarrant: »Und MM war schon Anwärter auf den Thron der Fliegerasse, als Sie geheiratet haben?«

»Ja«, sagte Victoria, »ich fürchte, das habe ich ihm verdorben. Mickey machte mir einen Antrag, und wir bekamen Heiratserlaubnis und auch Heiratsurlaub. Ein Oberstleutnant namens Shelley hat das alles arrangiert. Als wir aus den Flitterwochen zurückkamen, hatte jemand bereits Rickenbackers Abschußzahl übertroffen, und ein Pilot vom pazifischen Kriegsschauplatz beherrschte die Schlagzeilen.«

»Meinen Unterlagen entnehme ich, daß Sie bei Bohnen and Morse Electronics and Leisure, Inc., einen Beratervertrag haben.« Tarrant betrachtete Mickeys maßgeschneiderten Mantel und Victorias teure Garderobe. Dann sagte er: »Klingt ja so, als hätten Sie's von Anfang an richtig gemacht. Nun, dies alles wird von Fred Fryer säuberlich zu Papier gebracht – Fryer, der damals zum Pressebüro gehörte, ist heute berufsmäßiger Schreiberling. Haben Sie mit Förderung nach dem Frontkämpfergesetz Elektronik studiert?«

»Wirtschaftswissenschaften«, sagte MM. »Hab' ich aber nie zu Ende gebracht. War zu dämlich fürs College.«

»Quatsch«, sagte Victoria.

»Meine Frau wurde an der Universität Cambridge graduiert. Schreiben Sie das auf«, sagte MM, und Tarrant tat, wie ihm geheißen.

»Mickey ist vom College gegangen, um mehr Geld zu verdienen, damit er sich um mich und den kleinen Jamie besser kümmern konnte«, sagte Victoria. »Glauben Sie bloß nicht diesen Unsinn, daß er ein Versager wäre.«

»Nur dieses eine Kind namens James. Habe ich Sie da recht verstanden? Die Leute werden verrückt, wenn ich einen Namen nicht richtig erfasse.«

»Eigentlich wollten wir mehr«, sagte Morse. Victoria griff nach seiner Hand und preßte sie liebevoll.

»Micky wurde Geschäftsführer einer kleinen Firma, die Motorkreuzer baute. Er verdiente genug, um Jamie durch Harvard zu bringen und anschließend auf die Technische Hochschule von Massachusetts zu schicken.«

»Damals waren kleine Boote sehr gefragt«, erläuterte Morse.

»War nicht mal zu lesen, daß Ihr Sohn eine Kamera erfunden hätte? Ich selbst bin nämlich Experte in Sachen Fotografie, deswegen ist mir der Name in einer Fotozeitschrift aufgefallen. Ist das Ihr Sohn, der hübsche junge Mann da, der mit seiner Frau unmittelbar hinter dem Fahrer sitzt?«

»Jamie hat eine Neutronen-Röntgenkamera gebaut, das ist eine Art besonderer Röntgenapparat, mit dem man Gewebeunterschiede sichtbar machen kann. Das ist die Maschine, die von unserer Firma herausgebracht wurde.«

»Und wer ist Bohnen?« fragte Tarrant. »Hat er den Teig zum Gehen gebracht?«

»Bohnen war ein entfernter Verwandter«, sagte Morse. »Er hat uns finanziert. Mit seinem Tode hat er alle seine Geschäftsanteile unserem Jamie vermacht, aber wir führen seinen Namen weiterhin in der Firma. Ist so 'ne Art Dankeschön, und außerdem hat's uns Glück gebracht.«

»Scheint so«, sagte Tarrant. »Sagen Sie einmal, wie steht's denn mit der äußeren Sicherheit Ihrer Firma?«

»Damit habe ich nichts zu tun«, sagte Morse.

»Nun denn, lassen Sie mich Ihnen trotzdem eine geben«, sagte Tarrant und reichte eine Geschäftskarte hinüber, die ihn als »Manager: New Business Department« auswies.

Morse schob sie in die Tasche, ohne mehr als einen Blick daraufzuwerfen. »Sagen Sie mal, Tarrant, wieso haben Sie uns in dieser Jahreszeit nach England gelotst? Seit wir auf dem Flugplatz angekommen sind, bin ich nicht ein einziges Mal richtig warm geworden. Haben diese lausigen Hotels denn keine Heizung?«

»Bei den Flugkarten und der Hotelbuchung bekommen wir, wenn wir unsere Zusammenkunft außerhalb der Saison stattfinden lassen, Mickey, einen ordentlichen Nachlaß. Ein großer Teil unserer Mitglieder hätte nicht kommen können, wenn wir die Kosten nicht äußerst niedrig gehalten hätten. Der arme, alte Kevin Phelan mußte sich das Geld pumpen, um diesmal dabeisein zu können. Das hat er selbst jedem erzählt. Insofern ist es kein Vertrauensbruch, wenn ich darauf zu sprechen komme.«

Der Busfahrer betätigte das Horn. Tarrant blickte auf die Uhr. »Wir sollten jetzt besser wieder zu den anderen gehen. Wir haben noch einiges auf dem Programm.« Er blickte auf seine Notizen und las im Gehen laut vor. »Gymnastikvorführung der einheimischen Pfadfinder, Modellflugzeugausstellung im Dorfrathaus, Besuch eines der ältesten Collegegebäude in Cambridge, Tee und Sandwiches in Steeple Thaxted mit formeller Begrüßungsansprache durch den Bürgermeister. Dann zurück ins Hotel, sich kurz frischmachen, anschließend Abendessen im King's Head in Lower Collingwood.« Mit stolzem Lächeln blickte er auf.

»Hört sich gut an«, sagte MM. An der Wand einer Hausruine entdeckte Victoria einen frisch hingemalten Spruch: »Keine Atomwaffen! Amis raus!« Sie ließ ihren Arm bei MM eingehakt und tat, als hätte sie nichts gesehen.

In eigener Sache

Mehr als sechs Jahre lang habe ich an dem Buch gearbeitet. Sein Zustandekommen ist ohne Rat und Hilfe Dritter nicht vorstellbar. Allen, die mir bei Recherchen und Niederschrift zur Hand gingen, gilt mein besonderer Dank. Entschuldigen muß ich mich bei denen, die ihre Namen hier vergeblich suchen – Platzmangel, die Unleserlichkeit meiner Notizen oder mein lückenhaftes Gedächtnis kommen als Grund für diese Unterlassung in Frage. Auf die Auflistung von Dokumenten und Büchern (seien sie nun bereits veröffentlicht oder auch nicht), denen ich die Hintergrundinformationen über eine bereits rasch ins Dunkel der Geschichte tretende Epoche verdanke, habe ich bewußt verzichtet. Es ist kein Geschichtsbuch, und so beruhen die geschilderten Ereignisse auch nicht nur auf Fakten, sind die dargestellten Charaktere keine getreuen Abbilder Lebender oder Toter. Es bedarf keiner besonderen Erwähnung, daß etwaige Fehler zu meinen Lasten gehen und nicht etwa all denen zuzuschreiben sind, die meinen Nachforschungen soviel selbstlose Unterstützung zuteil werden ließen.

Mein besonderer Dank gilt folgenden amerikanischen Staatsbürgern, Institutionen und Publikationen: Ken Allstaedt (78. Jagdgeschwader); Sheldon Berlow (352. Jagdgeschwader); Paul Chryst (91. Bombergeschwader); Robert DeGeorge (Navigator bei der 323. Bomberstaffel); Frank G. Donofrio (Gedächtnisvereinigung »Memphis Belle«); Gordon Hunsberger † (355. Jagdgeschwader); Willard Korsmeyer (Jagdflieger); Robert E. Kuhnert (Sekretär des Verbandes der Ehemaligen des 355. Jagdgeschwaders); William E. McGavern (91. Bombergeschwader); Milton Green (91. Bombergeschwader); Joe G. Myers jr. (5. Instandsetzungsstaffel); Peter E. Pompetti (Pilot in der 84. Jagdstaffel); Charles W. Redenbaugh (Pilot in der 358. Jagdstaffel); Howard E. Sisk (Bodenmechaniker); Aleck Thomas (Pilot in der 323. Bomberstaffel); Jack M. Webb (Bordingenieur bei der 374. Bomberstaffel); Henry D. Wertz (355. Jagdgeschwader); Generalmajor Stanley T. Wray (Kommodore des 91. Bombergeschwaders).

Besonders danken muß ich noch meinen Freunden Art Jackson und Lou Malone, zwei Obersten, die aufgrund ihrer langen Flugerfahrung mit besonders wertvollen Ratschlägen und Ermunterungen nicht geizten.

Desgleichen halfen mir viele Vereinigungen ehemaliger Kriegsteilnehmer durch Zugänglichmachung ihrer Mitgliederzeitschriften und -rundschreiben. So wurden auch meine vielen Anfragen in diesen Schriften bereitwilligst veröffentlicht. Besonders erwähnen muß ich hier ›Mustang‹, die Mitgliederschrift des ehemaligen 355. Jagdgeschwaders; die Publikation des Verbandes der ehemaligen Angehörigen des 388. Bombergeschwaders; die Zeitschrift des Verbandes der Ehemaligen des 3. Strategischen Luftdepots; ferner ›Flight Patterns‹, die Zeitung des Veteranenverbandes der ehemaligen 369. Jagdstaffel sowie ›8th Air Force News‹, das Journal der Historischen Gesellschaft der Achten Luftflotte. Englische Sachverständige und Interessenten trugen mit vielerlei Informationen zum Gelingen dieses Buches bei. Ein überaus herzliches Dankeschön gilt Malcolm Bates, der mich auf die Idee brachte, und Oberstleutnant (R.A.F.) ›Beau‹ Carr (Flugpionier und Autor des Buches »You Are Not Sparrows«). Letzterer vermochte es einzurichten, daß ich mich 1978 an der von den Veteranen der Achten Bomberflotte arrangierten Besichtigung ihrer ehemaligen englischen Feldflugplätze beteiligen durfte. Bei dieser Forschungsreise stand mir Tony Beeton von der Luftfahrtgesellschaft von East Anglia ebenso hilfreich zur Seite wie viele Ungenannte neben Malcolm Osborn (von der Forschungsgesellschaft des Stützpunktes Nuthampstead und berühmtem Mitglied des Freundeskreises der Achten), David C. Crow (britischer Verbindungsmann zum Verband der ehemaligen Angehörigen des 355. Jagdgeschwaders) und Vince Hemmings (Kurator des Tower-Museums des 91. Bombergeschwaders in Bassingbourn). Auch Schriftsteller gewährten mir Unterstützung und Ermutigung. Zu ihnen gehören Roger Freeman (»The Mighty Eighth«), Danny Morris (»Aces and Wingmen«) und Ian Hawkins (er arbeitet an einem Buch über den Luftangriff des 100. Bomberge- schwaders auf Münster i. W.). Höchst informativ waren auch die Mitteilungsblätter des Freundeskreises der Achten und der Luftfahrtgesellschaft von East Anglia. In techni- schen Fragen berieten mich Tony Gaze, ein in Australien lebender hocherfahrener Flieger, und Paul Coggan von Mustang International. Der ehemalige Jagdflieger Witold »Lanny« Lanowski hat für mich die einzelnen Gespräche und Unterhaltungen auf Band mitgeschnitten. Die beste Quelle geschichtlicher Ereignisse des zwanzigsten Jahrhun- derts, das Londoner Imperial War Museum, verhalf mir von jenseits des Ozeans zu Einzelheiten der Lufttätigkeit der deutschen Luftwaffe über England. Das Museum ver- schaffte mir auch Zugang zur eigenen Flugzeugsammlung in Duxford. Herr G. Clout von der Abteilung für Druck- Erzeugnisse verdient besonderen Dank. Die United States Army Air Force betreffenden Zahlen und Fakten erhalten zu haben, verdanke ich meinem Freund Seán O'Driscoll. Einem glücklichen Umstand verdanke ich die Hilfe des Generals John M. Bennett vom 100. Bombergeschwader und des Obersten William J. Hovde vom 355. Jagdgeschwa- der. Beide Herren sind berühmte Teilnehmer der in diesem Buch beschriebenen Luftschlachten. Gemeinsam mit Kapi- tän zur See E. M. Porter (Jagdflieger und Testpilot der Kriegsmarine der Vereinigten Staaten) und John Tiley (historischer Berater) haben die beiden Genannten freund- licherweise nicht nur mein Manuskript gelesen, sondern noch durch viele wertvolle Anregungen bereichert. Das- selbe gilt für Jonathan Clowes, meinen Agenten.

Dieses Buch wurde auf einem Olivetti Word Processor

geschrieben; darin haben wir einen großen Teil unserer Notizen und Forschungsmaterialien eingespeichert. In diesem Zusammenhang möchte ich Herrn David Maroni von der Firma Olivetti sowie allen Mitarbeitern von Bryan S. Ryan, dem Firmenvertreter, herzlich danken. Wie bereits bei meinen voraufgegangenen Büchern, so hat mir auch hier Professor Maurice Lessoff vom Londoner Guy's Hospital mit seinem medizinischen Sachverstand beratend zur Seite gestanden; ich schulde ihm wärmsten Dank.

Das Material über die kriegsbedingten englischen Vorschriften, Zuteilungen etc. sammelte Herr Anton Felton gemeinsam mit Jean Stokes, seiner Sekretärin. Den sich ihnen öffnenden Quellen danke ich in diesem Zusammenhang ebenfalls recht herzlich; es waren u. a. das Pressebüro des Ministeriums für Landwirtschaft, Fischerei und Ernährung; Herr G. Whiteman, stellvertretender Bibliothekar der Zentralbibliothek der Abteilung für Zivilschutz, sowie Herr Richard White von der Abteilung für Energiewirtschaft. Meine Freunde Charlotte Metcalf sowie Herr Michael Farrar, der Archivar des Grafschaftsarchivs Cambridgeshire, verschafften mir dankenswerterweise die Kenntnis der kriegsbedingten Verhältnisse in Cambridge. Von Kalifornien aus beriet mich Bill Jordan (von WCJ, Inc.) auf vielfältigste Weise; desgleichen stellte er mir während meiner Recherchen in Amerika seinen Fernschreiber und sonstige technische Hilfsmittel zur Verfügung. In London war mir Ray Hawkey vielfach behilflich.

Meinen Verlegern, Brian Perman von Hutchinson und Bob Gottlieb von Knopf, möchte ich abschließend noch meinen Dank abstatten. Beide haben am Vorankommen meiner Arbeit an diesem Buch persönlich Anteil genommen. So danke ich auch allen ihren Mitarbeitern, insbesondere denen, die bei der Edition des Manuskripts tatkräftig mithalfen.

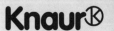

le Carré, John
Dame, König, As, Spion
Einer der fähigsten
Männer im britischen
Geheimdienst ist Doppel-
agent. 320 S. [455]

Cruz-Smith, Martin
Gorki-Park
Dieser atemberaubend
spannende Agententhril-
ler – von der Kritik eupho-
risch gefeiert – wurde ein
Welterfolg. 336 S. [1147]

Forsyth, Frederick
Des Teufels Alternative
In einer aberwitzigen Ver-
kettung von Ereignissen
gerät die Welt über Nacht
an den Rand der Kata-
strophe. 512 S. [799]

Fuentes, Carlos
Das Haupt der Hydra
Ein veritabler Agenten-
Thriller mit wilden Aben-
teuern und einem Ver-
steckspiel, das sich erst am
Ende auflöst. 320 S. [1295]

Hyde, Anthony
Red Fox
Der amerikanische Jour-
nalist Thorne gerät auf der
Suche nach einem Ver-
wandten an einen poli-
tisch brisanten Fall, der
die Aufmerksamkeit des
KGB auf sich zieht.
432 S. [1582]

Lovesey, Peter
Tod eines Mediums
Bei einer spiritistischen
Sitzung stirbt auf geheimnisvolle und grauenerre-
gende Weise das bekannte
Medium Peter Brand. Ser-
geant Cribb von Scotland
Yard macht sich gemein-
sam mit seinem tolpat-
schigen Assistenten Thak-
keray auf die Suche nach
dem Mörder…
192 S. [1504]

MacDonald, Patricia J.
Der fremde Gast
Ein Thriller um geheimnisvolle Ereignisse, die das
Glück einer Familie zu zerstören drohen!
272 S. [1555]

Reynolds, Howard
Der Tod eines Überläufers
Als Piotr Asanov die
Sowjetunion verläßt, um
im Westen ein neues
Leben zu beginnen, läßt er
Menschen zurück, denen
sein Verschwinden das
Leben schwermachen
wird. Doch auch Piotr
selbst muß erkennen, daß
seine neue Existenz nicht
das hält, was er sich versprochen hatte…
448 S. [1593]

Murr, Stefan
Fünf Minuten Verspätung
Fünf Minuten Verspätung
hat die Maschine, die am
9. September 1949 von
Quebec aus startet: fünf
Minuten, in denen Bess
ihren Platz einer Hebam-
me überläßt und damit ihr
eigenes Leben rettet.
Denn das Flugzeug stürzt
ab und niemand überlebt.
192 S. [1519]

Higgins, Jack
Feindfahrt
Die heldenhafte Feind-
fahrt der »Deutschland«
und ihrer tapferen Besat-
zung. 224 S. [629]

THRILLER